Heinrich von Kleist hat ei[n]
in die deutsche Erzähllitera[tur]
hunderts entstanden, entz[...]
deutigen literaturgeschichtlichen Einordnung.
Rätselhafte und geheimnisvolle Motive bestimmen das Geschehen,
wie das von der zunächst unerklärlichen Schwangerschaft in der
›Marquise von O . . .‹ oder der unbedachte Satz im ›Bettelweib
von Locarno‹, der zur völligen Selbstzerstörung führt. Die Unbe-
dingtheit des Gefühls, die Radikalität, mit der Menschen ihrem
Schicksal gegenübergestellt werden, die menschlichen Grenzüber-
schreitungen verdichtet Kleist mit psychologischer Schärfe und
fast halluzinatorischem Realismus zu vielschichtigen und viel-
deutigen Novellen. Selbst Kafka kam mit Kleists oft auf ein Mini-
mum reduzierter Sprache nicht zurecht; gleichwohl bekannte er,
in welch starkem Maß er von diesen Erzählungen ergriffen und
gefesselt gewesen sei.
Kleists Anekdoten, deren Stoffe er Zeitungen und Kalendern entnahm, zeigen seine virtuose Kunst der treffsicheren Pointe und
vermögen durch ihren drastischen Witz die irrige Vorstellung von
dem Dichter als dem Schwärmer und Träumer zu korrigieren.
Die vorliegende Taschenbuch-Ausgabe enthält alle Erzählungen
und Anekdoten Kleists nach der zum Standardwerk gewordenen
Edition von Helmut Sembdner; ein Anhang mit Anmerkungen zur
Entstehungsgeschichte und Textüberlieferung, Sacherläuterungen
sowie einem Nachwort, einer Zeittafel und Literaturhinweisen ge-
währleistet auch die philologisch zuverlässige Benutzbarkeit.

Hd: Tabellen über Toni
Entwicklung suchen!

Hd: [...] Heraussuchen wann
der Erzähler zu Worte
kommt!

Literatur · Philosophie · Wissenschaft

Heinrich von Kleist

Sämtliche Erzählungen und Anekdoten

Deutscher Taschenbuch Verlag

Herausgegeben und mit Anmerkungen, einem Nachwort, einer Zeittafel und Literaturhinweisen versehen von Helmut Sembdner. Als Druckvorlage des Textes diente die im Carl Hanser Verlag erschienene Ausgabe ›Sämtliche Werke und Briefe‹, herausgegeben von Helmut Sembdner, Band 2, 6., ergänzte und revidierte Auflage München 1977.

Von Heinrich von Kleist
sind im Deutschen Taschenbuch Verlag erschienen:

Sämtliche Werke und Briefe in zwei Bänden (5925)

März 1978
12. Auflage Juli 1993
Deutscher Taschenbuch Verlag GmbH & Co. KG,
München
© 1977 Carl Hanser Verlag, München
ISBN 3-446-10767-3
Umschlaggestaltung: Celestino Piatti unter
Verwendung einer Federzeichnung von
Alfred Kubin (© 1977 Spangenberg Verlag, München)
Gesamtherstellung: C. H. Beck'sche Buchdruckerei,
Nördlingen
Printed in Germany · ISBN 3-423-02033-4

INHALT

ERZÄHLUNGEN UND ANEKDOTEN

ERZÄHLUNGEN

MICHAEL KOHLHAAS
(Aus einer alten Chronik)

An den Ufern der Havel lebte, um die Mitte des sechzehnten Jahrhunderts, ein Roßhändler, namens *Michael Kohlhaas*, Sohn eines Schulmeisters, einer der rechtschaffensten zugleich und entsetzlichsten Menschen seiner Zeit. – Dieser außerordentliche Mann würde, bis in sein dreißigstes Jahr für das Muster eines guten Staatsbürgers haben gelten können. Er besaß in einem Dorfe, das noch von ihm den Namen führt, einen Meierhof, auf welchem er sich durch sein Gewerbe ruhig ernährte; die Kinder, die ihm sein Weib schenkte, erzog er, in der Furcht Gottes, zur Arbeitsamkeit und Treue; nicht einer war unter seinen Nachbarn, der sich nicht seiner Wohltätigkeit, oder seiner Gerechtigkeit erfreut hätte; kurz, die Welt würde sein Andenken haben segnen müssen, wenn er in einer Tugend nicht ausgeschweift hätte. Das Rechtgefühl aber machte ihn zum Räuber und Mörder.

Er ritt einst, mit einer Koppel junger Pferde, wohlgenährt alle und glänzend, ins Ausland, und überschlug eben, wie er den Gewinst, den er auf den Märkten damit zu machen hoffte, anlegen wolle: teils, nach Art guter Wirte, auf neuen Gewinst, teils aber auch auf den Genuß der Gegenwart: als er an die Elbe kam, und bei einer stattlichen Ritterburg, auf sächsischem Gebiete, einen Schlagbaum traf, den er sonst auf diesem Wege nicht gefunden hatte. Er hielt, in einem Augenblick, da eben der Regen heftig stürmte, mit den Pferden still, und rief den Schlagwärter, der auch bald darauf, mit einem grämlichen Gesicht, aus dem Fenster sah. Der Roßhändler sagte, daß er ihm öffnen solle. Was gibts hier Neues? fragte er, da der Zöllner, nach einer geraumen Zeit, aus dem Hause trat. Landesherrliches Privilegium, antwortete dieser, indem er aufschloß: dem Junker Wenzel von Tronka verliehen. – So, sagte Kohlhaas. Wenzel heißt der Junker? und sah sich das Schloß an, das mit glänzenden Zinnen über das Feld blickte. Ist der alte Herr tot? – Am Schlagfluß gestorben, erwi-

derte der Zöllner, indem er den Baum in die Höhe ließ. – Hm!
Schade! versetzte Kohlhaas. Ein würdiger alter Herr, der seine
Freude am Verkehr der Menschen hatte, Handel und Wandel,
wo er nur vermochte, forthalf, und einen Steindamm einst bauen
ließ, weil mir eine Stute, draußen, wo der Weg ins Dorf geht,
das Bein gebrochen. Nun! Was bin ich schuldig? – fragte er; und
holte die Groschen, die der Zollwärter verlangte, mühselig unter
dem im Winde flatternden Mantel hervor. »Ja, Alter«, setzte er
noch hinzu, da dieser: hurtig! hurtig! murmelte, und über die
Witterung fluchte: »wenn der Baum im Walde stehen geblieben
wäre, wärs besser gewesen, für mich und Euch«; und damit gab
er ihm das Geld und wollte reiten. Er war aber noch kaum unter
den Schlagbaum gekommen, als eine neue Stimme schon: halt
dort, der Roßkamm! hinter ihm vom Turm erscholl, und er den
Burgvogt ein Fenster zuwerfen und zu ihm herabeilen sah. Nun,
was gibts Neues? fragte Kohlhaas bei sich selbst, und hielt mit
den Pferden an. Der Burgvogt, indem er sich noch eine Weste
über seinen weitläufigen Leib zuknüpfte, kam, und fragte, schief
gegen die Witterung gestellt, nach dem Paßschein. – Kohlhaas
fragte: der Paßschein? Er sagte, ein wenig betreten, daß er, soviel
er wisse, keinen habe; daß man ihm aber nur beschreiben möchte,
was dies für ein Ding des Herrn sei: so werde er vielleicht zu-
fälligerweise damit versehen sein. Der Schloßvogt, indem er ihn
von der Seite ansah, versetzte, daß ohne einen landesherrlichen
Erlaubnisschein, kein Roßkamm mit Pferden über die Grenze
gelassen würde. Der Roßkamm versicherte, daß er siebzehn Mal
in seinem Leben, ohne einen solchen Schein, über die Grenze gezogen sei; daß er alle landesherrlichen Verfügungen, die sein Gewerbe angingen, genau kennte; daß dies wohl nur ein Irrtum sein
würde, wegen dessen er sich zu bedenken bitte, und daß man ihn,
da seine Tagereise lang sei, nicht länger unnützer Weise hier aufhalten möge. Doch der Vogt erwiderte, daß er das achtzehnte
Mal nicht durchschlüpfen würde, daß die Verordnung deshalb
erst neuerlich erschienen wäre, und daß er entweder den Paßschein noch hier lösen, oder zurückkehren müsse, wo er herge-
kommen sei. Der Roßhändler, den diese ungesetzlichen Erpres-
sungen zu erbittern anfingen, stieg, nach einer kurzen Besinnung,
vom Pferde, gab es einem Knecht, und sagte, daß er den Junker

von Tronka selbst darüber sprechen würde. Er ging auch auf die Burg; der Vogt folgte ihm, indem er von filzigen Geldraffern und nützlichen Aderlässen derselben murmelte; und beide traten, mit ihren Blicken einander messend, in den Saal. Es traf sich, daß der Junker eben, mit einigen muntern Freunden, beim Becher saß, und, um eines Schwanks willen, ein unendliches Gelächter unter ihnen erscholl, als Kohlhaas, um seine Beschwerde anzubringen, sich ihm näherte. Der Junker fragte, was er wolle; die Ritter, als sie den fremden Mann erblickten, wurden still; doch kaum hatte dieser sein Gesuch, die Pferde betreffend, angefangen, als der ganze Troß schon: Pferde? Wo sind sie? ausrief, und an die Fenster eilte, um sie zu betrachten. Sie flogen, da sie die glänzende Koppel sahen, auf den Vorschlag des Junkers, in den Hof hinab; der Regen hatte aufgehört; Schloßvogt und Verwalter und Knechte versammelten sich um sie, und alle musterten die Tiere. Der eine lobte den Schweißfuchs mit der Blesse, dem andern gefiel der Kastanienbraune, der dritte streichelte den Schecken mit schwarzgelben Flecken; und alle meinten, daß die Pferde wie Hirsche wären, und im Lande keine bessern gezogen würden. Kohlhaas erwiderte munter, daß die Pferde nicht besser wären, als die Ritter, die sie reiten sollten; und forderte sie auf, zu kaufen. Der Junker, den der mächtige Schweißhengst sehr reizte, befragte ihn auch um den Preis; der Verwalter lag ihm an, ein Paar Rappen zu kaufen, die er, wegen Pferdemangels, in der Wirtschaft gebrauchen zu können glaubte; doch als der Roßkamm sich erklärt hatte, fanden die Ritter ihn zu teuer, und der Junker sagte, daß er nach der Tafelrunde reiten und sich den König Arthur aufsuchen müsse, wenn er die Pferde so anschlage. Kohlhaas, der den Schloßvogt und den Verwalter, indem sie sprechende Blicke auf die Rappen warfen, mit einander flüstern sah, ließ es, aus einer dunkeln Vorahndung, an nichts fehlen, die Pferde an sie los zu werden. Er sagte zum Junker: »Herr, die Rappen habe ich vor sechs Monaten für 25 Goldgülden gekauft; gebt mir 30, so sollt Ihr sie haben.« Zwei Ritter, die neben dem Junker standen, äußerten nicht undeutlich, daß die Pferde wohl so viel wert wären; doch der Junker meinte, daß er für den Schweißfuchs wohl, aber nicht eben für die Rappen, Geld ausgeben möchte, und machte Anstalten, aufzubrechen; worauf Kohlhaas sagte, er würde vielleicht das nächste Mal, wenn er wieder mit seinen Gaulen durchzöge, einen Handel mit ihm machen; sich dem Junker empfahl, und die Zügel seines Pferdes ergriff, um abzureiten. In diesem Augenblick trat der Schloßvogt aus dem Haufen vor, und sagte, er höre, daß er ohne einen Paßschein nicht reisen dürfe. Kohlhaas wandte sich und fragte den Junker, ob es denn mit diesem Umstand, der sein ganzes Gewerbe zerstöre, in der Tat seine Richtigkeit habe? Der Junker antwortete, mit einem verlegnen Gesicht, indem er abging: ja, Kohlhaas, den Paß mußt du lösen. Sprich mit dem Schloßvogt, und zieh deiner Wege. Kohlhaas versicherte ihn, daß es gar nicht seine Absicht sei, die Verordnungen, die wegen Ausführung der Pferde bestehen möchten, zu umgehen; versprach, bei seinem Durchzug durch Dresden, den Paß in der Geheimschreiberei zu lösen, und bat, ihn nur diesmal, da er von dieser Forderung durchaus nichts gewußt, ziehen zu lassen. Nun! sprach der Junker, da eben das Wetter wieder zu stürmen anfing, und seine dürren Glieder durchsauste: laßt den Schlucker laufen. Kommt! sagte er zu den Rittern, kehrte sich um, und wollte nach dem Schlosse gehen. Der Schloßvogt sagte, zum Junker gewandt, daß er wenigstens ein Pfand, zur Sicherheit, daß er den Schein lösen würde, zurücklassen müsse. Der Junker blieb wieder unter dem Schloßtor stehen. Kohlhaas fragte, welchen Wert er denn, an Geld oder an Sachen, zum Pfande, wegen der Rappen, zurücklassen solle? Der Verwalter meinte, in den Bart murmelnd, er könne ja die Rappen selbst zurücklassen. Allerdings, sagte der Schloßvogt, das ist das Zweckmäßigste; ist der Paß gelöst, so kann er sie zu jeder Zeit wieder abholen. Kohlhaas, über eine so unverschämte Forderung betreten, sagte dem Junker, der sich die Wamsschöße frierend vor den Leib hielt, daß er die Rappen ja verkaufen wolle; doch dieser, da in demselben Augenblick ein Windstoß eine ganze Last von Regen und Hagel durchs Tor jagte, rief, um der Sache ein Ende zu machen: wenn er die Pferde nicht loslassen will, so schmeißt ihn wieder über den Schlagbaum zurück; und ging ab. Der Roßkamm, der wohl sah, daß er hier der Gewalttätigkeit weichen mußte, entschloß sich, die Forderung, weil doch nichts anders übrig blieb, zu erfüllen; spannte die Rappen aus, und führte sie in einen Stall, den ihm der Schloßvogt anwies. Er ließ einen

Knecht bei ihnen zurück, versah ihn mit Geld, ermahnte ihn, die Pferde, bis zu seiner Zurückkunft, wohl in acht zu nehmen, und setzte seine Reise, mit dem Rest der Koppel, halb und halb ungewiß, ob nicht doch wohl, wegen aufkeimender Pferdezucht, ein solches Gebot, im Sächsischen, erschienen sein könne, nach Leipzig, wo er auf die Messe wollte, fort.

In Dresden, wo er, in einer der Vorstädte der Stadt, ein Haus mit einigen Ställen besaß, weil er von hier aus seinen Handel auf den kleineren Märkten des Landes zu bestreiten pflegte, begab er sich, gleich nach seiner Ankunft, auf die Geheimschreiberei, wo er von den Räten, deren er einige kannte, erfuhr, was ihm allerdings sein erster Glaube schon gesagt hatte, daß die Geschichte von dem Paßschein ein Märchen sei. Kohlhaas, dem die mißvergnügten Räte, auf sein Ansuchen, einen schriftlichen Schein über den Ungrund derselben gaben, lächelte über den Witz des dürren Junkers, obschon er noch nicht recht einsah, was er damit bezwecken mochte; und die Koppel der Pferde, die er bei sich führte, einige Wochen darauf, zu seiner Zufriedenheit, verkauft, kehrte er, ohne irgend weiter ein bitteres Gefühl, als das der allgemeinen Not der Welt, zur Tronkenburg zurück. Der Schloßvogt, dem er den Schein zeigte, ließ sich nicht weiter darüber aus, und sagte, auf die Frage des Roßkamms, ob er die Pferde jetzt wieder bekommen könne: er möchte nur hinunter gehen und sie holen. Kohlhaas hatte aber schon, da er über den Hof ging, den unangenehmen Auftritt, zu erfahren, daß sein Knecht, ungebührlichen Betragens halber, wie es hieß, wenige Tage nach dessen Zurücklassung in der Tronkenburg, zerprügelt und weggejagt worden sei. Er fragte den Jungen, der ihm diese Nachricht gab, was denn derselbe getan? und wer während dessen die Pferde besorgt hätte? worauf dieser aber erwiderte, er wisse es nicht, und darauf dem Roßkamm, dem das Herz schon von Ahnungen schwoll, den Stall, in welchem sie standen, öffnete. Wie groß war aber sein Erstaunen, als er, statt seiner zwei glatten und wohlgenährten Rappen, ein Paar dürre, abgehärmte Mähren erblickte; Knochen, denen man, wie Riegeln, hätte Sachen aufhängen können; Mähnen und Haare, ohne Wartung und Pflege, zusammengeknetet: das wahre Bild des Elends im Tierreiche! Kohlhaas, den die Pferde, mit einer schwachen Bewegung,

anwieherten, war auf das äußerste entrüstet, und fragte, was seinen
Gaulen widerfahren wäre? Der Junge, der bei ihm stand, antwortete, daß ihnen weiter kein Unglück zugestoßen wäre, daß
sie auch das gehörige Futter bekommen hätten, daß sie aber, da
gerade Ernte gewesen sei, wegen Mangels an Zugvieh, ein wenig
auf den Feldern gebraucht worden wären. Kohlhaas fluchte über
diese schändliche und abgekartete Gewalttätigkeit, verbiß jedoch,
im Gefühl seiner Ohnmacht, seinen Ingrimm, und machte schon,
da doch nichts anders übrig blieb, Anstalten, das Raubnest mit den
Pferden nur wieder zu verlassen, als der Schloßvogt, von dem
Wortwechsel herbeigerufen, erschien, und fragte, was es hier
gäbe? Was es gibt? antwortete Kohlhaas. Wer hat dem Junker von
Tronka und dessen Leuten die Erlaubnis gegeben, sich meiner
bei ihm zurückgelassenen Rappen zur Feldarbeit zu bedienen?
Er setzte hinzu, ob das wohl menschlich wäre? versuchte, die er-
schöpften Gäule durch einen Gertenstreich zu erregen, und zeigte
ihm, daß sie sich nicht rührten. Der Schloßvogt, nachdem er ihn
eine Weile trotzig angesehen hatte, versetzte: seht den Grobian!
Ob der Flegel nicht Gott danken sollte, daß die Mähren überhaupt noch leben? Er fragte, wer sie, da der Knecht weggelaufen,
hätte pflegen sollen? Ob es nicht billig gewesen wäre, daß die
Pferde das Futter, das man ihnen gereicht habe, auf den Feldern
abverdient hätten? Er schloß, daß er hier keine Flausen machen
möchte, oder daß er die Hunde rufen, und sich durch sie Ruhe
im Hofe zu verschaffen wissen würde. – Dem Roßhändler schlug
das Herz gegen den Wams. Es drängte ihn, den nichtswürdigen
Dickwanst in den Kot zu werfen, und den Fuß auf sein kupfernes
Antlitz zu setzen. Doch sein Rechtgefühl, das einer Goldwaage
glich, wankte noch; er war, vor der Schranke seiner eigenen
Brust, noch nicht gewiß, ob eine Schuld seinen Gegner drücke;
und während er, die Schimpfreden niederschluckend, zu den Pferden trat, und ihnen, in stiller Erwägung der Umstände, die Mähnen zurecht legte, fragte er mit gesenkter Stimme: um welchen
Versehens halber der Knecht denn aus der Burg entfernt worden
sei? Der Schloßvogt erwiderte: weil der Schlingel trotzig im
Hofe gewesen ist! Weil er sich gegen einen notwendigen Stall-
wechsel gesträubt, und verlangt hat, daß die Pferde zweier Jungherren, die auf die Tronkenburg kamen, um seiner Mähren wil-

len, auf der freien Straße übernachten sollten! – Kohlhaas hätte den Wert der Pferde darum gegeben, wenn er den Knecht zur Hand gehabt, und dessen Aussage mit der Aussage dieses dickmäuligen Burgvogts hätte vergleichen können. Er stand noch, und streifte den Rappen die Zoddeln aus, und sann, was in seiner Lage zu tun sei, als sich die Szene plötzlich änderte, und der Junker Wenzel von Tronka, mit einem Schwarm von Rittern, Knechten und Hunden, von der Hasenhetze kommend, in den Schloßplatz sprengte. Der Schloßvogt, als er fragte, was vorgefallen sei, nahm sogleich das Wort, und während die Hunde, beim Anblick des Fremden, von der einen Seite, ein Mordgeheul gegen ihn anstimmten, und die Ritter ihnen, von der andern, zu schweigen geboten, zeigte er ihm, unter der gehässigsten Entstellung der Sache, an, was dieser Roßkamm, weil seine Rappen ein wenig gebraucht worden wären, für eine Rebellion verführe. Er sagte, mit Hohngelächter, daß er sich weigere, die Pferde als die seinigen anzuerkennen. Kohlhaas rief: »das *sind* nicht meine Pferde, gestrenger Herr! Das sind die *Pferde* nicht, die dreißig Goldgülden wert waren! Ich will meine wohlgenährten und gesunden Pferde wieder haben!« – Der Junker, indem ihm eine flüchtige Blässe ins Gesicht trat, stieg vom Pferde, und sagte: wenn der H . . . A . . . die Pferde nicht wiedernehmen will, so mag er es bleiben lassen. Komm, Günther! rief er – Hans! Kommt! indem er sich den Staub mit der Hand von den Beinkleidern schüttelte; und: schafft Wein! rief er noch, da er mit den Rittern unter der Tür war; und ging ins Haus. Kohlhaas sagte, daß er eher den Abdecker rufen, und die Pferde auf den Schindanger schmeißen lassen, als sie so, wie sie wären, in seinen Stall zu Kohlhaasenbrück führen wolle. Er ließ die Gaule, ohne sich um sie zu bekümmern, auf dem Platz stehen, schwang sich, indem er versicherte, daß er sich Recht zu verschaffen wissen würde, auf seinen Braunen, und ritt davon.

Spornstreichs auf dem Wege nach Dresden war er schon, als er, bei dem Gedanken an den Knecht, und an die Klage, die man auf der Burg gegen ihn führte, schrittweis zu reiten anfing, sein Pferd, ehe er noch tausend Schritt gemacht hatte, wieder wandte, und zur vorgängigen Vernehmung des Knechts, wie es ihm klug und gerecht schien, nach Kohlhaasenbrück einbog. Denn ein richtiges, mit der gebrechlichen Einrichtung der Welt schon be-

kanntes Gefühl machte ihn, trotz der erlittenen Beleidigungen,
geneigt, falls nur wirklich dem Knecht, wie der Schloßvogt behauptete, eine Art von Schuld beizumessen sei, den Verlust der
Pferde, als eine gerechte Folge davon, zu verschmerzen. Dagegen
sagte ihm ein ebenso vortreffliches Gefühl, und dies Gefühl faßte
tiefere und tiefere Wurzeln, in dem Maße, als er weiter ritt, und
überall, wo er einkehrte, von den Ungerechtigkeiten hörte, die
täglich auf der Tronkenburg gegen die Reisenden verübt wurden: daß wenn der ganze Vorfall, wie es allen Anschein habe,
bloß abgekartet sein sollte, er mit seinen Kräften der Welt in der
Pflicht verfallen sei, sich Genugtuung für die erlittene Kränkung,
und Sicherheit für zukünftige seinen Mitbürgern zu verschaffen.

Sobald er, bei seiner Ankunft in Kohlhaasenbrück, Lisbeth,
sein treues Weib, umarmt, und seine Kinder, die um seine Knie
frohlockten, geküßt hatte, fragte er gleich nach Herse, dem Großknecht: und ob man nichts von ihm gehört habe? Lisbeth sagte:
ja liebster Michael, dieser Herse! Denke dir, daß dieser unselige
Mensch, vor etwa vierzehn Tagen, auf das jämmerlichste zerschlagen, hier eintrifft; nein, so zerschlagen, daß er auch nicht
frei atmen kann. Wir bringen ihn zu Bett, wo er heftig Blut speit,
und vernehmen, auf unsre wiederholten Fragen, eine Geschichte,
die keiner versteht. Wie er von dir mit Pferden, denen man den
Durchgang nicht verstattet, auf der Tronkenburg zurückgelassen
worden sei, wie man ihn, durch die schändlichsten Mißhandlungen, gezwungen habe, die Burg zu verlassen, und wie es ihm unmöglich gewesen wäre, die Pferde mitzunehmen. So? sagte Kohlhaas, indem er den Mantel ablegte. Ist er denn schon wieder hergestellt? – Bis auf das Blutspeien, antwortete sie, halb und halb.
Ich wollte sogleich einen Knecht nach der Tronkenburg schicken,
um die Pflege der Rosse, bis zu deiner Ankunft daselbst, besorgen
zu lassen. Denn da sich der Herse immer wahrhaftig gezeigt hat,
und so getreu uns, in der Tat wie kein anderer, so kam es mir
nicht zu, in seine Aussage, von so viel Merkmalen unterstützt,
einen Zweifel zu setzen, und etwa zu glauben, daß er der Pferde
auf eine andere Art verlustig gegangen wäre. Doch er beschwört
mich, niemandem zuzumuten, sich in diesem Raubneste zu zeigen, und die Tiere aufzugeben, wenn ich keinen Menschen dafür
aufopfern wolle. – Liegt er denn noch im Bette? fragte Kohlhaas,

indem er sich von der Halsbinde befreite. – Er geht, erwiderte
sie, seit einigen Tagen schon wieder im Hofe umher. Kurz, du
wirst sehen, fuhr sie fort, daß alles seine Richtigkeit hat, und daß
diese Begebenheit einer von den Freveln ist, die man sich seit
kurzem auf der Tronkenburg gegen die Fremden erlaubt. – Das
muß ich doch erst untersuchen, erwiderte Kohlhaas. Ruf ihn
mir, Lisbeth, wenn er auf ist, doch her! Mit diesen Worten setzte
er sich in den Lehnstuhl; und die Hausfrau, die sich über seine Ge-
lassenheit sehr freute, ging, und holte den Knecht.

Was hast du in der Tronkenburg gemacht? fragte Kohlhaas,
da Lisbeth mit ihm in das Zimmer trat. Ich bin nicht eben wohl
mit dir zufrieden. – Der Knecht, auf dessen blassem Gesicht sich,
bei diesen Worten, eine Röte fleckig zeigte, schwieg eine Weile;
und: da habt Ihr recht, Herr! antwortete er; denn einen Schwefelfaden, den ich durch Gottes Fügung bei mir trug, um das Raubnest, aus dem ich verjagt worden war, in Brand zu stecken, warf
ich, als ich ein Kind darin jammern hörte, in das Elbwasser, und
dachte: mag es Gottes Blitz einäschern; ich wills nicht! – Kohlhaas sagte betroffen: wodurch aber hast du dir die Verjagung aus
der Tronkenburg zugezogen? Drauf Herse: durch einen schlechten Streich, Herr; und trocknete sich den Schweiß von der Stirn:
Geschehenes ist aber nicht zu ändern. Ich wollte die Pferde nicht
auf der Feldarbeit zu Grunde richten lassen, und sagte, daß sie
noch jung wären und nicht gezogen hätten. – Kohlhaas erwiderte,
indem er seine Verwirrung zu verbergen suchte, daß er hierin
nicht ganz die Wahrheit gesagt, indem die Pferde schon zu Anfange des verflossenen Frühjahrs ein wenig im Geschirr gewesen
wären. Du hättest dich auf der Burg, fuhr er fort, wo du doch
eine Art von Gast warest, schon ein oder etliche Mal, wenn gerade, wegen schleuniger Einführung der Ernte Not war, gefällig
zeigen können. – Das habe ich auch getan, Herr, sprach Herse.
Ich dachte, da sie mir grämliche Gesichter machten, es wird doch
die Rappen just nicht kosten. Am dritten Vormittag spannt ich
sie vor, und drei Fuhren Getreide führt ich ein. Kohlhaas, dem
das Herz emporquoll, schlug die Augen zu Boden, und versetzte:
davon hat man mir nichts gesagt, Herse! – Herse versicherte ihn,
daß es so sei. Meine Ungefälligkeit, sprach er, bestand darin, daß
ich die Pferde, als sie zu Mittag kaum ausgefressen hatten, nicht

wieder ins Joch spannen wollte; und daß ich dem Schloßvogt
und dem Verwalter, als sie mir vorschlugen frei Futter dafür anzunehmen, und das Geld, das Ihr mir für Futterkosten zurückgelassen hattet, in den Sack zu stecken, antwortete – ich würde
ihnen sonst was tun; mich umkehrte und wegging. – Um dieser
Ungefälligkeit aber, sagte Kohlhaas, bist du von der Tronkenburg nicht weggejagt worden. – Behüte Gott, rief der Knecht,
um eine gottvergessene Missetat! Denn auf den Abend wurden
die Pferde zweier Ritter, welche auf die Tronkenburg kamen, in
den Stall geführt, und meine an die Stalltüre angebunden. Und
da ich dem Schloßvogt, der sie daselbst einquartierte, die Rappen
aus der Hand nahm, und fragte, wo die Tiere jetzo bleiben sollten, so zeigte er mir einen Schweinekoben an, der von Latten und
Brettern an der Schloßmauer auferbaut war. – Du meinst, unterbrach ihn Kohlhaas, es war ein so schlechtes Behältnis für Pferde,
daß es einem Schweinekoben ähnlicher war, als einem Stall. –
Es war ein Schweinekoben, Herr, antwortete Herse; wirklich
und wahrhaftig ein Schweinekoben, in welchem die Schweine
aus- und einliefen, und ich nicht aufrecht stehen konnte. – Vielleicht war sonst kein Unterkommen für die Rappen aufzufinden,
versetzte Kohlhaas; die Pferde der Ritter gingen, auf eine gewisse Art, vor. – Der Platz, erwiderte der Knecht, indem er die
Stimme fallen ließ, war eng. Es hauseten jetzt in allem sieben
Ritter auf der Burg. Wenn Ihr es gewesen wäret, Ihr hättet die
Pferde ein wenig zusammenrücken lassen. Ich sagte, ich wolle
mir im Dorf einen Stall zu mieten suchen; doch der Schloßvogt
versetzte, daß er die Pferde unter seinen Augen behalten müsse,
und daß ich mich nicht unterstehen solle, sie vom Hofe wegzu-
führen. – Hm! sagte Kohlhaas. Was gabst du darauf an? – Weil
der Verwalter sprach, die beiden Gäste würden bloß übernachten, und am andern Morgen weiter reiten, so führte ich die
Pferde in den Schweinekoben hinein. Aber der folgende Tag verfloß, ohne daß es geschah; und als der dritte anbrach, hieß es, die
Herren würden noch einige Wochen auf der Burg verweilen. –
Am Ende wars nicht so schlimm, Herse, im Schweinekoben, sagte
Kohlhaas, als es dir, da du zuerst die Nase hineinstecktest, vor-
kam. – 's ist wahr, erwiderte jener. Da ich den Ort ein bissel aus-
fegte, gings an. Ich gab der Magd einen Groschen, daß sie die

Schweine woanders einstecke. Und den Tag über bewerkstelligte ich auch, daß die Pferde aufrecht stehen konnten, indem ich die Bretter oben, wenn der Morgen dämmerte, von den Latten abnahm, und abends wieder auflegte. Sie guckten nun, wie Gänse, aus dem Dach vor, und sahen sich nach Kohlhaasenbrück, oder sonst, wo es besser ist, um. – Nun denn, fragte Kohlhaas, warum also, in aller Welt, jagte man dich fort? – Herr, ich sags Euch, versetzte der Knecht, weil man meiner los sein wollte. Weil sie die Pferde, so lange ich dabei war, nicht zu Grunde richten konnten. Überall schnitten sie mir, im Hofe und in der Gesindestube, widerwärtige Gesichter; und weil ich dachte, zieht ihr die Mäuler, daß sie verrenken, so brachen sie die Gelegenheit vom Zaune, und warfen mich vom Hofe herunter. – Aber die Veranlassung! rief Kohlhaas. Sie werden doch irgend eine Veranlassung gehabt haben! – O allerdings, antwortete Herse, und die allergerechteste. Ich nahm, am Abend des zweiten Tages, den ich im Schweinekoben zugebracht, die Pferde, die sich darin doch zugesudelt hatten, und wollte sie zur Schwemme reiten. Und da ich eben unter dem Schloßtore bin, und mich wenden will, hör ich den Vogt und den Verwalter, mit Knechten, Hunden und Prügeln, aus der Gesindestube, hinter mir herstürzen, und: halt, den Spitzbuben! rufen: halt, den Galgenstrick! als ob sie besessen wären. Der Torwächter tritt mir in den Weg; und da ich ihn und den rasenden Haufen, der auf mich anläuft, frage: was auch gibts? was es gibt? antwortet der Schloßvogt; und greift meinen beiden Rappen in die Zügel. Wo will Er hin mit den Pferden? fragt er, und packt mich an die Brust. Ich sage, wo ich hin will? Himmeldonner! Zur Schwemme will ich reiten. Denkt Er, daß ich –? Zur Schwemme? ruft der Schloßvogt. Ich will dich, Gauner, auf der Heerstraße, nach Kohlhaasenbrück schwimmen lehren! und schmeißt mich, mit einem hämischen Mordzug, er und der Verwalter, der mir das Bein gefaßt hat, vom Pferd herunter, daß ich mich, lang wie ich bin, in den Kot messe. Mord! Hagel! ruf ich, Sielzeug und Decken liegen, und ein Bündel Wäsche von mir, im Stall; doch er und die Knechte, indessen der Verwalter die Pferde wegführt, mit Füßen und Peitschen und Prügeln über mich her, daß ich halbtot hinter dem Schloßtor niedersinke. Und da ich sage: die Raubhunde! Wo führen sie mir die Pferde

hin? und mich erhebe: heraus aus dem Schloßhof! schreit der
Vogt, und: hetz, Kaiser! hetz, Jäger! erschallt es, und: hetz,
Spitz! und eine Koppel von mehr denn zwölf Hunden fällt über
mich her. Drauf brech ich, war es eine Latte, ich weiß nicht was,
vom Zaune, und drei Hunde tot streck ich neben mir nieder;
doch da ich, von jämmerlichen Zerfleischungen gequält, weichen
muß: Flüt! gellt eine Pfeife; die Hunde in den Hof, die Torflügel
zusammen, der Riegel vor: und auf der Straße ohnmächtig sink
ich nieder. – Kohlhaas sagte, bleich im Gesicht, mit erzwungener
Schelmerei: hast du auch nicht entweichen wollen, Herse? Und
da dieser, mit dunkler Röte, vor sich niedersah: gesteh mirs, sagte
er; es gefiel dir im Schweinekoben nicht; du dachtest, im Stall zu
Kohlhaasenbrück ists doch besser. – Himmelschlag! rief Herse:
Sielzeug und Decken ließ ich ja, und einen Bündel Wäsche, im
Schweinekoben zurück. Würd ich drei Reichsgülden nicht zu
mir gesteckt haben, die ich, im rotseidnen Halstuch, hinter der
Krippe versteckt hatte? Blitz, Höll und Teufel! Wenn Ihr so
sprecht, so möcht ich nur gleich den Schwefelfaden, den ich
wegwarf, wieder anzünden! Nun, nun! sagte der Roßhändler;
es war eben nicht böse gemeint! Was du gesagt hast, schau, Wort
für Wort, ich glaub es dir; und das Abendmahl, wenn es zur
Sprache kommt, will ich selbst nun darauf nehmen. Es tut mir
leid, daß es dir in meinen Diensten nicht besser ergangen ist;
geh, Herse, geh zu Bett, laß dir eine Flasche Wein geben, und
tröste dich: dir soll Gerechtigkeit widerfahren! Und damit stand
er auf, fertigte ein Verzeichnis der Sachen an, die der Großknecht im Schweinekoben zurückgelassen; spezifizierte den Wert
derselben, fragte ihn auch, wie hoch er die Kurkosten anschlage;
und ließ ihn, nachdem er ihm noch einmal die Hand gereicht,
abtreten.

Hierauf erzählte er Lisbeth, seiner Frau, den ganzen Verlauf
und inneren Zusammenhang der Geschichte, erklärte ihr, wie
er entschlossen sei, die öffentliche Gerechtigkeit für sich aufzufordern, und hatte die Freude, zu sehen, daß sie ihn, in diesem
Vorsatz, aus voller Seele bestärkte. Denn sie sagte, daß noch
mancher andre Reisende, vielleicht minder duldsam, als er, über
jene Burg ziehen würde; daß es ein Werk Gottes wäre, Unordnungen, gleich diesen, Einhalt zu tun; und daß sie die Kosten, die

ihm die Führung des Prozesses verursachen würde, schon beitreiben wolle. Kohlhaas nannte sie sein wackeres Weib, erfreute sich diesen und den folgenden Tag in ihrer und seiner Kinder Mitte, und brach, sobald es seine Geschäfte irgend zuließen, nach Dresden auf, um seine Klage vor Gericht zu bringen.

Hier verfaßte er, mit Hülfe eines Rechtsgelehrten, den er kannte, eine Beschwerde, in welcher er, nach einer umständlichen Schilderung des Frevels, den der Junker Wenzel von Tronka, an ihm sowohl, als an seinem Knecht Herse, verübt hatte, auf gesetzmäßige Bestrafung desselben, Wiederherstellung der Pferde in den vorigen Stand, und auf Ersatz des Schadens antrug, den er sowohl, als sein Knecht, dadurch erlitten hatten. Die Rechtssache war in der Tat klar. Der Umstand, daß die Pferde gesetzwidriger Weise festgehalten worden waren, warf ein entscheidendes Licht auf alles Übrige; und selbst wenn man hätte annehmen wollen, daß die Pferde durch einen bloßen Zufall erkrankt wären, so würde die Forderung des Roßkamms, sie ihm gesund wieder zuzustellen, noch gerecht gewesen sein. Es fehlte Kohlhaas auch, während er sich in der Residenz umsah, keineswegs an Freunden, die seine Sache lebhaft zu unterstützen versprachen; der ausgebreitete Handel, den er mit Pferden trieb, hatte ihm die Bekanntschaft, und die Redlichkeit, mit welcher er dabei zu Werke ging, ihm das Wohlwollen der bedeutendsten Männer des Landes verschafft. Er speisete bei seinem Advokaten, der selbst ein ansehnlicher Mann war, mehrere Mal heiter zu Tisch; legte eine Summe Geldes, zur Bestreitung der Prozeßkosten, bei ihm nieder; und kehrte, nach Verlauf einiger Wochen, völlig von demselben über den Ausgang seiner Rechtssache beruhigt, zu Lisbeth, seinem Weibe, nach Kohlhaasenbrück zurück. Gleichwohl vergingen Monate, und das Jahr war daran, abzuschließen, bevor er, von Sachsen aus, auch nur eine Erklärung über die Klage, die er daselbst anhängig gemacht hatte, geschweige denn die Resolution selbst, erhielt. Er fragte, nachdem er mehrere Male von neuem bei dem Tribunal eingekommen war, seinen Rechtsgehülfen, in einem vertrauten Briefe, was eine so übergroße Verzögerung verursache; und erfuhr, daß die Klage, auf eine höhere Insinuation, bei dem Dresdner Gerichtshofe, gänzlich niedergeschlagen worden sei. – Auf die befremdete Rückschrift des Roßkamms, worin dies seinen Grund habe, meldete ihm jener: daß der Junker Wenzel von Tronka mit zwei Jungherren, Hinz und Kunz von Tronka, verwandt sei, deren einer, bei der Person des Herrn, Mundschenk, der andre gar Kämmerer sei. – Er riet ihm noch, er möchte, ohne weitere Bemühungen bei der Rechtsinstanz, seiner, auf der Tronkenburg befindlichen, Pferde wieder habhaft zu werden suchen; gab ihm zu verstehen, daß der Junker, der sich jetzt in der Hauptstadt aufhalte, seine Leute angewiesen zu haben scheine, sie ihm auszuliefern; und schloß mit dem Gesuch, ihn wenigstens, falls er sich hiermit nicht beruhigen wolle, mit ferneren Aufträgen in dieser Sache zu verschonen.

Kohlhaas befand sich um diese Zeit gerade in Brandenburg, wo der Stadthauptmann, Heinrich von Geusau, unter dessen Regierungsbezirk Kohlhaasenbrück gehörte, eben beschäftigt war, aus einem beträchtlichen Fonds, der der Stadt zugefallen war, mehrere wohltätige Anstalten, für Kranke und Arme, einzurichten. Besonders war er bemüht, einen mineralischen Quell, der auf einem Dorf in der Gegend sprang, und von dessen Heilkräften man sich mehr, als die Zukunft nachher bewährte, versprach, für den Gebrauch der Preßhaften einzurichten; und da Kohlhaas ihm, wegen manchen Verkehrs, in dem er, zur Zeit seines Aufenthalts am Hofe, mit demselben gestanden hatte, bekannt war, so erlaubte er Hersen, dem Großknecht, dem ein Schmerz beim Atemholen über der Brust, seit jenem schlimmen Tage auf der Tronkenburg, zurückgeblieben war, die Wirkung der kleinen, mit Dach und Einfassung versehenen, Heilquelle zu versuchen. Es traf sich, daß der Stadthauptmann eben, am Rande des Kessels, in welchen Kohlhaas den Herse gelegt hatte, gegenwärtig war, um einige Anordnungen zu treffen, als jener, durch einen Boten, den ihm seine Frau nachschickte, den niederschlagenden Brief seines Rechtsgehülfen aus Dresden empfing. Der Stadthauptmann, der, während er mit dem Arzte sprach, bemerkte, daß Kohlhaas eine Träne auf den Brief, den er bekommen und eröffnet hatte, fallen ließ, näherte sich ihm, auf eine freundliche und herzliche Weise, und fragte ihn, was für ein Unfall ihn betroffen; und da der Roßhändler ihm, ohne ihm zu antworten, den Brief überreichte: so klopfte ihm dieser würdige Mann, dem die abscheuliche Ungerechtigkeit, die man auf der

Tronkenburg an ihm verübt hatte, und an deren Folgen Herse eben, vielleicht auf die Lebenszeit, krank danieder lag, bekannt war, auf die Schulter, und sagte ihm: er solle nicht mutlos sein; er werde ihm zu seiner Genugtuung verhelfen! Am Abend, da sich der Roßkamm, seinem Befehl gemäß, zu ihm aufs Schloß begeben hatte, sagte er ihm, daß er nur eine Supplik, mit einer kurzen Darstellung des Vorfalls, an den Kurfürsten von Brandenburg aufsetzen, den Brief des Advokaten beilegen, und wegen der Gewalttätigkeit, die man sich, auf sächsischem Gebiet, gegen ihn erlaubt, den landesherrlichen Schutz aufrufen möchte. Er versprach ihm, die Bittschrift, unter einem anderen Paket, das schon bereit liege, in die Hände des Kurfürsten zu bringen, der seinethalb unfehlbar, wenn es die Verhältnisse zuließen, bei dem Kurfürsten von Sachsen einkommen würde; und mehr als eines solchen Schrittes bedürfe es nicht, um ihm bei dem Tribunal in Dresden, den Künsten des Junkers und seines Anhanges zum Trotz, Gerechtigkeit zu verschaffen. Kohlhaas, lebhaft erfreut, dankte dem Stadthauptmann, für diesen neuen Beweis seiner Gewogenheit, aufs herzlichste; sagte, es tue ihm nur leid, daß er nicht, ohne irgend Schritte in Dresden zu tun, seine Sache gleich in Berlin anhängig gemacht habe; und nachdem er, in der Schreiberei des Stadtgerichts, die Beschwerde, ganz den Forderungen gemäß, verfaßt, und dem Stadthauptmann übergeben hatte, kehrte er, beruhigter über den Ausgang seiner Geschichte, als je, nach Kohlhaasenbrück zurück. Er hatte aber schon, in wenig Wochen, den Kummer, durch einen Gerichtsherrn, der in Geschäften des Stadthauptmanns nach Potsdam ging, zu erfahren, daß der Kurfürst die Supplik seinem Kanzler, dem Grafen Kallheim, übergeben habe, und daß dieser nicht unmittelbar, wie es zweckmäßig schien, bei dem Hofe zu Dresden, um Untersuchung und Bestrafung der Gewalttat, sondern um vorläufige, nähere Information bei dem Junker von Tronka eingekommen sei. Der Gerichtsherr, der, vor Kohlhaasens Wohnung, im Wagen haltend, den Auftrag zu haben schien, dem Roßhändler diese Eröffnung zu machen, konnte ihm auf die betroffene Frage: warum man also verfahren? keine befriedigende Auskunft geben. Er fügte nur noch hinzu: der Stadthauptmann ließe ihm sagen, er möchte sich in Geduld fassen; schien bedrängt, seine Reise fort-

zusetzen; und erst am Schluß der kurzen Unterredung erriet
Kohlhaas, aus einigen hingeworfenen Worten, daß der Graf Kallheim mit dem Hause derer von Tronka verschwägert sei. – Kohlhaas, der keine Freude mehr, weder an seiner Pferdezucht, noch
an Haus und Hof, kaum an Weib und Kind hatte, durchharrte, in
trüber Ahndung der Zukunft, den nächsten Mond; und ganz
seiner Erwartung gemäß kam, nach Verlauf dieser Zeit, Herse,
dem das Bad einige Linderung verschafft hatte, von Brandenburg
zurück, mit einem, ein größeres Reskript begleitenden, Schreiben
des Stadthauptmanns, des Inhalts: es tue ihm leid, daß er nichts in
seiner Sache tun könne; er schicke ihm eine, an ihn ergangene,
Resolution der Staatskanzlei, und rate ihm, die Pferde, die er
in der Tronkenburg zurückgelassen, wieder abführen, und die
Sache übrigens ruhen zu lassen. – Die Resolution lautete: »er
sei, nach dem Bericht des Tribunals in Dresden, ein unnützer
Querulant; der Junker, bei dem er die Pferde zurückgelassen,
halte ihm dieselben, auf keine Weise, zurück; er möchte nach der
Burg schicken, und sie holen, oder dem Junker wenigstens wissen
lassen, wohin er sie ihm senden solle; die Staatskanzlei aber, auf
jeden Fall, mit solchen Plackereien und Stänkereien verschonen.«
Kohlhaas, dem es nicht um die Pferde zu tun war – er hätte gleichen Schmerz empfunden, wenn es ein Paar Hunde gegolten
hätte – Kohlhaas schäumte vor Wut, als er diesen Brief empfing.
Er sah, so oft sich ein Geräusch im Hofe hören ließ, mit der wider-
wärtigsten Erwartung, die seine Brust jemals bewegt hatte, nach
dem Torwege, ob die Leute des Jungherren erscheinen, und ihm,
vielleicht gar mit einer Entschuldigung, die Pferde, abgehungert
und abgehärmt, wieder zustellen würden; der einzige Fall, in
welchem seine von der Welt wohlerzogene Seele, auf nichts das
ihrem Gefühl völlig entsprach gefaßt war. Er hörte aber in kurzer
Zeit schon, durch einen Bekannten, der die Straße gereiset war,
daß die Gaule auf der Tronkenburg, nach wie vor, den übrigen
Pferden des Landjunkers gleich, auf dem Felde gebraucht würden;
und mitten durch den Schmerz, die Welt in einer so ungeheuren
Unordnung zu erblicken, zuckte die innerliche Zufriedenheit
empor, seine eigne Brust nunmehr in Ordnung zu sehen. Er lud
einen Amtmann, seinen Nachbar, zu sich, der längst mit dem Plan
umgegangen war, seine Besitzungen durch den Ankauf der, ihre

Grenze berührenden, Grundstücke zu vergrößern, und fragte ihn, nachdem sich derselbe bei ihm niedergelassen, was er für seine Besitzungen, im Brandenburgischen und im Sächsischen, Haus und Hof, in Pausch und Bogen, es sei nagelfest oder nicht, geben wolle? Lisbeth, sein Weib, erblaßte bei diesen Worten. Sie wandte sich, und hob ihr Jüngstes auf, das hinter ihr auf dem Boden spielte, Blicke, in welchen sich der Tod malte, bei den roten Wangen des Knaben vorbei, der mit ihren Halsbändern spielte, auf den Roßkamm, und ein Papier werfend, das er in der Hand hielt. Der Amtmann fragte, indem er ihn befremdet ansah, was ihn plötzlich auf so sonderbare Gedanken bringe; worauf jener, mit so viel Heiterkeit, als er erzwingen konnte, erwiderte: der Gedanke, seinen Meierhof, an den Ufern der Havel, zu verkaufen, sei nicht allzuneu; sie hätten beide schon oft über diesen Gegenstand verhandelt; sein Haus in der Vorstadt in Dresden sei, in Vergleich damit, ein bloßer Anhang, der nicht in Erwägung komme; und kurz, wenn er ihm seinen Willen tun, und beide Grundstücke übernehmen wolle, so sei er bereit, den Kontrakt darüber mit ihm abzuschließen. Er setzte, mit einem etwas erzwungenen Scherz hinzu, Kohlhaasenbrück sei ja nicht die Welt; es könne Zwecke geben, in Vergleich mit welchen, seinem Hauswesen, als ein ordentlicher Vater, vorzustehen, untergeordnet und nichtswürdig sei; und kurz, seine Seele, müsse er ihm sagen, sei auf große Dinge gestellt, von welchen er vielleicht bald hören werde. Der Amtmann, durch diese Worte beruhigt, sagte, auf eine lustige Art, zur Frau, die das Kind einmal über das andere küßte: er werde doch nicht gleich Bezahlung verlangen? legte Hut und Stock, die er zwischen den Knieen gehalten hatte, auf den Tisch, und nahm das Blatt, das der Roßkamm in der Hand hielt, um es zu durchlesen. Kohlhaas, indem er demselben näher rückte, erklärte ihm, daß es ein von ihm aufgesetzter eventueller in vier Wochen verfallener Kaufkontrakt sei; zeigte ihm, daß darin nichts fehle, als die Unterschriften, und die Einrückung der Summen, sowohl was den Kaufpreis selbst, als auch den Reukauf, d. h. die Leistung betreffe, zu der er sich, falls er binnen vier Wochen zurückträte, verstehen wolle; und forderte ihn noch einmal munter auf, ein Gebot zu tun, indem er ihm versicherte, daß er billig sein, und keine großen Umstände machen würde. Die Frau ging in der Stube auf und ab; ihre Brust flog, daß das Tuch, an welchem der Knabe gezupft hatte, ihr völlig von der Schulter herabzufallen drohte. Der Amtmann sagte, daß er ja den Wert der Besitzung in Dresden keineswegs beurteilen könne; worauf ihm Kohlhaas, Briefe, die bei ihrem Ankauf gewechselt worden waren, hinschiebend, antwortete: daß er sie zu 100 Goldgülden anschlage; obschon daraus hervorging, daß sie ihm fast um die Hälfte mehr gekostet hatte. Der Amtmann, der den Kaufkontrakt noch einmal überlas, und darin auch von seiner Seite, auf eine sonderbare Art, die Freiheit stipuliert fand, zurückzutreten, sagte, schon halb entschlossen: daß er ja die Gestütpferde, die in seinen Ställen wären, nicht brauchen könne; doch da Kohlhaas erwiderte, daß er die Pferde auch gar nicht loszuschlagen willens sei, und daß er auch einige Waffen, die in der Rüstkammer hingen, für sich behalten wolle, so – zögerte jener noch und zögerte, und wiederholte endlich ein Gebot, das er ihm vor kurzem schon einmal, halb im Scherz, halb im Ernst, nichtswürdig gegen den Wert der Besitzung, auf einem Spaziergange gemacht hatte. Kohlhaas schob ihm Tinte und Feder hin, um zu schreiben; und da der Amtmann, der seinen Sinnen nicht traute, ihn noch einmal gefragt hatte, ob es sein Ernst sei? und der Roßkamm ihm ein wenig empfindlich geantwortet hatte: ob er glaube, daß er bloß seinen Scherz mit ihm treibe? so nahm jener zwar, mit einem bedenklichen Gesicht, die Feder, und schrieb; dagegen durchstrich er den Punkt, in welchem von der Leistung, falls dem Verkäufer der Handel gereuen sollte, die Rede war; verpflichtete sich zu einem Darlehn von 100 Goldgülden, auf die Hypothek des Dresdenschen Grundstücks, das er auf keine Weise käuflich an sich bringen wollte; und ließ ihm, binnen zwei Monaten völlige Freiheit, von dem Handel wieder zurückzutreten. Der Roßkamm, von diesem Verfahren gerührt, schüttelte ihm mit vieler Herzlichkeit die Hand; und nachdem sie noch, welches eine Hauptbedingung war, übereingekommen waren, daß des Kaufpreises vierter Teil unfehlbar gleich bar, und der Rest, in drei Monaten, in der Hamburger Bank, gezahlt werden sollte, rief jener nach Wein, um sich eines so glücklich abgemachten Geschäfts zu erfreuen. Er sagte einer Magd, die mit den Flaschen hereintrat, Sternbald, der Knecht, solle ihm den Fuchs satteln;

er müsse, gab er an, nach der Hauptstadt reiten, wo er Verrichtungen habe; und gab zu verstehen, daß er in kurzem, wenn er zurückkehre, sich offenherziger über das, was er jetzt noch für sich behalten müsse, auslassen würde. Hierauf, indem er die Gläser einschenkte, fragte er nach dem Polen und Türken, die gerade damals mit einander im Streit lagen; verwickelte den Amtmann in mancherlei politische Konjekturen darüber; trank ihm schlüßlich hierauf noch einmal das Gedeihen ihres Geschäfts zu, und entließ ihn. – Als der Amtmann das Zimmer verlassen hatte, fiel Lisbeth auf Knieen vor ihm nieder. Wenn du mich irgend, rief sie, mich und die Kinder, die ich dir geboren habe, in deinem Herzen trägst; wenn wir nicht im voraus schon, um welcher Ursach willen, weiß ich nicht, verstoßen sind: so sage mir, was diese entsetzlichen Anstalten zu bedeuten haben! Kohlhaas sagte: liebstes Weib, nichts, das dich noch, so wie die Sachen stehn, beunruhigen dürfte. Ich habe eine Resolution erhalten, in welcher man mir sagt, daß meine Klage gegen den Junker Wenzel von Tronka eine nichtsnutzige Stänkerei sei. Und weil hier ein Mißverständnis obwalten muß: so habe ich mich entschlossen, meine Klage noch einmal, persönlich bei dem Landesherrn selbst, einzureichen. – Warum willst du dein Haus verkaufen? rief sie, indem sie mit einer verstörten Gebärde, aufstand. Der Roßkamm, indem er sie sanft an seine Brust drückte, erwiderte: weil ich in einem Lande, liebste Lisbeth, in welchem man mich, in meinen Rechten, nicht schützen will, nicht bleiben mag. Lieber ein Hund sein, wenn ich von Füßen getreten werden soll, als ein Mensch! Ich bin gewiß, daß meine Frau hierin so denkt, als ich. – Woher weißt du, fragte jene wild, daß man dich in deinen Rechten nicht schützen wird? Wenn du dem Herrn bescheiden, wie es dir zukommt, mit deiner Bittschrift nahst: woher weißt du, daß sie beiseite geworfen, oder mit Verweigerung, dich zu hören, beantwortet werden wird? – Wohlan, antwortete Kohlhaas, wenn meine Furcht hierin ungegründet ist, so ist auch mein Haus noch nicht verkauft. Der Herr selbst, weiß ich, ist gerecht; und wenn es mir nur gelingt, durch die, die ihn umringen, bis an seine Person zu kommen, so zweifle ich nicht, ich verschaffe mir Recht, und kehre fröhlich, noch ehe die Woche verstreicht, zu dir und meinen alten Geschäften zurück. Möcht ich alsdann noch, setzt' er

hinzu, indem er sie küßte, bis an das Ende meines Lebens bei dir
verharren! – Doch ratsam ist es, fuhr er fort, daß ich mich auf
jeden Fall gefaßt mache; und daher wünschte ich, daß du dich,
auf einige Zeit, wenn es sein kann, entferntest, und mit den Kindern zu deiner Muhme nach Schwerin gingst, die du überdies
längst hast besuchen wollen. – Wie? rief die Hausfrau. Ich soll
nach Schwerin gehen? Über die Grenze mit den Kindern, zu
meiner Muhme nach Schwerin? Und das Entsetzen erstickte ihr
die Sprache. – Allerdings, antwortete Kohlhaas, und das, wenn es
sein kann, gleich, damit ich in den Schritten, die ich für meine
Sache tun will, durch keine Rücksichten gestört werde. – »O! ich
verstehe dich!« rief sie. »Du brauchst jetzt nichts mehr, als Waffen
und Pferde; alles andere kann nehmen, wer will!« Und damit
wandte sie sich, warf sich auf einen Sessel nieder, und weinte. –
Kohlhaas sagte betroffen: liebste Lisbeth, was machst du? Gott
hat mich mit Weib und Kindern und Gütern gesegnet; soll ich
heute zum erstenmal wünschen, daß es anders wäre? – – – Er
setzte sich zu ihr, die ihm, bei diesen Worten, errötend um den
Hals gefallen war, freundlich nieder. – Sag mir an, sprach er,
indem er ihr die Locken von der Stirne strich: was soll ich tun?
Soll ich meine Sache aufgeben? Soll ich nach der Tronkenburg
gehen, und den Ritter bitten, daß er mir die Pferde wieder gebe,
mich aufschwingen, und sie dir herreiten? – Lisbeth wagte nicht:
ja! ja! ja! zu sagen – sie schüttelte weinend mit dem Kopf, sie
drückte ihn heftig an sich, und überdeckte mit heißen Küssen
seine Brust. »Nun also!« rief Kohlhaas. »Wenn du fühlst, daß mir,
falls ich mein Gewerbe forttreiben soll, Recht werden muß: so
gönne mir auch die Freiheit, die mir nötig ist, es mir zu verschaffen!« Und damit stand er auf, und sagte dem Knecht, der ihm
meldete, daß der Fuchs gesattelt stünde: morgen müßten auch die
Braunen eingeschirrt werden, um seine Frau nach Schwerin zu
führen. Lisbeth sagte: sie habe einen Einfall! Sie erhob sich,
wischte sich die Tränen aus den Augen, und fragte ihn, der sich an
einem Pult niedergesetzt hatte: ob er ihr die Bittschrift geben,
und sie, statt seiner, nach Berlin gehen lassen wolle, um sie dem
Landesherrn zu überreichen. Kohlhaas, von dieser Wendung, um
mehr als einer Ursach willen, gerührt, zog sie auf seinen Schoß
nieder, und sprach: liebste Frau, das ist nicht wohl möglich! Der

Landesherr ist vielfach umringt, mancherlei Verdrießlichkeiten ist der ausgesetzt, der ihm naht. Lisbeth versetzte, daß es in tausend Fällen einer Frau leichter sei, als einem Mann, ihm zu nahen. Gib mir die Bittschrift, wiederholte sie; und wenn du weiter nichts willst, als sie in seinen Händen wissen, so verbürge ich mich dafür: er soll sie bekommen! Kohlhaas, der von ihrem Mut sowohl, als ihrer Klugheit, mancherlei Proben hatte, fragte, wie sie es denn anzustellen denke; worauf sie, indem sie verschämt vor sich niedersah, erwiderte: daß der Kastellan des kurfürstlichen Schlosses, in früheren Zeiten, da er zu Schwerin in Diensten gestanden, um sie geworben habe; daß derselbe zwar jetzt verheiratet sei, und mehrere Kinder habe; daß sie aber immer noch nicht ganz vergessen wäre; – und kurz, daß er es ihr nur überlassen möchte, aus diesem und manchem andern Umstand, der zu beschreiben zu weitläufig wäre, Vorteil zu ziehen. Kohlhaas küßte sie mit vieler Freude, sagte, daß er ihren Vorschlag annähme, belehrte sie, daß es weiter nichts bedürfe, als einer Wohnung bei der Frau desselben, um den Landesherrn, im Schlosse selbst, anzutreten, gab ihr die Bittschrift, ließ die Braunen anspannen, und schickte sie mit Sternbald, seinem treuen Knecht, wohleingepackt ab.

Diese Reise war aber von allen erfolglosen Schritten, die er in seiner Sache getan hatte, der allerunglücklichste. Denn schon nach wenig Tagen zog Sternbald in den Hof wieder ein, Schritt vor Schritt den Wagen führend, in welchem die Frau, mit einer gefährlichen Quetschung an der Brust, ausgestreckt darnieder lag. Kohlhaas, der bleich an das Fuhrwerk trat, konnte nichts Zusammenhängendes über das, was dieses Unglück verursacht hatte, erfahren. Der Kastellan war, wie der Knecht sagte, nicht zu Hause gewesen; man war also genötigt worden, in einem Wirtshause, das in der Nähe des Schlosses lag, abzusteigen; dies Wirtshaus hatte Lisbeth am andern Morgen verlassen, und dem Knecht befohlen, bei den Pferden zurückzubleiben; und eher nicht, als am Abend, sei sie, in diesem Zustand, zurückgekommen. Es schien, sie hatte sich zu dreist an die Person des Landesherrn vorgedrängt, und, ohne Verschulden desselben, von dem bloßen rohen Eifer einer Wache, die ihn umringte, einen Stoß, mit dem Schaft einer Lanze, vor die Brust erhalten. Wenigstens berichteten die Leute

so, die sie, in bewußtlosem Zustand, gegen Abend in den Gasthof
brachten; denn sie selbst konnte, von aus dem Mund vorquellendem Blute gehindert, wenig sprechen. Die Bittschrift war ihr
nachher durch einen Ritter abgenommen worden. Sternbald
sagte, daß es sein Wille gewesen sei, sich gleich auf ein Pferd zu
setzen, und ihm von diesem unglücklichen Vorfall Nachricht zu
geben; doch sie habe, trotz der Vorstellungen des herbeigerufenen
Wundarztes, darauf bestanden, ohne alle vorgängige Benach-
richtigungen, zu ihrem Manne nach Kohlhaasenbrück abgeführt
zu werden. Kohlhaas brachte sie, die von der Reise völlig zu
Grunde gerichtet worden war, in ein Bett, wo sie, unter schmerz-
haften Bemühungen, Atem zu holen, noch einige Tage lebte.
Man versuchte vergebens, ihr das Bewußtsein wieder zu geben,
um über das, was vorgefallen war, einige Aufschlüsse zu erhalten;
sie lag, mit starrem, schon gebrochenen Auge, da, und antwortete
nicht. Nur kurz vor ihrem Tode kehrte ihr noch einmal die Besinnung wieder. Denn da ein Geistlicher lutherischer Religion
(zu welchem eben damals aufkeimenden Glauben sie sich, nach
dem Beispiel ihres Mannes, bekannt hatte) neben ihrem Bette
stand, und ihr mit lauter und empfindlich-feierlicher Stimme, ein
Kapitel aus der Bibel vorlas: so sah sie ihn plötzlich, mit einem
finstern Ausdruck, an, nahm ihm, als ob ihr daraus nichts vorzulesen wäre, die Bibel aus der Hand, blätterte und blätterte, und
schien etwas darin zu suchen; und zeigte dem Kohlhaas, der an
ihrem Bette saß, mit dem Zeigefinger, den Vers: »Vergib deinen
Feinden; tue wohl auch denen, die dich hassen.« – Sie drückte
ihm dabei mit einem überaus seelenvollen Blick die Hand, und
starb. – Kohlhaas dachte: »so möge mir Gott nie vergeben, wie
ich dem Junker vergebe!« küßte sie, indem ihm häufig die Tränen
flossen, drückte ihr die Augen zu, und verließ das Gemach. Er
nahm die hundert Goldgülden, die ihm der Amtmann schon, für
die Ställe in Dresden, zugefertigt hatte, und bestellte ein Leichenbegängnis, das weniger für sie, als für eine Fürstin, angeordnet
schien: ein eichener Sarg, stark mit Metall beschlagen, Kissen von
Seide, mit goldnen und silbernen Troddeln, und ein Grab von
acht Ellen Tiefe, mit Feldsteinen gefüttert und Kalk. Er stand
selbst, sein Jüngstes auf dem Arm, bei der Gruft, und sah der
Arbeit zu. Als der Begräbnistag kam, ward die Leiche, weiß wie

Schnee, in einen Saal aufgestellt, den er mit schwarzem Tuch
hatte beschlagen lassen. Der Geistliche hatte eben eine rührende
Rede an ihrer Bahre vollendet, als ihm die landesherrliche Resolution auf die Bittschrift zugestellt ward, welche die Abgeschie-
dene übergeben hatte, des Inhalts: er solle die Pferde von der
Tronkenburg abholen, und bei Strafe, in das Gefängnis geworfen
zu werden, nicht weiter in dieser Sache einkommen. Kohlhaas
steckte den Brief ein, und ließ den Sarg auf den Wagen bringen.
Sobald der Hügel geworfen, das Kreuz darauf gepflanzt, und die
Gäste, die die Leiche bestattet hatten, entlassen waren, warf er
sich noch einmal vor ihrem, nun verödeten Bette nieder, und
übernahm sodann das Geschäft der Rache. Er setzte sich nieder
und verfaßte einen Rechtsschluß, in welchem er den Junker Wenzel von Tronka, kraft der ihm angeborenen Macht, verdammte,
die Rappen, die er ihm abgenommen, und auf den Feldern zu
Grunde gerichtet, binnen drei Tagen nach Sicht, nach Kohlhaasenbrück zu führen, und in Person in seinen Ställen dick zu
füttern. Diesen Schluß sandte er durch einen reitenden Boten an
ihn ab, und instruierte denselben, flugs nach Übergabe des Pa-
piers, wieder bei ihm in Kohlhaasenbrück zu sein. Da die drei
Tage, ohne Überlieferung der Pferde, verflossen, so rief er Hersen; eröffnete ihm, was er dem Jungherrn, die Dickfütterung derselben anbetreffend, aufgegeben; fragte ihn zweierlei, ob er mit
ihm nach der Tronkenburg reiten und den Jungherrn holen;
auch, ob er über den Hergeholten, wenn er bei Erfüllung des
Rechtsschlusses, in den Ställen von Kohlhaasenbrück, faul sei, die
Peitsche führen wolle? und da Herse, so wie er ihn nur verstanden
hatte: »Herr, heute noch!« aufjauchzte, und, indem er die Mütze
in die Höhe warf, versicherte: einen Riemen, mit zehn Knoten,
um ihm das Striegeln zu lehren, lasse er sich flechten! so verkaufte
Kohlhaas das Haus, schickte die Kinder, in einen Wagen gepackt,
über die Grenze; rief, bei Anbruch der Nacht, auch die übrigen
Knechte zusammen, sieben an der Zahl, treu ihm jedweder, wie
Gold; bewaffnete und beritt sie, und brach nach der Tronkenburg
auf.

Er fiel auch, mit diesem kleinen Haufen, schon, beim Einbruch
der dritten Nacht, den Zollwärter und Torwächter, die im Gespräch unter dem Tor standen, niederreitend, in die Burg, und

während, unter plötzlicher Aufprasselung aller Baracken im Schloßraum, die sie mit Feuer bewarfen, Herse, über die Windeltreppe, in den Turm der Vogtei eilte, und den Schloßvogt und Verwalter, die, halb entkleidet, beim Spiel saßen, mit Hieben und Stichen überfiel, stürzte Kohlhaas zum Junker Wenzel ins Schloß. Der Engel des Gerichts fährt also vom Himmel herab; und der Junker, der eben, unter vielem Gelächter, dem Troß junger Freunde, der bei ihm war, den Rechtsschluß, den ihm der Roßkamm übermacht hatte, vorlas, hatte nicht sobald dessen Stimme im Schloßhof vernommen: als er den Herren schon, plötzlich leichenbleich: Brüder, rettet euch! zurief, und verschwand. Kohlhaas, der, beim Eintritt in den Saal, einen Junker Hans von Tronka, der ihm entgegen kam, bei der Brust faßte, und in den Winkel des Saals schleuderte, daß er sein Hirn an den Steinen versprützte, fragte, während die Knechte die anderen Ritter, die zu den Waffen gegriffen hatten, überwältigten, und zerstreuten: wo der Junker Wenzel von Tronka sei? Und da er, bei der Unwissenheit der betäubten Männer, die Türen zweier Gemächer, die in die Seitenflügel des Schlosses führten, mit einem Fußtritt sprengte, und in allen Richtungen, in denen er das weitläufige Gebäude durchkreuzte, niemanden fand, so stieg er fluchend in den Schloßhof hinab, um die Ausgänge besetzen zu lassen. Inzwischen war, vom Feuer der Baracken ergriffen, nun schon das Schloß, mit allen Seitengebäuden, starken Rauch gen Himmel qualmend, angegangen, und während Sternbald, mit drei geschäftigen Knechten, alles, was nicht niet- und nagelfest war, zusammenschleppten, und zwischen den Pferden, als gute Beute, umstürzten, flogen, unter dem Jubel Hersens, aus den offenen Fenstern der Vogtei, die Leichen des Schloßvogts und Verwalters, mit Weib und Kindern, herab. Kohlhaas, dem sich, als er die Treppe vom Schloß niederstieg, die alte, von der Gicht geplagte Haushälterin, die dem Junker die Wirtschaft führte, zu Füßen warf, fragte sie, indem er auf der Stufe stehen blieb: wo der Junker Wenzel von Tronka sei? und da sie ihm, mit schwacher, zitternder Stimme, zur Antwort gab: sie glaube, er habe sich in die Kapelle geflüchtet; so rief er zwei Knechte mit Fakkeln, ließ, in Ermangelung der Schlüssel, den Eingang mit Brechstangen und Beilen eröffnen, kehrte Altäre und Bänke um, und

fand gleichwohl, zu seinem grimmigen Schmerz, den Junker
nicht. Es traf sich, daß ein junger, zum Gesinde der Tronkenburg
gehöriger Knecht, in dem Augenblick, da Kohlhaas aus der Kapelle zurückkam, herbeieilte, um aus einem weitläufigen, steiner-
nen Stall, den die Flamme bedrohte, die Streithengste des Junkers
herauszuziehen. Kohlhaas, der, in eben diesem Augenblick, in
einem kleinen, mit Stroh bedeckten Schuppen, seine beiden Rappen erblickte, fragte den Knecht: warum er die Rappen nicht
rette? und da dieser, indem er den Schlüssel in die Stalltür
steckte, antwortete: der Schuppen stehe ja schon in Flammen; so
warf Kohlhaas den Schlüssel, nachdem er ihn mit Heftigkeit aus
der Stalltüre gerissen, über die Mauer, trieb den Knecht, mit
hageldichten, flachen Hieben der Klinge, in den brennenden
Schuppen hinein, und zwang ihn, unter entsetzlichem Gelächter
der Umstehenden, die Rappen zu retten. Gleichwohl, als der
Knecht schreckenblaß, wenige Momente nachdem der Schuppen
hinter ihm zusammenstürzte, mit den Pferden, die er an der Hand
hielt, daraus hervortrat, fand er den Kohlhaas nicht mehr; und da
er sich zu den Knechten auf den Schloßplatz begab, und den Roßhändler, der ihm mehreremal den Rücken zukehrte, fragte: was
er mit den Tieren nun anfangen solle? – hob dieser plötzlich, mit
einer fürchterlichen Gebärde, den Fuß, daß der Tritt, wenn er ihn
getan hätte, sein Tod gewesen wäre: bestieg, ohne ihm zu antworten, seinen Braunen, setzte sich unter das Tor der Burg, und
erharrte, inzwischen die Knechte ihr Wesen forttrieben, schweigend den Tag.

Als der Morgen anbrach, war das ganze Schloß, bis auf die
Mauern, niedergebrannt, und niemand befand sich mehr darin,
als Kohlhaas und seine sieben Knechte. Er stieg vom Pferde,
und untersuchte noch einmal, beim hellen Schein der Sonne,
den ganzen, in allen seinen Winkeln jetzt von ihr erleuch-
teten Platz, und da er sich, so schwer es ihm auch ward, überzeugen mußte, daß die Unternehmung auf die Burg fehlgeschlagen war, so schickte er, die Brust voll Schmerz und Jammer,
Hersen mit einigen Knechten aus, um über die Richtung, die der
Junker auf seiner Flucht genommen, Nachricht einzuziehen. Besonders beunruhigte ihn ein reiches Fräuleinstift, namens Erlabrunn, das an den Ufern der Mulde lag, und dessen Äbtissin,

Antonia von Tronka, als eine fromme, wohltätige und heilige
Frau, in der Gegend bekannt war; denn es schien dem unglücklichen Kohlhaas nur zu wahrscheinlich, daß der Junker sich, entblößt von aller Notdurft, wie er war, in dieses Stift geflüchtet
hatte, indem die Äbtissin seine leibliche Tante und die Erzieherin
seiner ersten Kindheit war. Kohlhaas, nachdem er sich von diesem
Umstand unterrichtet hatte, bestieg den Turm der Vogtei, in
dessen Innerem sich noch ein Zimmer, zur Bewohnung brauchbar, darbot, und verfaßte ein sogenanntes »Kohlhaasisches Mandat«, worin er das Land aufforderte, dem Junker Wenzel von
Tronka, mit dem er in einem gerechten Krieg liege, keinen Vor-
schub zu tun, vielmehr jeden Bewohner, seine Verwandten und
Freunde nicht ausgenommen, verpflichtete, denselben bei Strafe
Leibes und des Lebens, und unvermeidlicher Einäscherung alles
dessen, was ein Besitztum heißen mag, an ihn auszuliefern. Diese
Erklärung streute er, durch Reisende und Fremde, in der Gegend
aus; ja, er gab Waldmann, dem Knecht, eine Abschrift davon,
mit dem bestimmten Auftrage, sie in die Hände der Dame Antonia nach Erlabrunn zu bringen. Hierauf besprach er einige
Tronkenburgische Knechte, die mit dem Junker unzufrieden
waren, und von der Aussicht auf Beute gereizt, in seine Dienste
zu treten wünschten; bewaffnete sie, nach Art des Fußvolks, mit
Armbrüsten und Dolchen, und lehrte sie, hinter den berittenen
Knechten aufsitzen; und nachdem er alles, was der Troß zusam-
mengeschleppt hatte, zu Geld gemacht und das Geld unter denselben verteilt hatte, ruhete er einige Stunden, unter dem Burg-
tor, von seinen jämmerlichen Geschäften aus.

Gegen Mittag kam Herse und bestätigte ihm, was ihm sein
Herz, immer auf die trübsten Ahnungen gestellt, schon gesagt
hatte: nämlich, daß der Junker in dem Stift zu Erlabrunn, bei der
alten Dame Antonia von Tronka, seiner Tante, befindlich sei. Es
schien, er hatte sich, durch eine Tür, die, an der hinteren Wand
des Schlosses, in die Luft hinausging, über eine schmale, steinerne
Treppe gerettet, die, unter einem kleinen Dach, zu einigen Käh-
nen in die Elbe hinablief. Wenigstens berichtete Herse, daß er, in
einem Elbdorf, zum Befremden der Leute, die wegen des Brandes in der Tronkenburg versammelt gewesen, um Mitternacht,
in einem Nachen, ohne Steuer und Ruder, angekommen, und

mit einem Dorffuhrwerk nach Erlabrunn weiter gereiset sei. – – –
Kohlhaas seufzte bei dieser Nachricht tief auf; er fragte, ob die
Pferde gefressen hätten? und da man ihm antwortete: ja: so ließ
er den Haufen aufsitzen, und stand schon in drei Stunden vor
Erlabrunn. Eben, unter dem Gemurmel eines entfernten Gewitters am Horizont, mit Fackeln, die er sich vor dem Ort angesteckt, zog er mit seiner Schar in den Klosterhof ein, und Waldmann, der Knecht, der ihm entgegen trat, meldete ihm, daß das
Mandat richtig abgegeben sei, als er die Äbtissin und den Stiftsvogt, in einem verstörten Wortwechsel, unter das Portal des
Klosters treten sah; und während jener, der Stiftsvogt, ein kleiner,
alter, schneeweißer Mann, grimmige Blicke auf Kohlhaas schie-
ßend, sich den Harnisch anlegen ließ, und den Knechten, die ihn
umringten, mit dreister Stimme zurief, die Sturmglocke zu ziehn:
trat jene, die Stiftsfrau, das silberne Bildnis des Gekreuzigten in
der Hand, bleich, wie Linnenzeug, von der Rampe herab, und
warf sich mit allen ihren Jungfrauen, vor Kohlhaasens Pferd nieder. Kohlhaas, während Herse und Sternbald den Stiftsvogt, der
kein Schwert in der Hand hatte, überwältigten, und als Gefangenen zwischen die Pferde führten, fragte sie: wo der Junker
Wenzel von Tronka sei? und da sie, einen großen Ring mit
Schlüsseln von ihrem Gurt loslösend: in Wittenberg, Kohlhaas,
würdiger Mann! antwortete, und, mit bebender Stimme, hinzusetzte: fürchte Gott und tue kein Unrecht! – so wandte Kohlhaas,
in die Hölle unbefriedigter Rache zurückgeschleudert, das Pferd,
und war im Begriff: steckt an! zu rufen, als ein ungeheurer Wet-
terschlag, dicht neben ihm, zur Erde niederfiel. Kohlhaas, indem
er sein Pferd zu ihr zurückwandte, fragte sie: ob sie sein Mandat
erhalten? und da die Dame mit schwacher, kaum hörbarer
Stimme, antwortete: eben jetzt! – »Wann?« – Zwei Stunden, so
wahr mir Gott helfe, nach des Junkers, meines Vetters, bereits
vollzogener Abreise! – – – und Waldmann, der Knecht, zu dem
Kohlhaas sich, unter finsteren Blicken, umkehrte, stotternd diesen
Umstand bestätigte, indem er sagte, daß die Gewässer der Mulde,
vom Regen geschwellt, ihn verhindert hätten, früher, als eben
jetzt, einzutreffen: so sammelte sich Kohlhaas; ein plötzlich
furchtbarer Regenguß, der die Fackeln verlöschend, auf das Pflaster des Platzes niederrauschte, löste den Schmerz in seiner un-

glücklichen Brust; er wandte, indem er kurz den Hut vor der
Dame rückte, sein Pferd, drückte ihm, mit den Worten: folgt
mir meine Brüder; der Junker ist in Wittenberg! die Sporen ein,
und verließ das Stift.

Er kehrte, da die Nacht einbrach, in einem Wirtshause auf der
Landstraße ein, wo er, wegen großer Ermüdung der Pferde,
einen Tag ausruhen mußte, und da er wohl einsah, daß er mit
einem Haufen von zehn Mann (denn so stark war er jetzt), einem
Platz wie Wittenberg war, nicht trotzen konnte, so verfaßte er
ein zweites Mandat, worin er, nach einer kurzen Erzählung dessen, was ihm im Lande begegnet, »jeden guten Christen«, wie er
sich ausdrückte, »unter Angelobung eines Handgelds und anderer
kriegerischen Vorteile«, aufforderte »seine Sache gegen den Junker von Tronka, als dem allgemeinen Feind aller Christen, zu
ergreifen«. In einem anderen Mandat, das bald darauf erschien,
nannte er sich: »einen Reichs- und Weltfreien, Gott allein unter-
worfenen Herrn«; eine Schwärmerei krankhafter und mißge-
schaffener Art, die ihm gleichwohl, bei dem Klang seines Geldes
und der Aussicht auf Beute, unter dem Gesindel, das der Friede
mit Polen außer Brot gesetzt hatte, Zulauf in Menge verschaffte:
dergestalt, daß er in der Tat dreißig und etliche Köpfe zählte, als
er sich, zur Einäscherung von Wittenberg, auf die rechte Seite
der Elbe zurückbegab. Er lagerte sich, mit Pferden und Knechten,
unter dem Dache einer alten verfallenen Ziegelscheune, in der
Einsamkeit eines finstern Waldes, der damals diesen Platz umschloß, und hatte nicht sobald durch Sternbald, den er, mit dem
Mandat, verkleidet in die Stadt schickte, erfahren, daß das Mandat daselbst schon bekannt sei, als er auch mit seinen Haufen
schon, am heiligen Abend vor Pfingsten, aufbrach, und den Platz,
während die Bewohner im tiefsten Schlaf lagen, an mehreren
Ecken zugleich, in Brand steckte. Dabei klebte er, während die
Knechte in der Vorstadt plünderten, ein Blatt an den Türpfeiler
einer Kirche an, des Inhalts: »er, Kohlhaas, habe die Stadt in
Brand gesteckt, und werde sie, wenn man ihm den Junker nicht
ausliefere, dergestalt einäschern, daß er«, wie er sich ausdrückte,
»hinter keiner Wand werde zu sehen brauchen, um ihn zu finden.« – Das Entsetzen der Einwohner, über diesen unerhörten
Frevel, war unbeschreiblich; und die Flamme, die bei einer zum

Glück ziemlich ruhigen Sommernacht, zwar nicht mehr als neunzehn Häuser, worunter gleichwohl eine Kirche war, in den Grund gelegt hatte, war nicht sobald, gegen Anbruch des Tages, einigermaßen gedämpft worden, als der alte Landvogt, Otto von Gorgas, bereits ein Fähnlein von funfzig Mann aussandte, um den entsetzlichen Wüterich aufzuheben. Der Hauptmann aber, der es führte, namens Gerstenberg, benahm sich so schlecht dabei, daß die ganze Expedition Kohlhaasen, statt ihn zu stürzen, vielmehr zu einem höchst gefährlichen kriegerischen Ruhm verhalf; denn da dieser Kriegsmann sich in mehrere Abteilungen auflösete, um ihn, wie er meinte, zu umzingeln und zu erdrücken, ward er von Kohlhaas, der seinen Haufen zusammenhielt, auf vereinzelten Punkten, angegriffen und geschlagen, dergestalt, daß schon, am Abend des nächstfolgenden Tages, kein Mann mehr von dem ganzen Haufen, auf den die Hoffnung des Landes gerichtet war, gegen ihm im Felde stand. Kohlhaas, der durch diese Gefechte einige Leute eingebüßt hatte, steckte die Stadt, am Morgen des nächsten Tages, von neuem in Brand, und seine mörderischen Anstalten waren so gut, daß wiederum eine Menge Häuser, und fast alle Scheunen der Vorstadt, in die Asche gelegt wurden. Dabei plackte er das bewußte Mandat wieder, und zwar an die Ecken des Rathauses selbst, an, und fügte eine Nachricht über das Schicksal des, von dem Landvogt abgeschickten und von ihm zu Grunde gerichteten, Hauptmanns von Gerstenberg bei. Der Landvogt, von diesem Trotz aufs äußerste entrüstet, setzte sich selbst, mit mehreren Rittern, an die Spitze eines Haufens von hundert und funfzig Mann. Er gab dem Junker Wenzel von Tronka, auf seine schriftliche Bitte, eine Wache, die ihn vor der Gewalttätigkeit des Volks, das ihn platterdings aus der Stadt entfernt wissen wollte, schützte; und nachdem er, auf allen Dörfern in der Gegend, Wachen ausgestellt, auch die Ringmauer der Stadt, um sie vor einem Überfall zu decken, mit Posten besetzt hatte, zog er, am Tage des heiligen Gervasius, selbst aus, um den Drachen, der das Land verwüstete, zu fangen. Diesen Haufen war der Roßkamm klug genug, zu vermeiden; und nachdem er den Landvogt, durch geschickte Märsche, fünf Meilen von der Stadt hinweggelockt, und vermittelst mehrerer Anstalten, die er traf, zu dem Wahn verleitet hatte, daß er sich, von der Übermacht

gedrängt, ins Brandenburgische werfen würde: wandte er sich
plötzlich, beim Einbruch der dritten Nacht, kehrte, in einem
Gewaltritt, nach Wittenberg zurück, und steckte die Stadt zum
drittenmal in Brand. Herse, der sich verkleidet in die Stadt schlich,
führte dieses entsetzliche Kunststück aus; und die Feuersbrunst
war, wegen eines scharf wehenden Nordwindes, so verderblich
und um sich fressend, daß, in weniger als drei Stunden, zwei und
vierzig Häuser, zwei Kirchen, mehrere Klöster und Schulen, und
das Gebäude der kurfürstlichen Landvogtei selbst, in Schutt und
Asche lagen. Der Landvogt, der seinen Gegner, beim Anbruch
des Tages, im Brandenburgischen glaubte, fand, als er von dem,
was vorgefallen, benachrichtigt, in bestürzten Märschen zurückkehrte, die Stadt in allgemeinem Aufruhr; das Volk hatte sich
zu Tausenden vor dem, mit Balken und Pfählen verrammelten,
Hause des Junkers gelagert, und forderte, mit rasendem Geschrei,
seine Abführung aus der Stadt. Zwei Bürgermeister, namens
Jenkens und Otto, die in Amtskleidern an der Spitze des ganzen
Magistrats gegenwärtig waren, bewiesen vergebens, daß man
platterdings die Rückkehr eines Eilboten abwarten müsse, den
man wegen Erlaubnis den Junker nach Dresden bringen zu dürfen, wohin er selbst aus mancherlei Gründen abzugehen wünsche,
an den Präsidenten der Staatskanzlei geschickt habe; der unver-
nünftige, mit Spießen und Stangen bewaffnete Haufen gab auf
diese Worte nichts, und eben war man, unter Mißhandlung einiger zu kräftigen Maßregeln auffordernden Räte, im Begriff das
Haus worin der Junker war zu stürmen, und der Erde gleich zu
machen, als der Landvogt, Otto von Gorgas, an der Spitze seines
Reuterhaufens, in der Stadt erschien. Diesem würdigen Herrn,
der schon durch seine bloße Gegenwart dem Volk Ehrfurcht und
Gehorsam einzuflößen gewohnt war, war es, gleichsam zum
Ersatz für die fehlgeschlagene Unternehmung, von welcher er
zurückkam, gelungen, dicht vor den Toren der Stadt drei zer-
sprengte Knechte von der Bande des Mordbrenners aufzufangen;
und da er, inzwischen die Kerle vor dem Angesicht des Volks mit
Ketten belastet wurden, den Magistrat in einer klugen Anrede
versicherte, den Kohlhaas selbst denke er in kurzem, indem er ihm
auf die Spur sei, gefesselt einzubringen: so glückte es ihm, durch
die Kraft aller dieser beschwichtigenden Umstände, die Angst des

versammelten Volks zu entwaffnen, und über die Anwesenheit
des Junkers, bis zur Zurückkunft des Eilboten aus Dresden, einigermaßen zu beruhigen. Er stieg, in Begleitung einiger Ritter,
vom Pferde, und verfügte sich, nach Wegräumung der Palisaden
und Pfähle, in das Haus, wo er den Junker, der aus einer Ohnmacht in die andere fiel, unter den Händen zweier Ärzte fand, die
ihn mit Essenzen und Irritanzen wieder ins Leben zurück zu bringen suchten; und da Herr Otto von Gorgas wohl fühlte, daß dies
der Augenblick nicht war, wegen der Aufführung, die er sich zu
Schulden kommen lasse, Worte mit ihm zu wechseln: so sagte er
ihm bloß, mit einem Blick stiller Verachtung, daß er sich anklei-
den, und ihm, zu seiner eigenen Sicherheit, in die Gemächer der
Ritterhaft folgen möchte. Als man dem Junker ein Wams ange-
legt, und einen Helm aufgesetzt hatte, und er, die Brust, wegen
Mangels an Luft, noch halb offen, am Arm des Landvogts und
seines Schwagers, des Grafen von Gerschau, auf der Straße erschien, stiegen gotteslästerliche und entsetzliche Verwünschungen gegen ihn zum Himmel auf. Das Volk, von den Landsknechten nur mühsam zurückgehalten, nannte ihn einen Blutigel, einen
elenden Landplager und Menschenquäler, den Fluch der Stadt
Wittenberg, und das Verderben von Sachsen; und nach einem
jämmerlichen Zuge durch die in Trümmern liegende Stadt,
während welchem er mehreremal, ohne ihn zu vermissen, den
Helm verlor, den ihm ein Ritter von hinten wieder aufsetzte, erreichte man endlich das Gefängnis, wo er in einem Turm, unter
dem Schutz einer starken Wache, verschwand. Mittlerweile setzte
die Rückkehr des Eilboten, mit der kurfürstlichen Resolution,
die Stadt in neue Besorgnis. Denn die Landesregierung, bei welcher die Bürgerschaft von Dresden, in einer dringenden Supplik,
unmittelbar eingekommen war, wollte, vor Überwältigung des
Mordbrenners, von dem Aufenthalt des Junkers in der Residenz
nichts wissen; vielmehr verpflichtete sie den Landvogt, denselben
da, wo er sei, weil er irgendwo sein müsse, mit der Macht, die
ihm zu Gebote stehe, zu beschirmen: wogegen sie der guten
Stadt Wittenberg, zu ihrer Beruhigung, meldete, daß bereits ein
Heerhaufen von fünfhundert Mann, unter Anführung des Prinzen Friedrich von Meißen im Anzuge sei, um sie vor den ferneren
Belästigungen desselben zu beschützen. Der Landvogt, der wohl

einsah, daß eine Resolution dieser Art, das Volk keinesweges beruhigen konnte: denn nicht nur, daß mehrere kleinen Vorteile, die der Roßhändler, an verschiedenen Punkten, vor der Stadt erfochten, über die Stärke, zu der er herangewachsen, äußerst unangenehme Gerüchte verbreiteten; der Krieg, den er, in der Finsternis der Nacht, durch verkleidetes Gesindel, mit Pech, Stroh und Schwefel führte, hätte, unerhört und beispiellos, wie er war, selbst einen größeren Schutz, als mit welchem der Prinz von Meißen heranrückte, unwirksam machen können: der Landvogt, nach einer kurzen Überlegung, entschloß sich, die Resolution, die er empfangen, ganz und gar zu unterdrücken. Er plackte bloß einen Brief, in welchem ihm der Prinz von Meißen seine Ankunft meldete, an die Ecken der Stadt an; ein verdeckter Wagen, der, beim Anbruch des Tages, aus dem Hofe des Herrenzwingers kam, fuhr, von vier schwer bewaffneten Reutern begleitet, auf die Straße nach Leipzig hinaus, wobei die Reuter, auf eine unbestimmte Art verlauten ließen, daß es nach der Pleißenburg gehe; und da das Volk über den heillosen Junker, an dessen Dasein Feuer und Schwert gebunden, dergestalt beschwichtigt war, brach er selbst, mit einem Haufen von dreihundert Mann, auf, um sich mit dem Prinzen Friedrich von Meißen zu vereinigen. Inzwischen war Kohlhaas in der Tat, durch die sonderbare Stellung, die er in der Welt einnahm, auf hundert und neun Köpfe herangewachsen; und da er auch in Jassen einen Vorrat an Waffen aufgetrieben, und seine Schar, auf das vollständigste, damit ausgerüstet hatte: so faßte er, von dem doppelten Ungewitter, das auf ihn heranzog, benachrichtigt, den Entschluß, demselben, mit der Schnelligkeit des Sturmwinds, ehe es über ihn zusammenschlüge, zu begegnen. Demnach griff er schon, Tags darauf, den Prinzen von Meißen, in einem nächtlichen Überfall, bei Mühlberg an; bei welchem Gefechte er zwar, zu seinem großen Leidwesen, den Herse einbüßte, der gleich durch die ersten Schüsse an seiner Seite zusammenstürzte: durch diesen Verlust erbittert aber, in einem drei Stunden langen Kampfe, den Prinzen, unfähig sich in dem Flekken zu sammeln, so zurichtete, daß er beim Anbruch des Tages, mehrerer schweren Wunden, und einer gänzlichen Unordnung seines Haufens wegen, genötigt war, den Rückweg nach Dresden einzuschlagen. Durch diesen Vorteil tollkühn gemacht, wandte er

sich, ehe derselbe noch davon unterrichtet sein konnte, zu dem
Landvogt zurück, fiel ihn bei dem Dorfe Damerow, am hellen
Mittag, auf freiem Felde an, und schlug sich, unter mörderischem
Verlust zwar, aber mit gleichen Vorteilen, bis in die sinkende
Nacht mit ihm herum. Ja, er würde den Landvogt, der sich in den
Kirchhof zu Damerow geworfen hatte, am andern Morgen un-
fehlbar mit dem Rest seines Haufens wieder angegriffen haben,
wenn derselbe nicht durch Kundschafter von der Niederlage, die
der Prinz bei Mühlberg erlitten, benachrichtigt worden wäre,
und somit für ratsamer gehalten hätte, gleichfalls, bis auf einen
besseren Zeitpunkt, nach Wittenberg zurückzukehren. Fünf
Tage, nach Zersprengung dieser beiden Haufen, stand er vor
Leipzig, und steckte die Stadt an drei Seiten in Brand. – Er nannte
sich in dem Mandat, das er, bei dieser Gelegenheit, ausstreute,
»einen Statthalter Michaels, des Erzengels, der gekommen sei, an
allen, die in dieser Streitsache des Junkers Partei ergreifen würden, mit Feuer und Schwert, die Arglist, in welcher die ganze
Welt versunken sei, zu bestrafen«. Dabei rief er, von dem Lützner
Schloß aus, das er überrumpelt, und worin er sich festgesetzt
hatte, das Volk auf, sich zur Errichtung einer besseren Ordnung
der Dinge, an ihn anzuschließen; und das Mandat war, mit einer
Art von Verrückung, unterzeichnet: »Gegeben auf dem Sitz unserer provisorischen Weltregierung, dem Erzschlosse zu Lützen.«
Das Glück der Einwohner von Leipzig wollte, daß das Feuer,
wegen eines anhaltenden Regens der vom Himmel fiel, nicht um
sich griff, dergestalt, daß bei der Schnelligkeit der bestehenden
Löschanstalten, nur einige Kramläden, die um die Pleißenburg
lagen, in Flammen aufloderten. Gleichwohl war die Bestürzung
in der Stadt, über das Dasein des rasenden Mordbrenners, und den
Wahn, in welchem derselbe stand, daß der Junker in Leipzig sei,
unaussprechlich; und da ein Haufen von hundert und achtzig
Reisigen, den man gegen ihn ausschickte, zersprengt in die Stadt
zurückkam: so blieb dem Magistrat, der den Reichtum der Stadt
nicht aussetzen wollte, nichts anderes übrig, als die Tore gänzlich
zu sperren, und die Bürgerschaft Tag und Nacht, außerhalb der
Mauern, wachen zu lassen. Vergebens ließ der Magistrat, auf den
Dörfern der umliegenden Gegend, Deklarationen anheften, mit
der bestimmten Versicherung, daß der Junker nicht in der Plei-

ßenburg sei; der Roßkamm, in ähnlichen Blättern, bestand
darauf, daß er in der Pleißenburg sei, und erklärte, daß, wenn
derselbe nicht darin befindlich wäre, er mindestens verfahren
würde, als ob er darin wäre, bis man ihm den Ort, mit Namen
genannt, werde angezeigt haben, worin er befindlich sei. Der
Kurfürst, durch einen Eilboten, von der Not, in welcher sich die
Stadt Leipzig befand, benachrichtigt, erklärte, daß er bereits einen
Heerhaufen von zweitausend Mann zusammenzöge, und sich
selbst an dessen Spitze setzen würde, um den Kohlhaas zu fangen.
Er erteilte dem Herrn Otto von Gorgas einen schweren Verweis,
wegen der zweideutigen und unüberlegten List, die er angewen-
det, um des Mordbrenners aus der Gegend von Wittenberg los-
zuwerden; und niemand beschreibt die Verwirrung, die ganz
Sachsen und insbesondere die Residenz ergriff, als man daselbst
erfuhr, daß, auf den Dörfern bei Leipzig, man wußte nicht von
wem, eine Deklaration an den Kohlhaas angeschlagen worden
sei, des Inhalts: »Wenzel, der Junker, befinde sich bei seinen Vettern Hinz und Kunz, in Dresden.«

Unter diesen Umständen übernahm der Doktor Martin Luther
das Geschäft, den Kohlhaas, durch die Kraft beschwichtigender
Worte, von dem Ansehn, das ihm seine Stellung in der Welt gab,
unterstützt, in den Damm der menschlichen Ordnung zurück-
zudrücken, und auf ein tüchtiges Element in der Brust des Mordbrenners bauend, erließ er ein Plakat folgenden Inhalts an ihn,
das in allen Städten und Flecken des Kurfürstentums angeschlagen
ward:

»Kohlhaas, der du dich gesandt zu sein vorgibst, das Schwert
der Gerechtigkeit zu handhaben, was unterfängst du dich, Ver-
messener, im Wahnsinn stockblinder Leidenschaft, du, den
Ungerechtigkeit selbst, vom Wirbel bis zur Sohle erfüllt? Weil
der Landesherr dir, dem du untertan bist, dein Recht verweigert hat, dein Recht in dem Streit um ein nichtiges Gut, erhebst
du dich, Heilloser, mit Feuer und Schwert, und brichst, wie
der Wolf der Wüste, in die friedliche Gemeinheit, die er beschirmt. Du, der die Menschen mit dieser Angabe, voll Un-
wahrhaftigkeit und Arglist, verführt: meinst du, Sünder, vor
Gott dereinst, an dem Tage, der in die Falten aller Herzen
scheinen wird, damit auszukommen? Wie kannst du sagen, daß

dir dein Recht verweigert worden ist, du, dessen grimmige
Brust, vom Kitzel schnöder Selbstrache gereizt, nach den
ersten, leichtfertigen Versuchen, die dir gescheitert, die Bemühung gänzlich aufgegeben hat, es dir zu verschaffen? Ist eine
Bank voll Gerichtsdienern und Schergen, die einen Brief, der
gebracht wird, unterschlagen, oder ein Erkenntnis, das sie ab-
liefern sollen, zurückhalten, deine Obrigkeit? Und muß ich dir
sagen, Gottvergessener, daß deine Obrigkeit von deiner Sache
nichts weiß – was sag ich? daß der Landesherr, gegen den du
dich auflehnst, auch deinen Namen nicht kennt, dergestalt,
daß wenn dereinst du vor Gottes Thron trittst, in der Meinung,
ihn anzuklagen, er, heiteren Antlitzes, wird sprechen können:
diesem Mann, Herr, tat ich kein Unrecht, denn sein Dasein ist
meiner Seele fremd? Das Schwert, wisse, das du führst, ist das
Schwert des Raubes und der Mordlust, ein Rebell bist du und
kein Krieger des gerechten Gottes, und dein Ziel auf Erden ist
Rad und Galgen, und jenseits die Verdammnis, die über die
Missetat und die Gottlosigkeit verhängt ist.

Wittenberg, usw.   *Martin Luther.*«

Kohlhaas wälzte eben, auf dem Schlosse zu Lützen, einen neuen
Plan, Leipzig einzuäschern, in seiner zerrissenen Brust herum: –
denn auf die, in den Dörfern angeschlagene Nachricht, daß der
Junker Wenzel in Dresden sei, gab er nichts, weil sie von niemand,
geschweige denn vom Magistrat, wie er verlangt hatte, unterschrieben war: – als Sternbald und Waldmann das Plakat, das,
zur Nachtzeit, an den Torweg des Schlosses, angeschlagen worden war, zu ihrer großen Bestürzung, bemerkten. Vergebens
hofften sie, durch mehrere Tage, daß Kohlhaas, den sie nicht gern
deshalb antreten wollten, es erblicken würde; finster und in sich
gekehrt, in der Abendstunde erschien er zwar, aber bloß, um seine
kurzen Befehle zu geben, und sah nichts: dergestalt, daß sie an
einem Morgen, da er ein paar Knechte, die in der Gegend, wider
seinen Willen, geplündert hatten, aufknüpfen lassen wollte, den
Entschluß faßten, ihn darauf aufmerksam zu machen. Eben kam
er, während das Volk von beiden Seiten schüchtern auswich, in
dem Aufzuge, der ihm, seit seinem letzten Mandat, gewöhnlich
war, von dem Richtplatz zurück: ein großes Cherubsschwert,

auf einem rotledernen Kissen, mit Quasten von Gold verziert,
ward ihm vorangetragen, und zwölf Knechte, mit brennenden
Fackeln folgten ihm: da traten die beiden Männer, ihre Schwerter
unter dem Arm, so, daß es ihn befremden mußte, um den Pfeiler,
an welchen das Plakat angeheftet war, herum. Kohlhaas, als er,
mit auf dem Rücken zusammengelegten Händen, in Gedanken
vertieft, unter das Portal kam, schlug die Augen auf und stutzte;
und da die Knechte, bei seinem Anblick, ehrerbietig auswichen:
so trat er, indem er sie zerstreut ansah, mit einigen raschen Schritten, an den Pfeiler heran. Aber wer beschreibt, was in seiner Seele
vorging, als er das Blatt, dessen Inhalt ihn der Ungerechtigkeit
zieh, daran erblickte: unterzeichnet von dem teuersten und ver-
ehrungswürdigsten Namen, den er kannte, von dem Namen
Martin Luthers! Eine dunkle Röte stieg in sein Antlitz empor;
er durchlas es, indem er den Helm abnahm, zweimal von Anfang
bis zu Ende; wandte sich, mit ungewissen Blicken, mitten unter
die Knechte zurück, als ob er etwas sagen wollte, und sagte nichts;
löste das Blatt von der Wand los, durchlas es noch einmal; und
rief: Waldmann! laß mir mein Pferd satteln! sodann: Sternbald!
folge mir ins Schloß! und verschwand. Mehr als dieser wenigen
Worte bedurfte es nicht, um ihn, in der ganzen Verderblichkeit,
in der er dastand, plötzlich zu entwaffnen. Er warf sich in die Ver-
kleidung eines thüringischen Landpächters; sagte Sternbald, daß
ein Geschäft, von bedeutender Wichtigkeit, ihn nach Wittenberg
zu reisen nötige; übergab ihm, in Gegenwart einiger der vor-
züglichsten Knechte, die Anführung des in Lützen zurückbleiben-
den Haufens; und zog, unter der Versicherung, daß er in drei
Tagen, binnen welcher Zeit kein Angriff zu fürchten sei, wieder
zurück sein werde, nach Wittenberg ab.

Er kehrte, unter einem fremden Namen, in ein Wirtshaus ein,
wo er, sobald die Nacht angebrochen war, in seinem Mantel, und
mit einem Paar Pistolen versehen, die er in der Tronkenburg erbeutet hatte, zu Luthern ins Zimmer trat. Luther, der unter
Schriften und Büchern an seinem Pulte saß, und den fremden,
besonderen Mann die Tür öffnen und hinter sich verriegeln sah,
fragte ihn: wer er sei? und was er wolle? und der Mann, der seinen Hut ehrerbietig in der Hand hielt, hatte nicht sobald, mit dem
schüchternen Vorgefühl des Schreckens, den er verursachen

würde, erwidert: daß er Michael Kohlhaas, der Roßhändler sei;
als Luther schon: weiche fern hinweg! ausrief, und indem er, vom
Pult erstehend, nach einer Klingel eilte, hinzusetzte: dein Odem
ist Pest und deine Nähe Verderben! Kohlhaas, indem er, ohne
sich vom Platz zu regen, sein Pistol zog, sagte: Hochwürdiger
Herr, dies Pistol, wenn Ihr die Klingel rührt, streckt mich leblos
zu Euren Füßen nieder! Setzt Euch und hört mich an; unter den
Engeln, deren Psalmen Ihr aufschreibt, seid Ihr nicht sicherer, als
bei mir. Luther, indem er sich niedersetzte, fragte: was willst du?
Kohlhaas erwiderte: Eure Meinung von mir, daß ich ein unge-
rechter Mann sei, widerlegen! Ihr habt mir in Eurem Plakat gesagt, daß meine Obrigkeit von meiner Sache nichts weiß: wohlan, verschafft mir freies Geleit, so gehe ich nach Dresden, und
lege sie ihr vor. – »Heilloser und entsetzlicher Mann!« rief Luther,
durch diese Worte verwirrt zugleich und beruhigt: »wer gab dir
das Recht, den Junker von Tronka, in Verfolg eigenmächtiger
Rechtsschlüsse, zu überfallen, und da du ihn auf seiner Burg
nicht fandst mit Feuer und Schwert die ganze Gemeinschaft
heimzusuchen, die ihn beschirmt?« Kohlhaas erwiderte: hochwürdiger Herr, niemand, fortan! Eine Nachricht, die ich aus
Dresden erhielt, hat mich getäuscht, mich verführt! Der Krieg,
den ich mit der Gemeinheit der Menschen führe, ist eine Missetat,
sobald ich aus ihr nicht, wie Ihr mir die Versicherung gegeben
habt, verstoßen war! Verstoßen! rief Luther, indem er ihn ansah. Welch eine Raserei der Gedanken ergriff dich? Wer hätte
dich aus der Gemeinschaft des Staats, in welchem du lebtest, verstoßen? Ja, wo ist, so lange Staaten bestehen, ein Fall, daß jemand,
wer es auch sei, daraus verstoßen worden wäre? – Verstoßen,
antwortete Kohlhaas, indem er die Hand zusammendrückte,
nenne ich den, dem der Schutz der Gesetze versagt ist! Denn dieses Schutzes, zum Gedeihen meines friedlichen Gewerbes, bedarf
ich; ja, er ist es, dessenhalb ich mich, mit dem Kreis dessen, was
ich erworben, in diese Gemeinschaft flüchte; und wer mir ihn
versagt, der stößt mich zu den Wilden der Einöde hinaus; er gibt
mir, wie wollt Ihr das leugnen, die Keule, die mich selbst schützt,
in die Hand. – Wer hat dir den Schutz der Gesetze versagt? rief
Luther. Schrieb ich dir nicht, daß die Klage, die du eingereicht,
dem Landesherrn, dem du sie eingereicht, fremd ist? Wenn

Staatsdiener hinter seinem Rücken Prozesse unterschlagen, oder
sonst seines geheiligten Namens, in seiner Unwissenheit, spotten;
wer anders als Gott darf ihn wegen der Wahl solcher Diener zur
Rechenschaft ziehen, und bist du, gottverdammter und entsetzlicher Mensch, befugt, ihn deshalb zu richten? – Wohlan, versetzte Kohlhaas, wenn mich der Landesherr nicht verstößt, so
kehre ich auch wieder in die Gemeinschaft, die er beschirmt, zurück. Verschafft mir, ich wiederhol es, freies Geleit nach Dresden:
so lasse ich den Haufen, den ich im Schloß zu Lützen versammelt,
auseinander gehen, und bringe die Klage, mit der ich abgewiesen
worden bin, noch einmal bei dem Tribunal des Landes vor. –
Luther, mit einem verdrießlichen Gesicht, warf die Papiere, die
auf seinem Tisch lagen, übereinander, und schwieg. Die trotzige
Stellung, die dieser seltsame Mensch im Staat einnahm, verdroß
ihn; und den Rechtsschluß, den er, von Kohlhaasenbrück aus, an
den Junker erlassen, erwägend, fragte er: was er denn von dem
Tribunal zu Dresden verlange? Kohlhaas antwortete: Bestrafung
des Junkers, den Gesetzen gemäß; Wiederherstellung der Pferde
in den vorigen Stand; und Ersatz des Schadens, den ich sowohl,
als mein bei Mühlberg gefallener Knecht Herse, durch die Gewalttat, die man an uns verübte, erlitten. – Luther rief: Ersatz des
Schadens! Summen zu Tausenden, bei Juden und Christen, auf
Wechseln und Pfändern, hast du, zur Bestreitung deiner wilden
Selbstrache, aufgenommen. Wirst du den Wert auch, auf der
Rechnung, wenn es zur Nachfrage kommt, ansetzen? – Gott behüte! erwiderte Kohlhaas. Haus und Hof, und den Wohlstand,
den ich besessen, fordere ich nicht zurück; so wenig als die Ko-
sten des Begräbnisses meiner Frau! Hersens alte Mutter wird eine
Berechnung der Heilkosten, und eine Spezifikation dessen, was
ihr Sohn in der Tronkenburg eingebüßt, beibringen; und den
Schaden, den ich wegen Nichtverkaufs der Rappen erlitten, mag
die Regierung durch einen Sachverständigen abschätzen lassen.
– Luther sagte: rasender, unbegreiflicher und entsetzlicher
Mensch! und sah ihn an. Nachdem dein Schwert sich, an dem
Junker, Rache, die grimmigste, genommen, die sich erdenken
läßt: was treibt dich, auf ein Erkenntnis gegen ihn zu bestehen,
dessen Schärfe, wenn es zuletzt fällt, ihn mit einem Gewicht von
so geringer Erheblichkeit nur trifft? – Kohlhaas erwiderte, indem

ihm eine Träne über die Wangen rollte: hochwürdiger Herr! es hat mich meine Frau gekostet; Kohlhaas will der Welt zeigen, daß sie in keinem ungerechten Handel umgekommen ist. Fügt Euch in diesen Stücken meinem Willen, und laßt den Gerichtshof sprechen; in allem anderen, was sonst noch streitig sein mag, füge ich mich Euch. – Luther sagte: schau her, was du forderst, wenn anders die Umstände so sind, wie die öffentliche Stimme hören läßt, ist gerecht; und hättest du den Streit, bevor du eigenmächtig zur Selbstrache geschritten, zu des Landesherrn Entscheidung zu bringen gewußt, so wäre dir deine Forderung, zweifle ich nicht, Punkt vor Punkt bewilligt worden. Doch hättest du nicht, alles wohl erwogen, besser getan, du hättest, um deines Erlösers willen, dem Junker vergeben, die Rappen, dürre und abgehärmt, wie sie waren, bei der Hand genommen, dich aufgesetzt, und zur Dickfütterung in deinen Stall nach Kohlhaasenbrück heimgeritten? – Kohlhaas antwortete: kann sein! indem er ans Fenster trat: kann sein, auch nicht! Hätte ich gewußt, daß ich sie mit Blut aus dem Herzen meiner lieben Frau würde auf die Beine bringen müssen: kann sein, ich hätte getan, wie Ihr gesagt, hochwürdiger Herr, und einen Scheffel Hafer nicht gescheut! Doch, weil sie mir einmal so teuer zu stehen gekommen sind, so habe es denn, meine ich, seinen Lauf: laßt das Erkenntnis, wie es mir zukömmt, sprechen, und den Junker mir die Rappen auffüttern. – – Luther sagte, indem er, unter mancherlei Gedanken, wieder zu seinen Papieren griff: er wolle mit dem Kurfürsten seinethalben in Unterhandlung treten. Inzwischen möchte er sich, auf dem Schlosse zu Lützen, still halten; wenn der Herr ihm freies Geleit bewillige, so werde man es ihm auf dem Wege öffentlicher Anplackung bekannt machen. – Zwar, fuhr er fort, da Kohlhaas sich herabbog, um seine Hand zu küssen: ob der Kurfürst Gnade für Recht ergehen lassen wird, weiß ich nicht; denn einen Heerhaufen, vernehm ich, zog er zusammen, und steht im Begriff, dich im Schlosse zu Lützen aufzuheben: inzwischen, wie ich dir schon gesagt habe, an meinem Bemühen soll es nicht liegen. Und damit stand er auf, und machte Anstalt, ihn zu entlassen. Kohlhaas meinte, daß seine Fürsprache ihn über diesen Punkt völlig beruhige; worauf Luther ihn mit der Hand grüßte, jener aber plötzlich ein Knie vor ihm senkte und sprach:

er habe noch eine Bitte auf seinem Herzen. Zu Pfingsten nämlich, wo er an den Tisch des Herrn zu gehen pflege, habe er die
Kirche, dieser seiner kriegerischen Unternehmung wegen, ver-
säumt; ob er die Gewogenheit haben wolle, ohne weitere Vorbereitung, seine Beichte zu empfangen, und ihm, zur Auswech-
selung dagegen, die Wohltat des heiligen Sakraments zu erteilen?
Luther, nach einer kurzen Besinnung, indem er ihn scharf ansah,
sagte: ja, Kohlhaas, das will ich tun! Der Herr aber, dessen Leib
du begehrst, vergab seinem Feind. – Willst du, setzte er, da jener
ihn betreten ansah, hinzu, dem Junker, der dich beleidigt hat,
gleichfalls vergeben: nach der Tronkenburg gehen, dich auf
deine Rappen setzen, und sie zur Dickfütterung nach Kohlhaasenbrück heimreiten? – »Hochwürdiger Herr«, sagte Kohlhaas errötend, indem er seine Hand ergriff, – nun? – »der Herr auch vergab allen seinen Feinden nicht. Laßt mich den Kurfürsten, meinen
beiden Herren, dem Schloßvogt und Verwalter, den Herren
Hinz und Kunz, und wer mich sonst in dieser Sache gekränkt
haben mag, vergeben: den Junker aber, wenn es sein kann, nö-
tigen, daß er mir die Rappen wieder dick füttere.« – Bei diesen
Worten kehrte ihm Luther, mit einem mißvergnügten Blick, den
Rücken zu, und zog die Klingel. Kohlhaas, während, dadurch
herbeigerufen, ein Famulus sich mit Licht in dem Vorsaal meldete, stand betreten, indem er sich die Augen trocknete, vom Boden auf; und da der Famulus vergebens, weil der Riegel vorge-
schoben war, an der Türe wirkte, Luther aber sich wieder zu
seinen Papieren niedergesetzt hatte: so machte Kohlhaas dem
Mann die Türe auf. Luther, mit einem kurzen, auf den fremden
Mann gerichteten Seitenblick, sagte dem Famulus: leuchte! worauf dieser, über den Besuch, den er erblickte, ein wenig befremdet, den Hausschlüssel von der Wand nahm, und sich, auf die
Entfernung desselben wartend, unter die halboffene Tür des Zimmers zurückbegab. – Kohlhaas sprach, indem er seinen Hut bewegt zwischen beide Hände nahm: und so kann ich, hochwürdig-
ster Herr, der Wohltat versöhnt zu werden, die ich mir von Euch
erbat, nicht teilhaftig werden? Luther antwortete kurz: deinem
Heiland, nein; dem Landesherrn, – das bleibt einem Versuch, wie
ich dir versprach, vorbehalten! Und damit winkte er dem Famulus, das Geschäft, das er ihm aufgetragen, ohne weiteren Auf-

schub, abzumachen. Kohlhaas legte, mit dem Ausdruck schmerz-
licher Empfindung, seine beiden Hände auf die Brust; folgte dem
Mann, der ihm die Treppe hinunter leuchtete, und verschwand.

Am anderen Morgen erließ Luther ein Sendschreiben an den
Kurfürsten von Sachsen, worin er, nach einem bitteren Seitenblick auf die seine Person umgebenden Herren Hinz und Kunz,
Kämmerer und Mundschenk von Tronka, welche die Klage, wie
allgemein bekannt war, untergeschlagen hatten, dem Herrn, mit
der Freimütigkeit, die ihm eigen war, eröffnete, daß bei so ärger-
lichen Umständen, nichts anderes zu tun übrig sei, als den Vorschlag des Roßhändlers anzunehmen, und ihm des Vorgefallenen
wegen, zur Erneuerung seines Prozesses, Amnestie zu erteilen.
Die öffentliche Meinung, bemerkte er, sei auf eine höchst gefährliche Weise, auf dieses Mannes Seite, dergestalt, daß selbst in
dem dreimal von ihm eingeäscherten Wittenberg, eine Stimme
zu seinem Vorteil spreche; und da er sein Anerbieten, falls er damit abgewiesen werden sollte, unfehlbar, unter gehässigen Be-
merkungen, zur Wissenschaft des Volks bringen würde, so
könne dasselbe leicht in dem Grade verführt werden, daß mit
der Staatsgewalt gar nichts mehr gegen ihn auszurichten sei. Er
schloß, daß man, in diesem außerordentlichen Fall, über die Be-
denklichkeit, mit einem Staatsbürger, der die Waffen ergriffen,
in Unterhandlung zu treten, hinweggehen müsse; daß derselbe in
der Tat durch das Verfahren, das man gegen ihn beobachtet, auf
gewisse Weise außer der Staatsverbindung gesetzt worden sei;
und kurz, daß man ihn, um aus dem Handel zu kommen, mehr
als eine fremde, in das Land gefallene Macht, wozu er sich auch,
da er ein Ausländer sei, gewissermaßen qualifiziere, als einen Rebellen, der sich gegen den Thron auflehne, betrachten müsse. –
Der Kurfürst erhielt diesen Brief eben, als der Prinz Christiern
von Meißen, Generalissimus des Reichs, Oheim des bei Mühlberg geschlagenen und an seinen Wunden noch danniederliegen-
den Prinzen Friedrich von Meißen; der Großkanzler des Tribunals, Graf Wrede; Graf Kallheim, Präsident der Staatskanzlei; und
die beiden Herren Hinz und Kunz von Tronka, dieser Kämmerer,
jener Mundschenk, die Jugendfreunde und Vertrauten des Herrn,
in dem Schlosse gegenwärtig waren. Der Kämmerer, Herr Kunz,
der, in der Qualität eines Geheimenrats, des Herrn geheime Korre-

spondenz, mit der Befugnis, sich seines Namens und Wappens zu bedienen, besorgte, nahm zuerst das Wort, und nachdem er noch einmal weitläufig auseinander gelegt hatte, daß er die Klage, die der Roßhändler gegen den Junker, seinen Vetter, bei dem Tribunal eingereicht, nimmermehr durch eine eigenmächtige Verfügung niedergeschlagen haben würde, wenn er sie nicht, durch falsche Angaben verführt, für eine völlig grundlose und nichtsnutzige Plackerei gehalten hätte, kam er auf die gegenwärtige Lage der Dinge. Er bemerkte, daß, weder nach göttlichen noch menschlichen Gesetzen, der Roßkamm, um dieses Mißgriffs willen, befugt gewesen wäre, eine so ungeheure Selbstrache, als er sich erlaubt, auszuüben; schilderte den Glanz, der durch eine Verhandlung mit demselben, als einer rechtlichen Kriegsgewalt, auf sein gottverdammtes Haupt falle; und die Schmach, die dadurch auf die geheiligte Person des Kurfürsten zurückspringe, schien ihm so unerträglich, daß er, im Feuer der Beredsamkeit, lieber das Äußerste erleben, den Rechtsschluß des rasenden Rebellen erfüllt, und den Junker, seinen Vetter, zur Dickfütterung der Rappen nach Kohlhaasenbrück abgeführt sehen, als den Vorschlag, den der Doktor Luther gemacht, angenommen wissen wollte. Der Großkanzler des Tribunals, Graf Wrede, äußerte, halb zu ihm gewandt, sein Bedauern, daß eine so zarte Sorgfalt, als er, bei der Auflösung dieser allerdings mißlichen Sache, für den Ruhm des Herrn zeige, ihn nicht, bei der ersten Veranlassung derselben, erfüllt hätte. Er stellte dem Kurfürsten sein Bedenken vor, die Staatsgewalt, zur Durchsetzung einer offenbar unrechtlichen Maßregel, in Anspruch zu nehmen; bemerkte, mit einem bedeutenden Blick auf den Zulauf, den der Roßhändler fortdauernd im Lande fand, daß der Faden der Freveltaten sich auf diese Weise ins Unendliche fortzuspinnen drohe, und erklärte, daß nur ein schlichtes Rechttun, indem man unmittelbar und rücksichtslos den Fehltritt, den man sich zu Schulden kommen lassen, wieder gut machte, ihn abreißen und die Regierung glücklich aus diesem häßlichen Handel herausziehen könne. Der Prinz Christiern von Meißen, auf die Frage des Herrn, was er davon halte? äußerte, mit Verehrung gegen den Großkanzler gewandt: die Denkungsart, die er an den Tag lege, erfülle ihn zwar mit dem größesten Respekt; indem er aber dem

Kohlhaas zu seinem Recht verhelfen wolle, bedenke er nicht, daß er Wittenberg und Leipzig, und das ganze durch ihn mißhandelte Land, in seinem gerechten Anspruch auf Schadenersatz, oder wenigstens Bestrafung, beeinträchtige. Die Ordnung des Staats sei, in Beziehung auf diesen Mann, so verrückt, daß man sie schwerlich durch einen Grundsatz, aus der Wissenschaft des Rechts entlehnt, werde einrenken können. Daher stimme er, nach der Meinung des Kämmerers, dafür, das Mittel, das für solche Fälle eingesetzt sei, ins Spiel zu ziehen: einen Kriegshaufen, von hinreichender Größe zusammenzuraffen, und den Roßhändler, der in Lützen aufgepflanzt sei, damit aufzuheben oder zu erdrücken. Der Kämmerer, indem er für ihn und den Kurfürsten Stühle von der Wand nahm, und auf eine verbindliche Weise ins Zimmer setzte, sagte: er freue sich, daß ein Mann von seiner Rechtschaffenheit und Einsicht mit ihm in dem Mittel, diese Sache zweideutiger Art beizulegen, übereinstimme. Der Prinz, indem er den Stuhl, ohne sich zu setzen, in der Hand hielt, und ihn ansah, versicherte ihn: daß er gar nicht Ursache hätte sich deshalb zu freuen, indem die damit verbundene Maßregel notwendig die wäre, einen Verhaftbefehl vorher gegen ihn zu erlassen, und wegen Mißbrauchs des landesherrlichen Namens den Prozeß zu machen. Denn wenn Notwendigkeit erfordere, den Schleier vor dem Thron der Gerechtigkeit niederzulassen, über eine Reihe von Freveltaten, die unabsehbar wie sie sich forterzeugt, vor den Schranken desselben zu erscheinen, nicht mehr Raum fänden, so gelte das nicht von der ersten, die sie veranlaßt; und allererst seine Anklage auf Leben und Tod könne den Staat zur Zermalmung des Roßhändlers bevollmächtigen, dessen Sache, wie bekannt, sehr gerecht sei, und dem man das Schwert, das er führe, selbst in die Hand gegeben. Der Kurfürst, den der Junker bei diesen Worten betroffen ansah, wandte sich, indem er über das ganze Gesicht rot ward, und trat ans Fenster. Der Graf Kallheim, nach einer verlegenen Pause von allen Seiten, sagte, daß man auf diese Weise aus dem Zauberkreise, in dem man befangen, nicht herauskäme. Mit demselben Rechte könne seinem Neffen, dem Prinzen Friedrich, der Prozeß gemacht werden; denn auch er hätte, auf dem Streifzug sonderbarer Art, den er gegen den Kohlhaas unternommen, seine Instruktion auf man-

cherlei Weise überschritten: dergestalt, daß wenn man nach der
weitläufigen Schar derjenigen frage, die die Verlegenheit, in welcher man sich befinde, veranlaßt, er gleichfalls unter die Zahl derselben würde benannt, und von dem Landesherrn wegen dessen
was bei Mühlberg vorgefallen, zur Rechenschaft gezogen werden müssen. Der Mundschenk, Herr Hinz von Tronka, während
der Kurfürst mit ungewissen Blicken an seinen Tisch trat, nahm
das Wort und sagte: er begriffe nicht, wie der Staatsbeschluß, der
zu fassen sei, Männern von solcher Weisheit, als hier versammelt
wären, entgehen könne. Der Roßhändler habe, seines Wissens,
gegen bloß freies Geleit nach Dresden, und erneuerte Untersuchung seiner Sache, versprochen, den Haufen, mit dem er in das
Land gefallen, auseinander gehen zu lassen. Daraus aber folge
nicht, daß man ihm, wegen dieser frevelhaften Selbstrache, Amnestie erteilen müsse: zwei Rechtsbegriffe, die der Doktor Luther
sowohl, als auch der Staatsrat zu verwechseln scheine. Wenn,
fuhr er fort, indem er den Finger an die Nase legte, bei dem Tribunal zu Dresden, gleichviel wie, das Erkenntnis der Rappen
wegen gefallen ist; so hindert nichts, den Kohlhaas auf den Grund
seiner Mordbrennereien und Räubereien einzustecken: eine
staatskluge Wendung, die die Vorteile der Ansichten beider
Staatsmänner vereinigt, und des Beifalls der Welt und Nachwelt
gewiß ist. – Der Kurfürst, da der Prinz sowohl als der Großkanzler dem Mundschenk, Herrn Hinz, auf diese Rede mit einem
bloßen Blick antworteten, und die Verhandlung mithin geschlossen schien, sagte: daß er die verschiedenen Meinungen, die
sie ihm vorgetragen, bis zur nächsten Sitzung des Staatsrats bei
sich selbst überlegen würde. – Es schien, die Präliminar-Maßregel, deren der Prinz gedacht, hatte seinem für Freundschaft sehr
empfänglichen Herzen die Lust benommen, den Heereszug gegen
den Kohlhaas, zu welchem schon alles vorbereitet war, auszuführen. Wenigstens behielt er den Großkanzler, Grafen Wrede,
dessen Meinung ihm die zweckmäßigste schien, bei sich zurück;
und da dieser ihm Briefe vorzeigte, aus welchen hervorging, daß
der Roßhändler in der Tat schon zu einer Stärke von vierhundert
Mann herangewachsen sei; ja, bei der allgemeinen Unzufrieden-
heit, die wegen der Unziemlichkeiten des Kämmerers im Lande
herrschte, in kurzem auf eine doppelte und dreifache Stärke rech-

nen könne: so entschloß sich der Kurfürst, ohne weiteren Anstand, den Rat, den ihm der Doktor Luther erteilt, anzunehmen.
Dem gemäß übergab er dem Grafen Wrede die ganze Leitung der
Kohlhaasischen Sache; und schon nach wenigen Tagen erschien
ein Plakat, das wir, dem Hauptinhalt nach, folgendermaßen mitteilen:

»Wir etc. etc. Kurfürst von Sachsen, erteilen, in besonders gnä-
diger Rücksicht auf die an Uns ergangene Fürsprache des Doktors Martin Luther, dem Michael Kohlhaas, Roßhändler aus
dem Brandenburgischen, unter der Bedingung, binnen drei
Tagen nach Sicht die Waffen, die er ergriffen, niederzulegen,
behufs einer erneuerten Untersuchung seiner Sache, freies Geleit nach Dresden; dergestalt zwar, daß, wenn derselbe, wie
nicht zu erwarten, bei dem Tribunal zu Dresden mit seiner
Klage, der Rappen wegen, abgewiesen werden sollte, gegen
ihn, seines eigenmächtigen Unternehmens wegen, sich selbst
Recht zu verschaffen, mit der ganzen Strenge des Gesetzes verfahren werden solle; im entgegengesetzten Fall aber, ihm mit
seinem ganzen Haufen, Gnade für Recht bewilligt, und völlige
Amnestie, seiner in Sachsen ausgeübten Gewalttätigkeiten wegen, zugestanden sein solle.«

Kohlhaas hatte nicht sobald, durch den Doktor Luther, ein
Exemplar dieses in allen Plätzen des Landes angeschlagenen Plakats erhalten, als er, so bedingungsweise auch die darin geführte
Sprache war, seinen ganzen Haufen schon, mit Geschenken,
Danksagungen und zweckmäßigen Ermahnungen auseinander
gehen ließ. Er legte alles, was er an Geld, Waffen und Gerätschaften erbeutet haben mochte, bei den Gerichten zu Lützen, als kurfürstliches Eigentum, nieder; und nachdem er den Waldmann mit
Briefen, wegen Wiederkaufs seiner Meierei, wenn es möglich sei,
an den Amtmann nach Kohlhaasenbrück, und den Sternbald zur
Abholung seiner Kinder, die er wieder bei sich zu haben wünschte, nach Schwerin geschickt hatte, verließ er das Schloß zu Lützen,
und ging, unerkannt, mit dem Rest seines kleinen Vermögens,
das er in Papieren bei sich trug, nach Dresden.
Der Tag brach eben an, und die ganze Stadt schlief noch, als er
an die Tür der kleinen, in der Pirnaischen Vorstadt gelegenen Be-

sitzung, die ihm durch die Rechtschaffenheit des Amtmanns
übrig geblieben war, anklopfte, und Thomas, dem alten, die Wirtschaft führenden Hausmann, der ihm mit Erstaunen und Bestürzung aufmachte, sagte: er möchte dem Prinzen von Meißen auf
dem Gubernium melden, daß er, Kohlhaas der Roßhändler, da
wäre. Der Prinz von Meißen, der auf diese Meldung für zweckmäßig hielt, augenblicklich sich selbst von dem Verhältnis, in
welchem man mit diesem Mann stand, zu unterrichten, fand, als
er mit einem Gefolge von Rittern und Troßknechten bald darauf erschien, in den Straßen, die zu Kohlhaasens Wohnung führten, schon eine unermeßliche Menschenmenge versammelt. Die
Nachricht, daß der Würgengel da sei, der die Volksbedrücker mit
Feuer und Schwert verfolgte, hatte ganz Dresden, Stadt und Vorstadt, auf die Beine gebracht; man mußte die Haustür vor dem
Andrang des neugierigen Haufens verriegeln, und die Jungen
kletterten an den Fenstern heran, um den Mordbrenner, der darin
frühstückte, in Augenschein zu nehmen. Sobald der Prinz, mit
Hülfe der ihm Platz machenden Wache, ins Haus gedrungen,
und in Kohlhaasens Zimmer getreten war, fragte er diesen, welcher halb entkleidet an einem Tische stand: ob er Kohlhaas, der
Roßhändler, wäre? worauf Kohlhaas, indem er eine Brieftasche
mit mehreren über sein Verhältnis lautenden Papieren aus seinem
Gurt nahm, und ihm ehrerbietig überreichte, antwortete: ja! und
hinzusetzte: er finde sich nach Auflösung seines Kriegshaufens,
der ihm erteilten landesherrlichen Freiheit gemäß, in Dresden ein,
um seine Klage, der Rappen wegen, gegen den Junker Wenzel
von Tronka vor Gericht zu bringen. Der Prinz, nach einem flüchtigen Blick, womit er ihn von Kopf zu Fuß überschaute, durchlief die in der Brieftasche befindlichen Papiere; ließ sich von ihm
erklären, was es mit einem von dem Gericht zu Lützen ausgestell-
ten Schein, den er darin fand, über die zu Gunsten des kurfürstlichen Schatzes gemachte Deposition für eine Bewandtnis habe;
und nachdem er die Art des Mannes noch, durch Fragen mancherlei Gattung, nach seinen Kindern, seinem Vermögen und der
Lebensart die er künftig zu führen denke, geprüft, und überall
so, daß man wohl seinetwegen ruhig sein konnte, befunden
hatte, gab er ihm die Briefschaften wieder, und sagte: daß seinem
Prozeß nichts im Wege stünde, und daß er sich nur unmittelbar,

um ihn einzuleiten, an den Großkanzler des Tribunals, Grafen
Wrede, selbst wenden möchte. Inzwischen, sagte der Prinz, nach
einer Pause, indem er ans Fenster trat, und mit großen Augen das
Volk, das vor dem Hause versammelt war, überschaute: du wirst
auf die ersten Tage eine Wache annehmen müssen, die dich, in
deinem Hause sowohl, als wenn du ausgehst, schütze! – – Kohlhaas sah betroffen vor sich nieder, und schwieg. Der Prinz sagte:
»gleichviel!« indem er das Fenster wieder verließ. »Was daraus
entsteht, du hast es dir selbst beizumessen«; und damit wandte er
sich wieder nach der Tür, in der Absicht, das Haus zu verlassen.
Kohlhaas, der sich besonnen hatte, sprach: Gnädigster Herr! tut,
was Ihr wollt! Gebt mir Euer Wort, die Wache, sobald ich es
wünsche, wieder aufzuheben: so habe ich gegen diese Maßregel
nichts einzuwenden! Der Prinz erwiderte: das bedürfe der Rede
nicht; und nachdem er drei Landsknechten, die man ihm zu diesem Zweck vorstellte, bedeutet hatte: daß der Mann, in dessen
Hause sie zurückblieben, frei wäre, und daß sie ihm bloß zu seinem Schutz, wenn er ausginge, folgen sollten, grüßte er den
Roßhändler mit einer herablassenden Bewegung der Hand, und
entfernte sich.

Gegen Mittag begab sich Kohlhaas, von seinen drei Landsknechten begleitet, unter dem Gefolge einer unabsehbaren Menge,
die ihm aber auf keine Weise, weil sie durch die Polizei gewarnt
war, etwas zu Leide tat, zu dem Großkanzler des Tribunals, Grafen Wrede. Der Großkanzler, der ihn mit Milde und Freundlichkeit in seinem Vorgemach empfing, unterhielt sich während zwei
ganzer Stunden mit ihm, und nachdem er sich den ganzen Verlauf der Sache, von Anfang bis zu Ende, hatte erzählen lassen,
wies er ihn, zur unmittelbaren Abfassung und Einreichung der
Klage, an einen, bei dem Gericht angestellten, berühmten Advokaten der Stadt. Kohlhaas, ohne weiteren Verzug, verfügte sich
in dessen Wohnung; und nachdem die Klage, ganz der ersten
niedergeschlagenen gemäß, auf Bestrafung des Junkers nach den
Gesetzen, Wiederherstellung der Pferde in den vorigen Stand,
und Ersatz *seines* Schadens sowohl, als auch dessen, den sein bei
Mühlberg gefallener Knecht Herse erlitten hatte, zu Gunsten der
alten Mutter desselben, aufgesetzt war, begab er sich wieder, unter Begleitung des ihn immer noch angaffenden Volks, nach

Hause zurück, wohl entschlossen, es anders nicht, als nur wenn
notwendige Geschäfte ihn riefen, zu verlassen.

Inzwischen war auch der Junker seiner Haft in Wittenberg
entlassen, und nach Herstellung von einer gefährlichen Rose, die
seinen Fuß entzündet hatte, von dem Landesgericht unter perem-
torischen Bedingungen aufgefordert worden, sich zur Verantwortung auf die von dem Roßhändler Kohlhaas gegen ihn ein-
gereichte Klage, wegen widerrechtlich abgenommener und zu
Grunde gerichteter Rappen, in Dresden zu stellen. Die Gebrüder
Kämmerer und Mundschenk von Tronka, Lehnsvettern des Junkers, in deren Hause er abtrat, empfingen ihn mit der größesten
Erbitterung und Verachtung; sie nannten ihn einen Elenden und
Nichtswürdigen, der Schande und Schmach über die ganze Familie bringe, kündigten ihm an, daß er seinen Prozeß nunmehr
unfehlbar verlieren würde, und forderten ihn auf, nur gleich zur
Herbeischaffung der Rappen, zu deren Dickfütterung er, zum
Hohngelächter der Welt, verdammt werden werde, Anstalt zu
machen. Der Junker sagte, mit schwacher, zitternder Stimme: er
sei der bejammernswürdigste Mensch von der Welt. Er verschwor
sich, daß er von dem ganzen verwünschten Handel, der ihn ins
Unglück stürze, nur wenig gewußt, und daß der Schloßvogt
und der Verwalter an allem schuld wären, indem sie die Pferde,
ohne sein entferntestes Wissen und Wollen, bei der Ernte gebraucht, und durch unmäßige Anstrengungen, zum Teil auf ihren
eigenen Feldern, zu Grunde gerichtet hätten. Er setzte sich, indem
er dies sagte, und bat ihn nicht durch Kränkungen und Beleidigungen in das Übel, von dem er nur soeben erst erstanden sei,
mutwillig zurückzustürzen. Am andern Tage schrieben die Herren Hinz und Kunz, die in der Gegend der eingeäscherten Tronkenburg Güter besaßen, auf Ansuchen des Junkers, ihres Vetters,
weil doch nichts anders übrig blieb, an ihre dort befindlichen Verwalter und Pächter, um Nachricht über die an jenem unglücklichen Tage abhanden gekommenen und seitdem gänzlich ver-
schollenen Rappen einzuziehn. Aber alles, was sie bei der gänzlichen Verwüstung des Platzes, und der Niedermetzelung fast
aller Einwohner, erfahren konnten, war, daß ein Knecht sie, von
den flachen Hieben des Mordbrenners getrieben, aus dem brennenden Schuppen, in welchem sie standen, gerettet, nachher aber

auf die Frage, wo er sie hinführen, und was er damit anfangen
solle, von dem grimmigen Wüterich einen Fußtritt zur Antwort
erhalten habe. Die alte, von der Gicht geplagte Haushälterin des
Junkers, die sich nach Meißen geflüchtet hatte, versicherte demselben, auf eine schriftliche Anfrage, daß der Knecht sich, am
Morgen jener entsetzlichen Nacht, mit den Pferden nach der
brandenburgischen Grenze gewandt habe; doch alle Nachfragen,
die man daselbst anstellte, waren vergeblich, und es schien dieser
Nachricht ein Irrtum zum Grunde zu liegen, indem der Junker
keinen Knecht hatte, der im Brandenburgischen, oder auch nur
auf der Straße dorthin, zu Hause war. Männer aus Dresden, die
wenige Tage nach dem Brande der Tronkenburg in Wilsdruf gewesen waren, sagten aus, daß um die benannte Zeit ein Knecht
mit zwei an der Halfter gehenden Pferden dort angekommen,
und die Tiere, weil sie sehr elend gewesen wären, und nicht weiter fort gekonnt hätten, im Kuhstall eines Schäfers, der sie wieder hätte aufbringen wollen, stehen gelassen hätte. Es schien mancherlei Gründe wegen sehr wahrscheinlich, daß dies die in Untersuchung stehenden Rappen waren; aber der Schäfer aus Wilsdruf
hatte sie, wie Leute, die dorther kamen, versicherten, schon wieder, man wußte nicht an wen, verhandelt; und ein drittes Gerücht, dessen Urheber unentdeckt blieb, sagte gar aus, daß die
Pferde bereits in Gott verschieden, und in der Knochengrube zu
Wilsdruf begraben wären. Die Herren Hinz und Kunz, denen
diese Wendung der Dinge, wie man leicht begreift, die erwünsch-
teste war, indem sie dadurch, bei des Junkers ihres Vetters Ermangelung eigener Ställe, der Notwendigkeit, die Rappen in den
ihrigen aufzufüttern, überhoben waren, wünschten gleichwohl,
völliger Sicherheit wegen, diesen Umstand zu bewahrheiten.
Herr Wenzel von Tronka erließ demnach, als Erb-, Lehns- und
Gerichtsherr, ein Schreiben an die Gerichte zu Wilsdruf, worin
er dieselben, nach einer weitläufigen Beschreibung der Rappen,
die, wie er sagte, ihm anvertraut und durch einen Unfall abhanden gekommen wären, dienstfreundlichst ersuchte, den dermali-
gen Aufenthalt derselben zu erforschen, und den Eigner, wer er
auch sei, aufzufordern und anzuhalten, sie, gegen reichliche
Wiedererstattung aller Kosten, in den Ställen des Kämmerers,
Herrn Kunz, zu Dresden abzuliefern. Dem gemäß erschien auch

wirklich, wenige Tage darauf, der Mann an den sie der Schäfer
aus Wilsdruf verhandelt hatte, und führte sie, dürr und wankend,
an die Runge seines Karrens gebunden, auf den Markt der Stadt;
das Unglück aber Herrn Wenzels, und noch mehr des ehrlichen
Kohlhaas wollte, daß es der Abdecker aus Döbbeln war.

Sobald Herr Wenzel, in Gegenwart des Kämmerers, seines
Vetters, durch ein unbestimmtes Gerücht vernommen hatte, daß
ein Mann mit zwei schwarzen aus dem Brande der Tronkenburg
entkommenen Pferden in der Stadt angelangt sei, begaben sich
beide, in Begleitung einiger aus dem Hause zusammengerafften
Knechte, auf den Schloßplatz, wo er stand, um sie demselben,
falls es die dem Kohlhaas zugehörigen wären, gegen Erstattung
der Kosten abzunehmen, und nach Hause zu führen. Aber wie
betreten waren die Ritter, als sie bereits einen, von Augenblick
zu Augenblick sich vergrößernden Haufen von Menschen, den
das Schauspiel herbeigezogen, um den zweirädrigen Karren, an
dem die Tiere befestigt waren, erblickten; unter unendlichem
Gelächter einander zurufend, daß die Pferde schon, um derent-
halben der Staat wanke, an den Schinder gekommen wären! Der
Junker, der um den Karren herumgegangen war, und die jämmerlichen Tiere, die alle Augenblicke sterben zu wollen schienen,
betrachtet hatte, sagte verlegen: das wären die Pferde nicht, die er
dem Kohlhaas abgenommen; doch Herr Kunz, der Kämmerer,
einen Blick sprachlosen Grimms voll auf ihn werfend, der, wenn
er von Eisen gewesen wäre, ihn zerschmettert hätte, trat, indem
er seinen Mantel, Orden und Kette entblößend, zurückschlug,
zu dem Abdecker heran, und fragte ihn: ob das die Rappen
wären, die der Schäfer von Wilsdruf an sich gebracht, und der
Junker Wenzel von Tronka, dem sie gehörten, bei den Gerichten
daselbst requiriert hätte? Der Abdecker, der, einen Eimer Wasser
in der Hand, beschäftigt war, einen dicken, wohlbeleibten Gaul,
der seinen Karren zog, zu tränken, sagte: »die schwarzen?« – Er
streifte dem Gaul, nachdem er den Eimer niedergesetzt, das Ge-
biß aus dem Maul, und sagte: »die Rappen, die an die Runge gebunden wären, hätte ihm der Schweinehirte von Hainichen verkauft. Wo der sie her hätte, und ob sie von dem Wilsdrufer
Schäfer kämen, das wisse er nicht. Ihm hätte«, sprach er, während
er den Eimer wieder aufnahm, und zwischen Deichsel und Knie

anstemmte: »ihm hätte der Gerichtsbote aus Wilsdruf gesagt, daß er sie nach Dresden in das Haus derer von Tronka bringen solle; aber der Junker, an den er gewiesen sei, heiße Kunz.« Bei diesen Worten wandte er sich mit dem Rest des Wassers, den der Gaul im Eimer übrig gelassen hatte, und schüttete ihn auf das Pflaster der Straße aus. Der Kämmerer, der, von den Blicken der hohnlachenden Menge umstellt, den Kerl, der mit empfindungslosem Eifer seine Geschäfte betrieb, nicht bewegen konnte, daß er ihn ansah, sagte: daß er der Kämmerer, Kunz von Tronka, wäre; die Rappen aber, die er an sich bringen solle, müßten dem Junker, seinem Vetter, gehören; von einem Knecht, der bei Gelegenheit des Brandes aus der Tonkenburg entwichen, an den Schäfer zu Wilsdruf gekommen, und ursprünglich zwei dem Roßhändler Kohlhaas zugehörige Pferde sein! Er fragte den Kerl, der mit gespreizten Beinen dastand, und sich die Hosen in die Höhe zog: ob er davon nichts wisse? Und ob sie der Schweinehirte von Hainichen nicht vielleicht, auf welchen Umstand alles ankomme, von dem Wilsdrufer Schäfer, oder von einem Dritten, der sie seinerseits von demselben gekauft, erstanden hätte? – Der Abdecker, der sich an den Wagen gestellt und sein Wasser abgeschlagen hatte, sagte: »er wäre mit den Rappen nach Dresden bestellt, um in dem Hause derer von Tronka sein Geld dafür zu empfangen. Was er da vorbrächte, verstände er nicht; und ob sie, vor dem Schweinehirten aus Hainichen, Peter oder Paul besessen hätte, oder der Schäfer aus Wilsdruf, gelte ihm, da sie nicht gestohlen wären, gleich.« Und damit ging er, die Peitsche quer über seinen breiten Rücken, nach einer Kneipe, die auf dem Platze lag, in der Absicht, hungrig wie er war, ein Frühstück einzunehmen. Der Kämmerer, der auf der Welt Gottes nicht wußte, was er mit Pferden, die der Schweinehirte von Hainichen an den Schinder in Döbbeln verkauft, machen solle, falls es nicht diejenigen wären, auf welchen der Teufel durch Sachsen ritt, forderte den Junker auf, ein Wort zu sprechen; doch da dieser mit bleichen, bebenden Lippen erwiderte: das Ratsamste wäre, daß man die Rappen kaufe, sie möchten dem Kohlhaas gehören oder nicht: so trat der Kämmerer, Vater und Mutter, die ihn geboren, verfluchend, indem er sich den Mantel zurückschlug, gänzlich unwissend, was er zu tun oder zu lassen habe, aus dem Haufen des

Volks zurück. Er rief den Freiherrn von Wenk, einen Bekannten,
der über die Straße ritt, zu sich heran, und trotzig, den Platz nicht
zu verlassen, eben weil das Gesindel höhnisch auf ihn einblickte,
und, mit vor dem Mund zusammengedrückten Schnupftüchern,
nur auf seine Entfernung zu warten schien, um loszuplatzen, bat er
ihn, bei dem Großkanzler, Grafen Wrede, abzusteigen, und durch
dessen Vermittelung den Kohlhaas zur Besichtigung der Rappen
herbeizuschaffen. Es traf sich, daß Kohlhaas eben, durch einen
Gerichtsboten herbeigerufen, in dem Gemach des Großkanzlers,
gewisser, die Deposition in Lützen betreffenden Erläuterungen
wegen, die man von ihm bedurfte, gegenwärtig war, als der
Freiherr, in der eben erwähnten Absicht, zu ihm ins Zimmer trat;
und während der Großkanzler sich mit einem verdrießlichen Gesicht vom Sessel erhob, und den Roßhändler, dessen Person jenem unbekannt war, mit den Papieren, die er in der Hand hielt,
zur Seite stehen ließ, stellte der Freiherr ihm die Verlegenheit, in
welcher sich die Herren von Tronka befanden, vor. Der Abdecker
von Döbbeln sei, auf mangelhafte Requisition der Wilsdrufer
Gerichte, mit Pferden erschienen, deren Zustand so heillos beschaffen wäre, daß der Junker Wenzel anstehen müsse, sie für die
dem Kohlhaas gehörigen anzuerkennen; dergestalt, daß, falls man
sie gleichwohl dem Abdecker abnehmen solle, um in den Ställen
der Ritter, zu ihrer Wiederherstellung, einen Versuch zu machen,
vorher eine Okular-Inspektion des Kohlhaas, um den besagten
Umstand außer Zweifel zu setzen, notwendig sei. »Habt demnach die Güte, schloß er, den Roßhändler durch eine Wache aus
seinem Hause abholen und auf den Markt, wo die Pferde stehen,
hinführen zu lassen.« Der Großkanzler, indem er sich eine Brille
von der Nase nahm, sagte: daß er in einem doppelten Irrtum
stünde; einmal, wenn er glaube, daß der in Rede stehende Umstand anders nicht, als durch eine Okular-Inspektion des Kohlhaas auszumitteln sei; und dann, wenn er sich einbilde, er, der
Kanzler, sei befugt, den Kohlhaas durch eine Wache, wohin es
dem Junker beliebe, abführen zu lassen. Dabei stellte er ihm den
Roßhändler, der hinter ihm stand, vor, und bat ihn, indem er
sich niederließ und seine Brille wieder aufsetzte, sich in dieser
Sache an ihn selbst zu wenden. – Kohlhaas, der mit keiner Miene,
was in seiner Seele vorging, zu erkennen gab, sagte: daß er bereit

wäre, ihm zur Besichtigung der Rappen, die der Abdecker in die
Stadt gebracht, auf den Markt zu folgen. Er trat, während der
Freiherr sich betroffen zu ihm umkehrte, wieder an den Tisch
des Großkanzlers heran, und nachdem er demselben noch, aus
den Papieren seiner Brieftasche, mehrere, die Deposition in
Lützen betreffende Nachrichten gegeben hatte, beurlaubte er
sich von ihm; der Freiherr, der, über das ganze Gesicht rot, ans
Fenster getreten war, empfahl sich ihm gleichfalls; und beide
gingen, begleitet von den drei durch den Prinzen von Meißen
eingesetzten Landsknechten, unter dem Troß einer Menge von
Menschen, nach dem Schloßplatz hin. Der Kämmerer, Herr
Kunz, der inzwischen den Vorstellungen mehrerer Freunde, die
sich um ihn eingefunden hatten, zum Trotz, seinen Platz, dem
Abdecker von Döbbeln gegenüber, unter dem Volke behauptet
hatte, trat, sobald der Freiherr mit dem Roßhändler erschien, an
den letzteren heran, und fragte ihn, indem er sein Schwert, mit
Stolz und Ansehen, unter dem Arm hielt: ob die Pferde, die
hinter dem Wagen stünden, die seinigen wären? Der Roßhändler, nachdem er, mit einer bescheidenen Wendung gegen den die
Frage an ihn richtenden Herrn, den er nicht kannte, den Hut gerückt hatte, trat, ohne ihm zu antworten, im Gefolge sämtlicher
Ritter, an den Schinderkarren heran; und die Tiere, die, auf
wankenden Beinen, die Häupter zur Erde gebeugt, dastanden,
und von dem Heu, das ihnen der Abdecker vorgelegt hatte, nicht
fraßen, flüchtig, aus einer Ferne von zwölf Schritt, in welcher er
stehen blieb, betrachtet: gnädigster Herr! wandte er sich wieder
zu dem Kämmerer zurück, der Abdecker hat ganz recht; die
Pferde, die an seinen Karren gebunden sind, gehören mir! Und
damit, indem er sich in dem ganzen Kreise der Herren umsah,
rückte er den Hut noch einmal, und begab sich, von seiner
Wache begleitet, wieder von dem Platz hinweg. Bei diesen
Worten trat der Kämmerer, mit einem raschen, seinen Helm-
busch erschütternden Schritt zu dem Abdecker heran, und warf
ihm einen Beutel mit Geld zu; und während dieser sich, den Beutel in der Hand, mit einem bleiernen Kamm die Haare über die
Stirn zurückkämmte, und das Geld betrachtete, befahl er einem
Knecht, die Pferde abzulösen und nach Hause zu führen! Der
Knecht, der auf den Ruf des Herrn, einen Kreis von Freunden

und Verwandten, die er unter dem Volke besaß, verlassen hatte,
trat auch, in der Tat, ein wenig rot im Gesicht, über eine große
Mistpfütze, die sich zu ihren Füßen gebildet hatte, zu den Pferden heran; doch kaum hatte er ihre Halftern erfaßt, um sie loszubinden, als ihn Meister Himboldt, sein Vetter, schon beim
Arm ergriff, und mit den Worten: du rührst die Schindmähren
nicht an! von dem Karren hinwegschleuderte. Er setzte, indem
er sich mit ungewissen Schritten über die Mistpfütze wieder zu
dem Kämmerer, der über diesen Vorfall sprachlos dastand, zurück wandte, hinzu: daß er sich einen Schinderknecht anschaffen
müsse, um ihm einen solchen Dienst zu leisten! Der Kämmerer,
der, vor Wut schäumend, den Meister auf einen Augenblick betrachtet hatte, kehrte sich um, und rief über die Häupter der
Ritter, die ihn umringten, hinweg, nach der Wache; und sobald,
auf die Bestellung des Freiherrn von Wenk, ein Offizier mit einigen kurfürstlichen Trabanten, aus dem Schloß erschienen war,
forderte er denselben unter einer kurzen Darstellung der schändlichen Aufhetzerei, die sich die Bürger der Stadt erlaubten, auf,
den Rädelsführer, Meister Himboldt, in Verhaft zu nehmen. Er
verklagte den Meister, indem er ihn bei der Brust faßte: daß er
seinen, die Rappen auf seinen Befehl losbindenden Knecht von
dem Karren hinweggeschleudert und mißhandelt hätte. Der Meister, indem er den Kämmerer mit einer geschickten Wendung,
die ihn befreiete, zurückwies, sagte: gnädigster Herr! einem Bur-
schen von zwanzig Jahren bedeuten, was er zu tun hat, heißt
nicht, ihn verhetzen! Befragt ihn, ob er sich gegen Herkommen
und Schicklichkeit mit den Pferden, die an die Karre gebunden
sind, befassen will; will er es, nach dem, was ich gesagt, tun:
sei's! Meinethalb mag er sie jetzt abludern und häuten! Bei diesen
Worten wandte sich der Kämmerer zu dem Knecht herum, und
fragte ihn: ob er irgend Anstand nähme, seinen Befehl zu erfüllen, und die Pferde, die dem Kohlhaas gehörten, loszubinden,
und nach Hause zu führen? und da dieser schüchtern, indem er
sich unter die Bürger mischte, erwiderte: die Pferde müßten erst
ehrlich gemacht werden, bevor man ihm das zumute; so folgte
ihm der Kämmerer von hinten, riß ihm den Hut ab, der mit
seinem Hauszeichen geschmückt war, zog, nachdem er den Hut
mit Füßen getreten, von Leder, und jagte den Knecht mit wü-

tenden Hieben der Klinge augenblicklich vom Platz weg und aus seinen Diensten. Meister Himboldt rief: schmeißt den Mordwüterich doch gleich zu Boden! und während die Bürger, von diesem Auftritt empört, zusammentraten, und die Wache hinwegdrängten, warf er den Kämmerer von hinten nieder, riß ihm Mantel, Kragen und Helm ab, wand ihm das Schwert aus der Hand, und schleuderte es, in einem grimmigen Wurf, weit über den Platz hinweg. Vergebens rief der Junker Wenzel, indem er sich aus dem Tumult rettete, den Rittern zu, seinem Vetter beizuspringen; ehe sie noch einen Schritt dazu getan hatten, waren sie schon von dem Andrang des Volks zerstreut, dergestalt, daß der Kämmerer, der sich den Kopf beim Fallen verletzt hatte, der ganzen Wut der Menge preis gegeben war. Nichts, als die Erscheinung eines Trupps berittener Landsknechte, die zufällig über den Platz zogen, und die der Offizier der kurfürstlichen Trabanten zu seiner Unterstützung herbeirief, konnte den Kämmerer retten. Der Offizier, nachdem er den Haufen verjagt, ergriff den wütenden Meister, und während derselbe durch einige Reuter nach dem Gefängnis gebracht ward, hoben zwei Freunde den unglücklichen mit Blut bedeckten Kämmerer vom Boden auf, und führten ihn nach Hause. Einen so heillosen Ausgang nahm der wohlgemeinte und redliche Versuch, dem Roßhändler wegen des Unrechts, das man ihm zugefügt, Genugtuung zu verschaffen. Der Abdecker von Döbbeln, dessen Geschäft abgemacht war, und der sich nicht länger aufhalten wollte, band, da sich das Volk zu zerstreuen anfing, die Pferde an einen Laternenpfahl, wo sie, den ganzen Tag über, ohne daß sich jemand um sie bekümmerte, ein Spott der Straßenjungen und Tagediebe, stehen blieben; dergestalt, daß in Ermangelung aller Pflege und Wartung die Polizei sich ihrer annehmen mußte, und gegen Einbruch der Nacht den Abdecker von Dresden herbeirief, um sie, bis auf weitere Verfügung, auf der Schinderei vor der Stadt zu besorgen.

Dieser Vorfall, so wenig der Roßhändler ihn in der Tat verschuldet hatte, erweckte gleichwohl, auch bei den Gemäßigtern und Besseren, eine, dem Ausgang seiner Streitsache höchst gefährliche Stimmung im Lande. Man fand das Verhältnis desselben zum Staat ganz unerträglich, und in Privathäusern und auf öffentlichen Plätzen, erhob sich die Meinung, daß es besser sei,

ein offenbares Unrecht an ihm zu verüben, und die ganze Sache
von neuem niederzuschlagen, als ihm Gerechtigkeit, durch Gewalttaten ertrotzt, in einer so nichtigen Sache, zur bloßen Be-
friedigung seines rasenden Starrsinns, zukommen zu lassen. Zum
völligen Verderben des armen Kohlhaas mußte der Großkanzler
selbst, aus übergroßer Rechtlichkeit, und einem davon herrührenden Haß gegen die Familie von Tronka, beitragen, diese
Stimmung zu befestigen und zu verbreiten. Es war höchst un-
wahrscheinlich, daß die Pferde, die der Abdecker von Dresden
jetzt besorgte, jemals wieder in den Stand, wie sie aus dem Stall
zu Kohlhaasenbrück gekommen waren, hergestellt werden würden; doch gesetzt, daß es durch Kunst und anhaltende Pflege
möglich gewesen wäre: die Schmach, die zufolge der bestehenden Umstände, dadurch auf die Familie des Junkers fiel, war so
groß, daß bei dem staatsbürgerlichen Gewicht, den sie, als eine
der ersten und edelsten, im Lande hatte, nichts billiger und zweck-
mäßiger schien, als eine Vergütigung der Pferde in Geld einzuleiten.
Gleichwohl, auf einen Brief, in welchem der Präsident, Graf
Kallheim, im Namen des Kämmerers, den seine Krankheit ab-
hielt, dem Großkanzler, einige Tage darauf, diesen Vorschlag
machte, erließ derselbe zwar ein Schreiben an den Kohlhaas,
worin er ihn ermahnte, einen solchen Antrag, wenn er an ihn ergehen sollte, nicht von der Hand zu weisen; den Präsidenten
selbst aber bat er, in einer kurzen, wenig verbindlichen Antwort,
ihn mit Privataufträgen in dieser Sache zu verschonen, und forderte den Kämmerer auf, sich an den Roßhändler selbst zu wenden, den er ihm als einen sehr billigen und bescheidenen Mann
schilderte. Der Roßhändler, dessen Wille, durch den Vorfall, der
sich auf dem Markt zugetragen, in der Tat gebrochen war, wartete auch nur, dem Rat des Großkanzlers gemäß, auf eine Eröffnung von Seiten des Junkers, oder seiner Angehörigen, um ihnen
mit völliger Bereitwilligkeit und Vergebung alles Geschehenen,
entgegenzukommen; doch eben diese Eröffnung war den stolzen
Rittern zu tun empfindlich; und schwer erbittert über die Antwort, die sie von dem Großkanzler empfangen hatten, zeigten
sie dieselbe dem Kurfürsten, der, am Morgen des nächstfolgenden Tages, den Kämmerer krank, wie er an seinen Wunden danieder lag, in seinem Zimmer besucht hatte. Der Kämmerer, mit

einer, durch seinen Zustand, schwachen und rührenden Stimme, fragte ihn, ob er, nachdem er sein Leben daran gesetzt, um diese Sache, seinen Wünschen gemäß, beizulegen, auch noch seine Ehre dem Tadel der Welt aussetzen, und mit einer Bitte um Vergleich und Nachgiebigkeit, vor einem Manne erscheinen solle, der alle nur erdenkliche Schmach und Schande über ihn und seine Familie gebracht habe. Der Kurfürst, nachdem er den Brief gelesen hatte, fragte den Grafen Kallheim verlegen: ob das Tribunal nicht befugt sei, ohne weitere Rücksprache mit dem Kohlhaas, auf den Umstand, daß die Pferde nicht wieder herzustellen wären, zu fußen, und dem gemäß das Urteil, gleich, als ob sie tot wären, auf bloße Vergütigung derselben in Geld abzufassen? Der Graf antwortete: »gnädigster Herr, sie *sind* tot: sind in staatsrechtlicher Bedeutung tot, weil sie keinen Wert haben, und werden es physisch sein, bevor man sie, aus der Abdeckerei, in die Ställe der Ritter gebracht hat«; worauf der Kurfürst, indem er den Brief einsteckte, sagte, daß er mit dem Großkanzler selbst darüber sprechen wolle, den Kämmerer, der sich halb aufrichtete und seine Hand dankbar ergriff, beruhigte, und nachdem er ihm noch empfohlen hatte, für seine Gesundheit Sorge zu tragen, mit vieler Huld sich von seinem Sessel erhob, und das Zimmer verließ.

So standen die Sachen in Dresden, als sich über den armen Kohlhaas, noch ein anderes, bedeutenderes Gewitter, von Lützen her, zusammenzog, dessen Strahl die arglistigen Ritter geschickt genug waren, auf das unglückliche Haupt desselben herabzuleiten. Johann Nagelschmidt nämlich, einer von den durch den Roßhändler zusammengebrachten, und nach Erscheinung der kurfürstlichen Amnestie wieder abgedankten Knechten, hatte für gut befunden, wenige Wochen nachher, an der böhmischen Grenze, einen Teil dieses zu allen Schandtaten aufgelegten Gesindels von neuem zusammenzuraffen, und das Gewerbe, auf dessen Spur ihn Kohlhaas geführt hatte, auf seine eigne Hand fortzusetzen. Dieser nichtsnutzige Kerl nannte sich, teils um den Häschern von denen er verfolgt ward, Furcht einzuflößen, teils um das Landvolk, auf die gewohnte Weise, zur Teilnahme an seinen Spitzbübereien zu verleiten, einen Statthalter des Kohlhaas; sprengte mit einer seinem Herrn abgelernten Klugheit aus, daß die Amnestie an mehreren, in ihre Heimat ruhig zurückge-

kehrten Knechten nicht gehalten, ja der Kohlhaas selbst, mit
himmelschreiender Wortbrüchigkeit, bei seiner Ankunft in Dresden eingesteckt, und einer Wache übergeben worden sei; dergestalt, daß in Plakaten, die den Kohlhaasischen ganz ähnlich
waren, sein Mordbrennerhaufen als ein zur bloßen Ehre Gottes
aufgestandener Kriegshaufen erschien, bestimmt, über die Be-
folgung der ihnen von dem Kurfürsten angelobten Amnestie zu
wachen; alles, wie schon gesagt, keineswegs zur Ehre Gottes,
noch aus Anhänglichkeit an den Kohlhaas, dessen Schicksal ihnen
völlig gleichgültig war, sondern um unter dem Schutz solcher
Vorspiegelungen desto ungestrafter und bequemer zu sengen
und zu plündern. Die Ritter, sobald die ersten Nachrichten davon nach Dresden kamen, konnten ihre Freude über diesen, dem
ganzen Handel eine andere Gestalt gebenden Vorfall nicht unterdrücken. Sie erinnerten mit weisen und mißvergnügten Seiten-
blicken an den Mißgriff, den man begangen, indem man dem
Kohlhaas, ihren dringenden und wiederholten Warnungen zum
Trotz, Amnestie erteilt, gleichsam als hätte man die Absicht gehabt Bösewichtern aller Art dadurch, zur Nachfolge auf seinem
Wege, das Signal zu geben; und nicht zufrieden, dem Vorgeben
des Nagelschmidt, zur bloßen Aufrechthaltung und Sicherheit
seines unterdrückten Herrn die Waffen ergriffen zu haben, Glauben zu schenken, äußerten sie sogar die bestimmte Meinung, daß
die ganze Erscheinung desselben nichts, als ein von dem Kohlhaas
angezetteltes Unternehmen sei, um die Regierung in Furcht zu
setzen, und den Fall des Rechtsspruchs, Punkt vor Punkt, seinem
rasenden Eigensinn gemäß, durchzusetzen und zu beschleunigen.
Ja, der Mundschenk, Herr Hinz, ging so weit, einigen Jagdjunkern und Hofherren, die sich nach der Tafel im Vorzimmer des
Kurfürsten um ihn versammelt hatten, die Auflösung des Räu-
berhaufens in Lützen als eine verwünschte Spiegelfechterei dar-
zustellen; und indem er sich über die Gerechtigkeitsliebe des
Großkanzlers sehr lustig machte, erwies er aus mehreren witzig
zusammengestellten Umständen, daß der Haufen, nach wie vor,
noch in den Wäldern des Kurfürstentums vorhanden sei, und nur
auf den Wink des Roßhändlers warte, um daraus von neuem mit
Feuer und Schwert hervorzubrechen. Der Prinz Christiern von
Meißen, über diese Wendung der Dinge, die seines Herrn Ruhm

auf die empfindlichste Weise zu beflecken drohete, sehr mißvergnügt, begab sich sogleich zu demselben aufs Schloß; und das
Interesse der Ritter, den Kohlhaas, wenn es möglich wäre, auf
den Grund neuer Vergehungen zu stürzen, wohl durchschauend,
bat er sich von demselben die Erlaubnis aus, unverzüglich ein
Verhör über den Roßhändler anstellen zu dürfen. Der Roßhändler, nicht ohne Befremden, durch einen Häscher in das Gubernium abgeführt, erschien, den Heinrich und Leopold, seine beiden kleinen Knaben auf dem Arm; denn Sternbald, der Knecht,
war Tags zuvor mit seinen fünf Kindern aus dem Mecklenburgischen, wo sie sich aufgehalten hatten, bei ihm angekommen,
und Gedanken mancherlei Art, die zu entwickeln zu weitläufig
sind, bestimmten ihn, die Jungen, die ihn bei seiner Entfernung
unter dem Erguß kindischer Tränen darum baten, aufzuheben,
und in das Verhör mitzunehmen. Der Prinz, nachdem er die
Kinder, die Kohlhaas neben sich niedergesetzt hatte, wohlge-
fällig betrachtet und auf eine freundliche Weise nach ihrem Alter
und Namen gefragt hatte, eröffnete ihm, was der Nagelschmidt,
sein ehemaliger Knecht, sich in den Tälern des Erzgebirges für
Freiheiten herausnehme; und indem er ihm die sogenannten
Mandate desselben überreichte, forderte er ihn auf, dagegen vorzubringen, was er zu seiner Rechtfertigung vorzubringen wüßte.
Der Roßhändler, so schwer er auch in der Tat über diese schändlichen und verräterischen Papiere erschrak, hatte gleichwohl,
einem so rechtschaffenen Manne, als der Prinz war, gegenüber,
wenig Mühe, die Grundlosigkeit der gegen ihn auf die Bahn gebrachten Beschuldigungen, befriedigend auseinander zu legen.
Nicht nur, daß zufolge seiner Bemerkung er, so wie die Sachen
standen, überhaupt noch zur Entscheidung seines, im besten Fortgang begriffenen Rechtsstreits, keiner Hülfe von Seiten eines
Dritten bedürfte: aus einigen Briefschaften, die er bei sich trug,
und die er dem Prinzen vorzeigte, ging sogar eine Unwahrschein-
lichkeit ganz eigner Art hervor, daß das Herz des Nagelschmidts
gestimmt sein sollte, ihm dergleichen Hülfe zu leisten, indem er
den Kerl, wegen auf dem platten Lande verübter Notzucht und
anderer Schelmereien, kurz vor Auflösung des Haufens in Lützen
hatte hängen lassen wollen; dergestalt, daß nur die Erscheinung
der kurfürstlichen Amnestie, indem sie das ganze Verhältnis auf-

hob, ihn gerettet hatte, und beide Tags darauf, als Todfeinde auseinander gegangen waren. Kohlhaas, auf seinen von dem Prinzen
angenommenen Vorschlag, setzte sich nieder, und erließ ein
Sendschreiben an den Nagelschmidt, worin er das Vorgeben desselben zur Aufrechthaltung der an ihm und seinen Haufen gebrochenen Amnestie aufgestanden zu sein, für eine schändliche
und ruchlose Erfindung erklärte; ihm sagte, daß er bei seiner Ankunft in Dresden weder eingesteckt, noch einer Wache übergeben, auch seine Rechtssache ganz so, wie er es wünsche, im
Fortgange sei; und ihn wegen der, nach Publikation der Amnestie im Erzgebirge ausgeübten Mordbrennereien, zur Warnung
des um ihn versammelten Gesindels, der ganzen Rache der Gesetze preis gab. Dabei wurden einige Fragmente der Kriminal-
verhandlung, die der Roßhändler auf dem Schlosse zu Lützen,
in Bezug auf die oben erwähnten Schändlichkeiten, über ihn
hatte anstellen lassen, zur Belehrung des Volks über diesen nichts-
nutzigen, schon damals dem Galgen bestimmten, und, wie schon
erwähnt, nur durch das Patent das der Kurfürst erließ, geretteten
Kerl, angehängt. Dem gemäß beruhigte der Prinz den Kohlhaas
über den Verdacht, den man ihm, durch die Umstände notgedrungen, in diesem Verhör habe äußern müssen; versicherte ihn,
daß so lange *er* in Dresden wäre, die ihm erteilte Amnestie auf
keine Weise gebrochen werden solle; reichte den Knaben noch
einmal, indem er sie mit Obst, das auf seinem Tische stand, beschenkte, die Hand, grüßte den Kohlhaas und entließ ihn. Der
Großkanzler, der gleichwohl die Gefahr, die über den Roßhändler schwebte, erkannte, tat sein Äußerstes, um die Sache desselben,
bevor sie durch neue Ereignisse verwickelt und verworren würde,
zu Ende zu bringen; das aber wünschten und bezweckten die
staatsklugen Ritter eben, und statt, wie zuvor, mit stillschweigen-
dem Eingeständnis der Schuld, ihren Widerstand auf ein bloß
gemildertes Rechtserkenntnis einzuschränken, fingen sie jetzt an,
in Wendungen arglistiger und rabulistischer Art, diese Schuld
selbst gänzlich zu leugnen. Bald gaben sie vor, daß die Rappen
des Kohlhaas, in Folge eines bloß eigenmächtigen Verfahrens des
Schloßvogts und Verwalters, von welchem der Junker nichts
oder nur Unvollständiges gewußt, auf der Tronkenburg zurückgehalten worden seien; bald versicherten sie, daß die Tiere schon,

bei ihrer Ankunft daselbst, an einem heftigen und gefährlichen Husten krank gewesen wären, und beriefen sich deshalb auf Zeugen, die sie herbeizuschaffen sich anheischig machten; und als sie mit diesen Argumenten, nach weitläuftigen Untersuchungen und Auseinandersetzungen, aus dem Felde geschlagen waren, brachten sie gar ein kurfürstliches Edikt bei, worin, vor einem Zeitraum von zwölf Jahren, einer Viehseuche wegen, die Einführung der Pferde aus dem Brandenburgischen ins Sächsische, in der Tat verboten worden war: zum sonnenklaren Beleg nicht nur der Befugnis, sondern sogar der Verpflichtung des Junkers, die von dem Kohlhaas über die Grenze gebrachten Pferde anzuhalten. – Kohlhaas, der inzwischen von dem wackern Amtmann zu Kohlhaasenbrück seine Meierei, gegen eine geringe Vergütigung des dabei gehabten Schadens, käuflich wieder erlangt hatte, wünschte, wie es scheint wegen gerichtlicher Abmachung dieses Geschäfts, Dresden auf einige Tage zu verlassen, und in diese seine Heimat zu reisen; ein Entschluß, an welchem gleichwohl, wie wir nicht zweifeln, weniger das besagte Geschäft, so dringend es auch in der Tat, wegen Bestellung der Wintersaat, sein mochte, als die Absicht unter so sonderbaren und bedenklichen Umständen seine Lage zu prüfen, Anteil hatte: zu welchem vielleicht auch noch Gründe anderer Art mitwirkten, die wir jedem, der in seiner Brust Bescheid weiß, zu erraten überlassen wollen. Demnach verfügte er sich, mit Zurücklassung der Wache, die ihm zugeordnet war, zum Großkanzler, und eröffnete ihm, die Briefe des Amtmanns in der Hand: daß er willens sei, falls man seiner, wie es den Anschein habe, bei dem Gericht nicht notwendig bedürfe, die Stadt zu verlassen, und auf einen Zeitraum von acht oder zwölf Tagen, binnen welcher Zeit er wieder zurück zu sein versprach, nach dem Brandenburgischen zu reisen. Der Großkanzler, indem er mit einem mißvergnügten und bedenklichen Gesichte zur Erde sah, versetzte: er müsse gestehen, daß seine Anwesenheit grade jetzt notwendiger sei als jemals, indem das Gericht wegen arglistiger und winkelziehender Einwendungen der Gegenpart, seiner Aussagen und Erörterungen, in tausenderlei nicht vorherzusehenden Fällen, bedürfe; doch da Kohlhaas ihn auf seinen, von dem Rechtsfall wohl unterrichteten Advokaten verwies, und mit bescheidener Zudringlichkeit, indem er sich auf acht

Tage einzuschränken versprach, auf seine Bitte beharrte, so sagte
der Großkanzler nach einer Pause kurz, indem er ihn entließ: »er
hoffe, daß er sich deshalb Pässe, bei dem Prinzen Christiern von
Meißen, ausbitten würde.« – – Kohlhaas, der sich auf das Gesicht
des Großkanzlers gar wohl verstand, setzte sich, in seinem Entschluß nur bestärkt, auf der Stelle nieder, und bat, ohne irgend
einen Grund anzugeben, den Prinzen von Meißen, als Chef des
Guberniums, um Pässe auf acht Tage nach Kohlhaasenbrück, und
zurück. Auf dieses Schreiben erhielt er eine, von dem Schloßhauptmann, Freiherrn Siegfried von Wenk, unterzeichnete Gubernial-Resolution, des Inhalts: »sein Gesuch um Pässe nach
Kohlhaasenbrück werde des Kurfürsten Durchlaucht vorgelegt
werden, auf dessen höchster Bewilligung, sobald sie einginge,
ihm die Pässe zugeschickt werden würden.« Auf die Erkundigung
Kohlhaasens bei seinem Advokaten, wie es zuginge, daß die
Gubernial-Resolution von einem Freiherrn Siegfried von Wenk,
und nicht von dem Prinzen Christiern von Meißen, an den er
sich gewendet, unterschrieben sei, erhielt er zur Antwort: daß der
Prinz vor drei Tagen auf seine Güter gereist, und die Gubernial-
geschäfte während seiner Abwesenheit dem Schloßhauptmann
Freiherrn Siegfried von Wenk, einem Vetter des oben erwähnten
Herren gleiches Namens, übergeben worden wären. – Kohlhaas, dem das Herz unter allen diesen Umständen unruhig zu
klopfen anfing, harrte durch mehrere Tage auf die Entscheidung
seiner, der Person des Landesherrn mit befremdender Weitläuftig-
keit vorgelegten Bitte; doch es verging eine Woche, und es verging mehr, ohne daß weder diese Entscheidung einlief, noch auch
das Rechtserkenntnis, so bestimmt man es ihm auch verkündigt
hatte, bei dem Tribunal gefällt ward: dergestalt, daß er am zwölf-
ten Tage, fest entschlossen, die Gesinnung der Regierung gegen
ihn, sie möge sein, welche man wolle, zur Sprache zu bringen,
sich niedersetzte, und das Gubernium von neuem in einer dringenden Vorstellung um die erforderten Pässe bat. Aber wie betreten war er, als er am Abend des folgenden, gleichfalls ohne die
erwartete Antwort verstrichenen Tages, mit einem Schritt, den
er gedankenvoll, in Erwägung seiner Lage, und besonders der
ihm von dem Doktor Luther ausgewirkten Amnestie, an das Fenster seines Hinterstübchens tat, in dem kleinen, auf dem Hofe be-

findlichen Nebengebäude, das er ihr zum Aufenthalte angewiesen hatte, die Wache nicht erblickte, die ihm bei seiner Ankunft der Prinz von Meißen eingesetzt hatte. Thomas, der alte Hausmann, den er herbeirief und fragte: was dies zu bedeuten habe? antwortete ihm seufzend: Herr! es ist nicht alles wie es sein soll; die Landsknechte, deren heute mehr sind wie gewöhnlich, haben sich bei Einbruch der Nacht um das ganze Haus verteilt; zwei stehen, mit Schild und Spieß, an der vordern Tür auf der Straße; zwei an der hintern im Garten: und noch zwei andere liegen im Vorsaal auf ein Bund Stroh, und sagen, daß sie daselbst schlafen würden. Kohlhaas, der seine Farbe verlor, wandte sich und versetzte: »es wäre gleichviel, wenn sie nur da wären; und er möchte den Landsknechten, sobald er auf den Flur käme, Licht hinsetzen, damit sie sehen könnten.« Nachdem er noch, unter dem Vorwande, ein Geschirr auszugießen, den vordern Fensterladen eröffnet, und sich von der Wahrheit des Umstands, den ihm der Alte entdeckt, überzeugt hatte: denn eben ward sogar in geräuschloser Ablösung die Wache erneuert, an welche Maßregel bisher, so lange die Einrichtung bestand, noch niemand gedacht hatte: so legte er sich, wenig schlaflustig allerdings, zu Bette, und sein Entschluß war für den kommenden Tag sogleich gefaßt. Denn nichts mißgönnte er der Regierung, mit der er zu tun hatte, mehr, als den Schein der Gerechtigkeit, während sie in der Tat die Amnestie, die sie ihm angelobt hatte, an ihm brach; und falls er wirklich ein Gefangener sein sollte, wie es keinem Zweifel mehr unterworfen war, wollte er derselben auch die bestimmte und unumwundene Erklärung, daß es so sei, abnötigen. Demnach ließ er, sobald der Morgen des nächsten Tages anbrach, durch Sternbald, seinen Knecht, den Wagen anspannen und vorführen, um wie er vorgab, zu dem Verwalter nach Lockewitz zu fahren, der ihn, als ein alter Bekannter, einige Tage zuvor in Dresden gesprochen und eingeladen hatte, ihn einmal mit seinen Kindern zu besuchen. Die Landsknechte, welche mit zusammengesteckten Köpfen, die dadurch veranlaßten Bewegungen im Hause wahrnahmen, schickten einen aus ihrer Mitte heimlich in die Stadt, worauf binnen wenigen Minuten ein Gubernial-Offiziant an der Spitze mehrerer Häscher erschien, und sich, als ob er daselbst ein Geschäft hätte, in das gegenüberliegende Haus begab. Kohlhaas

der mit der Ankleidung seiner Knaben beschäftigt, diese Bewegungen gleichfalls bemerkte, und den Wagen absichtlich länger,
als eben nötig gewesen wäre, vor dem Hause halten ließ, trat,
sobald er die Anstalten der Polizei vollendet sah, mit seinen Kindern, ohne darauf Rücksicht zu nehmen, vor das Haus hinaus;
und während er dem Troß der Landsknechte, die unter der Tür
standen, im Vorübergehen sagte, daß sie nicht nötig hätten, ihm
zu folgen, hob er die Jungen in den Wagen und küßte und tröstete
die kleinen weinenden Mädchen, die, seiner Anordnung gemäß,
bei der Tochter des alten Hausmanns zurückbleiben sollten.
Kaum hatte er selbst den Wagen bestiegen, als der Gubernial-
Offiziant mit seinem Gefolge von Häschern, aus dem gegenüber-
liegenden Hause, zu ihm herantrat, und ihn fragte: wohin er
wolle? Auf die Antwort Kohlhaasens: »daß er zu seinem Freund,
dem Amtmann nach Lockewitz fahren wolle, der ihn vor einigen
Tagen mit seinen beiden Knaben zu sich aufs Land geladen«, antwortete der Gubernial-Offiziant: daß er in diesem Fall einige
Augenblicke warten müsse, indem einige berittene Landsknechte,
dem Befehl des Prinzen von Meißen gemäß, ihn begleiten würden. Kohlhaas fragte lächelnd von dem Wagen herab: »ob er
glaube, daß seine Person in dem Hause eines Freundes, der sich
erboten, ihn auf einen Tag an seiner Tafel zu bewirten, nicht
sicher sei?« Der Offiziant erwiderte auf eine heitere und ange-
nehme Art: daß die Gefahr allerdings nicht groß sei; wobei er
hinzusetzte: daß ihm die Knechte auch auf keine Weise zur Last
fallen sollten. Kohlhaas versetzte ernsthaft: »daß ihm der Prinz von
Meißen, bei seiner Ankunft in Dresden, freigestellt, ob er sich der
Wache bedienen wolle oder nicht«; und da der Offiziant sich
über diesen Umstand wunderte, und sich mit vorsichtigen Wendungen auf den Gebrauch, während der ganzen Zeit seiner Anwesenheit, berief: so erzählte der Roßhändler ihm den Vorfall,
der die Einsetzung der Wache in seinem Hause veranlaßt hatte.
Der Offiziant versicherte ihn, daß die Befehle des Schloßhauptmanns, Freiherrn von Wenk, der in diesem Augenblick Chef der
Polizei sei, ihm die unausgesetzte Beschützung seiner Person zur
Pflicht mache; und bat ihn, falls er sich die Begleitung nicht gefallen lassen wolle, selbst auf das Gubernium zu gehen, um den
Irrtum, der dabei obwalten müsse, zu berichtigen. Kohlhaas, mit

einem sprechenden Blick, den er auf den Offizianten warf, sagte, entschlossen die Sache zu beugen oder zu brechen: »daß er dies tun wolle«; stieg mit klopfendem Herzen von dem Wagen, ließ die Kinder durch den Hausmann in den Flur tragen, und verfügte sich, während der Knecht mit dem Fuhrwerk vor dem Hause halten blieb, mit dem Offizianten und seiner Wache in das Gubernium. Es traf sich, daß der Schloßhauptmann, Freiherr Wenk eben mit der Besichtigung einer Bande, am Abend zuvor eingebrachter Nagelschmidtscher Knechte, die man in der Gegend von Leipzig aufgefangen hatte, beschäftigt war, und die Kerle über manche Dinge, die man gern von ihnen gehört hätte, von den Rittern, die bei ihm waren, befragt wurden, als der Roßhändler mit seiner Begleitung zu ihm in den Saal trat. Der Freiherr, sobald er den Roßhändler erblickte, ging, während die Ritter plötzlich still wurden, und mit dem Verhör der Knechte einhielten, auf ihn zu, und fragte ihn: was er wolle? und da der Roßkamm ihm auf ehrerbietige Weise sein Vorhaben, bei dem Verwalter in Lockewitz zu Mittag zu speisen, und den Wunsch, die Landsknechte deren er dabei nicht bedürfe zurücklassen zu dürfen, vorgetragen hatte, antwortete der Freiherr, die Farbe im Gesicht wechselnd, indem er eine andere Rede zu verschlucken schien: »er würde wohl tun, wenn er sich still in seinem Hause hielte, und den Schmaus bei dem Lockewitzer Amtmann vor der Hand noch aussetzte.« – Dabei wandte er sich, das ganze Gespräch zerschneidend, dem Offizianten zu, und sagte ihm: »daß es mit dem Befehl, den er ihm, in Bezug auf den Mann gegeben, sein Bewenden hätte, und daß derselbe anders nicht, als in Begleitung sechs berittener Landsknechte die Stadt verlassen dürfe.« – Kohlhaas fragte: ob er ein Gefangener wäre, und ob er glauben solle, daß die ihm feierlich, vor den Augen der ganzen Welt angelobte Amnestie gebrochen sei? worauf der Freiherr sich plötzlich glutrot im Gesichte zu ihm wandte, und, indem er dicht vor ihn trat, und ihm in das Auge sah, antwortete: ja! ja! ja! – ihm den Rücken zukehrte, ihn stehen ließ, und wieder zu den Nagelschmidtschen Knechten ging. Hierauf verließ Kohlhaas den Saal, und ob er schon einsah, daß er sich das einzige Rettungsmittel, das ihm übrig blieb, die Flucht, durch die Schritte die er getan, sehr erschwert hatte, so lobte er sein Verfahren gleichwohl, weil er sich

nunmehr auch seinerseits von der Verbindlichkeit den Artikeln
der Amnestie nachzukommen, befreit sah. Er ließ, da er zu Hause
kam, die Pferde ausspannen, und begab sich, in Begleitung des
Gubernial-Offizianten, sehr traurig und erschüttert in sein Zimmer; und während dieser Mann auf eine dem Roßhändler Ekel
erregende Weise, versicherte, daß alles nur auf einem Mißverständnis beruhen müsse, das sich in Kurzem lösen würde, ver-
riegelten die Häscher, auf seinen Wink, alle Ausgänge der Wohnung die auf den Hof führten; wobei der Offiziant ihm versicherte, daß ihm der vordere Haupteingang nach wie vor, zu
seinem beliebigen Gebrauch offen stehe.

Inzwischen war der Nagelschmidt in den Wäldern des Erzge-
birgs, durch Häscher und Landsknechte von allen Seiten so gedrängt worden, daß er bei dem gänzlichen Mangel an Hülfsmit-
teln, eine Rolle der Art, wie er sie übernommen, durchzuführen,
auf den Gedanken verfiel, den Kohlhaas in der Tat ins Interesse
zu ziehen; und da er von der Lage seines Rechtsstreits in Dresden
durch einen Reisenden, der die Straße zog, mit ziemlicher Ge-
nauigkeit unterrichtet war: so glaubte er, der offenbaren Feindschaft, die unter ihnen bestand, zum Trotz, den Roßhändler bewegen zu können, eine neue Verbindung mit ihm einzugehen.
Demnach schickte er einen Knecht, mit einem, in kaum leser-
lichem Deutsch abgefaßten Schreiben an ihn ab, des Inhalts:
»Wenn er nach dem Altenburgischen kommen, und die Anführung des Haufens, der sich daselbst, aus Resten des aufgelösten
zusammengefunden, wieder übernehmen wolle, so sei er erbötig,
ihm zur Flucht aus seiner Haft in Dresden mit Pferden, Leuten
und Geld an die Hand zu gehen; wobei er ihm versprach, künftig
gehorsamer und überhaupt ordentlicher und besser zu sein, als
vorher, und sich zum Beweis seiner Treue und Anhänglichkeit
anheischig machte, selbst in die Gegend von Dresden zu kommen, um seine Befreiung aus seinem Kerker zu bewirken.« Nun
hatte der, mit diesem Brief beauftragte Kerl das Unglück, in
einem Dorf dicht vor Dresden, in Krämpfen häßlicher Art, denen
er von Jugend auf unterworfen war, niederzusinken; bei welcher
Gelegenheit der Brief, den er im Brustlatz trug, von Leuten,
die ihm zu Hülfe kamen, gefunden, er selbst aber, sobald er sich
erholt, arretiert, und durch eine Wache unter Begleitung vielen

Volks, auf das Gubernium transportiert ward. Sobald der Schloßhauptmann von Wenk diesen Brief gelesen hatte, verfügte er sich
unverzüglich zum Kurfürsten aufs Schloß, wo er die Herren
Kunz und Hinz, welcher ersterer von seinen Wunden wieder
hergestellt war, und den Präsidenten der Staatskanzelei, Grafen
Kallheim, gegenwärtig fand. Die Herren waren der Meinung, daß
der Kohlhaas ohne weiteres arretiert, und ihm, auf den Grund
geheimer Einverständnisse mit dem Nagelschmidt, der Prozeß
gemacht werden müsse; indem sie bewiesen, daß ein solcher
Brief nicht, ohne daß frühere auch von Seiten des Roßhändlers
vorangegangen, und ohne daß überhaupt eine frevelhafte und
verbrecherische Verbindung, zu Schmiedung neuer Greuel, unter
ihnen statt finden sollte, geschrieben sein könne. Der Kurfürst
weigerte sich standhaft, auf den Grund bloß dieses Briefes, dem
Kohlhaas das freie Geleit, das er ihm angelobt, zu brechen; er
war vielmehr der Meinung, daß eine Art von Wahrscheinlichkeit
aus dem Briefe des Nagelschmidt hervorgehe, daß keine frühere
Verbindung zwischen ihnen statt gefunden habe; und alles, wozu
er sich, um hierüber aufs Reine zu kommen, auf den Vorschlag
des Präsidenten, obschon nach großer Zögerung entschloß, war,
den Brief durch den von dem Nagelschmidt abgeschickten
Knecht, gleichsam als ob derselbe nach wie vor frei sei, an ihn
abgeben zu lassen, und zu prüfen, ob er ihn beantworten würde.
Dem gemäß ward der Knecht, den man in ein Gefängnis gesteckt
hatte, am andern Morgen auf das Gubernium geführt, wo der
Schloßhauptmann ihm den Brief wieder zustellte, und ihn unter
dem Versprechen, daß er frei sein, und die Strafe die er verwirkt,
ihm erlassen sein solle, aufforderte, das Schreiben, als sei nichts
vorgefallen, dem Roßhändler zu übergeben; zu welcher List
schlechter Art sich dieser Kerl auch ohne weiteres gebrauchen
ließ, und auf scheinbar geheimnisvolle Weise, unter dem Vorwand, daß er Krebse zu verkaufen habe, womit ihn der Gubernial-
Offiziant, auf dem Markte, versorgt hatte, zu Kohlhaas ins Zimmer trat. Kohlhaas, der den Brief, während die Kinder mit den
Krebsen spielten, las, würde den Gauner gewiß unter andern
Umständen beim Kragen genommen, und den Landsknechten,
die vor seiner Tür standen, überliefert haben; doch da bei der
Stimmung der Gemüter auch selbst dieser Schritt noch einer

gleichgültigen Auslegung fähig war, und er sich vollkommen
überzeugt hatte, daß nichts auf der Welt ihn aus dem Handel, in
dem er verwickelt war, retten konnte: so sah er dem Kerl, mit
einem traurigen Blick, in sein ihm wohlbekanntes Gesicht, fragte
ihn, wo er wohnte, und beschied ihn, in einigen Stunden, wieder
zu sich, wo er ihm, in Bezug auf seinen Herrn, seinen Beschluß
eröffnen wolle. Er hieß dem Sternbald, der zufällig in die Tür
trat, dem Mann, der im Zimmer war, etliche Krebse abkaufen;
und nachdem dies Geschäft abgemacht war, und beide sich ohne
einander zu kennen, entfernt hatten, setzte er sich nieder und
schrieb einen Brief folgenden Inhalts an den Nagelschmidt: »Zuvörderst daß er seinen Vorschlag, die Oberanführung seines Haufens im Altenburgischen betreffend, annähme; daß er dem gemäß,
zur Befreiung aus der vorläufigen Haft, in welcher er, mit seinen
fünf Kindern gehalten werde, ihm einen Wagen mit zwei Pferden
nach der Neustadt bei Dresden schicken solle; daß er auch, rasche-
ren Fortkommens wegen, noch eines Gespannes von zwei Pferden auf der Straße nach Wittenberg bedürfe, auf welchem Um-
weg er allein, aus Gründen, die anzugeben zu weitläufig wären,
zu ihm kommen könne; daß er die Landsknechte, die ihn bewachten, zwar durch Bestechung gewinnen zu können glaube,
für den Fall aber daß Gewalt nötig sei, ein paar beherzte, ge-
scheute und wohlbewaffnete Knechte, in der Neustadt bei Dresden gegenwärtig wissen wolle; daß er ihm zur Bestreitung der
mit allen diesen Anstalten verbundenen Kosten, eine Rolle von
zwanzig Goldkronen durch den Knecht zuschicke, über deren
Verwendung er sich, nach abgemachter Sache, mit ihm berechnen wolle; daß er sich übrigens, weil sie unnötig sei, seine eigne
Anwesenheit bei seiner Befreiung in Dresden verbitte, ja ihm
vielmehr den bestimmten Befehl erteile, zur einstweiligen Anführung der Bande, die nicht ohne Oberhaupt sein könne, im
Altenburgischen zurückzubleiben.« – Diesen Brief, als der Knecht
gegen Abend kam, überlieferte er ihm; beschenkte ihn selbst
reichlich, und schärfte ihm ein, denselben wohl in acht zu nehmen. – Seine Absicht war mit seinen fünf Kindern nach Hamburg
zu gehen, und sich von dort nach der Levante oder nach Ost-
indien, oder so weit der Himmel über andere Menschen, als die
er kannte, blau war, einzuschiffen: denn die Dickfütterung der

Rappen hatte seine, von Gram sehr gebeugte Seele auch unabhängig von dem Widerwillen, mit dem Nagelschmidt deshalb gemeinschaftliche Sache zu machen, aufgegeben. – Kaum hatte der Kerl diese Antwort dem Schloßhauptmann überbracht, als der Großkanzler abgesetzt, der Präsident, Graf Kallheim, an dessen Stelle, zum Chef des Tribunals ernannt, und Kohlhaas, durch einen Kabinettsbefehl des Kurfürsten arretiert, und schwer mit Ketten beladen in die Stadttürme gebracht ward. Man machte ihm auf den Grund dieses Briefes, der an alle Ecken der Stadt angeschlagen ward, den Prozeß; und da er vor den Schranken des Tribunals auf die Frage, ob er die Handschrift anerkenne, dem Rat, der sie ihm vorhielt, antwortete: »ja!« zur Antwort aber auf die Frage, ob er zu seiner Verteidigung etwas vorzubringen wisse, indem er den Blick zur Erde schlug, erwiderte, »nein!« so ward er verurteilt, mit glühenden Zangen von Schinderknechten gekniffen, geviertelt, und sein Körper, zwischen Rad und Galgen, verbrannt zu werden.

So standen die Sachen für den armen Kohlhaas in Dresden, als der Kurfürst von Brandenburg zu seiner Rettung aus den Händen der Übermacht und Willkür auftrat, und ihn, in einer bei der kurfürstlichen Staatskanzlei daselbst eingereichten Note, als brandenburgischen Untertan reklamierte. Denn der wackere Stadthauptmann, Herr Heinrich von Geusau, hatte ihn, auf einem Spaziergange an den Ufern der Spree, von der Geschichte dieses sonderbaren und nicht verwerflichen Mannes unterrichtet, bei welcher Gelegenheit er von den Fragen des erstaunten Herrn gedrängt, nicht umhin konnte, der Schuld zu erwähnen, die durch die Unziemlichkeiten seines Erzkanzlers, des Grafen Siegfried von Kallheim, seine eigene Person drückte: worüber der Kurfürst schwer entrüstet, den Erzkanzler, nachdem er ihn zur Rede gestellt und befunden, daß die Verwandtschaft desselben mit dem Hause derer von Tronka an allem schuld sei, ohne weiteres, mit mehreren Zeichen seiner Ungnade entsetzte, und den Herrn Heinrich von Geusau zum Erzkanzler ernannte.

Es traf sich aber, daß die Krone Polen grade damals, indem sie mit dem Hause Sachsen, um welchen Gegenstandes willen wissen wir nicht, im Streit lag, den Kurfürsten von Brandenburg, in wiederholten und dringenden Vorstellungen anging, sich mit ihr

in gemeinschaftlicher Sache gegen das Haus Sachsen zu verbinden;
dergestalt, daß der Erzkanzler, Herr Geusau, der in solchen Dingen nicht ungeschickt war, wohl hoffen durfte, den Wunsch seines Herrn, dem Kohlhaas, es koste was es wolle, Gerechtigkeit zu
verschaffen, zu erfüllen, ohne die Ruhe des Ganzen auf eine miß-
lichere Art, als die Rücksicht auf einen einzelnen erlaubt, aufs
Spiel zu setzen. Demnach forderte der Erzkanzler nicht nur wegen gänzlich willkürlichen, Gott und Menschen mißgefälligen
Verfahrens, die unbedingte und ungesäumte Auslieferung des
Kohlhaas, um denselben, falls ihn eine Schuld drücke, nach brandenburgischen Gesetzen, auf Klageartikel, die der Dresdner Hof
deshalb durch einen Anwalt in Berlin anhängig machen könne,
zu richten; sondern er begehrte sogar selbst Pässe für einen Anwalt, den der Kurfürst nach Dresden zu schicken willens sei, um
dem Kohlhaas, wegen der ihm auf sächsischem Grund und Boden
abgenommenen Rappen und anderer himmelschreienden Mißhandlungen und Gewalttaten halber, gegen den Junker Wenzel
von Tronka, Recht zu verschaffen. Der Kämmerer, Herr Kunz,
der bei der Veränderung der Staatsämter in Sachsen zum Präsidenten der Staatskanzlei ernannt worden war, und der aus mancherlei Gründen den Berliner Hof, in der Bedrängnis in der er sich
befand, nicht verletzen wollte, antwortete im Namen seines über
die eingegangene Note sehr niedergeschlagenen Herrn: »daß man
sich über die Unfreundschaftlichkeit und Unbilligkeit wundere,
mit welcher man dem Hofe zu Dresden das Recht abspräche, den
Kohlhaas wegen Verbrechen, die er im Lande begangen, den Gesetzen gemäß zu richten, da doch weltbekannt sei, daß derselbe
ein beträchtliches Grundstück in der Hauptstadt besitze, und sich
selbst in der Qualität als sächsischen Bürger gar nicht verleugne.«
Doch da die Krone Polen bereits zur Ausfechtung ihrer Ansprüche
einen Heerhaufen von fünftausend Mann an der Grenze von
Sachsen zusammenzog, und der Erzkanzler, Herr Heinrich von
Geusau, erklärte: »daß Kohlhaasenbrück, der Ort, nach welchem
der Roßhändler heiße, im Brandenburgischen liege, und daß
man die Vollstreckung des über ihn ausgesprochenen Todesurteils für eine Verletzung des Völkerrechts halten würde«: so rief
der Kurfürst, auf den Rat des Kämmerers, Herrn Kunz selbst,
der sich aus diesem Handel zurückzuziehen wünschte, den Prinzen

Christiern von Meißen von seinen Gütern herbei, und entschloß
sich, auf wenige Worte dieses verständigen Herrn, den Kohlhaas,
der Forderung gemäß, an den Berliner Hof auszuliefern. Der
Prinz, der obschon mit den Unziemlichkeiten die vorgefallen
waren, wenig zufrieden, die Leitung der Kohlhaasischen Sache
auf den Wunsch seines bedrängten Herrn, übernehmen mußte,
fragte ihn, auf welchen Grund er nunmehr den Roßhändler bei
dem Kammergericht zu Berlin verklagt wissen wolle; und da man
sich auf den leidigen Brief desselben an den Nagelschmidt, wegen
der zweideutigen und unklaren Umstände, unter welchen er geschrieben war, nicht berufen konnte, der früheren Plünderungen
und Einäscherungen aber, wegen des Plakats, worin sie ihm vergeben worden waren, nicht erwähnen durfte: so beschloß der
Kurfürst, der Majestät des Kaisers zu Wien einen Bericht über den
bewaffneten Einfall des Kohlhaas in Sachsen vorzulegen, sich über
den Bruch des von ihm eingesetzten öffentlichen Landfriedens zu
beschweren, und sie, die allerdings durch keine Amnestie gebunden war, anzuliegen, den Kohlhaas bei dem Hofgericht zu Berlin
deshalb durch einen Reichsankläger zur Rechenschaft zu ziehen.
Acht Tage darauf ward der Roßkamm durch den Ritter Friedrich
von Malzahn, den der Kurfürst von Brandenburg mit sechs Reutern nach Dresden geschickt hatte, geschlossen wie er war, auf
einen Wagen geladen, und mit seinen fünf Kindern, die man auf
seine Bitte aus Findel- und Waisenhäusern wieder zusammenge-
sucht hatte, nach Berlin transportiert. Es traf sich daß der Kurfürst von Sachsen auf die Einladung des Landdrosts, Grafen
Aloysius von Kallheim, der damals an der Grenze von Sachsen
beträchtliche Besitzungen hatte, in Gesellschaft des Kämmerers,
Herrn Kunz, und seiner Gemahlin, der Dame Heloise, Tochter
des Landdrosts und Schwester des Präsidenten, andrer glänzenden
Herren und Damen, Jagdjunker und Hofherren, die dabei waren,
nicht zu erwähnen, zu einem großen Hirschjagen, das man, um
ihn zu erheitern, angestellt hatte, nach Dahme gereist war; dergestalt, daß unter dem Dach bewimpelter Zelte, die quer über die
Straße auf einem Hügel erbaut waren, die ganze Gesellschaft vom
Staub der Jagd noch bedeckt unter dem Schall einer heitern vom
Stamm einer Eiche herschallenden Musik, von Pagen bedient
und Edelknaben, an der Tafel saß, als der Roßhändler langsam

mit seiner Reuterbedeckung die Straße von Dresden daher gezogen kam. Denn die Erkrankung eines der kleinen, zarten Kinder des Kohlhaas, hatte den Ritter von Malzahn, der ihn begleitete, genötigt, drei Tage lang in Herzberg zurückzubleiben; von
welcher Maßregel er, dem Fürsten dem er diente deshalb allein
verantwortlich, nicht nötig befunden hatte, der Regierung zu
Dresden weitere Kenntnis zu geben. Der Kurfürst, der mit halb-
offener Brust, den Federhut, nach Art der Jäger, mit Tannen-
zweigen geschmückt, neben der Dame Heloise saß, die, in Zeiten
früherer Jugend, seine erste Liebe gewesen war, sagte von der
Anmut des Festes, das ihn umgaukelte, heiter gestimmt: »Lasset
uns hingehen, und dem Unglücklichen, wer es auch sei, diesen
Becher mit Wein reichen!« Die Dame Heloise, mit einem herzlichen Blick auf ihn, stand sogleich auf, und füllte, die ganze Tafel
plündernd, ein silbernes Geschirr, das ihr ein Page reichte, mit
Früchten, Kuchen und Brot an; und schon hatte, mit Erquickun-
gen jeglicher Art, die ganze Gesellschaft wimmelnd das Zelt verlassen, als der Landdrost ihnen mit einem verlegenen Gesicht entgegen kam, und sie bat zurückzubleiben. Auf die betretene Frage
des Kurfürsten was vorgefallen wäre, daß er so bestürzt sei? antwortete der Landdrost stotternd gegen den Kämmerer gewandt,
daß der Kohlhaas im Wagen sei; auf welche jedermann unbegreifliche Nachricht, indem weltbekannt war, daß derselbe bereits vor sechs Tagen abgereist war, der Kämmerer, Herr Kunz,
seinen Becher mit Wein nahm, und ihn, mit einer Rückwendung
gegen das Zelt, in den Sand schüttete. Der Kurfürst setzte, über
und über rot, den seinigen auf einen Teller, den ihm ein Edel-
knabe auf den Wink des Kämmerers zu diesem Zweck vorhielt;
und während der Ritter Friedrich von Malzahn, unter ehrfurchts-
voller Begrüßung der Gesellschaft, die er nicht kannte, langsam
durch die Zeltleinen, die über die Straße liefen, nach Dahme weiter zog, begaben sich die Herrschaften, auf die Einladung des
Landdrosts, ohne weiter davon Notiz zu nehmen, ins Zelt zurück. Der Landdrost, sobald sich der Kurfürst niedergelassen
hatte, schickte unter der Hand nach Dahme, um bei dem Magistrat daselbst die unmittelbare Weiterschaffung des Roßhändlers
bewirken zu lassen; doch da der Ritter, wegen bereits zu weit
vorgerückter Tageszeit, bestimmt in dem Ort übernachten zu

wollen erklärte, so mußte man sich begnügen, ihn in einer dem
Magistrat zugehörigen Meierei, die, in Gebüschen versteckt, auf
der Seite lag, geräuschlos unterzubringen. Nun begab es sich,
daß gegen Abend, da die Herrschaften vom Wein und dem Genuß eines üppigen Nachtisches zerstreut, den ganzen Vorfall wieder vergessen hatten, der Landdrost den Gedanken auf die Bahn
brachte, sich noch einmal, eines Rudels Hirsche wegen, der sich
hatte blicken lassen, auf den Anstand zu stellen; welchen Vorschlag die ganze Gesellschaft mit Freuden ergriff, und paarweise
nachdem sie sich mit Büchsen versorgt, über Gräben und Hecken
in die nahe Forst eilte: dergestalt, daß der Kurfürst und die Dame
Heloise, die sich, um dem Schauspiel beizuwohnen, an seinen
Arm hing, von einem Boten, den man ihnen zugeordnet hatte,
unmittelbar, zu ihrem Erstaunen, durch den Hof des Hauses geführt wurden, in welchem Kohlhaas mit den brandenburgischen
Reutern befindlich war. Die Dame als sie dies hörte, sagte:
»kommt, gnädigster Herr, kommt!« und versteckte die Kette, die
ihm vom Halse herabhing, schäkernd in seinen seidenen Brustlatz: »laßt uns ehe der Troß nachkömmt in die Meierei schleichen,
und den wunderlichen Mann, der darin übernachtet, betrachten!«
Der Kurfürst, indem er errötend ihre Hand ergriff, sagte: Heloise!
was fällt Euch ein? Doch da sie, indem sie ihn betreten ansah, versetzte: »daß ihn ja in der Jägertracht, die ihn decke, kein Mensch
erkenne!« und ihn fortzog; und in eben diesem Augenblick ein
paar Jagdjunker, die ihre Neugierde schon befriedigt hatten, aus
dem Hause heraustraten, versichernd, daß in der Tat, vermöge
einer Veranstaltung, die der Landdrost getroffen, weder der Ritter noch der Roßhändler wisse, welche Gesellschaft in der Gegend
von Dahme versammelt sei; so drückte der Kurfürst sich den
Hut lächelnd in die Augen, und sagte: »Torheit, du regierst die
Welt, und dein Sitz ist ein schöner weiblicher Mund!« – Es traf
sich daß Kohlhaas eben mit dem Rücken gegen die Wand auf
einem Bund Stroh saß, und sein, ihm in Herzberg erkranktes
Kind mit Semmel und Milch fütterte, als die Herrschaften, um
ihn zu besuchen, in die Meierei traten; und da die Dame ihn, um
ein Gespräch einzuleiten, fragte: wer er sei? und was dem Kinde
fehle? auch was er verbrochen und wohin man ihn unter solcher
Bedeckung abführe? so rückte er seine lederne Mütze vor ihr,

und gab ihr auf alle diese Fragen, indem er sein Geschäft fortsetzte, unreichliche aber befriedigende Antwort. Der Kurfürst,
der hinter den Jagdjunkern stand, und eine kleine bleierne Kapsel,
die ihm an einem seidenen Faden vom Hals herabhing, bemerkte,
fragte ihn, da sich grade nichts Besseres zur Unterhaltung darbot:
was diese zu bedeuten hätte und was darin befindlich wäre? Kohlhaas erwiderte: »ja, gestrenger Herr, diese Kapsel!« – und damit
streifte er sie vom Nacken ab, öffnete sie und nahm einen kleinen
mit Mundlack versiegelten Zettel heraus – »mit dieser Kapsel hat
es eine wunderliche Bewandtnis! Sieben Monden mögen es etwa
sein, genau am Tage nach dem Begräbnis meiner Frau; und von
Kohlhaasenbrück, wie Euch vielleicht bekannt sein wird, war ich
aufgebrochen, um des Junkers von Tronka, der mir viel Unrecht
zugefügt, habhaft zu werden, als um einer Verhandlung willen,
die mir unbekannt ist, der Kurfürst von Sachsen und der Kurfürst
von Brandenburg in Jüterbock, einem Marktflecken, durch den
der Streifzug mich führte, eine Zusammenkunft hielten; und da
sie sich gegen Abend ihren Wünschen gemäß vereinigt hatten, so
gingen sie, in freundschaftlichem Gespräch, durch die Straßen der
Stadt, um den Jahrmarkt, der eben darin fröhlich abgehalten
ward, in Augenschein zu nehmen. Da trafen sie auf eine Zigeunerin, die, auf einem Schemel sitzend, dem Volk, das sie umringte, aus dem Kalender wahrsagte, und fragten sie scherzhafter
Weise: ob sie ihnen nicht auch etwas, das ihnen lieb wäre, zu eröffnen hätte? Ich, der mit meinem Haufen eben in einem Wirtshause abgestiegen, und auf dem Platz, wo dieser Vorfall sich zu-
trug, gegenwärtig war, konnte hinter allem Volk, am Eingang
einer Kirche, wo ich stand, nicht vernehmen, was die wunderliche Frau den Herren sagte; dergestalt, daß, da die Leute lachend
einander zuflüsterten, sie teile nicht jedermann ihre Wissenschaft
mit, und sich des Schauspiels wegen das sich bereitete, sehr bedrängten, ich, weniger neugierig, in der Tat, als um den Neugierigen Platz zu machen, auf eine Bank stieg, die hinter mir im
Kircheneingange ausgehauen war. Kaum hatte ich von diesem
Standpunkt aus, mit völliger Freiheit der Aussicht, die Herrschaften und das Weib, das auf dem Schemel vor ihnen saß und etwas
aufzukritzeln schien, erblickt: da steht sie plötzlich auf ihre Krük-
ken gelehnt, indem sie sich im Volk umsieht, auf; faßt mich, der

nie ein Wort mit ihr wechselte, noch ihrer Wissenschaft Zeit seines Lebens begehrte, ins Auge; drängt sich durch den ganzen
dichten Auflauf der Menschen zu mir heran und spricht: ›da!
wenn es der Herr wissen will, so mag er dich danach fragen!‹
Und damit, gestrenger Herr, reichte sie mir mit ihren dürren
knöchernen Händen diesen Zettel dar. Und da ich betreten,
während sich alles Volk zu mir umwendet, spreche: Mütterchen,
was auch verehrst du mir da? antwortet sie, nach vielem unver-
nehmlichen Zeug, worunter ich jedoch zu meinem großen Befremden meinen Namen höre: ›ein Amulett, Kohlhaas, der Roßhändler; verwahr es wohl, es wird dir dereinst das Leben retten!‹
und verschwindet. – Nun!« fuhr Kohlhaas gutmütig fort: »die
Wahrheit zu gestehen, hats mir in Dresden, so scharf es herging,
das Leben nicht gekostet; und wie es mir in Berlin gehen wird,
und ob ich auch dort damit bestehen werde, soll die Zukunft
lehren.« – Bei diesen Worten setzte sich der Kurfürst auf eine
Bank; und ob er schon auf die betretne Frage der Dame: was
ihm fehle? antwortete: nichts, gar nichts! so fiel er doch schon
ohnmächtig auf den Boden nieder, ehe sie noch Zeit hatte ihm
beizuspringen, und in ihre Arme aufzunehmen. Der Ritter von
Malzahn, der in eben diesem Augenblick, eines Geschäfts halber,
ins Zimmer trat, sprach: heiliger Gott! was fehlt dem Herrn? Die
Dame rief: schafft Wasser her! Die Jagdjunker hoben ihn auf und
trugen ihn auf ein im Nebenzimmer befindliches Bett; und die
Bestürzung erreichte ihren Gipfel, als der Kämmerer, den ein
Page herbeirief, nach mehreren vergeblichen Bemühungen, ihn
ins Leben zurückzubringen, erklärte: er gebe alle Zeichen von
sich, als ob ihn der Schlag gerührt! Der Landdrost, während der
Mundschenk einen reitenden Boten nach Luckau schickte, um
einen Arzt herbeizuholen, ließ ihn, da er die Augen aufschlug, in
einen Wagen bringen, und Schritt vor Schritt nach seinem in der
Gegend befindlichen Jagdschloß abführen; aber diese Reise zog
ihm, nach seiner Ankunft daselbst, zwei neue Ohnmachten zu:
dergestalt, daß er sich erst spät am andern Morgen, bei der Ankunft des Arztes aus Luckau, unter gleichwohl entscheidenden
Symptomen eines herannahenden Nervenfiebers, einigermaßen
erholte. Sobald er seiner Sinne mächtig geworden war, richtete
er sich halb im Bette auf, und seine erste Frage war gleich: wo der

Kohlhaas sei? Der Kämmerer, der seine Frage mißverstand, sagte, indem er seine Hand ergriff: daß er sich dieses entsetzlichen Menschen wegen beruhigen möchte, indem derselbe, seiner Bestimmung gemäß, nach jenem sonderbaren und unbegreiflichen Vorfall, in der Meierei zu Dahme, unter brandenburgischer Bedekkung, zurückgeblieben wäre. Er fragte ihn, unter der Versicherung seiner lebhaftesten Teilnahme und der Beteurung, daß er seiner Frau, wegen des unverantwortlichen Leichtsinns, ihn mit diesem Mann zusammenzubringen, die bittersten Vorwürfe gemacht hätte: was ihn denn so wunderbar und ungeheuer in der Unterredung mit demselben ergriffen hätte? Der Kurfürst sagte: er müsse ihm nur gestehen, daß der Anblick eines nichtigen Zettels, den der Mann in einer bleiernen Kapsel mit sich führe, schuld an dem ganzen unangenehmen Zufall sei, der ihm zugestoßen. Er setzte noch mancherlei zur Erklärung dieses Umstands, das der Kämmerer nicht verstand, hinzu; versicherte ihn plötzlich, indem er seine Hand zwischen die seinigen drückte, daß ihm der Besitz dieses Zettels von der äußersten Wichtigkeit sei; und bat ihn, unverzüglich aufzusitzen, nach Dahme zu reiten, und ihm den Zettel, um welchen Preis es immer sei, von demselben zu erhandeln. Der Kämmerer, der Mühe hatte, seine Verlegenheit zu verbergen, versicherte ihn: daß, falls dieser Zettel einigen Wert für ihn hätte, nichts auf der Welt notwendiger wäre, als dem Kohlhaas diesen Umstand zu verschweigen; indem, sobald derselbe durch eine unvorsichtige Äußerung Kenntnis davon nähme, alle Reichtümer, die er besäße, nicht hinreichen würden, ihn aus den Händen dieses grimmigen, in seiner Rachsucht unersättlichen Kerls zu erkaufen. Er fügte, um ihn zu beruhigen, hinzu, daß man auf ein anderes Mittel denken müsse, und daß es vielleicht durch List, vermöge eines Dritten ganz Unbefangenen, indem der Bösewicht wahrscheinlich, an und für sich, nicht sehr daran hänge, möglich sein würde, sich den Besitz des Zettels, an dem ihm so viel gelegen sei, zu verschaffen. Der Kurfürst, indem er sich den Schweiß abtrocknete, fragte: ob man nicht unmittelbar zu diesem Zweck nach Dahme schicken, und den weiteren Transport des Roßhändlers, vorläufig, bis man des Blattes, auf welche Weise es sei, habhaft geworden, einstellen könne? Der Kämmerer, der seinen Sinnen nicht traute, versetzte: daß leider allen wahrscheinlichen Berechnungen zufolge, der Roßhändler Dahme bereits verlassen haben, und sich jenseits der Grenze, auf brandenburgischem Grund und Boden befinden müsse, wo das Unternehmen, die Fortschaffung desselben zu hemmen, oder wohl gar rückgängig zu machen, die unangenehmsten und weitläuftigsten, ja solche Schwierigkeiten, die vielleicht gar nicht zu beseitigen wären, veranlassen würde. Er fragte ihn, da der Kurfürst sich schweigend, mit der Gebärde eines ganz Hoffnungslosen, auf das Kissen zurücklegte: was denn der Zettel enthalte? und durch welchen Zufall befremdlicher und unerklärlicher Art ihm, daß der Inhalt ihn betreffe, bekannt sei? Hierauf aber, unter zweideutigen Blicken auf den Kämmerer, dessen Willfährigkeit er in diesem Falle mißtraute, antwortete der Kurfürst nicht: starr, mit unruhig klopfendem Herzen lag er da, und sah auf die Spitze des Schnupftuchs nieder, das er gedankenvoll zwischen den Händen hielt; und bat ihn plötzlich, den Jagdjunker vom Stein, einen jungen, rüstigen und gewandten Herrn, dessen er sich öfter schon zu geheimen Geschäften bedient hatte, unter dem Vorwand, daß er ein anderweitiges Geschäft mit ihm abzumachen habe, ins Zimmer zu rufen. Den Jagdjunker, nachdem er ihm die Sache auseinandergelegt, und von der Wichtigkeit des Zettels, in dessen Besitz der Kohlhaas war, unterrichtet hatte, fragte er, ob er sich ein ewiges Recht auf seine Freundschaft erwerben, und ihm den Zettel, noch ehe derselbe Berlin erreicht, verschaffen wolle? und da der Junker, sobald er das Verhältnis nur, sonderbar wie es war, einigermaßen überschaute, versicherte, daß er ihm mit allen seinen Kräften zu Diensten stehe: so trug ihm der Kurfürst auf, dem Kohlhaas nachzureiten, und ihm, da demselben mit Geld wahrscheinlich nicht beizukommen sei, in einer mit Klugheit angeordneten Unterredung, Freiheit und Leben dafür anzubieten, ja ihm, wenn er darauf bestehe, unmittelbar, obschon mit Vorsicht, zur Flucht aus den Händen der brandenburgischen Reuter, die ihn transportierten, mit Pferden, Leuten und Geld an die Hand zu gehen. Der Jagdjunker, nachdem er sich ein Blatt von der Hand des Kurfürsten zur Beglaubigung ausgebeten, brach auch sogleich mit einigen Knechten auf, und hatte, da er den Odem der Pferde nicht sparte, das Glück, den Kohlhaas auf einem Grenzdorf zu treffen, wo derselbe mit dem Ritter von Malzahn und seinen fünf Kindern ein Mittagsmahl, das im Freien vor der Tür eines Hauses angerichtet war, zu sich nahm. Der Ritter von Malzahn, dem der Junker sich als einen Fremden, der bei seiner Durchreise den seltsamen Mann, den er mit sich führe, in Augenschein zu nehmen wünsche, vorstellte, nötigte ihn sogleich auf zuvorkommende Art, indem er ihn mit dem Kohlhaas bekannt machte, an der Tafel nieder; und da der Ritter in Geschäften der Abreise ab und zuging, die Reuter aber an einem, auf des Hauses anderer Seite befindlichen Tisch, ihre Mahlzeit hielten: so traf sich die Gelegenheit bald, wo der Junker dem Roßhändler eröffnen konnte, wer er sei, und in welchen besonderen Aufträgen er zu ihm komme. Der Roßhändler, der bereits Rang und Namen dessen, der beim Anblick der in Rede stehenden Kapsel, in der Meierei zu Dahme in Ohnmacht gefallen war, kannte, und der zur Krönung des Taumels, in welchen ihn diese Entdeckung versetzt hatte, nichts bedurfte, als Einsicht in die Geheimnisse des Zettels, den er, um mancherlei Gründe willen, entschlossen war, aus bloßer Neugierde nicht zu eröffnen: der Roßhändler sagte, eingedenk der unedelmütigen und unfürstlichen Behandlung, die er in Dresden, bei seiner gänzlichen Bereitwilligkeit, alle nur möglichen Opfer zu bringen, hatte erfahren müssen: »daß er den Zettel behalten wolle.« Auf die Frage des Jagdjunkers: was ihn zu dieser sonderbaren Weigerung, da man ihm doch nichts Minderes, als Freiheit und Leben dafür anbiete, veranlasse? antwortete Kohlhaas: »Edler Herr! Wenn Euer Landesherr käme, und spräche, ich will mich, mit dem ganzen Troß derer, die mir das Szepter führen helfen, vernichten – vernichten, versteht Ihr, welches allerdings der größte Wunsch ist, den meine Seele hegt: so würde ich ihm doch den Zettel noch, der ihm mehr wert ist, als das Dasein, verweigern und sprechen: du kannst mich auf das Schafott bringen, ich aber kann dir weh tun, und ich wills!« Und damit, im Antlitz den Tod, rief er einen Reuter herbei, unter der Aufforderung, ein gutes Stück Essen, das in der Schüssel übrig geblieben war, zu sich zu nehmen; und für den ganzen Rest der Stunde, die er im Flecken zubrachte, für den Junker, der an der Tafel saß, wie nicht vorhanden, wandte er sich erst wieder, als er den Wagen bestieg, mit einem Blick, der ihn abschiedlich grüßte, zu ihm zurück. – Der Zustand des Kurfürsten, als er diese

Nachricht bekam, verschlimmerte sich in dem Grade, daß der Arzt, während drei verhängnisvoller Tage, seines Lebens wegen, das zu gleicher Zeit, von so vielen Seiten angegriffen ward, in der größesten Besorgnis war. Gleichwohl stellte er sich, durch die Kraft seiner natürlichen Gesundheit, nach dem Krankenlager einiger peinlich zugebrachten Wochen wieder her; dergestalt wenigstens, daß man ihn in einen Wagen bringen, und mit Kissen und Decken wohl versehen, nach Dresden zu seinen Regierungsgeschäften wieder zurückführen konnte. Sobald er in dieser Stadt angekommen war, ließ er den Prinzen Christiern von Meißen rufen, und fragte denselben: wie es mit der Abfertigung des Gerichtsrats Eibenmayer stünde, den man, als Anwalt in der Sache des Kohlhaas, nach Wien zu schicken gesonnen gewesen wäre, um kaiserlicher Majestät daselbst die Beschwerde wegen gebrochenen, kaiserlichen Landfriedens, vorzulegen? Der Prinz antwortete ihm: daß derselbe, dem, bei seiner Abreise nach Dahme hinterlassenen Befehl gemäß, gleich nach Ankunft des Rechtsgelehrten Zäuner, den der Kurfürst von Brandenburg als Anwalt nach Dresden geschickt hätte, um die Klage desselben, gegen den Junker Wenzel von Tronka, der Rappen wegen, vor Gericht zu bringen, nach Wien abgegangen wäre. Der Kurfürst, indem er errötend an seinen Arbeitstisch trat, wunderte sich über diese Eilfertigkeit, indem er seines Wissens erklärt hätte, die definitive Abreise des Eibenmayer, wegen vorher notwendiger Rücksprache mit dem Doktor Luther, der dem Kohlhaas die Amnestie ausgewirkt, einem näheren und bestimmteren Befehl vorbehalten zu wollen. Dabei warf er einige Briefschaften und Akten, die auf dem Tisch lagen, mit dem Ausdruck zurückgehaltenen Unwillens, über einander. Der Prinz, nach einer Pause, in welcher er ihn mit großen Augen ansah, versetzte, daß es ihm leid täte, wenn er seine Zufriedenheit in dieser Sache verfehlt habe; inzwischen könne er ihm den Beschluß des Staatsrats vorzeigen, worin ihm die Abschickung des Rechtsanwalts, zu dem besagten Zeitpunkt, zur Pflicht gemacht worden wäre. Er setzte hinzu, daß im Staatsrat von einer Rücksprache mit dem Doktor Luther, auf keine Weise die Rede gewesen wäre; daß es früherhin vielleicht zweckmäßig gewesen sein möchte, diesen geistlichen Herrn, wegen der Verwendung, die er dem Kohlhaas angedeihen lassen, zu berück-

sichtigen, nicht aber jetzt mehr, nachdem man demselben die
Amnestie vor den Augen der ganzen Welt gebrochen, ihn arretiert, und zur Verurteilung und Hinrichtung an die brandenburgischen Gerichte ausgeliefert hätte. Der Kurfürst sagte: das Versehen, den Eibenmayer abgeschickt zu haben, wäre auch in der
Tat nicht groß; inzwischen wünsche er, daß derselbe vorläufig,
bis auf weiteren Befehl, in seiner Eigenschaft als Ankläger zu
Wien nicht aufträte, und bat den Prinzen, deshalb das Erforder-
liche unverzüglich durch einen Expressen, an ihn zu erlassen. Der
Prinz antwortete: daß dieser Befehl leider um einen Tag zu spät
käme, indem der Eibenmayer bereits nach einem Berichte, der
eben heute eingelaufen, in seiner Qualität als Anwalt aufgetreten,
und mit Einreichung der Klage bei der Wiener Staatskanzlei vorgegangen wäre. Er setzte auf die betroffene Frage des Kurfürsten:
wie dies überall in so kurzer Zeit möglich sei? hinzu: daß bereits,
seit der Abreise dieses Mannes drei Wochen verstrichen wären,
und daß die Instruktion, die er erhalten, ihm eine ungesäumte
Abmachung dieses Geschäfts, gleich nach seiner Ankunft in Wien
zur Pflicht gemacht hätte. Eine Verzögerung, bemerkte der Prinz,
würde in diesem Fall um so unschicklicher gewesen sein, da der
brandenburgische Anwalt Zäuner, gegen den Junker Wenzel von
Tronka mit dem trotzigsten Nachdruck verfahre, und bereits auf
eine vorläufige Zurückziehung der Rappen, aus den Händen des
Abdeckers, behufs ihrer künftigen Wiederherstellung, bei dem
Gerichtshof angetragen, und auch aller Einwendungen der Gegenpart ungeachtet, durchgesetzt habe. Der Kurfürst, indem er
die Klingel zog, sagte: »gleichviel! es hätte nichts zu bedeuten!«
und nachdem er sich mit gleichgültigen Fragen: wie es sonst in
Dresden stehe? und was in seiner Abwesenheit vorgefallen sei? zu
dem Prinzen zurückgewandt hatte: grüßte er ihn, unfähig seinen
innersten Zustand zu verbergen, mit der Hand, und entließ ihn.
Er forderte ihm noch an demselben Tage schriftlich, unter dem
Vorwande, daß er die Sache, ihrer politischen Wichtigkeit wegen,
selbst bearbeiten wolle, die sämtlichen Kohlhaasischen Akten ab;
und da ihm der Gedanke, denjenigen zu verderben, von dem er
allein über die Geheimnisse des Zettels Auskunft erhalten konnte,
unerträglich war: so verfaßte er einen eigenhändigen Brief an den
Kaiser, worin er ihn auf herzliche und dringende Weise bat, aus

wichtigen Gründen, die er ihm vielleicht in kurzer Zeit bestimmter auseinander legen würde, die Klage, die der Eibenmayer gegen den Kohlhaas eingereicht, vorläufig bis auf einen weiteren Beschluß, zurücknehmen zu dürfen. Der Kaiser, in einer durch die Staatskanzlei ausgefertigten Note, antwortete ihm: »daß der Wechsel, der plötzlich in seiner Brust vorgegangen zu sein scheine, ihn aufs äußerste befremde; daß der sächsischerseits an ihn erlassene Bericht, die Sache des Kohlhaas zu einer Angelegenheit gesamten heiligen römischen Reichs gemacht hätte; daß demgemäß er, der Kaiser, als Oberhaupt desselben, sich verpflichtet gesehen hätte, als Ankläger in dieser Sache bei dem Hause Brandenburg aufzutreten; dergestalt, daß da bereits der Hof-Assessor Franz Müller, in der Eigenschaft als Anwalt nach Berlin gegangen wäre, um den Kohlhaas daselbst, wegen Verletzung des öffentlichen Landfriedens, zur Rechenschaft zu ziehen, die Beschwerde nunmehr auf keine Weise zurückgenommen werden könne, und die Sache den Gesetzen gemäß, ihren weiteren Fortgang nehmen müsse.« Dieser Brief schlug den Kurfürsten völlig nieder; und da, zu seiner äußersten Betrübnis, in einiger Zeit Privatschreiben aus Berlin einliefen, in welchen die Einleitung des Prozesses bei dem Kammergericht gemeldet, und bemerkt ward, daß der Kohlhaas wahrscheinlich, allen Bemühungen des ihm zugeordneten Advokaten ungeachtet, auf dem Schafott enden werde: so beschloß dieser unglückliche Herr noch einen Versuch zu machen, und bat den Kurfürsten von Brandenburg, in einer eigenhändigen Zuschrift, um des Roßhändlers Leben. Er schützte vor, daß die Amnestie, die man diesem Manne angelobt, die Vollstreckung eines Todesurteils an demselben, füglicher Weise, nicht zulasse; versicherte ihn, daß es, trotz der scheinbaren Strenge, mit welcher man gegen ihn verfahren, nie seine Absicht gewesen wäre, ihn sterben zu lassen; und beschrieb ihm, wie trostlos er sein würde, wenn der Schutz, den man vorgegeben hätte, ihm von Berlin aus angedeihen lassen zu wollen, zuletzt, in einer unerwarteten Wendung, zu seinem größeren Nachteile ausschlüge, als wenn er in Dresden geblieben, und seine Sache nach sächsischen Gesetzen entschieden worden wäre. Der Kurfürst von Brandenburg, dem in dieser Angabe mancherlei zweideutig und unklar schien, antwortete ihm: »daß der Nachdruck, mit welchem

der Anwalt kaiserlicher Majestät verführe, platterdings nicht er-
laube, dem Wunsch, den er ihm geäußert, gemäß, von der stren-
gen Vorschrift der Gesetze abzuweichen. Er bemerkte, daß die
ihm vorgelegte Besorgnis in der Tat zu weit ginge, indem die
Beschwerde, wegen der dem Kohlhaas in der Amnestie verziehe-
nen Verbrechen ja nicht von ihm, der demselben die Amnestie erteilt, sondern von dem Reichsoberhaupt, das daran auf keine
Weise gebunden sei, bei dem Kammergericht zu Berlin anhängig
gemacht worden wäre. Dabei stellte er ihm vor, wie notwendig
bei den fortdauernden Gewalttätigkeiten des Nagelschmidt, die
sich sogar schon, mit unerhörter Dreistigkeit, bis aufs brandenburgische Gebiet erstreckten, die Statuierung eines abschrecken-
den Beispiels wäre, und bat ihn, falls er dies alles nicht berück-
sichtigen wolle, sich an des Kaisers Majestät selbst zu wenden,
indem, wenn dem Kohlhaas zu Gunsten ein Machtspruch fallen
sollte, dies allein auf eine Erklärung von dieser Seite her geschehen könne.« Der Kurfürst, aus Gram und Ärger über alle diese
mißglückten Versuche, verfiel in eine neue Krankheit; und da
der Kämmerer ihn an einem Morgen besuchte, zeigte er ihm die
Briefe, die er, um dem Kohlhaas das Leben zu fristen, und somit
wenigstens Zeit zu gewinnen, des Zettels, den er besäße, habhaft
zu werden, an den Wiener und Berliner Hof erlassen. Der Kämmerer warf sich auf Knieen vor ihm nieder, und bat ihn, um
alles was ihm heilig und teuer sei, ihm zu sagen, was dieser Zettel
enthalte? Der Kurfürst sprach, er möchte das Zimmer verriegeln,
und sich auf das Bett niedersetzen; und nachdem er seine Hand
ergriffen, und mit einem Seufzer an sein Herz gedrückt hatte,
begann er folgendergestalt: »Deine Frau hat dir, wie ich höre,
schon erzählt, daß der Kurfürst von Brandenburg und ich, am
dritten Tage der Zusammenkunft, die wir in Jüterbock hielten,
auf eine Zigeunerin trafen; und da der Kurfürst, aufgeweckt wie
er von Natur ist, beschloß, den Ruf dieser abenteuerlichen Frau,
von deren Kunst, eben bei der Tafel, auf ungebührliche Weise
die Rede gewesen war, durch einen Scherz im Angesicht alles
Volks zu nichte zu machen: so trat er mit verschränkten Armen
vor ihren Tisch, und forderte, der Weissagung wegen, die sie ihm
machen sollte, ein Zeichen von ihr, das sich noch heute erproben
ließe, vorschützend, daß er sonst nicht, und wäre sie auch die

römische Sybille selbst, an ihre Worte glauben könne. Die Frau, indem sie uns flüchtig von Kopf zu Fuß maß, sagte: das Zeichen würde sein, daß uns der große, gehörnte Rehbock, den der Sohn des Gärtners im Park erzog, auf dem Markt, worauf wir uns befanden, bevor wir ihn noch verlassen, entgegenkommen würde. Nun mußt du wissen, daß dieser, für die Dresdner Küche bestimmte Rehbock, in einem mit Latten hoch verzäunten Verschlage, den die Eichen des Parks beschatteten, hinter Schloß und Riegel aufbewahrt ward, dergestalt, daß, da überdies anderen kleineren Wildes und Geflügels wegen, der Park überhaupt und obenein der Garten, der zu ihm führte, in sorgfältigem Beschluß gehalten ward, schlechterdings nicht abzusehen war, wie uns das Tier, diesem sonderbaren Vorgeben gemäß, bis auf dem Platz, wo wir standen, entgegen kommen würde; gleichwohl schickte der Kurfürst aus Besorgnis vor einer dahinter steckenden Schelmerei, nach einer kurzen Abrede mit mir, entschlossen, auf unabänderliche Weise, alles was sie noch vorbringen würde, des Spaßes wegen, zu Schanden zu machen, ins Schloß, und befahl, daß der Rehbock augenblicklich getötet, und für die Tafel, an einem der nächsten Tage, zubereitet werden solle. Hierauf wandte er sich zu der Frau, vor welcher diese Sache laut verhandelt worden war, zurück, und sagte: nun, wohlan! was hast du mir für die Zukunft zu entdecken? Die Frau, indem sie in seine Hand sah, sprach: Heil meinem Kurfürsten und Herrn! Deine Gnaden wird lange regieren, das Haus, aus dem du stammst, lange bestehen, und deine Nachkommen groß und herrlich werden und zu Macht gelangen, vor allen Fürsten und Herren der Welt! Der Kurfürst, nach einer Pause, in welcher er die Frau gedankenvoll ansah, sagte halblaut, mit einem Schritte, den er zu mir tat, daß es ihm jetzo fast leid täte, einen Boten abgeschickt zu haben, um die Weissagung zu nichte zu machen; und während das Geld aus den Händen der Ritter, die ihm folgten, der Frau haufenweis, unter vielem Jubel, in den Schoß regnete, fragte er sie, indem er selbst in die Tasche griff, und ein Goldstück dazu legte: ob der Gruß, den sie mir zu eröffnen hätte, auch von so silbernem Klang wäre, als der seinige? Die Frau, nachdem sie einen Kasten, der ihr zur Seite stand, aufgemacht, und das Geld, nach Sorte und Menge, weitläufig und umständlich darin geordnet, und den Kasten wieder verschlossen hatte, schützte ihre Hand vor die Sonne, gleichsam als ob sie ihr lästig wäre, und sah mich an; und da ich die Frage an sie wiederholte, und, auf scherzhafte Weise, während sie meine Hand prüfte, zum Kurfürsten sagte: *mir*, scheint es, hat sie nichts, das eben angenehm wäre, zu verkündigen: so ergriff sie ihre Krücken, hob sich langsam daran vom Schemel empor, und indem sie sich, mit geheimnisvoll vorgehaltenen Händen, dicht zu mir heran drängte, flüsterte sie mir vernehmlich ins Ohr: nein! – So! sagt ich verwirrt, und trat einen Schritt vor der Gestalt zurück, die sich, mit einem Blick, kalt und leblos, wie aus marmornen Augen, auf den Schemel, der hinter ihr stand, zurücksetzte: von welcher Seite her droht meinem Hause Gefahr? Die Frau, indem sie eine Kohle und ein Papier zur Hand nahm und ihre Knie kreuzte, fragte: ob sie es mir aufschreiben solle? und da ich, verlegen in der Tat, bloß weil mir, unter den bestehenden Umständen, nichts anders übrig blieb, antwortete: ja! das tu! so versetzte sie: ›wohlan! dreierlei schreib ich dir auf: den Namen des letzten Regenten deines Hauses, die Jahrszahl, da er sein Reich verlieren, und den Namen dessen, der es, durch die Gewalt der Waffen, an sich reißen wird.‹ Dies, vor den Augen allen Volks abgemacht, erhebt sie sich, verklebt den Zettel mit Lack, den sie in ihrem welken Munde befeuchtet, und drückt einen bleiernen, an ihrem Mittelfinger befindlichen Siegelring darauf. Und da ich den Zettel, neugierig, wie du leicht begreifst, mehr als Worte sagen können, erfassen will, spricht sie: ›mit nichten, Hoheit!‹ und wendet sich und hebt ihrer Krücken eine empor: ›von jenem Mann dort, der, mit dem Federhut, auf der Bank steht, hinter allem Volk, am Kircheneingang, lösest du, wenn es dir beliebt, den Zettel ein!‹ Und damit, ehe ich noch recht begriffen, was sie sagt, auf dem Platz, vor Erstaunen sprachlos, läßt sie mich stehen; und während sie den Kasten, der hinter ihr stand, zusammenschlug, und über den Rücken warf, mischt sie sich, ohne daß ich weiter bemerken konnte, was sie tut, unter den Haufen des uns umringenden Volks. Nun trat, zu meinem in der Tat herzlichen Trost, in eben diesem Augenblick der Ritter auf, den der Kurfürst ins Schloß geschickt hatte, und meldete ihm, mit lachendem Munde, daß der Rehbock getötet, und durch zwei Jäger, vor seinen Augen, in die Küche geschleppt worden

sei. Der Kurfürst, indem er seinen Arm munter in den meinigen
legte, in der Absicht, mich von dem Platz hinwegzuführen, sagte:
nun, wohlan! so war die Prophezeiung eine alltägliche Gaunerei,
und Zeit und Gold, die sie uns gekostet nicht wert! Aber wie
groß war unser Erstaunen, da sich, noch während dieser Worte,
ein Geschrei rings auf dem Platze erhob, und aller Augen sich
einem großen, vom Schloßhof herantrabenden Schlächterhund
zuwandten, der in der Küche den Rehbock als gute Beute beim
Nacken erfaßt, und das Tier drei Schritte von uns, verfolgt von
Knechten und Mägden, auf den Boden fallen ließ: dergestalt, daß
in der Tat die Prophezeiung des Weibes, zum Unterpfand alles
dessen, was sie vorgebracht, erfüllt, und der Rehbock uns bis auf
den Markt, obschon allerdings tot, entgegen gekommen war. Der
Blitz, der an einem Wintertag vom Himmel fällt, kann nicht
vernichtender treffen, als mich dieser Anblick, und meine erste
Bemühung, sobald ich der Gesellschaft in der ich mich befand,
überhoben, war gleich, den Mann mit dem Federhut, den mir
das Weib bezeichnet hatte, auszumitteln; doch keiner meiner
Leute, unausgesetzt während drei Tage auf Kundschaft geschickt,
war im Stande mir auch nur auf die entfernteste Weise Nachricht
davon zu geben: und jetzt, Freund Kunz, vor wenig Wochen,
in der Meierei zu Dahme, habe ich den Mann mit meinen eigenen
Augen gesehn.« – Und damit ließ er die Hand des Kämmerers
fahren; und während er sich den Schweiß abtrocknete, sank er
wieder auf das Lager zurück. Der Kämmerer, der es für vergebliche Mühe hielt, mit seiner Ansicht von diesem Vorfall die Ansicht, die der Kurfürst davon hatte, zu durchkreuzen und zu berichtigen, bat ihn, doch irgend ein Mittel zu versuchen, des Zettels habhaft zu werden, und den Kerl nachher seinem Schicksal
zu überlassen; doch der Kurfürst antwortete, daß er platterdings
kein Mittel dazu sähe, obschon der Gedanke, ihn entbehren zu
müssen, oder wohl gar die Wissenschaft davon mit diesem Menschen untergehen zu sehen, ihn dem Jammer und der Verzweiflung nahe brächte. Auf die Frage des Freundes: ob er denn Versuche gemacht, die Person der Zigeunerin selbst auszuforschen?
erwiderte der Kurfürst, daß das Gubernium, auf einen Befehl,
den er unter einem falschen Vorwand an dasselbe erlassen, diesem
Weibe vergebens, bis auf den heutigen Tag, in allen Plätzen des

Kurfürstentums nachspüre: wobei er, aus Gründen, die er jedoch
näher zu entwickeln sich weigerte, überhaupt zweifelte, daß sie
in Sachsen auszumitteln sei. Nun traf es sich, daß der Kämmerer,
mehrerer beträchtlichen Güter wegen, die seiner Frau aus der
Hinterlassenschaft des abgesetzten und bald darauf verstorbenen
Erzkanzlers, Grafen Kallheim, in der Neumark zugefallen waren,
nach Berlin reisen wollte; dergestalt, daß, da er den Kurfürsten
in der Tat liebte, er ihn nach einer kurzen Überlegung fragte: ob
er ihm in dieser Sache freie Hand lassen wolle? und da dieser, indem er seine Hand herzlich an seine Brust drückte, antwortete:
»denke, du seist ich, und schaff mir den Zettel!« so beschleunigte
der Kämmerer, nachdem er seine Geschäfte abgegeben, um einige
Tage seine Abreise, und fuhr, mit Zurücklassung seiner Frau,
bloß von einigen Bedienten begleitet, nach Berlin ab.

Kohlhaas, der inzwischen, wie schon gesagt, in Berlin angekommen, und, auf einen Spezialbefehl des Kurfürsten, in ein
ritterliches Gefängnis gebracht worden war, das ihn mit seinen
fünf Kindern, so bequem als es sich tun ließ, empfing, war gleich
nach Erscheinung des kaiserlichen Anwalts aus Wien, auf den
Grund wegen Verletzung des öffentlichen, kaiserlichen Landfriedens, vor den Schranken des Kammergerichts zur Rechenschaft gezogen worden; und ob er schon in seiner Verantwortung einwandte, daß er wegen seines bewaffneten Einfalls in
Sachsen, und der dabei verübten Gewalttätigkeiten, kraft des
mit dem Kurfürsten von Sachsen zu Lützen abgeschlossenen Ver-
gleichs, nicht belangt werden könne: so erfuhr er doch, zu seiner
Belehrung, daß des Kaisers Majestät, deren Anwalt hier die Beschwerde führe, darauf keine Rücksicht nehmen könne: ließ
sich auch sehr bald, da man ihm die Sache auseinander setzte und
erklärte, wie ihm dagegen von Dresden her, in seiner Sache gegen
den Junker Wenzel von Tronka, völlige Genugtuung widerfahren werde, die Sache gefallen. Demnach traf es sich, daß grade
am Tage der Ankunft des Kämmerers, das Gesetz über ihn sprach,
und er verurteilt ward mit dem Schwerte vom Leben zum Tode
gebracht zu werden; ein Urteil, an dessen Vollstreckung gleichwohl, bei der verwickelten Lage der Dinge, seiner Milde ungeachtet, niemand glaubte, ja, das die ganze Stadt, bei dem Wohlwollen das der Kurfürst für den Kohlhaas trug, unfehlbar durch

ein Machtwort desselben, in eine bloße, vielleicht beschwerliche und langwierige Gefängnisstrafe verwandelt zu sehen hoffte. Der Kämmerer, der gleichwohl einsah, daß keine Zeit zu verlieren sein möchte, falls der Auftrag, den ihm sein Herr gegeben, in Erfüllung gehen sollte, fing sein Geschäft damit an, sich dem Kohlhaas, am Morgen eines Tages, da derselbe in harmloser Betrachtung der Vorübergehenden, am Fenster seines Gefängnisses stand, in seiner gewöhnlichen Hoftracht, genau und umständlich zu zeigen; und da er, aus einer plötzlichen Bewegung seines Kopfes, schloß, daß der Roßhändler ihn bemerkt hatte, und besonders, mit großem Vergnügen, einen unwillkürlichen Griff desselben mit der Hand auf die Gegend der Brust, wo die Kapsel lag, wahrnahm: so hielt er das, was in der Seele desselben in diesem Augenblick vorgegangen war, für eine hinlängliche Vorbereitung, um in dem Versuch, des Zettels habhaft zu werden, einen Schritt weiter vorzurücken. Er bestellte ein altes, auf Krücken herumwandelndes Trödelweib zu sich, das er in den Straßen von Berlin, unter einem Troß andern, mit Lumpen handelnden Gesindels bemerkt hatte, und das ihm, dem Alter und der Tracht nach, ziemlich mit dem, das ihm der Kurfürst beschrieben hatte, übereinzustimmen schien; und in der Voraussetzung, der Kohlhaas werde sich die Züge derjenigen, die ihm in einer flüchtigen Erscheinung den Zettel überreicht hatte, nicht eben tief eingeprägt haben, beschloß er, das gedachte Weib statt ihrer unterzuschieben, und bei Kohlhaas, wenn es sich tun ließe, die Rolle, als ob sie die Zigeunerin wäre, spielen zu lassen. Dem gemäß, um sie dazu in Stand zu setzen, unterrichtete er sie umständlich von allem, was zwischen dem Kurfürsten und der gedachten Zigeunerin in Jüterbock vorgefallen war, wobei er, weil er nicht wußte, wie weit das Weib in ihren Eröffnungen gegen den Kohlhaas gegangen war, nicht vergaß, ihr besonders die drei geheimnisvollen, in dem Zettel enthaltenen Artikel einzuschärfen; und nachdem er ihr auseinandergesetzt hatte, was sie, auf abgerissene und unverständliche Weise, fallen lassen müsse, gewisser Anstalten wegen, die man getroffen, sei es durch List oder durch Gewalt, des Zettels, der dem sächsischen Hofe von der äußersten Wichtigkeit sei, habhaft zu werden, trug er ihr auf, dem Kohlhaas den Zettel, unter dem Vorwand, daß derselbe bei ihm nicht mehr sicher sei,

zur Aufbewahrung während einiger verhängnisvollen Tage, abzufordern. Das Trödelweib übernahm auch sogleich gegen die
Verheißung einer beträchtlichen Belohnung, wovon der Kämmerer ihr auf ihre Forderung einen Teil im voraus bezahlen
mußte, die Ausführung des besagten Geschäfts; und da die Mutter des bei Mühlberg gefallenen Knechts Herse, den Kohlhaas,
mit Erlaubnis der Regierung, zuweilen besuchte, diese Frau ihr
aber seit einigen Monden her, bekannt war: so gelang es ihr, an
einem der nächsten Tage, vermittelst einer kleinen Gabe an den
Kerkermeister, sich bei dem Roßkamm Eingang zu verschaffen. –
Kohlhaas aber, als diese Frau zu ihm eintrat, meinte, an einem
Siegelring, den sie an der Hand trug, und einer ihr vom Hals herabhangenden Korallenkette, die bekannte alte Zigeunerin selbst
wieder zu erkennen, die ihm in Jüterbock den Zettel überreicht
hatte; und wie denn die Wahrscheinlichkeit nicht immer auf
Seiten der Wahrheit ist, so traf es sich, daß hier etwas geschehen
war, das wir zwar berichten: die Freiheit aber, daran zu zweifeln,
demjenigen, dem es wohlgefällt, zugestehen müssen: der Kämmerer hatte den ungeheuersten Mißgriff begangen, und in dem
alten Trödelweib, das er in den Straßen von Berlin aufgriff, um
die Zigeunerin nachzuahmen, die geheimnisreiche Zigeunerin
selbst getroffen, die er nachgeahmt wissen wollte. Wenigstens berichtete das Weib, indem sie, auf ihre Krücken gestützt, die Wangen der Kinder streichelte, die sich, betroffen von ihrem wunderlichen Anblick, an den Vater lehnten: daß sie schon seit geraumer
Zeit aus dem Sächsischen ins Brandenburgische zurückgekehrt
sei, und sich, auf eine, in den Straßen von Berlin unvorsichtig ge-
wagte Frage des Kämmerers, nach der Zigeunerin, die im Früh-
jahr des verflossenen Jahres, in Jüterbock gewesen, sogleich an
ihn gedrängt, und, unter einem falschen Namen, zu dem Geschäfte, das er besorgt wissen wollte, angetragen habe. Der Roßhändler, der eine sonderbare Ähnlichkeit zwischen ihr und seinem
verstorbenen Weibe Lisbeth bemerkte, dergestalt, daß er sie
hätte fragen können, ob sie ihre Großmutter sei: denn nicht nur,
daß die Züge ihres Gesichts, ihre Hände, auch in ihrem knöchernen Bau noch schön, und besonders der Gebrauch, den sie davon
im Reden machte, ihn aufs lebhafteste an sie erinnerten: auch ein
Mal, womit seiner Frauen Hals bezeichnet war, bemerkte er an

dem ihrigen – der Roßhändler nötigte sie, unter Gedanken, die sich seltsam in ihm kreuzten, auf einen Stuhl nieder, und fragte, was sie in aller Welt in Geschäften des Kämmerers zu ihm führe? Die Frau, während der alte Hund des Kohlhaas ihre Kniee um- schnüffelte, und von ihrer Hand gekraut, mit dem Schwanz we- delte, antwortete: »der Auftrag, den ihr der Kämmerer gegeben, wäre, ihm zu eröffnen, auf welche drei dem sächsischen Hofe wichtigen Fragen der Zettel geheimnisvolle Antwort enthalte; ihn vor einem Abgesandten, der sich in Berlin befinde, um seiner habhaft zu werden, zu warnen: und ihm den Zettel, unter dem Vorwande, daß er an seiner Brust, wo er ihn trage, nicht mehr sicher sei, abzufordern. Die Absicht aber, in der sie komme, sei, ihm zu sagen, daß die Drohung ihn durch Arglist oder Gewalt- tätigkeit um den Zettel zu bringen, abgeschmackt, und ein leeres Trugbild sei; daß er unter dem Schutz des Kurfürsten von Bran- denburg, in dessen Verwahrsam er sich befinde, nicht das Min- deste für denselben zu befürchten habe; ja, daß das Blatt bei ihm weit sicherer sei, als bei ihr, und daß er sich wohl hüten möchte, sich durch Ablieferung desselben, an wen und unter welchem Vorwand es auch sei, darum bringen zu lassen. – Gleichwohl schloß sie, daß sie es für klug hielte, von dem Zettel den Gebrauch zu machen, zu welchem sie ihm denselben auf dem Jahrmarkt zu Jüterbock eingehändigt, dem Antrag, den man ihm auf der Grenze durch den Junker vom Stein gemacht, Gehör zu geben, und den Zettel, der ihm selbst weiter nichts nutzen könne, für Freiheit und Leben an den Kurfürsten von Sachsen auszuliefern.« Kohlhaas, der über die Macht jauchzte, die ihm gegeben war, seines Feindes Ferse, in dem Augenblick, da sie ihn in den Staub trat, tödlich zu verwunden, antwortete: nicht um die Welt, Mütterchen, nicht um die Welt! und drückte der Alten Hand, und wollte nur wissen, was für Antworten auf die ungeheuren Fragen im Zettel enthalten wären? Die Frau, inzwischen sie das Jüngste, das sich zu ihren Füßen niedergekauert hatte, auf den Schoß nahm, sprach: »nicht um die Welt, Kohlhaas, der Roß- händler; aber um diesen hübschen, kleinen, blonden Jungen!« und damit lachte sie ihn an, herzte und küßte ihn, der sie mit großen Augen ansah, und reichte ihm, mit ihren dürren Händen, einen Apfel, den sie in ihrer Tasche trug, dar. Kohlhaas sagte ver-

wirrt: daß die Kinder selbst, wenn sie groß wären, ihn, um seines
Verfahrens loben würden, und daß er, für sie und ihre Enkel
nichts Heilsameres tun könne, als den Zettel behalten. Zudem
fragte er, wer ihn, nach der Erfahrung, die er gemacht, vor einem
neuen Betrug sicher stelle, und ob er nicht zuletzt, unnützer
Weise, den Zettel, wie jüngst den Kriegshaufen, den er in Lützen
zusammengebracht, an den Kurfürsten aufopfern würde? »Wer
mir sein Wort einmal gebrochen,« sprach er, »mit dem wechsle
ich keins mehr; und nur deine Forderung, bestimmt und unzwei-
deutig, trennt mich, gutes Mütterchen, von dem Blatt, durch
welches mir für alles, was ich erlitten, auf so wunderbare Weise
Genugtuung geworden ist.« Die Frau, indem sie das Kind auf den
Boden setzte, sagte: daß er in mancherlei Hinsicht recht hätte,
und daß er tun und lassen könnte, was er wollte! Und damit
nahm sie ihre Krücken wieder zur Hand, und wollte gehn. Kohlhaas wiederholte seine Frage, den Inhalt des wunderbaren Zettels
betreffend; er wünschte, da sie flüchtig antwortete: »daß er ihn
ja eröffnen könne, obschon es eine bloße Neugierde wäre,« noch
über tausend andere Dinge, bevor sie ihn verließe, Aufschluß zu
erhalten; wer sie eigentlich sei, woher sie zu der Wissenschaft, die
ihr inwohne, komme, warum sie dem Kurfürsten, für den er
doch geschrieben, den Zettel verweigert, und grade ihm, unter
so vielen tausend Menschen, der ihrer Wissenschaft nie begehrt,
das Wunderblatt überreicht habe? – – Nun traf es sich, daß in
eben diesem Augenblick ein Geräusch hörbar ward, das einige
Polizei-Offizianten, die die Treppe heraufstiegen, verursachten;
dergestalt, daß das Weib, von plötzlicher Besorgnis, in diesen Gemächern von ihnen betroffen zu werden, ergriffen, antwortete:
»auf Wiedersehen Kohlhaas, auf Wiedersehn! Es soll dir, wenn
wir uns wiedertreffen, an Kenntnis über dies alles nicht fehlen!«
Und damit, indem sie sich gegen die Tür wandte, rief sie: »lebt
wohl, Kinderchen, lebt wohl!« küßte das kleine Geschlecht nach
der Reihe, und ging ab.

Inzwischen hatte der Kurfürst von Sachsen, seinen jammervollen Gedanken preisgegeben, zwei Astrologen, namens Olden-
holm und Olearius, welche damals in Sachsen in großem Ansehen standen, herbeigerufen, und wegen des Inhalts des geheimnisvollen, ihm und dem ganzen Geschlecht seiner Nachkommen

so wichtigen Zettels zu Rate gezogen; und da die Männer, nach
einer, mehrere Tage lang im Schloßturm zu Dresden fortgesetz-
ten, tiefsinnigen Untersuchung, nicht einig werden konnten, ob
die Prophezeiung sich auf späte Jahrhunderte oder aber auf die
jetzige Zeit beziehe, und vielleicht die Krone Polen, mit welcher
die Verhältnisse immer noch sehr kriegerisch waren, damit gemeint sei: so wurde durch solchen gelehrten Streit, statt sie zu
zerstreuen, die Unruhe, um nicht zu sagen, Verzweiflung, in
welcher sich dieser unglückliche Herr befand, nur geschärft, und
zuletzt bis auf einen Grad, der seiner Seele ganz unerträglich war,
vermehrt. Dazu kam, daß der Kämmerer um diese Zeit seiner
Frau, die im Begriff stand, ihm nach Berlin zu folgen, auftrug,
dem Kurfürsten, bevor sie abreiste, auf eine geschickte Art beizu-
bringen, wie mißlich es nach einem verunglückten Versuch, den
er mit einem Weibe gemacht, das sich seitdem nicht wieder habe
blicken lassen, mit der Hoffnung aussehe, des Zettels in dessen
Besitz der Kohlhaas sei, habhaft zu werden, indem das über ihn
gefällte Todesurteil, nunmehr, nach einer umständlichen Prüfung
der Akten, von dem Kurfürsten von Brandenburg unterzeichnet,
und der Hinrichtungstag bereits auf den Montag nach Palmarum
festgesetzt sei; auf welche Nachricht der Kurfürst sich, das Herz
von Kummer und Reue zerrissen, gleich einem ganz Verlorenen,
in seinem Zimmer verschloß, während zwei Tage, des Lebens
satt, keine Speise zu sich nahm, und am dritten plötzlich, unter der
kurzen Anzeige an das Gubernium, daß er zu dem Fürsten von
Dessau auf die Jagd reise, aus Dresden verschwand. Wohin er
eigentlich ging, und ob er sich nach Dessau wandte, lassen wir
dahin gestellt sein, indem die Chroniken, aus deren Vergleichung
wir Bericht erstatten, an dieser Stelle, auf befremdende Weise,
einander widersprechen und aufheben. Gewiß ist, daß der Fürst
von Dessau, unfähig zu jagen, um diese Zeit krank in Braun-
schweig, bei seinem Oheim, dem Herzog Heinrich, lag, und daß
die Dame Heloise, am Abend des folgenden Tages, in Gesellschaft
eines Grafen von Königstein, den sie für ihren Vetter ausgab, bei
dem Kämmerer Herrn Kunz, ihrem Gemahl, in Berlin eintraf. –
Inzwischen war dem Kohlhaas, auf Befehl des Kurfürsten, das
Todesurteil vorgelesen, die Ketten abgenommen, und die über
sein Vermögen lautenden Papiere, die ihm in Dresden abgespro-

chen worden waren, wieder zugestellt worden; und da die Räte,
die das Gericht an ihn abgeordnet hatte, ihn fragten, wie er es mit
dem, was er besitze, nach seinem Tode gehalten wissen wolle: so
verfertigte er, mit Hülfe eines Notars, zu seiner Kinder Gunsten
ein Testament, und setzte den Amtmann zu Kohlhaasenbrück,
seinen wackern Freund, zum Vormund derselben ein. Demnach
glich nichts der Ruhe und Zufriedenheit seiner letzten Tage;
denn auf eine sonderbare Spezial-Verordnung des Kurfürsten war
bald darauf auch noch der Zwinger, in welchem er sich befand,
eröffnet, und allen seinen Freunden, deren er sehr viele in der
Stadt besaß, bei Tag und Nacht freier Zutritt zu ihm verstattet
worden. Ja, er hatte noch die Genugtuung, den Theologen Jakob
Freising, als einen Abgesandten Doktor Luthers, mit einem eigenhändigen, ohne Zweifel sehr merkwürdigen Brief, der aber verloren gegangen ist, in sein Gefängnis treten zu sehen, und von
diesem geistlichen Herrn in Gegenwart zweier brandenburgischen
Dechanten, die ihm an die Hand gingen, die Wohltat der heiligen
Kommunion zu empfangen. Hierauf erschien nun, unter einer
allgemeinen Bewegung der Stadt, die sich immer noch nicht ent-
wöhnen konnte, auf ein Machtwort, das ihn rettete, zu hoffen,
der verhängnisvolle Montag nach Palmarum, an welchem er die
Welt, wegen des allzuraschen Versuchs, sich selbst in ihr Recht
verschaffen zu wollen, versöhnen sollte. Eben trat er, in Begleitung einer starken Wache, seine beiden Knaben auf dem Arm
(denn diese Vergünstigung hatte er sich ausdrücklich vor den
Schranken des Gerichts ausgebeten), von dem Theologen Jakob
Freising geführt, aus dem Tor seines Gefängnisses, als unter einem
wehmütigen Gewimmel von Bekannten, die ihm die Hände
drückten, und von ihm Abschied nahmen, der Kastellan des
kurfürstlichen Schlosses, verstört im Gesicht, zu ihm herantrat,
und ihm ein Blatt gab, das ihm, wie er sagte, ein altes Weib für
ihn eingehändigt. Kohlhaas, während er den Mann der ihm nur
wenig bekannt war, befremdet ansah, eröffnete das Blatt, dessen
Siegelring ihn, im Mundlack ausgedrückt, sogleich an die bekannte Zigeunerin erinnerte. Aber wer beschreibt das Erstaunen,
das ihn ergriff, als er folgende Nachricht darin fand: »Kohlhaas,
der Kurfüst von Sachsen ist in Berlin; auf den Richtplatz schon
ist er vorangegangen, und wird, wenn dir daran liegt, an einem

Hut, mit blauen und weißen Federbüschen kenntlich sein. Die
Absicht, in der er kömmt, brauche ich dir nicht zu sagen; er will
die Kapsel, sobald du verscharrt bist, ausgraben, und den Zettel,
der darin befindlich ist, eröffnen lassen. – Deine Elisabeth.« – Kohlhaas, indem er sich auf das äußerste bestürzt zu dem Kastellan
umwandte, fragte ihn: ob er das wunderbare Weib, das ihm den
Zettel übergeben, kenne? Doch da der Kastellan antwortete:
»Kohlhaas, das Weib« – – und in Mitten der Rede auf sonderbare
Weise stockte, so konnte er, von dem Zuge, der in diesem Augenblick wieder antrat, fortgerissen, nicht vernehmen, was der Mann,
der an allen Gliedern zu zittern schien, vorbrachte. – Als er auf
dem Richtplatz ankam, fand er den Kurfürsten von Branden-
burg mit seinem Gefolge, worunter sich auch der Erzkanzler,
Herr Heinrich von Geusau befand, unter einer unermeßlichen
Menschenmenge, daselbst zu Pferde halten: ihm zur Rechten der
kaiserliche Anwalt Franz Müller, eine Abschrift des Todesurteils
in der Hand; ihm zur Linken, mit dem Konklusum des Dresdner
Hofgerichts, sein eigener Anwalt, der Rechtsgelehrte Anton
Zäuner; ein Herold in der Mitte des halboffenen Kreises, den das
Volk schloß, mit einem Bündel Sachen, und den beiden, von
Wohlsein glänzenden, die Erde mit ihren Hufen stampfenden
Rappen. Denn der Erzkanzler, Herr Heinrich, hatte die Klage,
die er, im Namen seines Herrn, in Dresden anhängig gemacht,
Punkt für Punkt, und ohne die mindeste Einschränkung gegen
den Junker Wenzel von Tronka, durchgesetzt; dergestalt, daß
die Pferde, nachdem man sie durch Schwingung einer Fahne über
ihre Häupter, ehrlich gemacht, und aus den Händen des Abdeckers, der sie ernährte, zurückgezogen hatte, von den Leuten
des Junkers dickgefüttert, und in Gegenwart einer eigens dazu
niedergesetzten Kommission, dem Anwalt, auf dem Markt zu
Dresden, übergeben worden waren. Demnach sprach der Kurfürst, als Kohlhaas von der Wache begleitet, auf den Hügel zu
ihm heranschritt: Nun, Kohlhaas, heut ist der Tag, an dem dir
dein Recht geschieht! Schau her, hier liefere ich dir alles, was du
auf der Tronkenburg gewaltsamer Weise eingebüßt, und was
ich, als dein Landesherr, dir wieder zu verschaffen, schuldig war,
zurück: Rappen, Halstuch, Reichsgulden, Wäsche, bis auf die
Kurkosten sogar für deinen bei Mühlberg gefallenen Knecht

Herse. Bist du mit mir zufrieden? – Kohlhaas, während er das,
ihm auf den Wink des Erzkanzlers eingehändigte Konklusum,
mit großen, funkelnden Augen überlas, setzte die beiden Kinder,
die er auf dem Arm trug, neben sich auf den Boden nieder; und
da er auch einen Artikel darin fand, in welchem der Junker Wenzel zu zweijähriger Gefängnisstrafe verurteilt ward: so ließ er
sich, aus der Ferne, ganz überwältigt von Gefühlen, mit kreuzweis auf die Brust gelegten Händen, vor dem Kurfürsten nieder.
Er versicherte freudig dem Erzkanzler, indem er aufstand, und
die Hand auf seinen Schoß legte, daß sein höchster Wunsch auf
Erden erfüllt sei; trat an die Pferde heran, musterte sie, und klopfte
ihren feisten Hals; und erklärte dem Kanzler, indem er wieder zu
ihm zurückkam, heiter: »daß er sie seinen beiden Söhnen Heinrich und Leopold schenke!« Der Kanzler, Herr Heinrich von
Geusau, vom Pferde herab mild zu ihm gewandt, versprach ihm,
in des Kurfürsten Namen, daß sein letzter Wille heilig gehalten
werden solle: und forderte ihn auf, auch über die übrigen im
Bündel befindlichen Sachen, nach seinem Gutdünken zu schal-
ten. Hierauf rief Kohlhaas die alte Mutter Hersens, die er auf
dem Platz wahrgenommen hatte, aus dem Haufen des Volks hervor, und indem er ihr die Sachen übergab, sprach er: »da, Mütterchen; das gehört dir!« – die Summe, die, als Schadenersatz für
ihn, bei dem im Bündel liegenden Gelde befindlich war, als ein
Geschenk noch, zur Pflege und Erquickung ihrer alten Tage, hin-
zufügend. – – Der Kurfürst rief: »nun, Kohlhaas, der Roßhändler, du, dem solchergestalt Genugtuung geworden, mache dich
bereit, kaiserlicher Majestät, deren Anwalt hier steht, wegen des
Bruchs ihres Landfriedens, deinerseits Genugtuung zu geben!«
Kohlhaas, indem er seinen Hut abnahm, und auf die Erde warf,
sagte: daß er bereit dazu wäre! übergab die Kinder, nachdem er
sie noch einmal vom Boden erhoben, und an seine Brust gedrückt
hatte, dem Amtmann von Kohlhaasenbrück, und trat, während
dieser sie unter stillen Tränen, vom Platz hinwegführte, an den
Block. Eben knüpfte er sich das Tuch vom Hals ab und öffnete
seinen Brustlatz: als er, mit einem flüchtigen Blick auf den Kreis,
den das Volk bildete, in geringer Entfernung von sich, zwischen
zwei Rittern, die ihn mit ihren Leibern halb deckten, den wohlbekannten Mann mit blauen und weißen Federbüschen wahr-

nahm. Kohlhaas löste sich, indem er mit einem plötzlichen, die Wache, die ihn umringte, befremdenden Schritt, dicht vor ihn trat, die Kapsel von der Brust; er nahm den Zettel heraus, entsiegelte ihn, und überlas ihn: und das Auge unverwandt auf den Mann mit blauen und weißen Federbüschen gerichtet, der bereits süßen Hoffnungen Raum zu geben anfing, steckte er ihn in den Mund und verschlang ihn. Der Mann mit blauen und weißen Federbüschen sank, bei diesem Anblick, ohnmächtig, in Krämpfen nieder. Kohlhaas aber, während die bestürzten Begleiter desselben sich herabbeugten, und ihn vom Boden aufhoben, wandte sich zu dem Schafott, wo sein Haupt unter dem Beil des Scharfrichters fiel. Hier endigt die Geschichte vom Kohlhaas. Man legte die Leiche unter einer allgemeinen Klage des Volks in einen Sarg; und während die Träger sie aufhoben, um sie anständig auf den Kirchhof der Vorstadt zu begraben, rief der Kurfürst die Söhne des Abgeschiedenen herbei und schlug sie, mit der Erklärung an den Erzkanzler, daß sie in seiner Pagenschule erzogen werden sollten, zu Rittern. Der Kurfürst von Sachsen kam bald darauf, zerrissen an Leib und Seele, nach Dresden zurück, wo man das Weitere in der Geschichte nachlesen muß. Vom Kohlhaas aber haben noch im vergangenen Jahrhundert, im Mecklenburgischen, einige frohe und rüstige Nachkommen gelebt.

DIE MARQUISE VON O ...

(Nach einer wahren Begebenheit, deren Schauplatz vom Norden nach dem Süden verlegt worden)

In M . . ., einer bedeutenden Stadt im oberen Italien, ließ die verwitwete Marquise von O . . ., eine Dame von vortrefflichem Ruf, und Mutter von mehreren wohlerzogenen Kindern, durch die Zeitungen bekannt machen: daß sie, ohne ihr Wissen, in andre Umstände gekommen sei, daß der Vater zu dem Kinde, das sie gebären würde, sich melden solle; und daß sie, aus Familienrücksichten, entschlossen wäre, ihn zu heiraten. Die Dame, die einen so sonderbaren, den Spott der Welt reizenden Schritt, beim Drang unabänderlicher Umstände, mit solcher Sicherheit tat, war die Tochter des Herrn von G . . ., Kommandanten der Zitadelle bei M . . . Sie hatte, vor ungefähr drei Jahren, ihren Gemahl, den Marquis von O . . ., dem sie auf das innigste und zärtlichste zugetan war, auf einer Reise verloren, die er, in Geschäften der Familie, nach Paris gemacht hatte. Auf Frau von G . . .s, ihrer würdigen Mutter, Wunsch, hatte sie, nach seinem Tode, den Landsitz verlassen, den sie bisher bei V . . . bewohnt hatte, und war, mit ihren beiden Kindern, in das Kommandantenhaus, zu ihrem Vater, zurückgekehrt. Hier hatte sie die nächsten Jahre mit Kunst, Lektüre, mit Erziehung, und ihrer Eltern Pflege beschäftigt, in der größten Eingezogenheit zugebracht: bis der . . . Krieg plötzlich die Gegend umher mit den Truppen fast aller Mächte und auch mit russischen erfüllte. Der Obrist von G . . ., welcher den Platz zu verteidigen Order hatte, forderte seine Gemahlin und seine Tochter auf, sich auf das Landgut, entweder der letzteren, oder seines Sohnes, das bei V . . . lag, zurückzuziehen. Doch ehe sich die Abschätzung noch, hier der Bedrängnisse, denen man in der Festung, dort der Greuel, denen man auf dem platten Lande ausgesetzt sein konnte, auf der Waage der weiblichen Überlegung entschieden hatte: war die Zitadelle von den russischen Truppen schon berennt, und aufgefordert, sich zu ergeben. Der

Obrist erklärte gegen seine Familie, daß er sich nunmehr verhalten würde, als ob sie nicht vorhanden wäre; und antwortete
mit Kugeln und Granaten. Der Feind, seinerseits, bombardierte
die Zitadelle. Er steckte die Magazine in Brand, eroberte ein
Außenwerk, und als der Kommandant, nach einer nochmaligen
Aufforderung, mit der Übergabe zauderte, so ordnete er einen
nächtlichen Überfall an, und eroberte die Festung mit Sturm.

Eben als die russischen Truppen, unter einem heftigen Hau-
bitzenspiel, von außen eindrangen, fing der linke Flügel des
Kommandantenhauses Feuer und nötigte die Frauen, ihn zu verlassen. Die Obristin, indem sie der Tochter, die mit den Kindern
die Treppe hinabfloh, nacheilte, rief, daß man zusammenbleiben,
und sich in die unteren Gewölbe flüchten möchte; doch eine
Granate, die, eben in diesem Augenblicke, in dem Hause zer-
platzte, vollendete die gänzliche Verwirrung in demselben. Die
Marquise kam, mit ihren beiden Kindern, auf den Vorplatz des
Schlosses, wo die Schüsse schon, im heftigsten Kampf, durch die
Nacht blitzten, und sie, besinnungslos, wohin sie sich wenden
solle, wieder in das brennende Gebäude zurückjagten. Hier, unglücklicher Weise, begegnete ihr, da sie eben durch die Hinter-
tür entschlüpfen wollte, ein Trupp feindlicher Scharfschützen,
der, bei ihrem Anblick, plötzlich still ward, die Gewehre über
die Schultern hing, und sie, unter abscheulichen Gebärden, mit
sich fortführte. Vergebens rief die Marquise, von der entsetzlichen, sich unter einander selbst bekämpfenden, Rotte bald hier,
bald dorthin gezerrt, ihre zitternden, durch die Pforte zurück-
fliehenden Frauen, zu Hülfe. Man schleppte sie in den hinteren
Schloßhof, wo sie eben, unter den schändlichsten Mißhandlungen, zu Boden sinken wollte, als, von dem Zetergeschrei der
Dame herbeigerufen, ein russischer Offizier erschien, und die
Hunde, die nach solchem Raub lüstern waren, mit wütenden
Hieben zerstreute. Der Marquise schien er ein Engel des Himmels
zu sein. Er stieß noch dem letzten viehischen Mordknecht, der
ihren schlanken Leib umfaßt hielt, mit dem Griff des Degens ins
Gesicht, daß er, mit aus dem Mund vorquellendem Blut, zurück-
taumelte; bot dann der Dame, unter einer verbindlichen, französischen Anrede den Arm, und führte sie, die von allen solchen
Auftritten sprachlos war, in den anderen, von der Flamme noch

nicht ergriffenen, Flügel des Palastes, wo sie auch völlig bewußtlos niedersank. Hier – traf er, da bald darauf ihre erschrockenen
Frauen erschienen, Anstalten, einen Arzt zu rufen; versicherte,
indem er sich den Hut aufsetzte, daß sie sich bald erholen würde;
und kehrte in den Kampf zurück.

Der Platz war in kurzer Zeit völlig erobert, und der Kommandant, der sich nur noch wehrte, weil man ihm keinen Pardon geben wollte, zog sich eben mit sinkenden Kräften nach dem Portal des Hauses zurück, als der russische Offizier, sehr erhitzt im
Gesicht, aus demselben hervortrat, und ihm zurief, sich zu ergeben. Der Kommandant antwortete, daß er auf diese Aufforderung nur gewartet habe, reichte ihm seinen Degen dar, und bat
sich die Erlaubnis aus, sich ins Schloß begeben, und nach seiner
Familie umsehen zu dürfen. Der russische Offizier, der, nach der
Rolle zu urteilen, die er spielte, einer der Anführer des Sturms zu
sein schien, gab ihm, unter Begleitung einer Wache, diese Freiheit; setzte sich, mit einiger Eilfertigkeit, an die Spitze eines De-
tachements, entschied, wo er noch zweifelhaft sein mochte, den
Kampf, und bemannte schleunigst die festen Punkte des Forts.
Bald darauf kehrte er auf den Waffenplatz zurück, gab Befehl,
der Flamme, welche wütend um sich zu greifen anfing, Einhalt
zu tun, und leistete selbst hierbei Wunder der Anstrengung, als
man seine Befehle nicht mit dem gehörigen Eifer befolgte. Bald
kletterte er, den Schlauch in der Hand, mitten unter brennenden
Giebeln umher, und regierte den Wasserstrahl; bald steckte er,
die Naturen der Asiaten mit Schaudern erfüllend, in den Arse-
nälen, und wälzte Pulverfässer und gefüllte Bomben heraus. Der
Kommandant, der inzwischen in das Haus getreten war, geriet
auf die Nachricht von dem Unfall, der die Marquise betroffen
hatte, in die äußerste Bestürzung. Die Marquise, die sich schon
völlig, ohne Beihülfe des Arztes, wie der russische Offizier vorher gesagt hatte, aus ihrer Ohnmacht wieder erholt hatte, und
bei der Freude, alle die Ihrigen gesund und wohl zu sehen, nur
noch, um die übermäßige Sorge derselben zu beschwichtigen,
das Bett hütete, versicherte ihn, daß sie keinen andern Wunsch
habe, als aufstehen zu dürfen, um ihrem Retter ihre Dankbarkeit
zu bezeugen. Sie wußte schon, daß er der Graf F . . ., Obristlieutenant vom t . . .n Jägerkorps, und Ritter eines Verdienst- und

mehrerer anderen Orden war. Sie bat ihren Vater, ihn inständigst zu ersuchen, daß er die Zitadelle nicht verlasse, ohne sich einen Augenblick im Schloß gezeigt zu haben. Der Kommandant, der das Gefühl seiner Tochter ehrte, kehrte auch ungesäumt in das Fort zurück, und trug ihm, da er unter unaufhörlichen Kriegs-anordnungen umherschweifte, und keine bessere Gelegenheit zu finden war, auf den Wällen, wo er eben die zerschossenen Rotten revidierte, den Wunsch seiner gerührten Tochter vor. Der Graf versicherte ihn, daß er nur auf den Augenblick warte, den er seinen Geschäften würde abmüßigen können, um ihr seine Ehr-erbietigkeit zu bezeugen. Er wollte noch hören, wie sich die Frau Marquise befinde? als ihn die Rapporte mehrer Offiziere schon wieder in das Gewühl des Krieges zurückrissen. Als der Tag an-brach, erschien der Befehlshaber der russischen Truppen, und be-sichtigte das Fort. Er bezeugte dem Kommandanten seine Hoch-achtung, bedauerte, daß das Glück seinen Mut nicht besser unter-stützt habe, und gab ihm, auf sein Ehrenwort, die Freiheit, sich hinzubegeben, wohin er wolle. Der Kommandant versicherte ihn seiner Dankbarkeit, und äußerte, wie viel er, an diesem Tage, den Russen überhaupt, und besonders dem jungen Grafen F..., Obristlieutenant vom t...n Jägerkorps, schuldig geworden sei. Der General fragte, was vorgefallen sei; und als man ihn von dem frevelhaften Anschlag auf die Tochter desselben unterrichtete, zeigte er sich auf das äußerste entrüstet. Er rief den Grafen F... bei Namen vor. Nachdem er ihm zuvörderst wegen seines eignen edelmütigen Verhaltens eine kurze Lobrede gehalten hatte: wo-bei der Graf über das ganze Gesicht rot ward; schloß er, daß er die Schandkerle, die den Namen des Kaisers brandmarkten, nieder-schießen lassen wolle; und befahl ihm, zu sagen, wer sie seien? Der Graf F... antwortete, in einer verwirrten Rede, daß er nicht im Stande sei, ihre Namen anzugeben, indem es ihm, bei dem schwachen Schimmer der Reverberen im Schloßhof, unmöglich gewesen wäre, ihre Gesichter zu erkennen. Der General, welcher gehört hatte, daß damals schon das Schloß in Flammen stand, wunderte sich darüber; er bemerkte, wie man wohl bekannte Leute in der Nacht an ihren Stimmen erkennen könnte; und gab ihm, da er mit einem verlegenen Gesicht die Achseln zuckte, auf, der Sache auf das allereifrigste und strengste nachzuspüren. In die-

sem Augenblick berichtete jemand, der sich aus dem hintern
Kreise hervordrängte, daß einer von den, durch den Grafen F . . .
verwundeten, Frevlern, da er in dem Korridor niedergesunken,
von den Leuten des Kommandanten in ein Behältnis geschleppt
worden, und darin noch befindlich sei. Der General ließ diesen
hierauf durch eine Wache herbeiführen, ein kurzes Verhör über
ihn halten; und die ganze Rotte, nachdem jener sie genannt hatte,
fünf an der Zahl zusammen, erschießen. Dies abgemacht, gab der
General, nach Zurücklassung einer kleinen Besatzung, Befehl
zum allgemeinen Aufbruch der übrigen Truppen; die Offiziere
zerstreuten sich eiligst zu ihren Korps; der Graf trat, durch die
Verwirrung der Auseinander-Eilenden, zum Kommandanten,
und bedauerte, daß er sich der Frau Marquise, unter diesen Umständen, gehorsamst empfehlen müsse: und in weniger, als einer
Stunde, war das ganze Fort von Russen wieder leer.

Die Familie dachte nun darauf, wie sie in der Zukunft eine
Gelegenheit finden würde, dem Grafen irgend eine Äußerung
ihrer Dankbarkeit zu geben; doch wie groß war ihr Schrecken,
als sie erfuhr, daß derselbe noch am Tage seines Aufbruchs aus
dem Fort, in einem Gefecht mit den feindlichen Truppen, seinen
Tod gefunden habe. Der Kurier, der diese Nachricht nach M . . .
brachte, hatte ihn mit eignen Augen, tödlich durch die Brust geschossen, nach P . . . tragen sehen, wo er, wie man sichere Nachricht hatte, in dem Augenblick, da ihn die Träger von den Schultern nehmen wollten, verblichen war. Der Kommandant, der
sich selbst auf das Posthaus verfügte, und sich nach den näheren
Umständen dieses Vorfalls erkundigte, erfuhr noch, daß er auf
dem Schlachtfeld, in dem Moment, da ihn der Schuß traf, gerufen habe: »Julietta! Diese Kugel rächt dich!« und nachher seine
Lippen auf immer geschlossen hätte. Die Marquise war untröstlich, daß sie die Gelegenheit hatte vorbeigehen lassen, sich zu
seinen Füßen zu werfen. Sie machte sich die lebhaftesten Vorwürfe, daß sie ihn, bei seiner, vielleicht aus Bescheidenheit, wie
sie meinte, herrührenden Weigerung, im Schlosse zu erscheinen,
nicht selbst aufgesucht habe; bedauerte die Unglückliche, ihre
Namensschwester, an die er noch im Tode gedacht hatte; bemühte sich vergebens, ihren Aufenthalt zu erforschen, um sie von
diesem unglücklichen und rührenden Vorfall zu unterrichten;

und mehrere Monden vergingen, ehe sie selbst ihn vergessen konnte.

Die Familie mußte nun das Kommandantenhaus räumen, um dem russischen Befehlshaber darin Platz zu machen. Man überlegte anfangs, ob man sich nicht auf die Güter des Kommandanten begeben sollte, wozu die Marquise einen großen Hang hatte; doch da der Obrist das Landleben nicht liebte, so bezog die Familie ein Haus in der Stadt, und richtete sich dasselbe zu einer immerwährenden Wohnung ein. Alles kehrte nun in die alte Ordnung der Dinge zurück. Die Marquise knüpfte den lange unterbrochenen Unterricht ihrer Kinder wieder an, und suchte, für die Feierstunden, ihre Staffelei und Bücher hervor: als sie sich, sonst die Göttin der Gesundheit selbst, von wiederholten Unpäßlichkeiten befallen fühlte, die sie ganze Wochen lang, für die Gesellschaft untauglich machten. Sie litt an Übelkeiten, Schwindeln und Ohnmachten, und wußte nicht, was sie aus diesem sonderbaren Zustand machen solle. Eines Morgens, da die Familie beim Tee saß, und der Vater sich, auf einen Augenblick, aus dem Zimmer entfernt hatte, sagte die Marquise, aus einer langen Gedankenlosigkeit erwachend, zu ihrer Mutter: wenn mir eine Frau sagte, daß sie ein Gefühl hätte, ebenso, wie ich jetzt, da ich die Tasse ergriff, so würde ich bei mir denken, daß sie in gesegneten Leibesumständen wäre. Frau von G . . . sagte, sie verstände sie nicht. Die Marquise erklärte sich noch einmal, daß sie eben jetzt eine Sensation gehabt hätte, wie damals, als sie mit ihrer zweiten Tochter schwanger war. Frau von G . . . sagte, sie würde vielleicht den Phantasus gebären, und lachte. Morpheus wenigstens, versetzte die Marquise, oder einer der Träume aus seinem Gefolge, würde sein Vater sein; und scherzte gleichfalls. Doch der Obrist kam, das Gespräch ward abgebrochen, und der ganze Gegenstand, da die Marquise sich in einigen Tagen wieder erholte, vergessen.

Bald darauf ward der Familie, eben zu einer Zeit, da sich auch der Forstmeister von G . . ., des Kommandanten Sohn, in dem Hause eingefunden hatte, der sonderbare Schrecken, durch einen Kammerdiener, der ins Zimmer trat, den Grafen F . . . anmelden zu hören. Der Graf F . . .! sagte der Vater und die Tochter zugleich; und das Erstaunen machte alle sprachlos. Der Kammer-

diener versicherte, daß er recht gesehen und gehört habe, und
daß der Graf schon im Vorzimmer stehe, und warte. Der Kommandant sprang sogleich selbst auf, ihm zu öffnen, worauf er,
schön, wie ein junger Gott, ein wenig bleich im Gesicht, eintrat.
Nachdem die Szene unbegreiflicher Verwunderung vorüber war,
und der Graf, auf die Anschuldigung der Eltern, daß er ja tot sei,
versichert hatte, daß er lebe; wandte er sich, mit vieler Rührung
im Gesicht, zur Tochter, und seine erste Frage war gleich, wie
sie sich befinde? Die Marquise versicherte, sehr wohl, und wollte
nur wissen, wie *er* ins Leben erstanden sei? Doch *er*, auf seinem
Gegenstand beharrend, erwiderte: daß sie ihm nicht die Wahrheit sage; auf ihrem Antlitz drücke sich eine seltsame Mattigkeit
aus; ihn müsse alles trügen, oder sie sei unpäßlich, und leide. Die
Marquise, durch die Herzlichkeit, womit er dies vorbrachte, gut
gestimmt, versetzte: nun ja; diese Mattigkeit, wenn er wolle,
könne für die Spur einer Kränklichkeit gelten, an welcher sie vor
einigen Wochen gelitten hätte; sie fürchte inzwischen nicht, daß
diese weiter von Folgen sein würde. Worauf er, mit einer auf-
flammenden Freude, erwiderte: er auch nicht! und hinzusetzte,
ob sie ihn heiraten wolle? Die Marquise wußte nicht, was sie von
dieser Aufführung denken solle. Sie sah, über und über rot, ihre
Mutter, und diese, mit Verlegenheit, den Sohn und den Vater
an; während der Graf vor die Marquise trat, und indem er ihre
Hand nahm, als ob er sie küssen wollte, wiederholte: ob sie ihn
verstanden hätte? Der Kommandant sagte: ob er nicht Platz nehmen wolle; und setzte ihm, auf eine verbindliche, obschon etwas
ernsthafte, Art einen Stuhl hin. Die Obristin sprach: in der Tat,
wir werden glauben, daß Sie ein Geist sind, bis Sie uns werden
eröffnet haben, wie Sie aus dem Grabe, in welches man Sie zu
P . . . gelegt hatte, erstanden sind. Der Graf setzte sich, indem er
die Hand der Dame fahren ließ, nieder, und sagte, daß er, durch
die Umstände gezwungen, sich sehr kurz fassen müsse; daß er,
tödlich durch die Brust geschossen, nach P . . . gebracht worden
wäre; daß er mehrere Monate daselbst an seinem Leben verzwei-
felt hätte; daß während dessen die Frau Marquise sein einziger
Gedanke gewesen wäre; daß er die Lust und den Schmerz nicht
beschreiben könnte, die sich in dieser Vorstellung umarmt hätten;
daß er endlich, nach seiner Wiederherstellung, wieder zur Armee

gegangen wäre; daß er daselbst die lebhafteste Unruhe empfunden hätte; daß er mehrere Male die Feder ergriffen, um in einem Briefe, an den Herrn Obristen und die Frau Marquise, seinem Herzen Luft zu machen; daß er plötzlich mit Depeschen nach Neapel geschickt worden wäre; daß er nicht wisse, ob er nicht von dort weiter nach Konstantinopel werde abgeordnet werden; daß er vielleicht gar nach St. Petersburg werde gehen müssen; daß ihm inzwischen unmöglich wäre, länger zu leben, ohne über eine notwendige Forderung seiner Seele ins Reine zu sein; daß er dem Drang bei seiner Durchreise durch M..., einige Schritte zu diesem Zweck zu tun, nicht habe widerstehen können; kurz, daß er den Wunsch hege, mit der Hand der Frau Marquise beglückt zu werden, und daß er auf das ehrfurchtsvollste, inständigste und dringendste bitte, sich ihm hierüber gütig zu erklären. – Der Kommandant, nach einer langen Pause, erwiderte: daß ihm dieser Antrag zwar, wenn er, wie er nicht zweifle, ernsthaft gemeint sei, sehr schmeichelhaft wäre. Bei dem Tode ihres Gemahls, des Marquis von O..., hätte sich seine Tochter aber entschlossen, in keine zweite Vermählung einzugehen. Da ihr jedoch kürzlich von ihm eine so große Verbindlichkeit auferlegt worden sei: so wäre es nicht unmöglich, daß ihr Entschluß dadurch, seinen Wünschen gemäß, eine Abänderung erleide; er bitte sich inzwischen die Erlaubnis für sie aus, darüber im Stillen während einiger Zeit nachdenken zu dürfen. Der Graf versicherte, daß diese gütige Erklärung zwar alle seine Hoffnungen befriedige; daß sie ihn, unter anderen Umständen, auch völlig beglücken würde; daß er die ganze Unschicklichkeit fühle, sich mit derselben nicht zu beruhigen: daß dringende Verhältnisse jedoch, über welche er sich näher auszulassen nicht im Stande sei, ihm eine bestimmtere Erklärung äußerst wünschenswert machten; daß die Pferde, die ihn nach Neapel tragen sollten, vor seinem Wagen stünden; und daß er inständigst bitte, wenn irgend etwas in diesem Hause günstig für ihn spreche, – wobei er die Marquise ansah – ihn nicht, ohne eine gütige Äußerung darüber, abreisen zu lassen. Der Obrist, durch diese Aufführung ein wenig betreten, antwortete, daß die Dankbarkeit, die die Marquise für ihn empfände, ihn zwar zu großen Voraussetzungen berechtige: doch nicht zu so großen; sie werde bei einem Schritte, bei wel-

chem es das Glück ihres Lebens gelte, nicht ohne die gehörige
Klugheit verfahren. Es wäre unerläßlich, daß seiner Tochter, bevor sie sich erkläre, das Glück seiner näheren Bekanntschaft
würde. Er lade ihn ein, nach Vollendung seiner Geschäftsreise,
nach M . . . zurückzukehren, und auf einige Zeit der Gast seines
Hauses zu sein. Wenn alsdann die Frau Marquise hoffen könne,
durch ihn glücklich zu werden, so werde auch er, eher aber nicht,
mit Freuden vernehmen, daß sie ihm eine bestimmte Antwort
gegeben habe. Der Graf äußerte, indem ihm eine Röte ins Gesicht stieg, daß er seinen ungeduldigen Wünschen, während seiner
ganzen Reise, dies Schicksal vorausgesagt habe; daß er sich inzwischen dadurch in die äußerste Bekümmernis gestürzt sehe;
daß ihm, bei der ungünstigen Rolle, die er eben jetzt zu spielen
gezwungen sei, eine nähere Bekanntschaft nicht anders als vorteilhaft sein könne; daß er für seinen Ruf, wenn anders diese
zweideutigste aller Eigenschaften in Erwägung gezogen werden
solle, einstehen zu dürfen glaube; daß die einzige nichtswürdige
Handlung, die er in seinem Leben begangen hätte, der Welt unbekannt, und er schon im Begriff sei, sie wieder gut zu machen;
daß er, mit einem Wort, ein ehrlicher Mann sei, und die Versicherung anzunehmen bitte, daß diese Versicherung wahrhaftig
sei. – Der Kommandant erwiderte, indem er ein wenig, obschon
ohne Ironie, lächelte, daß er alle diese Äußerungen unterschreibe.
Noch hätte er keines jungen Mannes Bekanntschaft gemacht,
der, in so kurzer Zeit, so viele vortreffliche Eigenschaften des
Charakters entwickelt hätte. Er glaube fast, daß eine kurze Be-
denkzeit die Unschlüssigkeit, die noch obwalte, heben würde; bevor er jedoch Rücksprache genommen hätte, mit seiner sowohl,
als des Herrn Grafen Familie, könne keine andere Erklärung, als
die gegebene, erfolgen. Hierauf äußerte der Graf, daß er ohne
Eltern und frei sei. Sein Onkel sei der General K . . ., für dessen
Einwilligung er stehe. Er setzte hinzu, daß er Herr eines ansehnlichen Vermögens wäre, und sich würde entschließen können,
Italien zu seinem Vaterlande zu machen. – Der Kommandant
machte ihm eine verbindliche Verbeugung, erklärte seinen Willen noch einmal; und bat ihn, bis nach vollendeter Reise, von
dieser Sache abzubrechen. Der Graf, nach einer kurzen Pause, in
welcher er alle Merkmale der größten Unruhe gegeben hatte,

sagte, indem er sich zur Mutter wandte, daß er sein Äußerstes
getan hätte, um dieser Geschäftsreise auszuweichen; daß die
Schritte, die er deshalb beim General en Chef, und dem General
K . . ., seinem Onkel, gewagt hätte, die entscheidendsten gewesen wären, die sich hätten tun lassen; daß man aber geglaubt
hätte, ihn dadurch aus einer Schwermut aufzurütteln, die ihm
von seiner Krankheit noch zurückgeblieben wäre; und daß er
sich jetzt völlig dadurch ins Elend gestürzt sehe. – Die Familie
wußte nicht, was sie zu dieser Äußerung sagen sollte. Der Graf
fuhr fort, indem er sich die Stirn rieb, daß wenn irgend Hoffnung
wäre, dem Ziele seiner Wünsche dadurch näher zu kommen, er
seine Reise auf einen Tag, auch wohl noch etwas darüber, aussetzen würde, um es zu versuchen. – Hierbei sah er, nach der
Reihe, den Kommandanten, die Marquise und die Mutter an.
Der Kommandant blickte mißvergnügt vor sich nieder, und antwortete ihm nicht. Die Obristin sagte: gehn Sie, gehn Sie, Herr
Graf; reisen Sie nach Neapel; schenken Sie uns, wenn Sie wiederkehren, auf einige Zeit das Glück Ihrer Gegenwart; so wird sich
das Übrige finden. – Der Graf saß einen Augenblick, und schien
zu suchen, was er zu tun habe. Drauf, indem er sich erhob, und
seinen Stuhl wegsetzte: da er die Hoffnungen, sprach er, mit
denen er in dies Haus getreten sei, als übereilt erkennen müsse,
und die Familie, wie er nicht mißbillige, auf eine nähere Bekanntschaft bestehe: so werde er seine Depeschen, zu einer anderweiti-
gen Expedition, nach Z . . ., in das Hauptquartier, zurückschicken,
und das gütige Anerbieten, der Gast dieses Hauses zu sein, auf
einige Wochen annehmen. Worauf er noch, den Stuhl in der
Hand, an der Wand stehend, einen Augenblick verharrte, und
den Kommandanten ansah. Der Kommandant versetzte, daß es
ihm äußerst leid tun würde, wenn die Leidenschaft, die er zu seiner Tochter gefaßt zu haben scheine, ihm Unannehmlichkeiten
von der ernsthaftesten Art zuzöge: daß er indessen wissen müsse,
was er zu tun und zu lassen habe, die Depeschen abschicken, und
die für ihn bestimmten Zimmer beziehen möchte. Man sah ihn
bei diesen Worten sich entfärben, der Mutter ehrerbietig die
Hand küssen, sich gegen die Übrigen verneigen und sich entfernen.

Als er das Zimmer verlassen hatte, wußte die Familie nicht,

was sie aus dieser Erscheinung machen solle. Die Mutter sagte,
es wäre wohl nicht möglich, daß er Depeschen, mit denen er
nach Neapel ginge, nach Z... zurückschicken wolle, bloß, weil
es ihm nicht gelungen wäre, auf seiner Durchreise durch M...,
in einer fünf Minuten langen Unterredung, von einer ihm ganz
unbekannten Dame ein Jawort zu erhalten. Der Forstmeister
äußerte, daß eine so leichtsinnige Tat ja mit nichts Geringerem,
als Festungsarrest, bestraft werden würde! Und Kassation obenein, setzte der Kommandant hinzu. Es habe aber damit keine Gefahr, fuhr er fort. Es sei ein bloßer Schreckschuß beim Sturm; er
werde sich wohl noch, ehe er die Depeschen abgeschickt, wieder
besinnen. Die Mutter, als sie von dieser Gefahr unterrichtet ward,
äußerte die lebhafteste Besorgnis, daß er sie abschicken werde.
Sein heftiger, auf einen Punkt hintreibender Wille, meinte sie,
scheine ihr grade einer solchen Tat fähig. Sie bat den Forstmeister
auf das dringendste, ihm sogleich nachzugehen, und ihn von einer
so unglückdrohenden Handlung abzuhalten. Der Forstmeister
erwiderte, daß ein solcher Schritt gerade das Gegenteil bewirken,
und ihn nur in der Hoffnung, durch seine Kriegslist zu siegen, be-
stärken würde. Die Marquise war derselben Meinung, obschon
sie versicherte, daß ohne ihn die Absendung der Depeschen unfehlbar erfolgen würde, indem er lieber werde unglücklich werden, als sich eine Blöße geben wollen. Alle kamen darin überein,
daß sein Betragen sehr sonderbar sei, und daß er Damenherzen
durch Anlauf, wie Festungen, zu erobern gewohnt scheine. In
diesem Augenblick bemerkte der Kommandant den angespann-
ten Wagen des Grafen vor seiner Tür. Er rief die Familie ans Fenster, und fragte einen eben eintretenden Bedienten, erstaunt, ob
der Graf noch im Hause sei? Der Bediente antwortete, daß er unten, in der Domestikenstube, in Gesellschaft eines Adjutanten,
Briefe schreibe und Pakete versiegle. Der Kommandant, der
seine Bestürzung unterdrückte, eilte mit dem Forstmeister hinunter, und fragte den Grafen, da er ihn auf dazu nicht schicklichen
Tischen seine Geschäfte betreiben sah, ob er nicht in seine Zimmer
treten wolle? Und ob er sonst irgend etwas befehle? Der Graf erwiderte, indem er mit Eilfertigkeit fortschrieb, daß er unter-
tänigst danke, und daß sein Geschäft abgemacht sei; fragte noch,
indem er den Brief zusiegelte, nach der Uhr; und wünschte dem

Adjutanten, nachdem er ihm das ganze Portefeuille übergeben
hatte, eine glückliche Reise. Der Kommandant, der seinen Augen
nicht traute, sagte, indem der Adjutant zum Hause hinausging:
Herr Graf, wenn Sie nicht sehr wichtige Gründe haben – Entscheidende! fiel ihm der Graf ins Wort; begleitete den Adjutanten zum Wagen, und öffnete ihm die Tür. In diesem Fall würde
ich wenigstens, fuhr der Kommandant fort, die Depeschen – Es
ist nicht möglich, antwortete der Graf, indem er den Adjutanten
in den Sitz hob. Die Depeschen gelten nichts in Neapel ohne
mich. Ich habe auch daran gedacht. Fahr zu! – Und die Briefe
Ihres Herrn Onkels? rief der Adjutant, sich aus der Tür hervor-
beugend. Treffen mich, erwiderte der Graf, in M . . . Fahr zu,
sagte der Adjutant, und rollte mit dem Wagen dahin.

Hierauf fragte der Graf F . . ., indem er sich zum Kommandanten wandte, ob er ihm gefälligst sein Zimmer anweisen lassen
wolle? Er würde gleich selbst die Ehre haben, antwortete der ver-
wirrte Obrist; rief seinen und des Grafen Leuten, das Gepäck desselben aufzunehmen: und führte ihn in die für fremden Besuch
bestimmten Gemächer des Hauses, wo er sich ihm mit einem
trocknen Gesicht empfahl. Der Graf kleidete sich um; verließ
das Haus, um sich bei dem Gouverneur des Platzes zu melden,
und für den ganzen weiteren Rest des Tages im Hause unsichtbar,
kehrte er erst kurz vor der Abendtafel dahin zurück.

Inzwischen war die Familie in der lebhaftesten Unruhe. Der
Forstmeister erzählte, wie bestimmt, auf einige Vorstellungen
des Kommandanten, des Grafen Antworten ausgefallen wären;
meinte, daß sein Verhalten einem völlig überlegten Schritt ähnlich sehe; und fragte, in aller Welt, nach den Ursachen einer so
auf Kurierpferden gehenden Bewerbung. Der Kommandant
sagte, daß er von der Sache nichts verstehe, und forderte die Familie auf, davon weiter nicht in seiner Gegenwart zu sprechen.
Die Mutter sah alle Augenblicke aus dem Fenster, ob er nicht
kommen, seine leichtsinnige Tat bereuen, und wieder gut machen
werde. Endlich, da es finster ward, setzte sie sich zur Marquise
nieder, welche, mit vieler Emsigkeit, an einem Tisch arbeitete,
und das Gespräch zu vermeiden schien. Sie fragte sie halblaut,
während der Vater auf und niederging, ob sie begreife, was aus
dieser Sache werden solle? Die Marquise antwortete, mit einem

schüchtern nach dem Kommandanten gewandten Blick: wenn
der Vater bewirkt hätte, daß er nach Neapel gereist wäre, so
wäre alles gut. Nach Neapel! rief der Kommandant, der dies
gehört hatte. Sollt ich den Priester holen lassen? Oder hätt ich
ihn schließen lassen und arretieren, und mit Bewachung nach
Neapel schicken sollen? – Nein, antwortete die Marquise, aber
lebhafte und eindringliche Vorstellungen tun ihre Wirkung; und
sah, ein wenig unwillig, wieder auf ihre Arbeit nieder. – Endlich
gegen die Nacht erschien der Graf. Man erwartete nur, nach den
ersten Höflichkeitsbezeugungen, daß dieser Gegenstand zur
Sprache kommen würde, um ihn mit vereinter Kraft zu bestür-
men, den Schritt, den er gewagt hatte, wenn es noch möglich
sei, wieder zurückzunehmen. Doch vergebens, während der ganzen Abendtafel, erharrte man diesen Augenblick. Geflissentlich
alles, was darauf führen konnte, vermeidend, unterhielt er den
Kommandanten vom Kriege, und den Forstmeister von der Jagd.
Als er des Gefechts bei P . . ., in welchem er verwundet worden
war, erwähnte, verwickelte ihn die Mutter bei der Geschichte
seiner Krankheit, fragte ihn, wie es ihm an diesem kleinen Orte
ergangen sei, und ob er die gehörigen Bequemlichkeiten gefunden
hätte. Hierauf erzählte er mehrere, durch seine Leidenschaft zur
Marquise interessanten, Züge: wie sie beständig, während seiner
Krankheit, an seinem Bette gesessen hätte; wie er die Vorstellung
von ihr, in der Hitze des Wundfiebers, immer mit der Vorstellung eines Schwans verwechselt hätte, den er, als Knabe, auf seines Onkels Gütern gesehen; daß ihm besonders eine Erinnerung
rührend gewesen wäre, da er diesen Schwan einst mit Kot be-
worfen, worauf dieser still untergetaucht, und rein aus der Flut
wieder emporgekommen sei; daß sie immer auf feurigen Fluten
umhergeschwommen wäre, und er Thinka gerufen hätte, welches der Name jenes Schwans gewesen, daß er aber nicht im
Stande gewesen wäre, sie an sich zu locken, indem sie ihre Freude
gehabt hätte, bloß am Rudern und In-die-Brust-sich-werfen;
versicherte plötzlich, blutrot im Gesicht, daß er sie außerordentlich liebe: sah wieder auf seinen Teller nieder, und schwieg. Man
mußte endlich von der Tafel aufstehen; und da der Graf, nach
einem kurzen Gespräch mit der Mutter, sich sogleich gegen die
Gesellschaft verneigte, und wieder in sein Zimmer zurückzog:

so standen die Mitglieder derselben wieder, und wußten nicht, was sie denken sollten. Der Kommandant meinte: man müsse der Sache ihren Lauf lassen. Er rechne wahrscheinlich auf seine Verwandten bei diesem Schritte. Infame Kassation stünde sonst darauf. Frau von G... fragte ihre Tochter, was sie denn von ihm halte? Und ob sie sich wohl zu irgend einer Äußerung, die ein Unglück vermiede, würde verstehen können? Die Marquise antwortete: Liebste Mutter! Das ist nicht möglich. Es tut mir leid, daß meine Dankbarkeit auf eine so harte Probe gestellt wird. Doch es war mein Entschluß, mich nicht wieder zu vermählen; ich mag mein Glück nicht, und nicht so unüberlegt, auf ein zweites Spiel setzen. Der Forstmeister bemerkte, daß wenn dies ihr fester Wille wäre, auch *diese* Erklärung ihm Nutzen schaffen könne, und daß es fast notwendig scheine, ihm irgend *eine* bestimmte zu geben. Die Obristin versetzte, daß da dieser junge Mann, den so viele außerordentliche Eigenschaften empföhlen, seinen Aufenthalt in Italien nehmen zu wollen, erklärt habe, sein Antrag, nach ihrer Meinung, einige Rücksicht, und der Entschluß der Marquise Prüfung verdiene. Der Forstmeister, indem er sich bei ihr niederließ, fragte, wie er ihr denn, was seine Person anbetreffe, gefalle? Die Marquise antwortete, mit einiger Verlegenheit: er gefällt und mißfällt mir; und berief sich auf das Gefühl der anderen. Die Obristin sagte: wenn er von Neapel zurückkehrt, und die Erkundigungen, die wir inzwischen über ihn einziehen könnten, dem Gesamteindruck, den du von ihm empfangen hast, nicht widersprächen: wie würdest du dich, falls er alsdann seinen Antrag wiederholte, erklären? In diesem Fall, versetzte die Marquise, würd ich – da in der Tat seine Wünsche so lebhaft scheinen, diese Wünsche – sie stockte, und ihre Augen glänzten, indem sie dies sagte – um der Verbindlichkeit willen, die ich ihm schuldig bin, erfüllen. Die Mutter, die eine zweite Vermählung ihrer Tochter immer gewünscht hatte, hatte Mühe, ihre Freude über diese Erklärung zu verbergen, und sann, was sich wohl daraus machen lasse. Der Forstmeister sagte, indem er unruhig vom Sitz wieder aufstand, daß wenn die Marquise irgend an die Möglichkeit denke, ihn einst mit ihrer Hand zu erfreuen, jetzt gleich notwendig ein Schritt dazu geschehen müsse, um den Folgen seiner rasenden Tat vorzubeugen. Die Mutter

war derselben Meinung, und behauptete, daß zuletzt das Wagstück
nicht allzugroß wäre, indem bei so vielen vortrefflichen Eigenschaften, die er in jener Nacht, da das Fort von den Russen er-
stürmt ward, entwickelte, kaum zu fürchten sei, daß sein übriger
Lebenswandel ihnen nicht entsprechen sollte. Die Marquise sah,
mit dem Ausdruck der lebhaftesten Unruhe, vor sich nieder.
Man könnte ihm ja, fuhr die Mutter fort, indem sie ihre Hand
ergriff, etwa eine Erklärung, daß du, bis zu seiner Rückkehr von
Neapel, in keine andere Verbindung eingehen wollest, zukommen lassen. Die Marquise sagte: *diese* Erklärung, liebste Mutter,
kann ich ihm geben; ich fürchte nur, daß sie ihn nicht beruhigen,
und uns verwickeln wird. Das sei meine Sorge! erwiderte die
Mutter, mit lebhafter Freude; und sah sich nach dem Kommandanten um. Lorenzo! fragte sie, was meinst du? und machte Anstalten, sich vom Sitz zu erheben. Der Kommandant, der alles
gehört hatte, stand am Fenster, sah auf die Straße hinaus, und
sagte nichts. Der Forstmeister versicherte, daß er, mit dieser un-
schädlichen Erklärung, den Grafen aus dem Hause zu schaffen,
sich anheischig mache. Nun so macht! macht! macht! rief der
Vater, indem er sich umkehrte: ich muß mich diesem Russen
schon zum zweitenmal ergeben! – Hierauf sprang die Mutter
auf, küßte ihn und die Tochter, und fragte, indem der Vater
über ihre Geschäftigkeit lächelte, wie man dem Grafen jetzt diese
Erklärung augenblicklich hinterbringen solle? Man beschloß, auf
den Vorschlag des Forstmeisters, ihn bitten zu lassen, sich, falls
er noch nicht entkleidet sei, gefälligst auf einen Augenblick zur
Familie zu verfügen. Er werde gleich die Ehre haben zu erscheinen! ließ der Graf antworten, und kaum war der Kammerdiener
mit dieser Meldung zurück, als er schon selbst, mit Schritten, die
die Freude beflügelte, ins Zimmer trat, und zu den Füßen der
Marquise, in der allerlebhaftesten Rührung niedersank. Der
Kommandant wollte etwas sagen: doch er, indem er aufstand,
versetzte, er wisse genug! küßte ihm und der Mutter die Hand,
umarmte den Bruder, und bat nur um die Gefälligkeit, ihm sogleich zu einem Reisewagen zu verhelfen. Die Marquise, obschon von diesem Auftritt bewegt, sagte doch: ich fürchte nicht,
Herr Graf, daß Ihre rasche Hoffnung Sie zu weit – Nichts!
Nichts! versetzte der Graf; es ist nichts geschehen, wenn die Er-

kundigungen, die Sie über mich einziehen mögen, dem Gefühl
widersprechen, das mich zu Ihnen in dies Zimmer zurückberief.
Hierauf umarmte der Kommandant ihn auf das herzlichste, der
Forstmeister bot ihm sogleich seinen eigenen Reisewagen an,
ein Jäger flog auf die Post, Kurierpferde auf Prämien zu bestellen,
und Freude war bei dieser Abreise, wie noch niemals bei einem
Empfang. Er hoffe, sagte der Graf, die Depeschen in B ... einzuholen, von wo er jetzt einen näheren Weg nach Neapel, als
über M ... einschlagen würde; in Neapel würde er sein Mög-
lichstes tun, die fernere Geschäftsreise nach Konstantinopel abzulehnen; und da er, auf den äußersten Fall, entschlossen wäre,
sich krank anzugeben, so versicherte er, daß wenn nicht unvermeidliche Hindernisse ihn abhielten, er in Zeit von vier bis sechs
Wochen unfehlbar wieder in M ... sein würde. Hierauf meldete
sein Jäger, daß der Wagen angespannt, und alles zur Abreise bereit sei. Der Graf nahm seinen Hut, trat vor die Marquise, und
ergriff ihre Hand. Nun denn, sprach er, Julietta, so bin ich einigermaßen beruhigt; und legte seine Hand in die ihrige; obschon es
mein sehnlichster Wunsch war, mich noch vor meiner Abreise
mit Ihnen zu vermählen. Vermählen! riefen alle Mitglieder der
Familie aus. Vermählen, wiederholte der Graf, küßte der Marquise die Hand, und versicherte, da diese fragte, ob er von Sinnen
sei: es würde ein Tag kommen, wo sie ihn verstehen würde! Die
Familie wollte auf ihn böse werden; doch er nahm gleich auf das
wärmste von allen Abschied, bat sie, über diese Äußerung nicht
weiter nachzudenken, und reiste ab.

Mehrere Wochen, in welchen die Familie, mit sehr verschiedenen Empfindungen, auf den Ausgang dieser sonderbaren Sache
gespannt war, verstrichen. Der Kommandant empfing vom
General K ..., dem Onkel des Grafen, eine höfliche Zuschrift;
der Graf selbst schrieb aus Neapel; die Erkundigungen, die man
über ihn einzog, sprachen ziemlich zu seinem Vorteil; kurz, man
hielt die Verlobung schon für so gut, wie abgemacht: als sich die
Kränklichkeiten der Marquise, mit größerer Lebhaftigkeit, als jemals, wieder einstellten. Sie bemerkte eine unbegreifliche Veränderung ihrer Gestalt. Sie entdeckte sich mit völliger Freimütigkeit
ihrer Mutter, und sagte, sie wisse nicht, was sie von ihrem Zustand
denken solle. Die Mutter, welche so sonderbare Zufälle für die

Gesundheit ihrer Tochter äußerst besorgt machten, verlangte,
daß sie einen Arzt zu Rate ziehe. Die Marquise, die durch ihre
Natur zu siegen hoffte, sträubte sich dagegen; sie brachte mehrere
Tage noch, ohne dem Rat der Mutter zu folgen, unter den emp-
findlichsten Leiden zu: bis Gefühle, immer wiederkehrend und
von so wunderbarer Art, sie in die lebhafteste Unruhe stürzten.
Sie ließ einen Arzt rufen, der das Vertrauen ihres Vaters besaß,
nötigte ihn, da gerade die Mutter abwesend war, auf den Diwan
nieder, und eröffnete ihm, nach einer kurzen Einleitung, scherzend, was sie von sich glaube. Der Arzt warf einen forschenden
Blick auf sie; schwieg noch, nachdem er eine genaue Untersuchung vollendet hatte, eine Zeitlang: und antwortete dann mit
einer sehr ernsthaften Miene, daß die Frau Marquise ganz richtig
urteile. Nachdem er sich auf die Frage der Dame, wie er dies verstehe, ganz deutlich erklärt, und mit einem Lächeln, das er nicht
unterdrücken konnte, gesagt hatte, daß sie ganz gesund sei, und
keinen Arzt brauche, zog die Marquise, und sah ihn sehr streng
von der Seite an, die Klingel, und bat ihn, sich zu entfernen. Sie
äußerte halblaut, als ob er der Rede nicht wert wäre, vor sich
nieder murmelnd: daß sie nicht Lust hätte, mit ihm über Gegenstände dieser Art zu scherzen. Der Doktor erwiderte empfindlich:
er müsse wünschen, daß sie immer zum Scherz so wenig aufge-
legt gewesen wäre, wie jetzt; nahm Stock und Hut, und machte
Anstalten, sich sogleich zu empfehlen. Die Marquise versicherte,
daß sie von diesen Beleidigungen ihren Vater unterrichten würde.
Der Arzt antwortete, daß er seine Aussage vor Gericht beschwö-
ren könne: öffnete die Tür, verneigte sich, und wollte das Zimmer verlassen. Die Marquise fragte, da er noch einen Handschuh,
den er hatte fallen lassen, von der Erde aufnahm: und die Möglichkeit davon, Herr Doktor? Der Doktor erwiderte, daß er ihr
die letzten Gründe der Dinge nicht werde zu erklären brauchen;
verneigte sich ihr noch einmal, und ging ab.

   Die Marquise stand, wie vom Donner gerührt. Sie raffte sich
auf, und wollte zu ihrem Vater eilen; doch der sonderbare Ernst
des Mannes, von dem sie sich beleidigt sah, lähmte alle ihre Glieder. Sie warf sich in der größten Bewegung auf den Diwan nieder. Sie durchlief, gegen sich selbst mißtrauisch, alle Momente
des verflossenen Jahres, und hielt sich für verrückt, wenn sie an

den letzten dachte. Endlich erschien die Mutter; und auf die bestürzte Frage, warum sie so unruhig sei? erzählte ihr die Tochter, was ihr der Arzt soeben eröffnet hatte. Frau von G... nannte ihn einen Unverschämten und Nichtswürdigen, und bestärkte die Tochter in dem Entschluß, diese Beleidigung dem Vater zu entdecken. Die Marquise versicherte, daß es sein völliger Ernst gewesen sei, und daß er entschlossen scheine, dem Vater ins Gesicht seine rasende Behauptung zu wiederholen. Frau von G... fragte, nicht wenig erschrocken, ob sie denn an die Möglichkeit eines solchen Zustandes glaube? Eher, antwortete die Marquise, daß die Gräber befruchtet werden, und sich dem Schoße der Leichen eine Geburt entwickeln wird! Nun, du liebes wunderliches Weib, sagte die Obristin, indem sie sie fest an sich drückte: was beunruhigt dich denn? Wenn dein Bewußtsein dich rein spricht: wie kann dich ein Urteil, und wäre es das einer ganzen Konsulta von Ärzten, nur kümmern? Ob das seinige aus Irrtum, ob es aus Bosheit entsprang: gilt es dir nicht völlig gleichviel? Doch schicklich ist es, daß wir es dem Vater entdecken. – O Gott! sagte die Marquise, mit einer konvulsivischen Bewegung: wie kann ich mich beruhigen. Hab ich nicht mein eignes, innerliches, mir nur allzuwohlbekanntes Gefühl gegen mich? Würd ich nicht, wenn ich in einer andern meine Empfindung wüßte, von ihr selbst urteilen, daß es damit seine Richtigkeit habe? Es ist entsetzlich, versetzte die Obristin. Bosheit! Irrtum! fuhr die Marquise fort. Was kann dieser Mann, der uns bis auf den heutigen Tag schätzenswürdig erschien, für Gründe haben, mich auf eine so mutwillige und niederträchtige Art zu kränken? Mich, die ihn nie beleidigt hatte? Die ihn mit Vertrauen, und dem Vorgefühl zukünftiger Dankbarkeit, empfing? Bei der er, wie seine ersten Worte zeugten, mit dem reinen und unverfälschten Willen erschien, zu helfen, nicht Schmerzen, grimmigere, als ich empfand, erst zu erregen? Und wenn ich in der Notwendigkeit der Wahl, fuhr sie fort, während die Mutter sie unverwandt ansah, an einen Irrtum glauben wollte: ist es wohl möglich, daß ein Arzt, auch nur von mittelmäßiger Geschicklichkeit, in solchem Falle irre? – Die Obristin sagte ein wenig spitz: und gleichwohl muß es doch notwendig eins oder das andere gewesen sein. Ja! versetzte die Marquise, meine teuerste Mutter, indem sie ihr, mit dem

Ausdruck der gekränkten Würde, hochrot im Gesicht glühend,
die Hand küßte: das muß es! Obschon die Umstände so außerordentlich sind, daß es mir erlaubt ist, daran zu zweifeln. Ich
schwöre, weil es doch einer Versicherung bedarf, daß mein Bewußtsein, gleich dem meiner Kinder ist; nicht reiner, Verehrungswürdigste, kann das Ihrige sein. Gleichwohl bitte ich Sie,
mir eine Hebamme rufen zu lassen, damit ich mich von dem, was
ist, überzeuge, und gleichviel alsdann, *was* es sei, beruhige. Eine
Hebamme! rief Frau von G ... mit Entwürdigung. Ein reines
Bewußtsein, und eine Hebamme! Und die Sprache ging ihr aus.
Eine Hebamme, meine teuerste Mutter, wiederholte die Marquise, indem sie sich auf Knieen vor ihr niederließ; und das augenblicklich, wenn ich nicht wahnsinnig werden soll. O sehr gern,
versetzte die Obristin; nur bitte ich, das Wochenlager nicht in
meinem Hause zu halten. Und damit stand sie auf, und wollte das
Zimmer verlassen. Die Marquise, ihr mit ausgebreiteten Armen
folgend, fiel ganz auf das Gesicht nieder, und umfaßte ihre Kniee.
Wenn irgend ein unsträfliches Leben, rief sie, mit der Beredsamkeit des Schmerzes, ein Leben, nach Ihrem Muster geführt, mir
ein Recht auf Ihre Achtung gibt, wenn irgend ein mütterliches
Gefühl auch nur, so lange meine Schuld nicht sonnenklar entschieden ist, in Ihrem Busen für mich spricht: so verlassen Sie mich in
diesen entsetzlichen Augenblicken nicht. – Was ist es, das dich
beunruhigt? fragte die Mutter. Ist es weiter nichts, als der Ausspruch des Arztes? Weiter nichts, als dein innerliches Gefühl?
Nichts weiter, meine Mutter, versetzte die Marquise, und legte
ihre Hand auf die Brust. Nichts, Julietta? fuhr die Mutter fort.
Besinne dich. Ein Fehltritt, so unsäglich er mich schmerzen
würde, er ließe sich, und ich müßte ihn zuletzt verzeihn; doch
wenn du, um einem mütterlichen Verweis auszuweichen, ein
Märchen von der Umwälzung der Weltordnung ersinnen, und
gotteslästerliche Schwüre häufen könntest, um es meinem, dir
nur allzugerngläubigen, Herzen aufzubürden: so wäre das schändlich; ich würde dir niemals wieder gut werden. – Möge das Reich
der Erlösung einst so offen vor mir liegen, wie meine Seele vor
Ihnen, rief die Marquise. Ich verschwieg Ihnen nichts, meine
Mutter. – Diese Äußerung, voll Pathos getan, erschütterte die
Mutter. O Himmel! rief sie: mein liebenswürdiges Kind! Wie

rührst du mich! Und hob sie auf, und küßte sie, und drückte sie
an ihre Brust. Was denn, in aller Welt, fürchtest du? Komm, du
bist sehr krank. Sie wollte sie in ein Bett führen. Doch die Marquise, welcher die Tränen häufig flossen, versicherte, daß sie sehr
gesund wäre, und daß ihr gar nichts fehle, außer jenem sonderbaren und unbegreiflichen Zustand. – Zustand! rief die Mutter
wieder; welch ein Zustand? Wenn dein Gedächtnis über die Ver-
gangenheit so sicher ist, welch ein Wahnsinn der Furcht ergriff
dich? Kann ein innerliches Gefühl denn, das doch nur dunkel sich
regt, nicht trügen? Nein! Nein! sagte die Marquise, es trügt
mich nicht! Und wenn Sie die Hebamme rufen lassen wollen, so
werden Sie hören, daß das Entsetzliche, mich Vernichtende, wahr
ist. – Komm, meine liebste Tochter, sagte Frau von G . . ., die für
ihren Verstand zu fürchten anfing. Komm, folge mir, und lege
dich zu Bett. Was meintest du, daß dir der Arzt gesagt hat? Wie
dein Gesicht glüht! Wie du an allen Gliedern so zitterst! Was war
es schon, das dir der Arzt gesagt hat? Und damit zog sie die Marquise, ungläubig nunmehr an den ganzen Auftritt, den sie ihr
erzählt hatte, mit sich fort. – Die Marquise sagte: Liebe! Vortreffliche! indem sie mit weinenden Augen lächelte. Ich bin meiner
Sinne mächtig. Der Arzt hat mir gesagt, daß ich in gesegneten
Leibesumständen bin. Lassen Sie die Hebamme rufen: und sobald
sie sagt, daß es nicht wahr ist, bin ich wieder ruhig. Gut, gut! erwiderte die Obristin, die ihre Angst unterdrückte. Sie soll gleich
kommen; sie soll gleich, wenn du dich von ihr willst auslachen
lassen, erscheinen, und dir sagen, daß du eine Träumerin, und
nicht recht klug bist. Und damit zog sie die Klingel, und schickte
augenblicklich einen ihrer Leute, der die Hebamme rufe.

Die Marquise lag noch, mit unruhig sich hebender Brust, in
den Armen ihrer Mutter, als diese Frau erschien, und die Obristin
ihr, an welcher seltsamen Vorstellung ihre Tochter krank liege,
eröffnete. Die Frau Marquise schwöre, daß sie sich tugendhaft
verhalten habe, und gleichwohl halte sie, von einer unbegreiflichen Empfindung getäuscht, für nötig, daß eine sachverständige
Frau ihren Zustand untersuche. Die Hebamme, während sie sich
von demselben unterrichtete, sprach von jungem Blut und der
Arglist der Welt; äußerte, als sie ihr Geschäft vollendet hatte, dergleichen Fälle wären ihr schon vorgekommen; die jungen Wit-

wen, die in ihre Lage kämen, meinten alle auf wüsten Inseln gelebt zu haben; beruhigte inzwischen die Frau Marquise, und versicherte sie, daß sich der muntere Korsar, der zur Nachtzeit ge-
landet, schon finden würde. Bei diesen Worten fiel die Marquise
in Ohnmacht. Die Obristin, die ihr mütterliches Gefühl nicht
überwältigen konnte, brachte sie zwar, mit Hülfe der Hebamme,
wieder ins Leben zurück. Doch die Entrüstung siegte, da sie erwacht war. Julietta! rief die Mutter mit dem lebhaftesten
Schmerz. Willst du dich mir entdecken, willst du den Vater mir
nennen? Und schien noch zur Versöhnung geneigt. Doch als die
Marquise sagte, daß sie wahnsinnig werden würde, sprach die
Mutter, indem sie sich vom Diwan erhob: geh! geh! du bist
nichtswürdig! Verflucht sei die Stunde, da ich dich gebar! und
verließ das Zimmer.

Die Marquise, der das Tageslicht von neuem schwinden wollte,
zog die Geburtshelferin vor sich nieder, und legte ihr Haupt heftig
zitternd an ihre Brust. Sie fragte, mit gebrochener Stimme, wie
denn die Natur auf ihren Wegen walte? Und ob die Möglichkeit
einer unwissentlichen Empfängnis sei? – Die Hebamme lächelte,
machte ihr das Tuch los, und sagte, das würde ja doch der Frau
Marquise Fall nicht sein. Nein, nein, antwortete die Marquise, sie
habe wissentlich empfangen, sie wolle nur im allgemeinen wissen,
ob diese Erscheinung im Reiche der Natur sei? Die Hebamme
versetzte, daß dies, außer der heiligen Jungfrau, noch keinem
Weibe auf Erden zugestoßen wäre. Die Marquise zitterte immer
heftiger. Sie glaubte, daß sie augenblicklich niederkommen
würde, und bat die Geburtshelferin, indem sie sich mit krampf-
hafter Beängstigung an sie schloß, sie nicht zu verlassen. Die
Hebamme beruhigte sie. Sie versicherte, daß das Wochenbett
noch beträchtlich entfernt wäre, gab ihr auch die Mittel an, wie
man, in solchen Fällen, dem Leumund der Welt ausweichen
könne, und meinte, es würde noch alles gut werden. Doch da
diese Trostgründe der unglücklichen Dame völlig wie Messerstiche durch die Brust fuhren, so sammelte sie sich, sagte, sie be-
fände sich besser, und bat ihre Gesellschafterin sich zu entfernen.

Kaum war die Hebamme aus dem Zimmer, als ihr ein Schreiben von der Mutter gebracht ward, in welchem diese sich so aus-
ausließ: »Herr von G . . . wünsche, unter den obwaltenden Um-

ständen, daß sie sein Haus verlasse. Er sende ihr hierbei die über
ihr Vermögen lautenden Papiere, und hoffe daß ihm Gott den
Jammer ersparen werde, sie wieder zu sehen.« – Der Brief war
inzwischen von Tränen benetzt; und in einem Winkel stand ein
verwischtes Wort: diktiert. – Der Marquise stürzte der Schmerz
aus den Augen. Sie ging, heftig über den Irrtum ihrer Eltern
weinend, und über die Ungerechtigkeit, zu welcher diese vortrefflichen Menschen verführt wurden, nach den Gemächern ihrer
Mutter. Es hieß, sie sei bei ihrem Vater; sie wankte nach den Gemächern ihres Vaters. Sie sank, als sie die Türe verschlossen fand,
mit jammernder Stimme, alle Heiligen zu Zeugen ihrer Unschuld
anrufend, vor derselben nieder. Sie mochte wohl schon einige
Minuten hier gelegen haben, als der Forstmeister daraus hervortrat, und zu ihr mit flammendem Gesicht sagte: sie höre daß der
Kommandant sie nicht sehen wolle. Die Marquise rief: mein liebster Bruder! unter vielem Schluchzen; drängte sich ins Zimmer,
und rief: mein teuerster Vater! und streckte die Arme nach ihm
aus. Der Kommandant wandte ihr, bei ihrem Anblick, den Rük-
ken zu, und eilte in sein Schlafgemach. Er rief, als sie ihn dahin
verfolgte, hinweg! und wollte die Türe zuwerfen; doch da sie,
unter Jammern und Flehen, daß er sie schließe, verhinderte, so
gab er plötzlich nach und eilte, während die Marquise zu ihm
hineintrat, nach der hintern Wand. Sie warf sich ihm, der ihr den
Rücken zugekehrt hatte, eben zu Füßen, und umfaßte zitternd
seine Kniee, als ein Pistol, das er ergriffen hatte, in dem Augenblick, da er es von der Wand herabriß, losging, und der Schuß
schmetternd in die Decke fuhr. Herr meines Lebens! rief die
Marquise, erhob sich leichenblaß von ihren Knieen, und eilte aus
seinen Gemächern wieder hinweg. Man soll sogleich anspannen,
sagte sie, indem sie in die ihrigen trat; setzte sich, matt bis in den
Tod, auf einen Sessel nieder, zog ihre Kinder eilfertig an, und ließ
die Sachen einpacken. Sie hatte eben ihr Kleinstes zwischen den
Knieen, und schlug ihm noch ein Tuch um, um nunmehr, da
alles zur Abreise bereit war, in den Wagen zu steigen: als der
Forstmeister eintrat, und auf Befehl des Kommandanten die Zurücklassung und Überlieferung der Kinder von ihr forderte. Dieser Kinder? fragte sie; und stand auf. Sag deinem unmenschlichen
Vater, daß er kommen, und mich niederschießen, nicht aber mir

meine Kinder entreißen könne! Und hob, mit dem ganzen Stolz der Unschuld gerüstet, ihre Kinder auf, trug sie ohne daß der Bruder gewagt hätte, sie anzuhalten, in den Wagen, und fuhr ab.

Durch diese schöne Anstrengung mit sich selbst bekannt gemacht, hob sie sich plötzlich, wie an ihrer eigenen Hand, aus der ganzen Tiefe, in welche das Schicksal sie herabgestürzt hatte, empor. Der Aufruhr, der ihre Brust zerriß, legte sich, als sie im Freien war, sie küßte häufig die Kinder, diese ihre liebe Beute, und mit großer Selbstzufriedenheit gedachte sie, welch einen Sieg sie, durch die Kraft ihres schuldfreien Bewußtseins, über ihren Bruder davon getragen hatte. Ihr Verstand, stark genug, in ihrer sonderbaren Lage nicht zu reißen, gab sich ganz unter der großen, heiligen und unerklärlichen Einrichtung der Welt gefangen. Sie sah die Unmöglichkeit ein, ihre Familie von ihrer Unschuld zu überzeugen, begriff, daß sie sich darüber trösten müsse, falls sie nicht untergehen wolle, und wenige Tage nur waren nach ihrer Ankunft in V . . . verflossen, als der Schmerz ganz und gar dem heldenmütigen Vorsatz Platz machte, sich mit Stolz gegen die Anfälle der Welt zu rüsten. Sie beschloß, sich ganz in ihr Innerstes zurückzuziehen, sich, mit ausschließendem Eifer, der Erziehung ihrer beiden Kinder zu widmen, und des Geschenks, das ihr Gott mit dem dritten gemacht hatte, mit voller mütterlichen Liebe zu pflegen. Sie machte Anstalten, in wenig Wochen, sobald sie ihre Niederkunft überstanden haben würde, ihren schönen, aber durch die lange Abwesenheit ein wenig verfallenen Landsitz wieder herzustellen; saß in der Gartenlaube, und dachte, während sie kleine Mützen, und Strümpfe für kleine Beine strickte, wie sie die Zimmer bequem verteilen würde; auch, welches sie mit Büchern füllen, und in welchem die Staffelei am schicklichsten stehen würde. Und so war der Zeitpunkt, da der Graf F . . . von Neapel wiederkehren sollte, noch nicht abgelaufen, als sie schon völlig mit dem Schicksal, in ewig klösterlicher Eingezogenheit zu leben, vertraut war. Der Türsteher erhielt Befehl, keinen Menschen im Hause vorzulassen. Nur der Gedanke war ihr unerträglich, daß dem jungen Wesen, das sie in der größten Unschuld und Reinheit empfangen hatte, und dessen Ursprung, eben weil er geheimnisvoller war, auch göttlicher zu sein schien, als der anderer Menschen, ein Schandfleck in der

bürgerlichen Gesellschaft ankleben sollte. Ein sonderbares Mittel
war ihr eingefallen, den Vater zu entdecken: ein Mittel, bei dem
sie, als sie es zuerst dachte, das Strickzeug selbst vor Schrecken
aus der Hand fallen ließ. Durch ganze Nächte, in unruhiger
Schlaflosigkeit durchwacht, ward es gedreht und gewendet um
sich an seine ihr innerstes Gefühl verletzende, Natur zu gewöhnen. Immer noch sträubte sie sich, mit dem Menschen, der sie so
hintergangen hatte, in irgend ein Verhältnis zu treten: indem sie
sehr richtig schloß, daß derselbe doch, ohne alle Rettung, zum
Auswurf seiner Gattung gehören müsse, und, auf welchem Platz
der Welt man ihn auch denken wolle, nur aus dem zertretensten
und unflätigsten Schlamm derselben, hervorgegangen sein könne.
Doch da das Gefühl ihrer Selbständigkeit immer lebhafter in ihr
ward, und sie bedachte, daß der Stein seinen Wert behält, er mag
auch eingefaßt sein, wie man wolle, so griff sie eines Morgens,
da sich das junge Leben wieder in ihr regte, ein Herz, und ließ
jene sonderbare Aufforderung in die Intelligenzblätter von M...
rücken, die man am Eingang dieser Erzählung gelesen hat.

Der Graf F..., den unvermeidliche Geschäfte in Neapel auf-
hielten, hatte inzwischen zum zweitenmal an die Marquise geschrieben, und sie aufgefordert, es möchten fremde Umstände
eintreten, welche da wollten, ihrer, ihm gegebenen, stillschwei-
genden Erklärung getreu zu bleiben. Sobald es ihm geglückt war,
seine fernere Geschäftsreise nach Konstantinopel abzulehnen, und
es seine übrigen Verhältnisse gestatteten, ging er augenblicklich
von Neapel ab, und kam auch richtig, nur wenige Tage nach der
von ihm bestimmten Frist, in M... an. Der Kommandant empfing ihn mit einem verlegenen Gesicht, sagte, daß ein notwendi-
ges Geschäft ihn aus dem Hause nötige, und forderte den Forstmeister auf, ihn inzwischen zu unterhalten. Der Forstmeister zog
ihn auf sein Zimmer, und fragte ihn, nach einer kurzen Begrüßung, ob er schon wisse, was sich während seiner Abwesenheit in
dem Hause des Kommandanten zugetragen habe. Der Graf antwortete, mit einer flüchtigen Blässe: nein. Hierauf unterrichtete
ihn der Forstmeister von der Schande, die die Marquise über die
Familie gebracht hatte, und gab ihm die Geschichtserzählung dessen, was unsre Leser soeben erfahren haben. Der Graf schlug sich
mit der Hand vor die Stirn. Warum legte man mir so viele Hin-

dernisse in den Weg! rief er in der Vergessenheit seiner. Wenn die
Vermählung erfolgt wäre: so wäre alle Schmach und jedes Unglück uns erspart! Der Forstmeister fragte, indem er ihn anglotzte,
ob er rasend genug wäre, zu wünschen, mit dieser Nichtswürdigen vermählt zu sein? Der Graf erwiderte, daß sie mehr wert
wäre, als die ganze Welt, die sie verachtete; daß ihre Erklärung
über ihre Unschuld vollkommnen Glauben bei ihm fände; und
daß er noch heute nach V... gehen, und seinen Antrag bei ihr
wiederholen würde. Er ergriff auch sogleich seinen Hut, empfahl
sich dem Forstmeister, der ihn für seiner Sinne völlig beraubt
hielt, und ging ab.

Er bestieg ein Pferd und sprengte nach V... hinaus. Als er
am Tore abgestiegen war, und in den Vorplatz treten wollte, sagte
ihm der Türsteher, daß die Frau Marquise keinen Menschen
spräche. Der Graf fragte, ob diese, für Fremde getroffene, Maßregel auch einem Freund des Hauses gälte; worauf jener antwortete, daß er von keiner Ausnahme wisse, und bald darauf, auf
eine zweideutige Art hinzusetzte: ob er vielleicht der Graf F...
wäre? Der Graf erwiderte, nach einem forschenden Blick, nein;
und äußerte, zu seinem Bedienten gewandt, doch so, daß jener es
hören konnte, er werde, unter solchen Umständen, in einem
Gasthofe absteigen, und sich bei der Frau Marquise schriftlich anmelden. Sobald er inzwischen dem Türsteher aus den Augen war,
bog er um eine Ecke, und umschlich die Mauer eines weitläufigen
Gartens, der sich hinter dem Hause ausbreitete. Er trat durch eine
Pforte, die er offen fand, in den Garten, durchstrich die Gänge
desselben, und wollte eben die hintere Rampe hinaufsteigen, als
er, in einer Laube, die zur Seite lag, die Marquise, in ihrer lieblichen und geheimnisvollen Gestalt, an einem kleinen Tischchen
emsig arbeiten sah. Er näherte sich ihr so, daß sie ihn nicht früher
erblicken konnte, als bis er am Eingang der Laube, drei kleine
Schritte von ihren Füßen, stand. Der Graf F...! sagte die Marquise, als sie die Augen aufschlug, und die Röte der Überraschung
überflog ihr Gesicht. Der Graf lächelte, blieb noch eine Zeitlang,
ohne sich im Eingang zu rühren, stehen; setzte sich dann, mit so
bescheidener Zudringlichkeit, als sie nicht zu erschrecken nötig
war, neben ihr nieder, und schlug, ehe sie noch, in ihrer sonderbaren Lage, einen Entschluß gefaßt hatte, seinen Arm sanft um

ihren lieben Leib. Von wo, Herr Graf, ist es möglich, fragte die
Marquise – und sah schüchtern vor sich auf die Erde nieder. Der
Graf sagte: von M . . ., und drückte sie ganz leise an sich; durch
eine hintere Pforte, die ich offen fand. Ich glaubte auf Ihre Ver-
zeihung rechnen zu dürfen, und trat ein. Hat man Ihnen denn in
M . . . nicht gesagt –? – fragte sie, und rührte noch kein Glied in
seinen Armen. Alles, geliebte Frau, versetzte der Graf; doch von
Ihrer Unschuld völlig überzeugt – Wie! rief die Marquise, indem
sie aufstand, und sich loswickelte; und Sie kommen gleichwohl?
– Der Welt zum Trotz, fuhr er fort, indem er sie festhielt, und
Ihrer Familie zum Trotz, und dieser lieblichen Erscheinung sogar
zum Trotz; wobei er einen glühenden Kuß auf ihre Brust
drückte. – Hinweg! rief die Marquise – So überzeugt, sagte er,
Julietta, als ob ich allwissend wäre, als ob meine Seele in deiner
Brust wohnte – Die Marquise rief: Lassen Sie mich! Ich komme,
schloß er – und ließ sie nicht – meinen Antrag zu wiederholen,
und das Los der Seligen, wenn Sie mich erhören wollen, von
Ihrer Hand zu empfangen. Lassen Sie mich augenblicklich! rief
die Marquise; ich befehls Ihnen! riß sich gewaltsam aus seinen
Armen, und entfloh. Geliebte! Vortreffliche! flüsterte er, indem er
wieder aufstand, und ihr folgte. – Sie hören! rief die Marquise,
und wandte sich, und wich ihm aus. Ein einziges, heimliches, ge-
flüstertes –! sagte der Graf, und griff hastig nach ihrem glatten,
ihm entschlüpfenden Arm. – Ich *will nichts* wissen, versetzte die
Marquise, stieß ihn heftig vor die Brust zurück, eilte auf die
Rampe, und verschwand.

Er war schon halb auf die Rampe gekommen, um sich, es
koste, was es wolle, bei ihr Gehör zu verschaffen, als die Tür vor
ihm zuflog, und der Riegel heftig, mit verstörter Beeiferung, vor
seinen Schritten zurasselte. Unschlüssig, einen Augenblick, was
unter solchen Umständen zu tun sei, stand er, und überlegte, ob
er durch ein, zur Seite offen stehendes Fenster einsteigen, und seinen Zweck, bis er ihn erreicht, verfolgen solle; doch so schwer es
ihm auch in jedem Sinne war, umzukehren, diesmal schien es die
Notwendigkeit zu erfordern, und grimmig erbittert über sich,
daß er sie aus seinen Armen gelassen hatte, schlich er die Rampe
hinab, und verließ den Garten, um seine Pferde aufzusuchen. Er
fühlte daß der Versuch, sich an ihrem Busen zu erklären, für

immer fehlgeschlagen sei, und ritt schrittweis, indem er einen
Brief überlegte, den er jetzt zu schreiben verdammt war, nach
M . . . zurück. Abends, da er sich, in der übelsten Laune von der
Welt, bei einer öffentlichen Tafel eingefunden hatte, traf er den
Forstmeister an, der ihn auch sogleich befragte, ob er seinen Antrag in V . . . glücklich angebracht habe? Der Graf antwortete
kurz: nein! und war sehr gestimmt, ihn mit einer bitteren Wendung abzufertigen; doch um der Höflichkeit ein Genüge zu tun,
setzte er nach einer Weile hinzu: er habe sich entschlossen, sich
schriftlich an sie zu wenden, und werde damit in kurzem ins
Reine sein. Der Forstmeister sagte: er sehe mit Bedauern, daß
seine Leidenschaft für die Marquise ihn seiner Sinne beraube. Er
müsse ihm inzwischen versichern, daß sie bereits auf dem Wege
sei, eine andere Wahl zu treffen; klingelte nach den neuesten Zeitungen, und gab ihm das Blatt, in welchem die Aufforderung derselben an den Vater ihres Kindes eingerückt war. Der Graf durchlief, indem ihm das Blut ins Gesicht schoß, die Schrift. Ein Wechsel von Gefühlen durchkreuzte ihn. Der Forstmeister fragte, ob er
nicht glaube, daß die Person, die die Frau Marquise suche, sich
finden werde? – Unzweifelhaft! versetzte der Graf, indessen er
mit ganzer Seele über dem Papier lag, und den Sinn desselben
gierig verschlang. Darauf nachdem er einen Augenblick, während
er das Blatt zusammenlegte, an das Fenster getreten war, sagte er:
nun ist es gut! nun weiß ich, was ich zu tun habe! kehrte sich sodann um; und fragte den Forstmeister noch, auf eine verbindliche Art, ob man ihn bald wiedersehen werde; empfahl sich
ihm, und ging, völlig ausgesöhnt mit seinem Schicksal, fort. –

Inzwischen waren in dem Hause des Kommandanten die lebhaftesten Auftritte vorgefallen. Die Obristin war über die zerstörende Heftigkeit ihres Gatten und über die Schwäche, mit
welcher sie sich, bei der tyrannischen Verstoßung der Tochter,
von ihm hatte unterjochen lassen, äußerst erbittert. Sie war, als
der Schuß in des Kommandanten Schlafgemach fiel, und die
Tochter aus demselben hervorstürzte, in eine Ohnmacht gesunken, aus der sie sich zwar bald wieder erholte; doch der Kommandant hatte, in dem Augenblick ihres Erwachens, weiter nichts
gesagt, als, es täte ihm leid, daß sie diesen Schrecken umsonst gehabt, und das abgeschossene Pistol auf einen Tisch geworfen.

Nachher, da von der Abforderung der Kinder die Rede war, wagte sie schüchtern, zu erklären, daß man zu einem solchen Schritt kein Recht habe; sie bat mit einer, durch die gehabte Anwandlung, schwachen und rührenden Stimme, heftige Auftritte im Hause zu vermeiden; doch der Kommandant erwiderte weiter nichts, als, indem er sich zum Forstmeister wandte, vor Wut schäumend: geh! und schaff sie mir! Als der zweite Brief des Grafen F... ankam, hatte der Kommandant befohlen, daß er nach V... zur Marquise herausgeschickt werden solle, welche ihn, wie man nachher durch den Boten erfuhr, bei Seite gelegt, und gesagt hatte, es wäre gut. Die Obristin, der in der ganzen Begebenheit so vieles, und besonders die Geneigtheit der Marquise, eine neue, ihr ganz gleichgültige Vermählung einzugehen, dunkel war, suchte vergebens, diesen Umstand zur Sprache zu bringen. Der Kommandant bat immer, auf eine Art, die einem Befehle gleich sah, zu schweigen; versicherte, indem er einst, bei einer solchen Gelegenheit, ein Porträt herabnahm, das noch von ihr an der Wand hing, daß er sein Gedächtnis ihrer ganz zu vertilgen wünsche; und meinte, er hätte keine Tochter mehr. Drauf erschien der sonderbare Aufruf der Marquise in den Zeitungen. Die Obristin, die auf das lebhafteste darüber betroffen war, ging mit dem Zeitungsblatt, das sie von dem Kommandanten erhalten hatte, in sein Zimmer, wo sie ihn an einem Tisch arbeitend fand, und fragte ihn, was er in aller Welt davon halte? Der Kommandant sagte, indem er fortschrieb: o! sie ist unschuldig. Wie! rief Frau von G..., mit dem alleräußersten Erstaunen: unschuldig? Sie hat es im Schlaf getan, sagte der Kommandant, ohne aufzusehen. Im Schlafe! versetzte Frau von G... Und ein so ungeheurer Vorfall wäre –? Die Närrin! rief der Kommandant, schob die Papiere über einander, und ging weg.

Am nächsten Zeitungstage las die Obristin, da beide beim Frühstück saßen, in einem Intelligenzblatt, das eben ganz feucht von der Presse kam, folgende Antwort:

»Wenn die Frau Marquise von O... sich, am 3ten... 11 Uhr morgens, im Hause des Herrn von G..., ihres Vaters, einfinden will: so wird sich derjenige, den sie sucht, ihr daselbst zu Füßen werfen.« –

Der Obristin verging, ehe sie noch auf die Hälfte dieses uner-

hörten Artikels gekommen war, die Sprache; sie überflog das
Ende, und reichte das Blatt dem Kommandanten dar. Der Obrist
durchlas das Blatt dreimal, als ob er seinen eignen Augen nicht
traute. Nun sage mir, um des Himmels willen, Lorenzo, rief die
Obristin, was hältst du davon? O die Schändliche! versetzte der
Kommandant, und stand auf; o die verschmitzte Heuchlerin!
Zehnmal die Schamlosigkeit einer Hündin, mit zehnfacher List
des Fuchses gepaart, reichen noch an die ihrige nicht! Solch eine
Miene! Zwei solche Augen! Ein Cherub hat sie nicht treuer! –
und jammerte und konnte sich nicht beruhigen. Aber was in aller
Welt, fragte die Obristin, wenn es eine List ist, kann sie damit bezwecken? – Was sie damit bezweckt? Ihre nichtswürdige Betrügerei, mit Gewalt will sie sie durchsetzen, erwiderte der Obrist.
Auswendig gelernt ist sie schon, die Fabel, die sie uns beide, sie
und er, am Dritten 11 Uhr morgens hier aufbürden wollen.
Mein liebes Töchterchen, soll ich sagen, das wußte ich nicht, wer
konnte das denken, vergib mir, nimm meinen Segen, und sei
wieder gut. Aber die Kugel dem, der am Dritten morgens über
meine Schwelle tritt! Es müßte denn schicklicher sein, ihn mir
durch Bedienten aus dem Hause zu schaffen. – Frau von G . . .
sagte, nach einer nochmaligen Überlesung des Zeitungsblattes,
daß wenn sie, von zwei unbegreiflichen Dingen, einem, Glauben
beimessen solle, sie lieber an ein unerhörtes Spiel des Schicksals,
als an diese Niederträchtigkeit ihrer sonst so vortrefflichen Tochter glauben wolle. Doch ehe sie noch vollendet hatte, rief der
Kommandant schon: tu mir den Gefallen und schweig! und verließ das Zimmer. Es ist mir verhaßt, wenn ich nur davon höre.

Wenige Tage nachher erhielt der Kommandant, in Beziehung
auf diesen Zeitungsartikel, einen Brief von der Marquise, in welchem sie ihn, da ihr die Gnade versagt wäre, in seinem Hause erscheinen zu dürfen, auf eine ehrfurchtsvolle und rührende Art
bat, denjenigen, der sich am Dritten morgens bei ihm zeigen
würde, gefälligst zu ihr nach V . . . hinauszuschicken. Die Obristin war gerade gegenwärtig, als der Kommandant diesen Brief
empfing; und da sie auf seinem Gesicht deutlich bemerkte, daß er
in seiner Empfindung irre geworden war: denn welch ein Motiv
jetzt, falls es eine Betrügerei war, sollte er ihr unterlegen, da sie
auf seine Verzeihung gar keine Ansprüche zu machen schien? so

rückte sie, dadurch dreist gemacht, mit einem Plan hervor, den sie schon lange, in ihrer von Zweifeln bewegten Brust, mit sich herum getragen hatte. Sie sagte, während der Obrist noch, mit einer nichtssagenden Miene, in das Papier hineinsah: sie habe einen Einfall. Ob er ihr erlauben wolle, auf einen oder zwei Tage, nach V... hinauszufahren? Sie werde die Marquise, falls sie wirklich denjenigen, der ihr durch die Zeitungen, als ein Unbekannter, geantwortet, schon kenne, in eine Lage zu versetzen wissen, in welcher sich ihre Seele verraten müßte, und wenn sie die abgefeimteste Verräterin wäre. Der Kommandant erwiderte, indem er, mit einer plötzlich heftigen Bewegung, den Brief zerriß: sie wisse, daß er mit ihr nichts zu schaffen haben wolle, und er verbiete ihr, in irgend eine Gemeinschaft mit ihr zu treten. Er siegelte die zerrissenen Stücke ein, schrieb eine Adresse an die Marquise, und gab sie dem Boten, als Antwort, zurück. Die Obristin, durch diesen hartnäckigen Eigensinn, der alle Möglichkeit der Aufklärung vernichtete, heimlich erbittert, beschloß ihren Plan jetzt, gegen seinen Willen, auszuführen. Sie nahm einen von den Jägern des Kommandanten, und fuhr am nächstfolgenden Morgen, da ihr Gemahl noch im Bette lag, mit demselben nach V... hinaus. Als sie am Tore des Landsitzes angekommen war, sagte ihr der Türsteher, daß niemand bei der Frau Marquise vorgelassen würde. Frau von G... antwortete, daß sie von dieser Maßregel unterrichtet wäre, daß er aber gleichwohl nur gehen, und die Obristin von G... bei ihr anmelden möchte. Worauf dieser versetzte, daß dies zu nichts helfen würde, indem die Frau Marquise keinen Menschen auf der Welt spräche. Frau von G... antwortete, daß sie von ihr gesprochen werden würde, indem sie ihre Mutter wäre, und daß er nur nicht länger säumen, und sein Geschäft verrichten möchte. Kaum aber war noch der Türsteher zu diesem, wie er meinte, gleichwohl vergeblichen Versuche ins Haus gegangen, als man schon die Marquise daraus hervortreten, nach dem Tore eilen, und sich auf Knieen vor dem Wagen der Obristin niederstürzen sah. Frau von G... stieg, von ihrem Jäger unterstützt, aus, und hob die Marquise, nicht ohne einige Bewegung, vom Boden auf. Die Marquise drückte sich, von Gefühlen überwältigt, tief auf ihre Hand hinab, und führte sie, indem ihr die Tränen häufig flossen, ehrfurchtsvoll in die Zimmer ihres

Hauses. Meine teuerste Mutter! rief sie, nachdem sie ihr den
Diwan angewiesen hatte, und noch vor ihr stehen blieb, und sich
die Augen trocknete: welch ein glücklicher Zufall ist es, dem ich
Ihre, mir unschätzbare Erscheinung verdanke? Frau von G...
sagte, indem sie ihre Tochter vertraulich faßte, sie müsse ihr nur
sagen, daß sie komme, sie wegen der Härte, mit welcher sie aus
dem väterlichen Hause verstoßen worden sei, um Verzeihung zu
bitten. Verzeihung! fiel ihr die Marquise ins Wort, und wollte
ihre Hände küssen. Doch diese, indem sie den Handkuß vermied,
fuhr fort: denn nicht nur, daß die, in den letzten öffentlichen
Blättern eingerückte, Antwort auf die bewußte Bekanntmachung, mir sowohl als dem Vater, die Überzeugung von deiner
Unschuld gegeben hat; so muß ich dir auch eröffnen, daß er sich
selbst schon, zu unserm großen und freudigen Erstaunen, gestern
im Hause gezeigt hat. Wer hat sich –? fragte die Marquise, und
setzte sich bei ihrer Mutter nieder; – welcher er selbst hat sich gezeigt –? und Erwartung spannte jede ihrer Mienen. Er, erwiderte
Frau von G..., der Verfasser jener Antwort, er persönlich selbst,
an welchen dein Aufruf gerichtet war. – Nun denn, sagte die
Marquise, mit unruhig arbeitender Brust: wer ist es? Und noch
einmal: wer ist es? – Das, erwiderte Frau von G..., möchte ich
dich erraten lassen. Denn denke, daß sich gestern, da wir beim
Tee sitzen, und eben das sonderbare Zeitungsblatt lesen, ein
Mensch, von unsrer genauesten Bekanntschaft, mit Gebärden der
Verzweiflung ins Zimmer stürzt, und deinem Vater, und bald
darauf auch mir, zu Füßen fällt. Wir, unwissend, was wir davon
denken sollen, fordern ihn auf, zu reden. Darauf spricht er: sein
Gewissen lasse ihm keine Ruhe; er sei der Schändliche, der die
Frau Marquise betrogen, er müsse wissen, wie man sein Verbrechen beurteile, und wenn Rache über ihn verhängt werden solle,
so komme er, sich ihr selbst darzubieten. Aber wer? wer? wer?
versetzte die Marquise. Wie gesagt, fuhr Frau von G... fort,
ein junger, sonst wohlerzogener Mensch, dem wir eine solche
Nichtswürdigkeit niemals zugetraut hätten. Doch erschrecken
wirst du nicht, meine Tochter, wenn du erfährst, daß er von nied-
rigem Stande, und von allen Forderungen, die man sonst an
deinen Gemahl machen dürfte, entblößt ist. Gleichviel, meine
vortreffliche Mutter, sagte die Marquise, er kann nicht ganz un-

würdig sein, da er sich Ihnen früher als mir, zu Füßen geworfen
hat. Aber, wer? wer? Sagen Sie mir nur: wer? Nun denn, versetzte die Mutter, es ist Leopardo, der Jäger, den sich der Vater
jüngst aus Tirol verschrieb, und den ich, wenn du ihn wahr-
nahmst, schon mitgebracht habe, um ihn dir als Bräutigam vor-
zustellen. Leopardo, der Jäger! rief die Marquise, und drückte
ihre Hand, mit dem Ausdruck der Verzweiflung, vor die Stirn.
Was erschreckt dich? fragte die Obristin. Hast du Gründe, daran
zu zweifeln? – Wie? Wo? Wann? fragte die Marquise verwirrt.
Das, antwortete jene, will er nur dir anvertrauen. Scham und
Liebe, meinte er, machten es ihm unmöglich, sich einer andern
hierüber zu erklären, als dir. Doch wenn du willst, so öffnen wir
das Vorzimmer, wo er, mit klopfendem Herzen, auf den Ausgang wartet; und du magst sehen, ob du ihm sein Geheimnis, indessen ich abtrete, entlockst. – Gott, mein Vater! rief die Marquise; ich war einst in der Mittagshitze eingeschlummert, und
sah ihn von meinem Diwan gehen, als ich erwachte! – Und damit legte sie ihre kleinen Hände vor ihr in Scham erglühendes
Gesicht. Bei diesen Worten sank die Mutter auf Knieen vor ihr
nieder. O meine Tochter! rief sie; o du Vortreffliche! und schlug
die Arme um sie. Und o ich Nichtswürdige! und verbarg das
Antlitz in ihren Schoß. Die Marquise fragte bestürzt: was ist
Ihnen, meine Mutter? Denn begreife, fuhr diese fort, o du Rei-
nere als Engel sind, daß von allem, was ich dir sagte, nichts wahr
ist; daß meine verderbte Seele an solche Unschuld nicht, als von
der du umstrahlt bist, glauben konnte, und daß ich dieser schändlichen List erst bedurfte, um mich davon zu überzeugen. Meine
teuerste Mutter, rief die Marquise, und neigte sich voll froher
Rührung zu ihr herab, und wollte sie aufheben. Jene versetzte
darauf: nein, eher nicht von deinen Füßen weich ich, bis du mir
sagst, ob du mir die Niedrigkeit meines Verhaltens, du Herrliche,
Überirdische, verzeihen kannst. Ich Ihnen verzeihen, meine Mutter! Stehen Sie auf, rief die Marquise, ich beschwöre Sie – Du
hörst, sagte Frau von G . . ., ich will wissen, ob du mich noch
lieben, und so aufrichtig verehren kannst, als sonst? Meine ange-
betete Mutter! rief die Marquise, und legte sich gleichfalls auf
Knieen vor ihr nieder; Ehrfurcht und Liebe sind nie aus meinem
Herzen gewichen. Wer konnte mir, unter so unerhörten Um-

ständen, Vertrauen schenken? Wie glücklich bin ich, daß Sie von
meiner Unsträflichkeit überzeugt sind! Nun denn, versetzte Frau
von G..., indem sie, von ihrer Tochter unterstützt, aufstand:
so will ich dich auf Händen tragen, mein liebstes Kind. Du sollst
bei mir dein Wochenlager halten; und wären die Verhältnisse so,
daß ich einen jungen Fürsten von dir erwartete, mit größerer
Zärtlichkeit nicht und Würdigkeit könnt ich dein pflegen. Die
Tage meines Lebens nicht mehr von deiner Seite weich ich. Ich
biete der ganzen Welt Trotz; ich *will* keine andre Ehre mehr, als
deine Schande: wenn du mir nur wieder gut wirst, und der Härte
nicht, mit welcher ich dich verstieß, mehr gedenkst. Die Marquise
suchte sie mit Liebkosungen und Beschwörungen ohne Ende zu
trösten; doch der Abend kam heran, und Mitternacht schlug,
ehe es ihr gelang. Am folgenden Tage, da sich der Affekt der
alten Dame, der ihr während der Nacht eine Fieberhitze zugezogen hatte, ein wenig gelegt hatte, fuhren Mutter und Tochter
und Enkel, wie im Triumph, wieder nach M... zurück. Sie
waren äußerst vergnügt auf der Reise, scherzten über Leopardo,
den Jäger, der vorn auf dem Bock saß; und die Mutter sagte zur
Marquise, sie bemerke, daß sie rot würde, so oft sie seinen breiten
Rücken ansähe. Die Marquise antwortete, mit einer Regung, die
halb ein Seufzer, halb ein Lächeln war: wer weiß, wer zuletzt
noch am Dritten 11 Uhr morgens bei uns erscheint! – Drauf, je
mehr man sich M... näherte, je ernsthafter stimmten sich wieder die Gemüter, in der Vorahndung entscheidender Auftritte,
die ihnen noch bevorstanden. Frau von G..., die sich von ihren
Plänen nichts merken ließ, führte ihre Tochter, da sie vor dem
Hause ausgestiegen waren, wieder in ihre alten Zimmer ein;
sagte, sie möchte es sich nur bequem machen, sie würde gleich
wieder bei ihr sein, und schlüpfte ab. Nach einer Stunde kam sie
mit einem ganz erhitzten Gesicht wieder. Nein, solch ein Thomas! sprach sie mit heimlich vergnügter Seele; solch ein ungläubiger Thomas! Hab ich nicht eine Seigerstunde gebraucht, ihn zu
überzeugen. Aber nun sitzt er, und weint. Wer? fragte die Marquise. Er, antwortete die Mutter. Wer sonst, als wer die größte
Ursache dazu hat. Der Vater doch nicht? rief die Marquise. Wie
ein Kind, erwiderte die Mutter; daß ich, wenn ich mir nicht selbst
hätte die Tränen aus den Augen wischen müssen, gelacht hätte,

so wie ich nur aus der Türe heraus war. Und das wegen meiner?
fragte die Marquise, und stand auf; und ich sollte hier –? Nicht
von der Stelle! sagte Frau von G... Warum diktierte er mir den
Brief! Hier sucht er *dich* auf, wenn er *mich*, so lange ich lebe, wiederfinden will. Meine teuerste Mutter, flehte die Marquise –
Unerbittlich! fiel ihr die Obristin ins Wort. Warum griff er nach
der Pistole. – Aber ich beschwöre Sie – Du *sollst* nicht, versetzte
Frau von G..., indem sie die Tochter wieder auf ihren Sessel
niederdrückte. Und wenn er nicht heut vor Abend noch kommt,
zieh ich morgen mit dir weiter. Die Marquise nannte dies Verfahren hart und ungerecht. Doch die Mutter erwiderte: Beruhige
dich – denn eben hörte sie jemand von weitem heranschluchzen:
er kömmt schon! Wo? fragte die Marquise, und horchte. Ist wer
hier draußen vor der Tür; dies heftige –? Allerdings, versetzte
Frau von G... Er will, daß wir ihm die Türe öffnen. Lassen Sie
mich! rief die Marquise, und riß sich vom Stuhl empor. Doch:
wenn du mir gut bist, Julietta, versetzte die Obristin, so bleib;
und in dem Augenblick trat auch der Kommandant schon, das
Tuch vor das Gesicht haltend, ein. Die Mutter stellte sich breit
vor ihre Tochter, und kehrte ihm den Rücken zu. Mein teuerster
Vater! rief die Marquise, und streckte ihre Arme nach ihm aus.
Nicht von der Stelle, sagte Frau von G..., du hörst! Der Kommandant stand in der Stube und weinte. Er soll dir abbitten, fuhr
Frau von G... fort. Warum ist er so heftig! Und warum ist er
so hartnäckig! Ich liebe ihn, aber dich auch; ich ehre ihn, aber
dich auch. Und muß ich eine Wahl treffen, so bist du vortreff-
licher, als er, und ich bleibe bei dir. Der Kommandant beugte sich
ganz krumm, und heulte, daß die Wände erschallten. Aber mein
Gott! rief die Marquise, gab der Mutter plötzlich nach, und
nahm ihr Tuch, ihre eigenen Tränen fließen zu lassen. Frau von
G... sagte: – er kann nur nicht sprechen! und wich ein wenig
zur Seite aus. Hierauf erhob sich die Marquise, umarmte den
Kommandanten, und bat ihn, sich zu beruhigen. Sie weinte selbst
heftig. Sie fragte ihn, ob er sich nicht setzen wolle? sie wollte ihn
auf einen Sessel niederziehen; sie schob ihm einen Sessel hin,
damit er sich darauf setze: doch er antwortete nicht; er war nicht
von der Stelle zu bringen; er setzte sich auch nicht, und stand
bloß, das Gesicht tief zur Erde gebeugt, und weinte. Die Mar-

quise sagte, indem sie ihn aufrecht hielt, halb zur Mutter gewandt:
er werde krank werden; die Mutter selbst schien, da er sich ganz
konvulsivisch gebärdete, ihre Standhaftigkeit verlieren zu wollen.
Doch da der Kommandant sich endlich, auf die wiederholten
Anforderungen der Tochter, niedergesetzt hatte, und diese ihm,
mit unendlichen Liebkosungen, zu Füßen gesunken war: so
nahm sie wieder das Wort, sagte, es geschehe ihm ganz recht, er
werde nun wohl zur Vernunft kommen, entfernte sich aus dem
Zimmer, und ließ sie allein.

Sobald sie draußen war, wischte sie sich selbst die Tränen ab,
dachte, ob ihm die heftige Erschütterung, in welche sie ihn versetzt hatte, nicht doch gefährlich sein könnte, und ob es wohl
ratsam sei, einen Arzt rufen zu lassen? Sie kochte ihm für den
Abend alles, was sie nur Stärkendes und Beruhigendes aufzutreiben wußte, in der Küche zusammen, bereitete und wärmte
ihm das Bett, um ihn sogleich hineinzulegen, sobald er nur, an
der Hand der Tochter, erscheinen würde, und schlich, da er
immer noch nicht kam, und schon die Abendtafel gedeckt war,
dem Zimmer der Marquise zu, um doch zu hören, was sich zu-
trage? Sie vernahm, da sie mit sanft an die Tür gelegtem Ohr
horchte, ein leises, eben verhallendes Gelispel, das, wie es ihr
schien, von der Marquise kam; und, wie sie durchs Schlüsselloch
bemerkte, saß sie auch auf des Kommandanten Schoß, was er
sonst in seinem Leben nicht zugegeben hatte. Drauf endlich
öffnete sie die Tür, und sah nun – und das Herz quoll ihr vor
Freuden empor: die Tochter still, mit zurückgebeugtem Nacken,
die Augen fest geschlossen, in des Vaters Armen liegen; indessen
dieser, auf dem Lehnstuhl sitzend, lange, heiße und lechzende
Küsse, das große Auge voll glänzender Tränen, auf ihren Mund
drückte: gerade wie ein Verliebter! Die Tochter sprach nicht, er
sprach nicht; mit über sie gebeugtem Antlitz saß er, wie über das
Mädchen seiner ersten Liebe, und legte ihr den Mund zurecht,
und küßte sie. Die Mutter fühlte sich, wie eine Selige; ungesehen,
wie sie hinter seinem Stuhle stand, säumte sie, die Lust der him-
melfrohen Versöhnung, die ihrem Hause wieder geworden war,
zu stören. Sie nahte sich dem Vater endlich, und sah ihn, da er
eben wieder mit Fingern und Lippen in unsäglicher Lust über
den Mund seiner Tochter beschäftigt war, sich um den Stuhl

herumbeugend, von der Seite an. Der Kommandant schlug, bei ihrem Anblick, das Gesicht schon wieder ganz kraus nieder, und wollte etwas sagen; doch sie rief: o was für ein Gesicht ist das! küßte es jetzt auch ihrerseits in Ordnung, und machte der Rührung durch Scherzen ein Ende. Sie lud und führte beide, die wie Brautleute gingen, zur Abendtafel, an welcher der Kommandant zwar sehr heiter war, aber noch von Zeit zu Zeit schluchzte, wenig aß und sprach, auf den Teller niedersah, und mit der Hand seiner Tochter spielte.

Nun galt es, beim Anbruch des nächsten Tages, die Frage: wer nur, in aller Welt, morgen um 11 Uhr sich zeigen würde; denn morgen war der gefürchtete Dritte. Vater und Mutter, und auch der Bruder, der sich mit seiner Versöhnung eingefunden hatte, stimmten unbedingt, falls die Person nur von einiger Erträglichkeit sein würde, für Vermählung; alles, was nur immer möglich war, sollte geschehen, um die Lage der Marquise glücklich zu machen. Sollten die Verhältnisse derselben jedoch so beschaffen sein, daß sie selbst dann, wenn man ihnen durch Begünstigungen zu Hülfe käme, zu weit hinter den Verhältnissen der Marquise zurückblieben, so widersetzten sich die Eltern der Heirat; sie beschlossen, die Marquise nach wie vor bei sich zu behalten, und das Kind zu adoptieren. Die Marquise hingegen schien willens, in jedem Falle, wenn die Person nur nicht ruchlos wäre, ihr gegebenes Wort in Erfüllung zu bringen, und dem Kinde, es koste was es wolle, einen Vater zu verschaffen. Am Abend fragte die Mutter, wie es denn mit dem Empfang der Person gehalten werden solle? Der Kommandant meinte, daß es am schicklichsten sein würde, wenn man die Marquise um 11 Uhr allein ließe. Die Marquise hingegen bestand darauf, daß beide Eltern, und auch der Bruder, gegenwärtig sein möchten, indem sie keine Art des Geheimnisses mit dieser Person zu teilen haben wolle. Auch meinte sie, daß dieser Wunsch sogar in der Antwort derselben, dadurch, daß sie das Haus des Kommandanten zur Zusammenkunft vorgeschlagen, ausgedrückt scheine; ein Umstand, um dessentwillen ihr gerade diese Antwort, wie sie frei gestehen müsse, sehr gefallen habe. Die Mutter bemerkte die Unschicklichkeit der Rollen, die der Vater und der Bruder dabei zu spielen haben würden, bat die Tochter, die Entfernung der Männer zu-

zulassen, wogegen sie in ihren Wunsch willigen, und bei dem
Empfang der Person gegenwärtig sein wolle. Nach einer kurzen
Besinnung der Tochter ward dieser letzte Vorschlag endlich angenommen. Drauf nun erschien, nach einer, unter den gespann-
testen Erwartungen zugebrachten, Nacht der Morgen des ge-
fürchteten Dritten. Als die Glocke eilf Uhr schlug, saßen beide
Frauen, festlich, wie zur Verlobung angekleidet, im Besuchzim-
mer; das Herz klopfte ihnen, daß man es gehört haben würde,
wenn das Geräusch des Tages geschwiegen hätte. Der eilfte
Glockenschlag summte noch, als Leopardo, der Jäger, eintrat,
den der Vater aus Tirol verschrieben hatte. Die Weiber erblaßten
bei diesem Anblick. Der Graf F . . ., sprach er, ist vorgefahren,
und läßt sich anmelden. Der Graf F . . .! riefen beide zugleich,
von einer Art der Bestürzung in die andre geworfen. Die Marquise rief: Verschließt die Türen! Wir sind für ihn nicht zu Hause;
stand auf, das Zimmer gleich selbst zu verriegeln, und wollte
eben den Jäger, der ihr im Wege stand, hinausdrängen, als der
Graf schon, in genau demselben Kriegsrock, mit Orden und
Waffen, wie er sie bei der Eroberung des Forts getragen hatte, zu
ihr eintrat. Die Marquise glaubte vor Verwirrung in die Erde zu
sinken; sie griff nach einem Tuch, das sie auf dem Stuhl hatte liegen lassen, und wollte eben in ein Seitenzimmer entfliehn; doch
Frau von G . . ., indem sie die Hand derselben ergriff, rief:
Julietta –! und wie erstickt von Gedanken, ging ihr die Sprache
aus. Sie heftete die Augen fest auf den Grafen und wiederholte:
ich bitte dich, Julietta! indem sie sie nach sich zog: wen erwarten
wir denn –? Die Marquise rief, indem sie sich plötzlich wandte:
nun? doch ihn nicht –? und schlug mit einem Blick funkelnd, wie
ein Wetterstrahl, auf ihn ein, indessen Blässe des Todes ihr Antlitz überflog. Der Graf hatte ein Knie vor ihr gesenkt; die rechte
Hand lag auf seinem Herzen, das Haupt sanft auf seine Brust gebeugt, lag er, und blickte hochglühend vor sich nieder, und
schwieg. Wen sonst, rief die Obristin mit beklemmter Stimme,
wen sonst, wir Sinnberaubten, als ihn –? Die Marquise stand
starr über ihm, und sagte: ich werde wahnsinnig werden, meine
Mutter! Du Törin, erwiderte die Mutter, zog sie zu sich, und
flüsterte ihr etwas in das Ohr. Die Marquise wandte sich, und
stürzte, beide Hände vor das Gesicht, auf das Sofa nieder. Die

Mutter rief: Unglückliche! Was fehlt dir? Was ist geschehn, worauf du nicht vorbereitet warst? – Der Graf wich nicht von der Seite der Obristin; er faßte, immer noch auf seinen Knieen liegend, den äußersten Saum ihres Kleides, und küßte ihn. Liebe! Gnädige! Verehrungswürdigste! flüsterte er: eine Träne rollte ihm die Wangen herab. Die Obristin sagte: stehn Sie auf, Herr Graf, stehn Sie auf! Trösten Sie jene; so sind wir alle versöhnt, so ist alles vergeben und vergessen. Der Graf erhob sich weinend. Er ließ sich von neuem vor der Marquise nieder, er faßte leise ihre Hand, als ob sie von Gold wäre, und der Duft der seinigen sie trüben könnte. Doch diese –: gehn Sie! gehn Sie! gehn Sie! rief sie, indem sie aufstand; auf einen Lasterhaften war ich gefaßt, aber auf keinen – – – Teufel! öffnete, indem sie ihm dabei, gleich einem Pestvergifteten, auswich, die Tür des Zimmers, und sagte: ruft den Obristen! Julietta! rief die Obristin mit Erstaunen. Die Marquise blickte, mit tötender Wildheit, bald auf den Grafen, bald auf die Mutter ein; ihre Brust flog, ihr Antlitz loderte: eine Furie blickt nicht schrecklicher. Der Obrist und der Forstmeister kamen. Diesem Mann, Vater, sprach sie, als jene noch unter dem Eingang waren, kann ich mich nicht vermählen! griff in ein Gefäß mit Weihwasser, das an der hinteren Tür befestigt war, besprengte, in einem großen Wurf, Vater und Mutter und Bruder damit, und verschwand.

Der Kommandant, von dieser seltsamen Erscheinung betroffen, fragte, was vorgefallen sei; und erblaßte, da er, in diesem entscheidenden Augenblick, den Grafen F... im Zimmer erblickte. Die Mutter nahm den Grafen bei der Hand und sagte: frage nicht; dieser junge Mann bereut von Herzen alles, was geschehen ist; gib deinen Segen, gib, gib: so wird sich alles noch glücklich endigen. Der Graf stand wie vernichtet. Der Kommandant legte seine Hand auf ihn; seine Augenwimpern zuckten, seine Lippen waren weiß, wie Kreide. Möge der Fluch des Himmels von diesen Scheiteln weichen! rief er: wann gedenken Sie zu heiraten? – Morgen, antwortete die Mutter für ihn, denn er konnte kein Wort hervorbringen, morgen oder heute, wie du willst; dem Herrn Grafen, der so viel schöne Beeiferung gezeigt hat, sein Vergehen wieder gut zu machen, wird immer die nächste Stunde die liebste sein. – So habe ich das Vergnügen, Sie

morgen um 11 Uhr in der Augustinerkirche zu finden! sagte der
Kommandant; verneigte sich gegen ihn, rief Frau und Sohn ab,
um sich in das Zimmer der Marquise zu verfügen, und ließ ihn
stehen.

Man bemühte sich vergebens, von der Marquise den Grund
ihres sonderbaren Betragens zu erfahren; sie lag im heftigsten
Fieber, wollte durchaus von Vermählung nichts wissen, und bat,
sie allein zu lassen. Auf die Frage: warum sie denn ihren Entschluß
plötzlich geändert habe? und was ihr den Grafen gehässiger
mache, als einen andern? sah sie den Vater mit großen Augen
zerstreut an, und antwortete nichts. Die Obristin sprach: ob sie
vergessen habe, daß sie Mutter sei? worauf sie erwiderte, daß sie,
in diesem Falle, mehr an sich, als ihr Kind, denken müsse, und
nochmals, indem sie alle Engel und Heiligen zu Zeugen anrief,
versicherte, daß sie nicht heiraten würde. Der Vater, der sie offenbar in einem überreizten Gemützstande sah, erklärte, daß sie
ihr Wort halten müsse; verließ sie, und ordnete alles, nach gehöriger schriftlicher Rücksprache mit dem Grafen, zur Vermählung an. Er legte demselben einen Heiratskontrakt vor, in welchem dieser auf alle Rechte eines Gemahls Verzicht tat, dagegen
sich zu allen Pflichten, die man von ihm fordern würde, verstehen
sollte. Der Graf sandte das Blatt, ganz von Tränen durchfeuchtet,
mit seiner Unterschrift zurück. Als der Kommandant am andern
Morgen der Marquise dieses Papier überreichte, hatten sich ihre
Geister ein wenig beruhigt. Sie durchlas es, noch im Bette sitzend,
mehrere Male, legte es sinnend zusammen, öffnete es, und durchlas es wieder; und erklärte hierauf, daß sie sich um 11 Uhr in der
Augustinerkirche einfinden würde. Sie stand auf, zog sich, ohne
ein Wort zu sprechen, an, stieg, als die Glocke schlug, mit allen
Ihrigen in den Wagen, und fuhr dahin ab.

Erst an dem Portal der Kirche war es dem Grafen erlaubt, sich
an die Familie anzuschließen. Die Marquise sah, während der
Feierlichkeit, starr auf das Altarbild; nicht ein flüchtiger Blick
ward dem Manne zuteil, mit welchem sie die Ringe wechselte.
Der Graf bot ihr, als die Trauung vorüber war, den Arm; doch
sobald sie wieder aus der Kirche heraus waren, verneigte sich die
Gräfin vor ihm: der Kommandant fragte, ob er die Ehre haben
würde, ihn zuweilen in den Gemächern seiner Tochter zu sehen,

worauf der Graf etwas stammelte, das niemand verstand, den
Hut vor der Gesellschaft abnahm, und verschwand. Er bezog eine
Wohnung in M..., in welcher er mehrere Monate zubrachte,
ohne auch nur den Fuß in des Kommandanten Haus zu setzen,
bei welchem die Gräfin zurückgeblieben war. Nur seinem zarten,
würdigen und völlig musterhaften Betragen überall, wo er mit
der Familie in irgend eine Berührung kam, hatte er es zu verdanken, daß er, nach der nunmehr erfolgten Entbindung der Gräfin
von einem jungen Sohne, zur Taufe desselben eingeladen ward.
Die Gräfin, die, mit Teppichen bedeckt, auf dem Wochenbette
saß, sah ihn nur auf einen Augenblick, da er unter die Tür trat,
und sie von weitem ehrfurchtsvoll grüßte. Er warf unter den Geschenken, womit die Gäste den Neugebornen bewillkommten,
zwei Papiere auf die Wiege desselben, deren eines, wie sich nach
seiner Entfernung auswies, eine Schenkung von 20000 Rubel an
den Knaben, und das andere ein Testament war, in dem er die
Mutter, falls er stürbe, zur Erbin seines ganzen Vermögens ein-
setzte. Von diesem Tage an ward er, auf Veranstaltung der Frau
von G..., öfter eingeladen; das Haus stand seinem Eintritt
offen, es verging bald kein Abend, da er sich nicht darin gezeigt
hätte. Er fing, da sein Gefühl ihm sagte, daß ihm von allen Seiten,
um der gebrechlichen Einrichtung der Welt willen, verziehen
sei, seine Bewerbung um die Gräfin, seine Gemahlin, von neuem
an, erhielt, nach Verlauf eines Jahres, ein zweites Jawort von ihr,
und auch eine zweite Hochzeit ward gefeiert, froher, als die erste,
nach deren Abschluß die ganze Familie nach V... hinauszog.
Eine ganze Reihe von jungen Russen folgte jetzt noch dem ersten;
und da der Graf, in einer glücklichen Stunde, seine Frau einst
fragte, warum sie, an jenem fürchterlichen Dritten, da sie auf
jeden Lasterhaften gefaßt schien, vor ihm, gleich einem Teufel,
geflohen wäre, antwortete sie, indem sie ihm um den Hals fiel:
er würde ihr damals nicht wie ein Teufel erschienen sein, wenn er
ihr nicht, bei seiner ersten Erscheinung, wie ein Engel vorgekommen wäre.

DAS ERDBEBEN IN CHILI

Vorgeschichte

In St. Jago, der Hauptstadt des Königreichs Chili, stand gerade in dem Augenblicke der großen Erderschütterung vom Jahre 1647, bei welcher viele tausend Menschen ihren Untergang fanden, ein junger, auf ein Verbrechen angeklagter Spanier, namens *Jeronimo Rugera*, an einem Pfeiler des Gefängnisses, in welches man ihn eingesperrt hatte, und wollte sich erhenken. *Don Henrico Asteron*, einer der reichsten Edelleute der Stadt, hatte ihn ungefähr ein Jahr zuvor aus seinem Hause, wo er als Lehrer angestellt war, entfernt, weil er sich mit *Donna Josephe*, seiner einzigen Tochter, in einem zärtlichen Einverständnis befunden hatte. Eine geheime Bestellung, die dem alten Don, nachdem er die Tochter nachdrücklich gewarnt hatte, durch die hämische Aufmerksamkeit seines stolzen Sohnes verraten worden war, entrüstete ihn dergestalt, daß er sie in dem Karmeliterkloster unsrer lieben Frauen vom Berge daselbst unterbrachte.

Durch einen glücklichen Zufall hatte Jeronimo hier die Verbindung von neuem anzuknüpfen gewußt, und in einer verschwiegenen Nacht den Klostergarten zum Schauplatze seines vollen Glückes gemacht. Es war am Fronleichnamsfeste, und die feierliche Prozession der Nonnen, welchen die Novizen folgten, nahm eben ihren Anfang, als die unglückliche Josephe, bei dem Anklange der Glocken, in Mutterwehen auf den Stufen der Kathedrale niedersank.

Dieser Vorfall machte außerordentliches Aufsehn; man brachte die junge Sünderin, ohne Rücksicht auf ihren Zustand, sogleich in ein Gefängnis, und kaum war sie aus den Wochen erstanden, als ihr schon, auf Befehl des Erzbischofs, der geschärfteste Prozeß gemacht ward. Man sprach in der Stadt mit einer so großen Erbitterung von diesem Skandal, und die Zungen fielen so scharf über das ganze Kloster her, in welchem er sich zugetragen hatte, daß weder die Fürbitte der Familie Asteron, noch auch sogar der Wunsch der Äbtissin selbst, welche das junge

Mädchen wegen ihres sonst untadelhaften Betragens lieb gewonnen hatte, die Strenge, mit welcher das klösterliche Gesetz
sie bedrohte, mildern konnte. Alles, was geschehen konnte, war,
daß der Feuertod, zu dem sie verurteilt wurde, zur großen Entrüstung der Matronen und Jungfrauen von St. Jago, durch einen
Machtspruch des Vizekönigs, in eine Enthauptung verwandelt
ward.

Man vermietete in den Straßen, durch welche der Hinrichtungszug gehen sollte, die Fenster, man trug die Dächer der Häuser
ab, und die frommen Töchter der Stadt luden ihre Freundinnen
ein, um dem Schauspiele, das der göttlichen Rache gegeben
wurde, an ihrer schwesterlichen Seite beizuwohnen.

Jeronimo, der inzwischen auch in ein Gefängnis gesetzt worden war, wollte die Besinnung verlieren, als er diese ungeheure
Wendung der Dinge erfuhr. Vergebens sann er auf Rettung:
überall, wohin ihn auch der Fittig der vermessensten Gedanken
trug, stieß er auf Riegel und Mauern, und ein Versuch, die
Gitterfenster zu durchfeilen, zog ihm, da er entdeckt ward, eine
nur noch engere Einsperrung zu. Er warf sich vor dem Bildnisse
der heiligen Mutter Gottes nieder, und betete mit unendlicher
Inbrunst zu ihr, als der einzigen, von der ihm jetzt noch Rettung
kommen könnte.

Doch der gefürchtete Tag erschien, und mit ihm in seiner Brust
die Überzeugung von der völligen Hoffnungslosigkeit seiner
Lage. Die Glocken, welche Josephen zum Richtplatze begleite-
ten, ertönten, und Verzweiflung bemächtigte sich seiner Seele.
Das Leben schien ihm verhaßt, und er beschloß, sich durch einen
Strick, den ihm der Zufall gelassen hatte, den Tod zu geben.
Eben stand er, wie schon gesagt, an einem Wandpfeiler, und be-
festigte den Strick, der ihn dieser jammervollen Welt entreißen
sollte, an eine Eisenklammer, die an dem Gesimse derselben ein-
gefugt war; als plötzlich der größte Teil der Stadt, mit einem
Gekrache, als ob das Firmament einstürzte, versank, und alles,
was Leben atmete, unter seinen Trümmern begrub. Jeronimo
Rugera war starr vor Entsetzen; und gleich als ob sein ganzes
Bewußtsein zerschmettert worden wäre, hielt er sich jetzt an dem
Pfeiler, an welchem er hatte sterben wollen, um nicht umzufallen.
Der Boden wankte unter seinen Füßen, alle Wände des Gefäng-

nisses rissen, der ganze Bau neigte sich, nach der Straße zu ein-
zustürzen, und nur der, seinem langsamen Fall begegnende, Fall
des gegenüberstehenden Gebäudes verhinderte, durch eine zufällige Wölbung, die gänzliche Zubodenstreckung desselben.
Zitternd, mit sträubenden Haaren, und Knieen, die unter ihm
brechen wollten, glitt Jeronimo über den schiefgesenkten Fußboden hinweg, der Öffnung zu, die der Zusammenschlag beider
Häuser in die vordere Wand des Gefängnisses eingerissen hatte.

Kaum befand er sich im Freien, als die ganze, schon erschütterte
Straße auf eine zweite Bewegung der Erde völlig zusammenfiel.
Besinnungslos, wie er sich aus diesem allgemeinen Verderben
retten würde, eilte er, über Schutt und Gebälk hinweg, indessen
der Tod von allen Seiten Angriffe auf ihn machte, nach einem
der nächsten Tore der Stadt. Hier stürzte noch ein Haus zusammen, und jagte ihn, die Trümmer weit umherschleudernd, in
eine Nebenstraße; hier leckte die Flamme schon, in Dampf-
wolken blitzend, aus allen Giebeln, und trieb ihn schreckenvoll
in eine andere; hier wälzte sich, aus seinem Gestade gehoben,
der Mapochofluß auf ihn heran, und riß ihn brüllend in eine
dritte. Hier lag ein Haufen Erschlagener, hier ächzte noch eine
Stimme unter dem Schutte, hier schrieen Leute von brennenden
Dächern herab, hier kämpften Menschen und Tiere mit den
Wellen, hier war ein mutiger Retter bemüht, zu helfen; hier
stand ein anderer, bleich wie der Tod, und streckte sprachlos zitternde Hände zum Himmel. Als Jeronimo das Tor erreicht, und
einen Hügel jenseits desselben bestiegen hatte, sank er ohnmächtig auf demselben nieder.

Er mochte wohl eine Viertelstunde in der tiefsten Bewußt-
losigkeit gelegen haben, als er endlich wieder erwachte, und sich,
mit nach der Stadt gekehrtem Rücken, halb auf dem Erdboden
erhob. Er befühlte sich Stirn und Brust, unwissend, was er aus
seinem Zustande machen sollte, und ein unsägliches Wonne-
gefühl ergriff ihn, als ein Westwind, vom Meere her, sein wieder-
kehrendes Leben anwehte, und sein Auge sich nach allen Richtungen über die blühende Gegend von St. Jago hinwandte. Nur
die verstörten Menschenhaufen, die sich überall blicken ließen,
beklemmten sein Herz; er begriff nicht, was ihn und sie hieher-
geführt haben konnte, und erst, da er sich umkehrte, und die

Stadt hinter sich versunken sah, erinnerte er sich des schrecklichen
Augenblicks, den er erlebt hatte. Er senkte sich so tief, daß seine
Stirn den Boden berührte, Gott für seine wunderbare Errettung
zu danken; und gleich, als ob der eine entsetzliche Eindruck, der
sich seinem Gemüt eingeprägt hatte, alle früheren daraus ver-
drängt hätte, weinte er vor Lust, daß er sich des lieblichen Lebens,
voll bunter Erscheinungen, noch erfreue.

Drauf, als er eines Ringes an seiner Hand gewahrte, erinnerte
er sich plötzlich auch Josephens; und mit ihr seines Gefängnisses,
der Glocken, die er dort gehört hatte, und des Augenblicks, der
dem Einsturze desselben vorangegangen war. Tiefe Schwermut
erfüllte wieder seine Brust; sein Gebet fing ihn zu reuen an, und
fürchterlich schien ihm das Wesen, das über den Wolken waltet.
Er mischte sich unter das Volk, das überall, mit Rettung des
Eigentums beschäftigt, aus den Toren stürzte, und wagte schüchtern nach der Tochter Asterons, und ob die Hinrichtung an ihr
vollzogen worden sei, zu fragen; doch niemand war, der ihm
umständliche Auskunft gab. Eine Frau, die auf einem fast zur
Erde gedrückten Nacken eine ungeheure Last von Gerätschaften
und zwei Kinder, an der Brust hängend, trug, sagte im Vorbeigehen, als ob sie es selbst angesehen hätte: daß sie enthauptet
worden sei. Jeronimo kehrte sich um; und da er, wenn er die
Zeit berechnete, selbst an ihrer Vollendung nicht zweifeln konnte,
so setzte er sich in einem einsamen Walde nieder, und überließ
sich seinem vollen Schmerz. Er wünschte, daß die zerstörende
Gewalt der Natur von neuem über ihn einbrechen möchte. Er
begriff nicht, warum er dem Tode, den seine jammervolle Seele
suchte, in jenen Augenblicken, da er ihm freiwillig von allen
Seiten rettend erschien, entflohen sei. Er nahm sich fest vor, nicht
zu wanken, wenn auch jetzt die Eichen entwurzelt werden, und
ihre Wipfel über ihn zusammenstürzen sollten. Darauf nun, da
er sich ausgeweint hatte, und ihm, mitten unter den heißesten
Tränen, die Hoffnung wieder erschienen war, stand er auf, und
durchstreifte nach allen Richtungen das Feld. Jeden Berggipfel,
auf dem sich die Menschen versammelt hatten, besuchte er; auf
allen Wegen, wo sich der Strom der Flucht noch bewegte, begegnete er ihnen; wo nur irgend ein weibliches Gewand im
Winde flatterte, da trug ihn sein zitternder Fuß hin: doch keines

deckte die geliebte Tochter Asterons. Die Sonne neigte sich, und
mit ihr seine Hoffnung schon wieder zum Untergange, als er
den Rand eines Felsens betrat, und sich ihm die Aussicht in ein
weites, nur von wenig Menschen besuchtes Tal eröffnete. Er
durchlief, unschlüssig, was er tun sollte, die einzelnen Gruppen
derselben, und wollte sich schon wieder wenden, als er plötzlich
an einer Quelle, die die Schlucht bewässerte, ein junges Weib erblickte, beschäftigt, ein Kind in seinen Fluten zu reinigen. Und
das Herz hüpfte ihm bei diesem Anblick: er sprang voll Ahndung
über die Gesteine herab, und rief: O Mutter Gottes, du Heilige!
und erkannte Josephen, als sie sich bei dem Geräusche schüchtern
umsah. Mit welcher Seligkeit umarmten sie sich, die Unglücklichen, die ein Wunder des Himmels gerettet hatte!

Josephe war, auf ihrem Gang zum Tode, dem Richtplatze
schon ganz nahe gewesen, als durch den krachenden Einsturz der
Gebäude plötzlich der ganze Hinrichtungszug auseinander ge-
sprengt ward. Ihre ersten entsetzensvollen Schritte trugen sie
hierauf dem nächsten Tore zu; doch die Besinnung kehrte ihr
bald wieder, und sie wandte sich, um nach dem Kloster zu eilen,
wo ihr kleiner, hülfloser Knabe zurückgeblieben war. Sie fand
das ganze Kloster schon in Flammen, und die Äbtissin, die ihr in
jenen Augenblicken, die ihre letzten sein sollten, Sorge für den
Säugling angelobt hatte, schrie eben, vor den Pforten stehend,
nach Hülfe, um ihn zu retten. Josephe stürzte sich, unerschrocken
durch den Dampf, der ihr entgegenqualmte, in das von allen
Seiten schon zusammenfallende Gebäude, und gleich, als ob alle
Engel des Himmels sie umschirmten, trat sie mit ihm unbeschä-
digt wieder aus dem Portal hervor. Sie wollte der Äbtissin,
welche die Hände über ihr Haupt zusammenschlug, eben in die
Arme sinken, als diese, mit fast allen ihren Klosterfrauen, von
einem herabfallenden Giebel des Hauses, auf eine schmähliche
Art erschlagen ward. Josephe bebte bei diesem entsetzlichen Anblicke zurück; sie drückte der Äbtissin flüchtig die Augen zu,
und floh, ganz von Schrecken erfüllt, den teuern Knaben, den
ihr der Himmel wieder geschenkt hatte, dem Verderben zu entreißen.

Sie hatte noch wenig Schritte getan, als ihr auch schon die
Leiche des Erzbischofs begegnete, die man soeben zerschmettert

aus dem Schutt der Kathedrale hervorgezogen hatte. Der Palast
des Vizekönigs war versunken, der Gerichtshof, in welchem ihr
das Urteil gesprochen worden war, stand in Flammen, und an
die Stelle, wo sich ihr väterliches Haus befunden hatte, war ein
See getreten, und kochte rötliche Dämpfe aus. Josephe raffte alle
ihre Kräfte zusammen, sich zu halten. Sie schritt, den Jammer
von ihrer Brust entfernend, mutig mit ihrer Beute von Straße
zu Straße, und war schon dem Tore nah, als sie auch das Gefängnis, in welchem Jeronimo geseufzt hatte, in Trümmern sah. Bei
diesem Anblicke wankte sie, und wollte besinnungslos an einer
Ecke niedersinken; doch in demselben Augenblick jagte sie der
Sturz eines Gebäudes hinter ihr, das die Erschütterungen schon
ganz aufgelöst hatten, durch das Entsetzen gestärkt, wieder auf;
sie küßte das Kind, drückte sich die Tränen aus den Augen, und
erreichte, nicht mehr auf die Greuel, die sie umringten, achtend,
das Tor. Als sie sich im Freien sah, schloß sie bald, daß nicht jeder, der ein zertrümmertes Gebäude bewohnt hatte, unter ihm
notwendig müsse zerschmettert worden sein.

An dem nächsten Scheidewege stand sie still, und harrte, ob
nicht einer, der ihr, nach dem kleinen Philipp, der liebste auf der
Welt war, noch erscheinen würde. Sie ging, weil niemand kam,
und das Gewühl der Menschen anwuchs, weiter, und kehrte sich
wieder um, und harrte wieder; und schlich, viel Tränen ver-
gießend, in ein dunkles, von Pinien beschattetes Tal, um seiner
Seele, die sie entflohen glaubte, nachzubeten; und fand ihn hier,
diesen Geliebten, im Tale, und Seligkeit, als ob es das Tal von
Eden gewesen wäre.

Dies alles erzählte sie jetzt voll Rührung dem Jeronimo, und
reichte ihm, da sie vollendet hatte, den Knaben zum Küssen dar. –
Jeronimo nahm ihn, und hätschelte ihn in unsäglicher Vater-
freude, und verschloß ihm, da er das fremde Antlitz anweinte,
mit Liebkosungen ohne Ende den Mund. Indessen war die
schönste Nacht herabgestiegen, voll wundermilden Duftes, so
silberglänzend und still, wie nur ein Dichter davon träumen mag.
Überall, längs der Talquelle, hatten sich, im Schimmer des Mond-
scheins, Menschen niedergelassen, und bereiteten sich sanfte Lager
von Moos und Laub, um von einem so qualvollen Tage auszuruhen. Und weil die Armen immer noch jammerten; dieser, daß

er sein Haus, jener, daß er Weib und Kind, und der dritte, daß er
alles verloren habe: so schlichen Jeronimo und Josephe in ein
dichteres Gebüsch, um durch das heimliche Gejauchz ihrer Seelen niemand zu betrüben. Sie fanden einen prachtvollen Granat-
apfelbaum, der seine Zweige, voll duftender Früchte, weit ausbreitete; und die Nachtigall flötete im Wipfel ihr wollüstiges
Lied. Hier ließ sich Jeronimo am Stamme nieder, und Josephe in
seinem, Philipp in Josephens Schoß, saßen sie, von seinem Mantel
bedeckt, und ruhten. Der Baumschatten zog, mit seinen ver-
streuten Lichtern, über sie hinweg, und der Mond erblaßte
schon wieder vor der Morgenröte, ehe sie einschliefen. Denn Unendliches hatten sie zu schwatzen vom Klostergarten und den
Gefängnissen, und was sie um einander gelitten hätten; und waren sehr gerührt, wenn sie dachten, wie viel Elend über die Welt
kommen mußte, damit sie glücklich würden!

Sie beschlossen, sobald die Erderschütterungen aufgehört haben würden, nach La Conception zu gehen, wo Josephe eine ver-
traute Freundin hatte, sich mit einem kleinen Vorschuß, den sie
von ihr zu erhalten hoffte, von dort nach Spanien einzuschiffen,
wo Jeronimos mütterliche Verwandten wohnten, und daselbst ihr
glückliches Leben zu beschließen. Hierauf, unter vielen Küssen,
schliefen sie ein.

Als sie erwachten, stand die Sonne schon hoch am Himmel,
und sie bemerkten in ihrer Nähe mehrere Familien, beschäftigt,
sich am Feuer ein kleines Morgenbrot zu bereiten. Jeronimo
dachte eben auch, wie er Nahrung für die Seinigen herbeischaffen
sollte, als ein junger wohlgekleideter Mann, mit einem Kinde
auf dem Arm, zu Josephen trat, und sie mit Bescheidenheit fragte:
ob sie diesem armen Wurme, dessen Mutter dort unter den Bäumen beschädigt liege, nicht auf kurze Zeit ihre Brust reichen
wolle? Josephe war ein wenig verwirrt, als sie in ihm einen Bekannten erblickte; doch da er, indem er ihre Verwirrung falsch
deutete, fortfuhr: es ist nur auf wenige Augenblicke, Donna
Josephe, und dieses Kind hat, seit jener Stunde, die uns alle unglücklich gemacht hat, nichts genossen; so sagte sie: »ich schwieg
– aus einem andern Grunde, Don Fernando; in diesen schrecklichen Zeiten weigert sich niemand, von dem, was er besitzen
mag, mitzuteilen«: und nahm den kleinen Fremdling, indem sie

ihr eigenes Kind dem Vater gab, und legte ihn an ihre Brust. Don
Fernando war sehr dankbar für diese Güte, und fragte: ob sie
sich nicht mit ihm zu jener Gesellschaft verfügen wollten, wo
eben jetzt beim Feuer ein kleines Frühstück bereitet werde? Josephe antwortete, daß sie dies Anerbieten mit Vergnügen annehmen würde, und folgte ihm, da auch Jeronimo nichts einzuwenden hatte, zu seiner Familie, wo sie auf das innigste und zärtlichste von Don Fernandos beiden Schwägerinnen, die sie als
sehr würdige junge Damen kannte, empfangen ward.

Donna Elvire, Don Fernandos Gemahlin, welche schwer an
den Füßen verwundet auf der Erde lag, zog Josephen, da sie ihren
abgehärmten Knaben an der Brust derselben sah, mit vieler
Freundlichkeit zu sich nieder. Auch Don Pedro, sein Schwieger-
vater, der an der Schulter verwundet war, nickte ihr lieblich mit
dem Haupte zu. –

In Jeronimos und Josephens Brust regten sich Gedanken von
seltsamer Art. Wenn sie sich mit so vieler Vertraulichkeit und
Güte behandelt sahen, so wußten sie nicht, was sie von der Ver-
gangenheit denken sollten, vom Richtplatze, von dem Gefäng-
nisse, und der Glocke; und ob sie bloß davon geträumt hätten?
Es war, als ob die Gemüter, seit dem fürchterlichen Schlage, der
sie durchdröhnt hatte, alle versöhnt wären. Sie konnten in der
Erinnerung gar nicht weiter, als bis auf ihn, zurückgehen. Nur
Donna Elisabeth, welche bei einer Freundin, auf das Schauspiel
des gestrigen Morgens, eingeladen worden war, die Einladung
aber nicht angenommen hatte, ruhte zuweilen mit träumerischem
Blicke auf Josephen; doch der Bericht, der über irgend ein neues
gräßliches Unglück erstattet ward, riß ihre, der Gegenwart kaum
entflohene Seele schon wieder in dieselbe zurück.

Man erzählte, wie die Stadt gleich nach der ersten Haupt-
erschütterung von Weibern ganz voll gewesen, die vor den Augen
aller Männer niedergekommen seien; wie die Mönche darin,
mit dem Kruzifix in der Hand, umhergelaufen wären, und ge-
schrien hätten: das Ende der Welt sei da! wie man einer Wache,
die auf Befehl des Vizekönigs verlangte, eine Kirche zu räumen,
geantwortet hätte: es gäbe keinen Vizekönig von Chili mehr!
wie der Vizekönig in den schrecklichsten Augenblicken hätte
müssen Galgen aufrichten lassen, um der Dieberei Einhalt zu tun;

und wie ein Unschuldiger, der sich von hinten durch ein brennendes Haus gerettet, von dem Besitzer aus Übereilung ergriffen, und sogleich auch aufgeknüpft worden wäre.

Donna Elvire, bei deren Verletzungen Josephe viel beschäftigt war, hatte in einem Augenblick, da gerade die Erzählungen sich am lebhaftesten kreuzten, Gelegenheit genommen, sie zu fragen: wie es denn ihr an diesem fürchterlichen Tag ergangen sei? Und da Josephe ihr, mit beklemmtem Herzen, einige Hauptzüge davon angab, so ward ihr die Wollust, Tränen in die Augen dieser Dame treten zu sehen; Donna Elvire ergriff ihre Hand, und drückte sie, und winkte ihr, zu schweigen. Josephe dünkte sich unter den Seligen. Ein Gefühl, das sie nicht unterdrücken konnte, nannte den verfloßnen Tag, so viel Elend er auch über die Welt gebracht hatte, eine Wohltat, wie der Himmel noch keine über sie verhängt hatte. Und in der Tat schien, mitten in diesen gräßlichen Augenblicken, in welchen alle irdischen Güter der Menschen zu Grunde gingen, und die ganze Natur verschüttet zu werden drohte, der menschliche Geist selbst, wie eine schöne Blume, aufzugehn. Auf den Feldern, so weit das Auge reichte, sah man Menschen von allen Ständen durcheinander liegen, Fürsten und Bettler, Matronen und Bäuerinnen, Staatsbeamte und Tagelöhner, Klosterherren und Klosterfrauen: einander bemitleiden, sich wechselseitig Hülfe reichen, von dem, was sie zur Erhaltung ihres Lebens gerettet haben mochten, freudig mitteilen, als ob das allgemeine Unglück alles, was ihm entronnen war, zu *einer* Familie gemacht hätte.

Statt der nichtssagenden Unterhaltungen, zu welchen sonst die Welt an den Teetischen den Stoff hergegeben hatte, erzählte man jetzt Beispiele von ungeheuern Taten: Menschen, die man sonst in der Gesellschaft wenig geachtet hatte, hatten Römergröße gezeigt; Beispiele zu Haufen von Unerschrockenheit, von freudiger Verachtung der Gefahr, von Selbstverleugnung und der göttlichen Aufopferung, von ungesäumter Wegwerfung des Lebens, als ob es, dem nichtswürdigsten Gute gleich, auf dem nächsten Schritte schon wiedergefunden würde. Ja, da nicht einer war, für den nicht an diesem Tage etwas Rührendes geschehen wäre, oder der nicht selbst etwas Großmütiges getan hätte, so war der Schmerz in jeder Menschenbrust mit so viel süßer Lust vermischt, daß sich, wie sie meinte, gar nicht angeben ließ, ob die Summe

des allgemeinen Wohlseins nicht von der einen Seite um ebenso
viel gewachsen war, als sie von der anderen abgenommen hatte.

Jeronimo nahm Josephen, nachdem sich beide in diesen Be-
trachtungen stillschweigend erschöpft hatten, beim Arm, und
führte sie mit unaussprechlicher Heiterkeit unter den schattigen
Lauben des Granatwaldes auf und nieder. Er sagte ihr, daß er, bei
dieser Stimmung der Gemüter und dem Umsturz aller Verhältnisse, seinen Entschluß, sich nach Europa einzuschiffen, aufgebe;
daß er vor dem Vizekönig, der sich seiner Sache immer günstig
gezeigt, falls er noch am Leben sei, einen Fußfall wagen würde;
und daß er Hoffnung habe (wobei er ihr einen Kuß aufdrückte),
mit ihr in Chili zurückzubleiben. Josephe antwortete, daß ähnliche Gedanken in ihr aufgestiegen wären; daß auch sie nicht
mehr, falls ihr Vater nur noch am Leben sei, ihn zu versöhnen
zweifle; daß sie aber statt des Fußfalles lieber nach La Conception
zu gehen, und von dort aus schriftlich das Versöhnungsgeschäft
mit dem Vizekönig zu betreiben rate, wo man auf jeden Fall in
der Nähe des Hafens wäre, und für den besten, wenn das Geschäft die erwünschte Wendung nähme, ja leicht wieder nach
St. Jago zurückkehren könnte. Nach einer kurzen Überlegung
gab Jeronimo der Klugheit dieser Maßregel seinen Beifall,
führte sie noch ein wenig, die heitern Momente der Zukunft
überfliegend, in den Gängen umher, und kehrte mit ihr zur Gesellschaft zurück.

Inzwischen war der Nachmittag herangekommen, und die
Gemüter der herumschwärmenden Flüchtlinge hatten sich, da
die Erdstöße nachließen, nur kaum wieder ein wenig beruhigt, als
sich schon die Nachricht verbreitete, daß in der Dominikaner-
kirche, der einzigen, welche das Erdbeben verschont hatte, eine
feierliche Messe von dem Prälaten des Klosters selbst gelesen werden würde, den Himmel um Verhütung fernern Unglücks an-
zuflehen.

Das Volk brach schon aus allen Gegenden auf, und eilte in
Strömen zur Stadt. In Don Fernandos Gesellschaft ward die Frage
aufgeworfen, ob man nicht auch an dieser Feierlichkeit Teil nehmen, und sich dem allgemeinen Zuge anschließen solle? Donna
Elisabeth erinnerte, mit einiger Beklemmung, was für ein Un-
heil gestern in der Kirche vorgefallen sei; daß solche Dankfeste

ja wiederholt werden würden, und daß man sich der Empfindung alsdann, weil die Gefahr schon mehr vorüber wäre, mit
desto größerer Heiterkeit und Ruhe überlassen könnte. Josephe
äußerte, indem sie mit einiger Begeisterung sogleich aufstand,
daß sie den Drang, ihr Antlitz vor dem Schöpfer in den Staub zu   5
legen, niemals lebhafter empfunden habe, als eben jetzt, wo er
seine unbegreifliche und erhabene Macht so entwickle. Donna
Elvire erklärte sich mit Lebhaftigkeit für Josephens Meinung. Sie
bestand darauf, daß man die Messe hören sollte, und rief Don
Fernando auf, die Gesellschaft zu führen, worauf sich alles, Donna   10
Elisabeth auch, von den Sitzen erhob. Da man jedoch letztere,
mit heftig arbeitender Brust, die kleinen Anstalten zum Aufbruche
zaudernd betreiben sah, und sie, auf die Frage: was ihr fehle? antwortete: sie wisse nicht, welch eine unglückliche Ahndung in
ihr sei? so beruhigte sie Donna Elvire, und foderte sie auf, bei   15
ihr und ihrem kranken Vater zurückzubleiben. Josephe sagte:
so werden Sie mir wohl, Donna Elisabeth, diesen kleinen Lieb-
ling abnehmen, der sich schon wieder, wie Sie sehen, bei mir eingefunden hat. Sehr gern, antwortete Donna Elisabeth, und machte
Anstalten ihn zu ergreifen; doch da dieser über das Unrecht, das   20
ihm geschah, kläglich schrie, und auf keine Art darein willigte, so
sagte Josephe lächelnd, daß sie ihn nur behalten wolle, und küßte
ihn wieder still. Hierauf bot Don Fernando, dem die ganze Würdigkeit und Anmut ihres Betragens sehr gefiel, ihr den Arm; Jeronimo, welcher den kleinen Philipp trug, führte Donna Con-   25
stanzen; die übrigen Mitglieder, die sich bei der Gesellschaft eingefunden hatten, folgten; und in dieser Ordnung ging der Zug
nach der Stadt.

Sie waren kaum funfzig Schritte gegangen, als man Donna
Elisabeth welche inzwischen heftig und heimlich mit Donna   30
Elvire gesprochen hatte: Don Fernando! rufen hörte, und dem
Zuge mit unruhigen Tritten nacheilen sah. Don Fernando hielt,
und kehrte sich um; harrte ihrer, ohne Josephen loszulassen, und
fragte, da sie, gleich als ob sie auf sein Entgegenkommen wartete,
in einiger Ferne stehen blieb: was sie wolle? Donna Elisabeth   35
näherte sich ihm hierauf, obschon, wie es schien, mit Widerwillen,
und raunte ihm, doch so, daß Josephe es nicht hören konnte,
einige Worte ins Ohr. Nun? fragte Don Fernando: und das Un-

glück, das daraus entstehen kann? Donna Elisabeth fuhr fort, ihm
mit verstörtem Gesicht ins Ohr zu zischeln. Don Fernando stieg
eine Röte des Unwillens ins Gesicht; er antwortete: es wäre gut!
Donna Elvire möchte sich beruhigen; und führte seine Dame
weiter. –

Als sie in der Kirche der Dominikaner ankamen, ließ sich die
Orgel schon mit musikalischer Pracht hören, und eine unermeßliche Menschenmenge wogte darin. Das Gedränge erstreckte sich
bis weit vor den Portalen auf den Vorplatz der Kirche hinaus,
und an den Wänden hoch, in den Rahmen der Gemälde, hingen
Knaben, und hielten mit erwartungsvollen Blicken ihre Mützen
in der Hand. Von allen Kronleuchtern strahlte es herab, die Pfeiler warfen, bei der einbrechenden Dämmerung, geheimnisvolle
Schatten, die große von gefärbtem Glas gearbeitete Rose in der
Kirche äußerstem Hintergrunde glühte, wie die Abendsonne
selbst, die sie erleuchtete, und Stille herrschte, da die Orgel jetzt
schwieg, in der ganzen Versammlung, als hätte keiner einen
Laut in der Brust. Niemals schlug aus einem christlichen Dom
eine solche Flamme der Inbrunst gen Himmel, wie heute aus dem
Dominikanerdom zu St. Jago; und keine menschliche Brust
gab wärmere Glut dazu her, als Jeronimos und Josephens!

Die Feierlichkeit fing mit einer Predigt an, die der ältesten
Chorherren einer, mit dem Festschmuck angetan, von der Kanzel
hielt. Er begann gleich mit Lob, Preis und Dank, seine zitternden,
vom Chorhemde weit umflossenen Hände hoch gen Himmel er-
hebend, daß noch Menschen seien, auf diesem, in Trümmer zer-
fallenden Teile der Welt, fähig, zu Gott empor zu stammeln. Er
schilderte, was auf den Wink des Allmächtigen geschehen war;
das Weltgericht kann nicht entsetzlicher sein; und als er das
gestrige Erdbeben gleichwohl, auf einen Riß, den der Dom erhalten hatte, hinzeigend, einen bloßen Vorboten davon nannte,
lief ein Schauder über die ganze Versammlung. Hierauf kam er,
im Flusse priesterlicher Beredsamkeit, auf das Sittenverderbnis
der Stadt; Greuel, wie Sodom und Gomorrha sie nicht sahen,
straft' er an ihr; und nur der unendlichen Langmut Gottes schrieb
er es zu, daß sie noch nicht gänzlich vom Erdboden vertilgt
worden sei.

Aber wie dem Dolche gleich fuhr es durch die von dieser Pre-

digt schon ganz zerrissenen Herzen unserer beiden Unglücklichen,
als der Chorherr bei dieser Gelegenheit umständlich des Frevels
erwähnte, der in dem Klostergarten der Karmeliterinnen verübt
worden war; die Schonung, die er bei der Welt gefunden
hatte, gottlos nannte, und in einer von Verwünschungen erfüllten Seitenwendung, die Seelen der Täter, wörtlich genannt, allen
Fürsten der Hölle übergab! Donna Constanze rief, indem sie an
Jeronimos Armen zuckte: Don Fernando! Doch dieser antwortete
so nachdrücklich und doch so heimlich, wie sich beides verbinden
ließ: »Sie schweigen, Donna, Sie rühren auch den Augapfel nicht,
und tun, als ob Sie in eine Ohnmacht versänken; worauf wir die
Kirche verlassen.« Doch, ehe Donna Constanze diese sinnreiche
zur Rettung erfundene Maßregel noch ausgeführt hatte, rief
schon eine Stimme, des Chorherrn Predigt laut unterbrechend,
aus: Weichet fern hinweg, ihr Bürger von St. Jago, hier stehen
diese gottlosen Menschen! Und als eine andere Stimme schreckenvoll, indessen sich ein weiter Kreis des Entsetzens um sie bildete,
fragte: wo? hier! versetzte ein Dritter, und zog, heiliger Ruch-
losigkeit voll, Josephen bei den Haaren nieder, daß sie mit Don
Fernandos Sohne zu Boden getaumelt wäre, wenn dieser sie nicht
gehalten hätte. »Seid ihr wahnsinnig?« rief der Jüngling, und schlug
den Arm um Josephen: »ich bin Don Fernando Ormez, Sohn des
Kommandanten der Stadt, den ihr alle kennt.« Don Fernando
Ormez? rief, dicht vor ihn hingestellt, ein Schuhflicker, der für
Josephen gearbeitet hatte, und diese wenigstens so genau kannte,
als ihre kleinen Füße. Wer ist der Vater zu diesem Kinde? wandte
er sich mit frechem Trotz zur Tochter Asterons. Don Fernando
erblaßte bei dieser Frage. Er sah bald den Jeronimo schüchtern
an, bald überflog er die Versammlung, ob nicht einer sei, der ihn
kenne? Josephe rief, von entsetzlichen Verhältnissen gedrängt:
dies ist nicht mein Kind, Meister Pedrillo, wie Er glaubt; indem
sie, in unendlicher Angst der Seele, auf Don Fernando blickte:
dieser junge Herr ist Don Fernando Ormez, Sohn des Kommandanten der Stadt, den ihr alle kennt! Der Schuster fragte: wer
von euch, ihr Bürger, kennt diesen jungen Mann? Und mehrere
der Umstehenden wiederholten: wer kennt den Jeronimo Rugera? Der trete vor! Nun traf es sich, daß in demselben Augenblicke der kleine Juan, durch den Tumult erschreckt, von Jo-

sephens Brust weg Don Fernando in die Arme strebte. Hierauf:
Er *ist* der Vater! schrie eine Stimme; und: er *ist* Jeronimo Rugera!
eine andere; und: sie *sind* die gotteslästerlichen Menschen! eine
dritte; und: steinigt sie! steinigt sie! die ganze im Tempel Jesu
versammelte Christenheit! Drauf jetzt Jeronimo: Halt! Ihr Unmenschlichen! Wenn ihr den Jeronimo Rugera sucht: hier ist er!
Befreit jenen Mann, welcher unschuldig ist! –

Der wütende Haufen, durch die Äußerung Jeronimos verwirrt,
stutzte; mehrere Hände ließen Don Fernando los; und da in demselben Augenblick ein Marine-Offizier von bedeutendem Rang
herbeieilte, und, indem er sich durch den Tumult drängte, fragte:
Don Fernando Ormez! Was ist Euch widerfahren? so antwortete
dieser, nun völlig befreit, mit wahrer heldenmütiger Besonnen-
heit: »Ja, sehen Sie, Don Alonzo, die Mordknechte! Ich wäre verloren gewesen, wenn dieser würdige Mann sich nicht, die rasende Menge zu beruhigen, für Jeronimo Rugera ausgegeben
hätte. Verhaften Sie ihn, wenn Sie die Güte haben wollen, nebst
dieser jungen Dame, zu ihrer beiderseitigen Sicherheit; und diesen Nichtswürdigen«, indem er Meister Pedrillo ergriff, »der den
ganzen Aufruhr angezettelt hat!« Der Schuster rief: Don Alonzo
Onoreja, ich frage Euch auf Euer Gewissen, ist dieses Mädchen
nicht Josephe Asteron? Da nun Don Alonzo, welcher Josephen
sehr genau kannte, mit der Antwort zauderte, und mehrere Stimmen, dadurch von neuem zur Wut entflammt, riefen: sie ists, sie
ists! und: bringt sie zu Tode! so setzte Josephe den kleinen Philipp, den Jeronimo bisher getragen hatte, samt dem kleinen Juan,
auf Don Fernandos Arm, und sprach: gehn Sie, Don Fernando,
retten Sie Ihre beiden Kinder, und überlassen Sie uns unserm
Schicksale!

Don Fernando nahm die beiden Kinder und sagte: er wolle
eher umkommen, als zugeben, daß seiner Gesellschaft etwas zu
Leide geschehe. Er bot Josephen, nachdem er sich den Degen des
Marine-Offiziers ausgebeten hatte, den Arm, und forderte das
hintere Paar auf, ihm zu folgen. Sie kamen auch wirklich, indem
man ihnen, bei solchen Anstalten, mit hinlänglicher Ehrerbietig-
keit Platz machte, aus der Kirche heraus, und glaubten sich gerettet. Doch kaum waren sie auf den von Menschen gleichfalls
erfüllten Vorplatz derselben getreten, als eine Stimme aus dem

rasenden Haufen, der sie verfolgt hatte, rief: dies ist Jeronimo
Rugera, ihr Bürger, denn ich bin sein eigner Vater! und ihn an
Donna Constanzens Seite mit einem ungeheuren Keulenschlage
zu Boden streckte. Jesus Maria! rief Donna Constanze, und floh
zu ihrem Schwager; doch: Klostermetze! erscholl es schon, mit
einem zweiten Keulenschlage, von einer andern Seite, der sie
leblos neben Jeronimo niederwarf. Ungeheuer! rief ein Unbekannter: dies war Donna Constanze Xares! Warum belogen sie
uns! antwortete der Schuster; sucht die rechte auf, und bringt
sie um! Don Fernando, als er Constanzens Leichnam erblickte,
glühte vor Zorn; er zog und schwang das Schwert, und hieb,
daß er ihn gespalten hätte, den fanatischen Mordknecht, der
diese Greuel veranlaßte, wenn derselbe nicht, durch eine Wendung, dem wütenden Schlag entwichen wäre. Doch da er die
Menge, die auf ihn eindrang, nicht überwältigen konnte: leben
Sie wohl, Don Fernando mit den Kindern! rief Josephe – und:
hier mordet mich, ihr blutdürstenden Tiger! und stürzte sich freiwillig unter sie, um dem Kampf ein Ende zu machen. Meister
Pedrillo schlug sie mit der Keule nieder. Darauf ganz mit ihrem
Blute besprützt: schickt ihr den Bastard zur Hölle nach! rief er,
und drang, mit noch ungesättigter Mordlust, von neuem vor.

   Don Fernando, dieser göttliche Held, stand jetzt, den Rücken
an die Kirche gelehnt; in der Linken hielt er die Kinder, in der
Rechten das Schwert. Mit jedem Hiebe wetterstrahlte er einen
zu Boden; ein Löwe wehrt sich nicht besser. Sieben Bluthunde
lagen tot vor ihm, der Fürst der satanischen Rotte selbst war verwundet. Doch Meister Pedrillo ruhte nicht eher, als bis er der
Kinder eines bei den Beinen von seiner Brust gerissen, und, hoch-
her im Kreise geschwungen, an eines Kirchpfeilers Ecke zerschmettert hatte. Hierauf ward es still, und alles entfernte sich.
Don Fernando, als er seinen kleinen Juan vor sich liegen sah, mit
aus dem Hirne vorquellenden Mark, hob, voll namenlosen
Schmerzes, seine Augen gen Himmel.

   Der Marine-Offizier fand sich wieder bei ihm ein, suchte ihn
zu trösten, und versicherte ihn, daß seine Untätigkeit bei diesem
Unglück, obschon durch mehrere Umstände gerechtfertigt, ihn
reue; doch Don Fernando sagte, daß ihm nichts vorzuwerfen sei,
und bat ihn nur, die Leichname jetzt fortschaffen zu helfen. Man

trug sie alle, bei der Finsternis der einbrechenden Nacht, in Don
Alonzos Wohnung, wohin Don Fernando ihnen, viel über das
Antlitz des kleinen Philipp weinend, folgte. Er übernachtete auch
bei Don Alonzo, und säumte lange, unter falschen Vorspiegelungen, seine Gemahlin von dem ganzen Umfang des Unglücks
zu unterrichten; einmal, weil sie krank war, und dann, weil er
auch nicht wußte, wie sie sein Verhalten bei dieser Begebenheit
beurteilen würde; doch kurze Zeit nachher, durch einen Besuch
zufällig von allem, was geschehen war, benachrichtigt, weinte
diese treffliche Dame im Stillen ihren mütterlichen Schmerz aus,
und fiel ihm mit dem Rest einer erglänzenden Träne eines Morgens um den Hals und küßte ihn. Don Fernando und Donna
Elvire nahmen hierauf den kleinen Fremdling zum Pflegesohn
an; und wenn Don Fernando Philippen mit Juan verglich, und
wie er beide erworben hatte, so war es ihm fast, als müßt er
sich freuen.

Erzählanfang

DIE VERLOBUNG IN ST. DOMINGO

Zu Port au Prince, auf dem französischen Anteil der Insel St. Domingo, lebte, zu Anfange dieses Jahrhunderts, als die Schwarzen die Weißen ermordeten, auf der Pflanzung des Herrn Guillaume von Villeneuve, ein fürchterlicher alter Neger, namens Congo Hoango. Dieser von der Goldküste von Afrika herstammende Mensch, der in seiner Jugend von treuer und rechtschaffener Gemütsart schien, war von seinem Herrn, weil er ihm einst auf einer Überfahrt nach Cuba das Leben gerettet hatte, mit unendlichen Wohltaten überhäuft worden. Nicht nur, daß Herr Guillaume ihm auf der Stelle seine Freiheit schenkte, und ihm, bei seiner Rückkehr nach St. Domingo, Haus und Hof anwies; er machte ihn sogar, einige Jahre darauf, gegen die Gewohnheit des Landes, zum Aufseher seiner beträchtlichen Besitzung, und legte ihm, weil er nicht wieder heiraten wollte, an Weibes Statt eine alte Mulattin, namens Babekan, aus seiner Pflanzung bei, mit welcher er durch seine erste verstorbene Frau weitläufig verwandt war. Ja, als der Neger sein sechzigstes Jahr erreicht hatte, setzte er ihn mit einem ansehnlichen Gehalt in den Ruhestand und krönte seine Wohltaten noch damit, daß er ihm in seinem Vermächtnis sogar ein Legat auswarf; und doch konnten alle diese Beweise von Dankbarkeit Herrn Villeneuve vor der Wut dieses grimmigen Menschen nicht schützen. Congo Hoango war, bei dem allgemeinen Taumel der Rache, der auf die unbesonnenen Schritte des National-Konvents in diesen Pflanzungen aufloderte, einer der ersten, der die Büchse ergriff, und, eingedenk der Tyrannei, die ihn seinem Vaterlande entrissen hatte, seinem Herrn die Kugel durch den Kopf jagte. Er steckte das Haus, worein die Gemahlin desselben mit ihren drei Kindern und den übrigen Weißen der Niederlassung sich geflüchtet hatte, in Brand, verwüstete die ganze Pflanzung, worauf die Erben, die in Port au Prince wohnten, hätten Anspruch machen können, und zog, als sämtliche zur Besitzung gehörige Etablissements der Erde gleich gemacht waren, mit den Negern, die er versammelt und bewaffnet hatte, in der Nachbarschaft umher, um seinen Mitbrüdern in dem Kampfe gegen die Weißen beizustehen. Bald lauerte er den Reisenden auf, die in bewaffneten Haufen das Land durchkreuzten; bald fiel er am hellen Tage die in ihren Niederlassungen verschanzten Pflanzer selbst an, und ließ alles, was er darin vorfand, über die Klinge springen. Ja, er forderte, in seiner unmenschlichen Rachsucht, sogar die alte Babekan mit ihrer Tochter, einer jungen funfzehnjährigen Mestize, namens Toni, auf, an diesem grimmigen Kriege, bei dem er sich ganz verjüngte, Anteil zu nehmen; und weil das Hauptgebäude der Pflanzung, das er jetzt bewohnte, einsam an der Landstraße lag und sich häufig, während seiner Abwesenheit, weiße oder kreolische Flüchtlinge einfanden, welche darin Nahrung oder ein Unterkommen suchten, so unterrichtete er die Weiber, diese weißen Hunde, wie er sie nannte, mit Unterstützungen und Gefälligkeiten bis zu seiner Wiederkehr hinzuhalten. Babekan, welche in Folge einer grausamen Strafe, die sie in ihrer Jugend erhalten hatte, an der Schwindsucht litt, pflegte in solchen Fällen die junge Toni, die, wegen ihrer ins Gelbliche gehenden Gesichtsfarbe, zu dieser gräßlichen List besonders brauchbar war, mit ihren besten Kleidern auszuputzen; sie ermunterte dieselbe, den Fremden keine Liebkosung zu versagen, bis auf die letzte, die ihr bei Todesstrafe verboten war: und wenn Congo Hoango mit seinem Negertrupp von den Streifereien, die er in der Gegend gemacht hatte, wiederkehrte, war unmittelbarer Tod das Los der Armen, die sich durch diese Künste hatten täuschen lassen.

Nun weiß jedermann, daß im Jahr 1803, als der General Dessalines mit 30000 Negern gegen Port au Prince vorrückte, alles, was die weiße Farbe trug, sich in diesen Platz warf, um ihn zu verteidigen. Denn er war der letzte Stützpunkt der französischen Macht auf dieser Insel, und wenn er fiel, waren alle Weißen, die sich darauf befanden, sämtlich ohne Rettung verloren. Demnach traf es sich, daß gerade in der Abwesenheit des alten Hoango, der mit den Schwarzen, die er um sich hatte, aufgebrochen war, um dem General Dessalines mitten durch die französischen Posten einen Transport von Pulver und Blei zuzuführen, in der Finsternis einer stürmischen und regnigten Nacht, jemand an die hintere Tür seines Hauses klopfte. Die alte Babekan, welche schon

im Bette lag, erhob sich, öffnete, einen bloßen Rock um die Hüf-
ten geworfen, das Fenster, und fragte, wer da sei: »Bei Maria und
allen Heiligen,« sagte der Fremde leise, indem er sich unter das
Fenster stellte: »beantwortet mir, ehe ich Euch dies entdecke, eine
Frage!« Und damit streckte er, durch die Dunkelheit der Nacht,
seine Hand aus, um die Hand der Alten zu ergreifen, und fragte:
»seid Ihr eine Negerin?« Babekan sagte: nun, Ihr seid gewiß ein
Weißer, daß Ihr dieser stockfinstern Nacht lieber ins Antlitz schaut,
als einer Negerin! Kommt herein, setzte sie hinzu, und fürchtet
nichts; hier wohnt eine Mulattin, und die einzige, die sich außer
mir noch im Hause befindet, ist meine Tochter, eine Mestize!
Und damit machte sie das Fenster zu, als wollte sie hinabsteigen
und ihm die Tür öffnen; schlich aber, unter dem Vorwand,
daß sie den Schlüssel nicht sogleich finden könne, mit einigen
Kleidern, die sie schnell aus dem Schrank zusammenraffte, in die
Kammer hinauf und weckte ihre Tochter. »Toni!« sprach sie:
»Toni!« – Was gibts, Mutter? – »Geschwind!« sprach sie. »Aufgestanden und dich angezogen! Hier sind Kleider, weiße Wäsche
und Strümpfe! Ein Weißer, der verfolgt wird, ist vor der Tür
und begehrt eingelassen zu werden!« – Toni fragte: ein Weißer?
indem sie sich halb im Bett aufrichtete. Sie nahm die Kleider,
welche die Alte in der Hand hielt, und sprach: ist er auch allein,
Mutter? Und haben wir, wenn wir ihn einlassen, nichts zu befürchten? – »Nichts, nichts!« versetzte die Alte, indem sie Licht
anmachte: »er ist ohne Waffen und allein, und Furcht, daß wir
über ihn herfallen möchten, zittert in allen seinen Gebeinen!«
Und damit, während Toni aufstand und sich Rock und Strümpfe
anzog, zündete sie die große Laterne an, die in dem Winkel des
Zimmers stand, band dem Mädchen geschwind das Haar, nach
der Landesart, über dem Kopf zusammen, bedeckte sie, nachdem
sie ihr den Latz zugeschnürt hatte, mit einem Hut, gab ihr die
Laterne in die Hand und befahl ihr, auf den Hof hinab zu gehen
und den Fremden herein zu holen.

Inzwischen war auf das Gebell einiger Hofhunde ein Knabe,
namens Nanky, den Hoango auf unehelichem Wege mit einer
Negerin erzeugt hatte, und der mit seinem Bruder Seppy in den
Nebengebäuden schlief, erwacht; und da er beim Schein des
Mondes einen einzelnen Mann auf der hinteren Treppe des Hau-

ses stehen sah: so eilte er sogleich, wie er in solchen Fällen angewiesen war, nach dem Hoftor, durch welches derselbe hereinge-
kommen war, um es zu verschließen. Der Fremde, der nicht begriff, was diese Anstalten zu bedeuten hatten, fragte den Knaben,
den er mit Entsetzen, als er ihm nahe stand, für einen Negerknaben erkannte: wer in dieser Niederlassung wohne? und schon
war er auf die Antwort desselben: »daß die Besitzung, seit dem
Tode Herrn Villeneuves dem Neger Hoango anheim gefallen,«
im Begriff, den Jungen niederzuwerfen, ihm den Schlüssel der
Hofpforte, den er in der Hand hielt, zu entreißen und das weite
Feld zu suchen, als Toni, die Laterne in der Hand, vor das Haus
hinaus trat. »Geschwind!« sprach sie, indem sie seine Hand ergriff und ihn nach der Tür zog: »hier herein!« Sie trug Sorge, indem sie dies sagte, das Licht so zu stellen, daß der volle Strahl
davon auf ihr Gesicht fiel. – Wer bist du? rief der Fremde sträu-
bend, indem er, um mehr als einer Ursache willen betroffen, ihre
junge liebliche Gestalt betrachtete. Wer wohnt in diesem Hause,
in welchem ich, wie du vorgibst, meine Rettung finden soll? –
»Niemand, bei dem Licht der Sonne«, sprach das Mädchen, »als
meine Mutter und ich!« und bestrebte und beeiferte sich, ihn mit
sich fortzureißen. Was, niemand! rief der Fremde, indem er, mit
einem Schritt rückwärts, seine Hand losriß: hat mir dieser Knabe
nicht eben gesagt, daß ein Neger, namens Hoango, darin befindlich sei? – »Ich sage, nein!« sprach das Mädchen, indem sie, mit
einem Ausdruck von Unwillen, mit dem Fuß stampfte; »und wenn
gleich einem Wüterich, der diesen Namen führt, das Haus gehört: abwesend ist er in diesem Augenblick und auf zehn Meilen
davon entfernt!« Und damit zog sie den Fremden mit ihren beiden Händen in das Haus hinein, befahl dem Knaben, keinem
Menschen zu sagen, wer angekommen sei, ergriff, nachdem sie
die Tür erreicht, des Fremden Hand und führte ihn die Treppe
hinauf, nach dem Zimmer ihrer Mutter.

»Nun«, sagte die Alte, welche das ganze Gespräch, von dem
Fenster herab, mit angehört und bei dem Schein des Lichts be-
merkt hatte, daß er ein Offizier war: »was bedeutet der Degen,
den Ihr so schlagfertig unter Eurem Arme tragt? Wir haben
Euch«, setzte sie hinzu, indem sie sich die Brille aufdrückte, »mit
Gefahr unseres Lebens eine Zuflucht in unserm Hause gestattet;

seid Ihr herein gekommen, um diese Wohltat, nach der Sitte
Eurer Landsleute, mit Verräterei zu vergelten?« – Behüte der
Himmel! erwiderte der Fremde, der dicht vor ihren Sessel getreten war. Er ergriff die Hand der Alten, drückte sie an sein Herz,
und indem er, nach einigen im Zimmer schüchtern umherge-
worfenen Blicken, den Degen, den er an der Hüfte trug, ab-
schnallte, sprach er: Ihr seht den elendesten der Menschen, aber
keinen undankbaren und schlechten vor Euch! »Wer seid Ihr?«
fragte die Alte; und damit schob sie ihm mit dem Fuß einen
Stuhl hin, und befahl dem Mädchen, in die Küche zu gehen, und
ihm, so gut es sich in der Eil tun ließ, ein Abendbrot zu bereiten.
Der Fremde erwiderte: ich bin ein Offizier von der französischen
Macht, obschon, wie Ihr wohl selbst urteilt, kein Franzose; mein
Vaterland ist die Schweiz und mein Name Gustav von der Ried.
Ach, hätte ich es niemals verlassen und gegen dies unselige Eiland
vertauscht! Ich komme von Fort Dauphin, wo, wie Ihr wißt,
alle Weißen ermordet worden sind, und meine Absicht ist, Port
au Prince zu erreichen, bevor es dem General Dessalines noch gelungen ist, es mit den Truppen, die er anführt, einzuschließen und
zu belagern. – »Von Fort Dauphin!« rief die Alte. »Und es ist
Euch mit Eurer Gesichtsfarbe geglückt, diesen ungeheuren Weg,
mitten durch ein in Empörung begriffenes Mohrenland, zurück-
zulegen?« Gott und alle Heiligen, erwiderte der Fremde, haben
mich beschützt! – Und ich bin nicht allein, gutes Mütterchen; in
meinem Gefolge, das ich zurückgelassen, befindet sich ein ehr-
würdiger alter Greis, mein Oheim, mit seiner Gemahlin und fünf
Kindern; mehrere Bediente und Mägde, die zur Familie gehören, nicht zu erwähnen; ein Troß von zwölf Menschen, den
ich, mit Hülfe zweier elenden Maulesel, in unsäglich mühe-
vollen Nachtwanderungen, da wir uns bei Tage auf der Heerstraße nicht zeigen dürfen, mit mir fortführen muß. »Ei, mein
Himmel!« rief die Alte, indem sie, unter mitleidigem Kopfschüt-
teln, eine Prise Tabak nahm. »Wo befindet sich denn in diesem
Augenblick Eure Reisegesellschaft?« – Euch, versetzte der Fremde,
nachdem er sich ein wenig besonnen hatte: Euch kann ich mich
anvertrauen; aus der Farbe Eures Gesichts schimmert mir ein
Strahl von der meinigen entgegen. Die Familie befindet sich,
daß Ihr es wißt, eine Meile von hier, zunächst dem Möwenweiher,

in der Wildnis der angrenzenden Gebirgswaldung: Hunger und
Durst zwangen uns vorgestern, diese Zuflucht aufzusuchen. Vergebens schickten wir in der verflossenen Nacht unsere Bedienten
aus, um ein wenig Brot und Wein bei den Einwohnern des Landes aufzutreiben; Furcht, ergriffen und getötet zu werden, hielt
sie ab, die entscheidenden Schritte deshalb zu tun, dergestalt, daß
ich mich selbst heute mit Gefahr meines Lebens habe aufmachen
müssen, um mein Glück zu versuchen. Der Himmel, wenn mich
nicht alles trügt, fuhr er fort, indem er die Hand der Alten drückte,
hat mich mitleidigen Menschen zugeführt, die jene grausame und
unerhörte Erbitterung, welche alle Einwohner dieser Insel ergriffen hat, nicht teilen. Habt die Gefälligkeit, mir für reichlichen
Lohn einige Körbe mit Lebensmitteln und Erfrischungen anzu-
füllen; wir haben nur noch fünf Tagereisen bis Port au Prince, und
wenn ihr uns die Mittel verschafft, diese Stadt zu erreichen, so
werden wir euch ewig als die Retter unseres Lebens ansehen. –
»Ja, diese rasende Erbitterung«, heuchelte die Alte. »Ist es nicht,
als ob die Hände *eines* Körpers, oder die Zähne *eines* Mundes
gegen einander wüten wollten, weil das *eine* Glied nicht ge-
schaffen ist, wie das andere? Was kann ich, deren Vater aus St.
Jago, von der Insel Cuba war, für den Schimmer von Licht, der
auf meinem Antlitz, wenn es Tag wird, erdämmert? Und was
kann meine Tochter, die in Europa empfangen und geboren ist,
dafür, daß der volle Tag jenes Weltteils von dem ihrigen wider-
scheint?« – Wie? rief der Fremde. Ihr, die Ihr nach Eurer ganzen
Gesichtsbildung eine Mulattin, und mithin afrikanischen Ur-
sprungs seid, Ihr wäret samt der lieblichen jungen Mestize, die
mir das Haus aufmachte, mit uns Europäern in *einer* Verdammnis? – »Beim Himmel!« erwiderte die Alte, indem sie die Brille
von der Nase nahm; »meint Ihr, daß das kleine Eigentum, das
wir uns in mühseligen und jammervollen Jahren durch die Arbeit
unserer Hände erworben haben, dies grimmige, aus der Hölle
stammende Räubergesindel nicht reizt? Wenn wir uns nicht
durch List und den ganzen Inbegriff jener Künste, die die Notwehr dem Schwachen in die Hände gibt, vor ihrer Verfolgung
zu sichern wüßten: der Schatten von Verwandtschaft, der über
unsere Gesichter ausgebreitet ist, der, könnt Ihr sicher glauben,
tut es nicht!« – Es ist nicht möglich! rief der Fremde; und wer auf

dieser Insel verfolgt euch? »Der Besitzer dieses Hauses«, antwortete
die Alte: »der Neger Congo Hoango! Seit dem Tode Herrn
Guillaumes, des vormaligen Eigentümers dieser Pflanzung, der
durch seine grimmige Hand beim Ausbruch der Empörung fiel,
sind wir, die wir ihm als Verwandte die Wirtschaft führen, seiner
ganzen Willkür und Gewalttätigkeit preis gegeben. Jedes Stück
Brot, jeden Labetrunk den wir aus Menschlichkeit einem oder
dem andern der weißen Flüchtlinge, die hier zuweilen die Straße
vorüberziehen, gewähren, rechnet er uns mit Schimpfwörtern
und Mißhandlungen an; und nichts wünscht er mehr, als die
Rache der Schwarzen über uns weiße und kreolische Halbhunde,
wie er uns nennt, hereinhetzen zu können, teils um unserer überhaupt, die wir seine Wildheit gegen die Weißen tadeln, los zu
werden, teils um das kleine Eigentum, das wir hinterlassen würden, in Besitz zu nehmen.« – Ihr Unglücklichen! sagte der Fremde;
ihr Bejammernswürdigen! – Und wo befindet sich in diesem
Augenblick dieser Wüterich? »Bei dem Heere des Generals Dessalines,« antwortete die Alte, »dem er, mit den übrigen Schwarzen,
die zu dieser Pflanzung gehören, einen Transport von Pulver
und Blei zuführt, dessen der General bedürftig war. Wir erwarten ihn, falls er nicht auf neue Unternehmungen auszieht, in zehn
oder zwölf Tagen zurück; und wenn er alsdann, was Gott
verhüten wolle, erführe, daß wir einem Weißen, der nach Port
au Prince wandert, Schutz und Obdach gegeben, während er aus
allen Kräften an dem Geschäft Teil nimmt, das ganze Geschlecht
derselben von der Insel zu vertilgen, wir wären alle, das könnt
Ihr glauben, Kinder des Todes.« Der Himmel, der Menschlichkeit
und Mitleiden liebt, antwortete der Fremde, wird Euch in dem,
was Ihr einem Unglücklichen tut, beschützen! – Und weil Ihr
Euch, setzte er, indem er der Alten näher rückte, hinzu, einmal in
diesem Falle des Negers Unwillen zugezogen haben würdet, und
der Gehorsam, wenn Ihr auch dazu zurückkehren wolltet, Euch
fürderhin zu nichts helfen würde; könnt Ihr Euch wohl, für jede
Belohnung, die Ihr nur verlangen mögt, entschließen, meinem
Oheim und seiner Familie, die durch die Reise aufs äußerste angegriffen sind, auf einen oder zwei Tage in Eurem Hause Obdach zu geben, damit sie sich ein wenig erholten? – »Junger Herr!«
sprach die Alte betroffen, »was verlangt Ihr da? Wie ist es, in

einem Hause, das an der Landstraße liegt, möglich, einen Troß
von solcher Größe, als der Eurige ist, zu beherbergen, ohne daß
er den Einwohnern des Landes verraten würde?« – Warum nicht?
versetzte der Fremde dringend: wenn ich sogleich selbst an den
Möwenweiher hinausginge, und die Gesellschaft, noch vor Anbruch des Tages, in die Niederlassung einführte; wenn man alles,
Herrschaft und Dienerschaft, in einem und demselben Gemach
des Hauses unterbrächte, und, für den schlimmsten Fall, etwa noch
die Vorsicht gebrauchte, Türen und Fenster desselben sorgfältig
zu verschließen? – Die Alte erwiderte, nachdem sie den Vorschlag während einiger Zeit erwogen hatte: »daß, wenn er, in der
heutigen Nacht, unternehmen wollte, den Troß aus seiner Berg-
schlucht in die Niederlassung einzuführen, er, bei der Rückkehr
von dort, unfehlbar auf einen Trupp bewaffneter Neger stoßen
würde, der, durch einige vorangeschickte Schützen, auf der Heerstraße angesagt worden wäre.« – Wohlan! versetzte der Fremde:
so begnügen wir uns, für diesen Augenblick, den Unglücklichen
einen Korb mit Lebensmitteln zuzusenden, und sparen das Geschäft, sie in die Niederlassung einzuführen, für die nächstfolgende
Nacht auf. Wollt Ihr, gutes Mütterchen, das tun? – »Nun«,
sprach die Alte, unter vielfachen Küssen, die von den Lippen des
Fremden auf ihre knöcherne Hand niederregneten: »um des
Europäers, meiner Tochter Vater willen, will ich euch, seinen
bedrängten Landsleuten, diese Gefälligkeit erweisen. Setzt Euch
beim Anbruch des morgenden Tages hin, und ladet die Eurigen
in einem Schreiben ein, sich zu mir in die Niederlassung zu verfügen; der Knabe, den Ihr im Hofe gesehen, mag ihnen das
Schreiben mit einigem Mundvorrat überbringen, die Nacht über
zu ihrer Sicherheit in den Bergen verweilen, und dem Trosse beim
Anbruch des nächstfolgenden Tages, wenn die Einladung angenommen wird, auf seinem Wege hierher zum Führer dienen.«
 Inzwischen war Toni mit einem Mahl, das sie in der Küche
bereitet hatte, wiedergekehrt, und fragte die Alte mit einem
Blick auf den Fremden, schäkernd, indem sie den Tisch deckte:
Nun, Mutter, sagt an! Hat sich der Herr von dem Schreck, der
ihn vor der Tür ergriff, erholt? Hat er sich überzeugt, daß weder Gift noch Dolch auf ihn warten, und daß der Neger Hoango
nicht zu Hause ist? Die Mutter sagte mit einem Seufzer: »mein

Kind, der Gebrannte scheut, nach dem Sprichwort, das Feuer.
Der Herr würde töricht gehandelt haben, wenn er sich früher
in das Haus hineingewagt hätte, als bis er sich von dem Volks-
stamm, zu welchem seine Bewohner gehören, überzeugt hatte.«
Das Mädchen stellte sich vor die Mutter, und erzählte ihr: wie
sie die Laterne so gehalten, daß ihr der volle Strahl davon ins
Gesicht gefallen wäre. Aber seine Einbildung, sprach sie, war
ganz von Mohren und Negern erfüllt; und wenn ihm eine Dame
von Paris oder Marseille die Türe geöffnet hätte, er würde sie für
eine Negerin gehalten haben. Der Fremde, indem er den Arm
sanft um ihren Leib schlug, sagte verlegen: daß der Hut, den sie
aufgehabt, ihn verhindert hätte, ihr ins Gesicht zu schaun. Hätte
ich dir, fuhr er fort, indem er sie lebhaft an seine Brust drückte,
ins Auge sehen können, so wie ich es jetzt kann: so hätte ich, auch
wenn alles Übrige an dir schwarz gewesen wäre, aus einem ver-
gifteten Becher mit dir trinken wollen. Die Mutter nötigte ihn,
der bei diesen Worten rot geworden war, sich zu setzen, worauf
Toni sich neben ihm an der Tafel niederließ, und mit aufgestütz-
ten Armen, während der Fremde aß, in sein Antlitz sah. Der
Fremde fragte sie: wie alt sie wäre? und wie ihre Vaterstadt hieße?
worauf die Mutter das Wort nahm und ihm sagte: »daß Toni vor
fünfzehn Jahren auf einer Reise, welche sie mit der Frau des Herrn
Villeneuve, ihres vormaligen Prinzipals, nach Europa gemacht
hätte, in Paris von ihr empfangen und geboren worden wäre.
Sie setzte hinzu, daß der Neger Komar, den sie nachher geheiratet,
sie zwar an Kindes Statt angenommen hätte, daß ihr Vater aber
eigentlich ein reicher Marseiller Kaufmann, namens Bertrand
wäre, von dem sie auch Toni Bertrand hieße.« – Toni fragte ihn:
ob er einen solchen Herrn in Frankreich kenne? Der Fremde erwiderte: nein! das Land wäre groß, und während des kurzen Aufenthalts, den er bei seiner Einschiffung nach Westindien darin genommen, sei ihm keine Person dieses Namens vorgekommen.
Die Alte versetzte daß Herr Bertrand auch, nach ziemlich sicheren
Nachrichten, die sie eingezogen, nicht mehr in Frankreich befindlich sei. Sein ehrgeiziges und aufstrebendes Gemüt, sprach
sie, gefiel sich in dem Kreis bürgerlicher Tätigkeit nicht; er
mischte sich beim Ausbruch der Revolution in die öffentlichen
Geschäfte, und ging im Jahr 1795 mit einer französischen Ge-

sandtschaft an den türkischen Hof, von wo er, meines Wissens,
bis diesen Augenblick noch nicht zurückgekehrt ist. Der Fremde
sagte lächelnd zu Toni, indem er ihre Hand faßte: daß sie ja in
diesem Falle ein vornehmes und reiches Mädchen wäre. Er mun-
terte sie auf, diese Vorteile geltend zu machen, und meinte, daß
sie Hoffnung hätte, noch einmal an der Hand ihres Vaters in
glänzendere Verhältnisse, als in denen sie jetzt lebte, eingeführt
zu werden! »Schwerlich«, versetzte die Alte mit unterdrückter
Empfindlichkeit. »Herr Bertrand leugnete mir, während meiner
Schwangerschaft zu Paris, aus Scham vor einer jungen reichen
Braut, die er heiraten wollte, die Vaterschaft zu diesem Kinde
vor Gericht ab. Ich werde den Eidschwur, den er die Frechheit
hatte, mir ins Gesicht zu leisten, niemals vergessen, ein Gallen-
fieber war die Folge davon, und bald darauf noch sechzig Peit-
schenhiebe, die mir Herr Villeneuve geben ließ, und in deren
Folge ich noch bis auf diesen Tag an der Schwindsucht leide.« – –
Toni, welche den Kopf gedankenvoll auf ihre Hand gelegt hatte,
fragte den Fremden: wer er denn wäre? wo er herkäme und wo
er hinginge? worauf dieser nach einer kurzen Verlegenheit, worin
ihn die erbitterte Rede der Alten versetzt hatte, erwiderte: daß
er mit Herrn Strömlis, seines Oheims Familie, die er, unter dem
Schutze zweier jungen Vettern, in der Bergwaldung am Möwenweiher zurückgelassen, vom Fort Dauphin käme. Er erzählte, auf
des Mädchens Bitte, mehrere Züge der in dieser Stadt ausge-
brochenen Empörung; wie zur Zeit der Mitternacht, da alles
geschlafen, auf ein verräterisch gegebenes Zeichen, das Gemetzel
der Schwarzen gegen die Weißen losgegangen wäre; wie der
Chef der Negern, ein Sergeant bei dem französischen Pionier-
korps, die Bosheit gehabt, sogleich alle Schiffe im Hafen in
Brand zu stecken, um den Weißen die Flucht nach Europa ab-
zuschneiden; wie die Familie kaum Zeit gehabt, sich mit einigen
Habseligkeiten vor die Tore der Stadt zu retten, und wie ihr, bei
dem gleichzeitigen Auflodern der Empörung in allen Küsten-
plätzen, nichts übrig geblieben wäre, als mit Hülfe zweier Maulesel, die sie aufgetrieben, den Weg quer durch das ganze Land
nach Port au Prince einzuschlagen, das allein noch, von einem
starken französischen Heere beschützt, der überhand nehmenden
Macht der Negern in diesem Augenblick Widerstand leiste. –

Toni fragte: wodurch sich denn die Weißen daselbst so verhaßt
gemacht hätten? – Der Fremde erwiderte betroffen: durch das
allgemeine Verhältnis, das sie, als Herren der Insel, zu den
Schwarzen hatten, und das ich, die Wahrheit zu gestehen, mich
nicht unterfangen will, in Schutz zu nehmen; das aber schon seit
vielen Jahrhunderten auf diese Weise bestand! Der Wahnsinn der
Freiheit, der alle diese Pflanzungen ergriffen hat, trieb die Negern
und Kreolen, die Ketten, die sie drückten, zu brechen, und an den
Weißen wegen vielfacher und tadelnswürdiger Mißhandlungen,
die sie von einigen schlechten Mitgliedern derselben erlitten,
Rache zu nehmen. – Besonders, fuhr er nach einem kurzen Stillschweigen fort, war mir die Tat eines jungen Mädchens schauder-
haft und merkwürdig. Dieses Mädchen, vom Stamm der Negern,
lag gerade zur Zeit, da die Empörung aufloderte, an dem gelben
Fieber krank, das zur Verdoppelung des Elends in der Stadt aus-
gebrochen war. Sie hatte drei Jahre zuvor einem Pflanzer vom
Geschlecht der Weißen als Sklavin gedient, der sie aus Empfindlichkeit, weil sie sich seinen Wünschen nicht willfährig gezeigt
hatte, hart behandelt und nachher an einen kreolischen Pflanzer
verkauft hatte. Da nun das Mädchen an dem Tage des allgemeinen
Aufruhrs erfuhr, daß sich der Pflanzer, ihr ehemaliger Herr, vor
der Wut der Negern, die ihn verfolgten, in einen nahegelegenen
Holzstall geflüchtet hatte: so schickte sie, jener Mißhandlungen
eingedenk, beim Anbruch der Dämmerung, ihren Bruder zu
ihm, mit der Einladung, bei ihr zu übernachten. Der Unglückliche, der weder wußte, daß das Mädchen unpäßlich war, noch
an welcher Krankheit sie litt, kam und schloß sie voll Dankbarkeit, da er sich gerettet glaubte, in seine Arme: doch kaum hatte
er eine halbe Stunde unter Liebkosungen und Zärtlichkeiten in
ihrem Bette zugebracht, als sie sich plötzlich mit dem Ausdruck
wilder und kalter Wut, darin erhob und sprach: eine Pestkranke,
die den Tod in der Brust trägt, hast du geküßt: geh und gib das
gelbe Fieber allen denen, die dir gleichen! – Der Offizier, während die Alte mit lauten Worten ihren Abscheu hierüber zu erkennen gab, fragte Toni: ob sie wohl einer solchen Tat fähig wäre?
Nein! sagte Toni, indem sie verwirrt vor sich niedersah. Der
Fremde, indem er das Tuch auf dem Tische legte, versetzte: daß,
nach dem Gefühl seiner Seele, keine Tyrannei, die die Weißen je

verübt, einen Verrat, so niederträchtig und abscheulich, recht-
fertigen könnte. Die Rache des Himmels, meinte er, indem er
sich mit einem leidenschaftlichen Ausdruck erhob, würde dadurch entwaffnet: die Engel selbst, dadurch empört, stellten sich
auf Seiten derer, die Unrecht hätten, und nähmen, zur Aufrechthaltung menschlicher und göttlicher Ordnung, ihre Sache! Er
trat bei diesen Worten auf einen Augenblick an das Fenster, und
sah in die Nacht hinaus, die mit stürmischen Wolken über den
Mond und die Sterne vorüber zog; und da es ihm schien, als ob
Mutter und Tochter einander ansähen, obschon er auf keine
Weise merkte, daß sie sich Winke zugeworfen hätten: so übernahm ihn ein widerwärtiges und verdrießliches Gefühl; er wandte
sich und bat, daß man ihm das Zimmer anweisen möchte, wo er
schlafen könne.

Die Mutter bemerkte, indem sie nach der Wanduhr sah, daß
es überdies nahe an Mitternacht sei, nahm ein Licht in die Hand,
und forderte den Fremden auf, ihr zu folgen. Sie führte ihn durch
einen langen Gang in das für ihn bestimmte Zimmer; Toni trug
den Überrock des Fremden und mehrere andere Sachen, die er
abgelegt hatte; die Mutter zeigte ihm ein von Polstern bequem
aufgestapeltes Bett, worin er schlafen sollte, und nachdem sie
Toni noch befohlen hatte, dem Herrn ein Fußbad zu bereiten,
wünschte sie ihm eine gute Nacht und empfahl sich. Der Fremde
stellte seinen Degen in den Winkel und legte ein Paar Pistolen,
die er im Gürtel trug, auf den Tisch. Er sah sich, während Toni
das Bett vorschob und ein weißes Tuch darüber breitete, im
Zimmer um; und da er gar bald, aus der Pracht und dem Ge-
schmack, die darin herrschten, schloß, daß es dem vormaligen
Besitzer der Pflanzung angehört haben müsse: so legte sich ein
Gefühl der Unruhe wie ein Geier um sein Herz, und er wünschte
sich, hungrig und durstig, wie er gekommen war, wieder in die
Waldung zu den Seinigen zurück. Das Mädchen hatte mittlerweile, aus der nahebelegenen Küche, ein Gefäß mit warmem
Wasser, von wohlriechenden Kräutern duftend, hereingeholt,
und forderte den Offizier, der sich in das Fenster gelehnt hatte,
auf, sich darin zu erquicken. Der Offizier ließ sich, während er
sich schweigend von der Halsbinde und der Weste befreite, auf
den Stuhl nieder; er schickte sich an, sich die Füße zu entblößen,

und während das Mädchen, auf ihre Kniee vor ihm hingekauert, die kleinen Vorkehrungen zum Bade besorgte, betrachtete er ihre einnehmende Gestalt. Ihr Haar, in dunkeln Locken schwellend, war ihr, als sie niederkniete, auf ihre jungen Brüste herabgerollt; ein Zug von ausnehmender Anmut spielte um ihre Lippen und über ihre langen, über die gesenkten Augen hervorragenden Augenwimpern; er hätte, bis auf die Farbe, die ihm anstößig war, schwören mögen, daß er nie etwas Schöneres gesehen. Dabei fiel ihm eine entfernte Ähnlichkeit, er wußte noch selbst nicht recht mit wem, auf, die er schon bei seinem Eintritt in das Haus bemerkt hatte, und die seine ganze Seele für sie in Anspruch nahm. Er ergriff sie, als sie in den Geschäften, die sie betrieb, aufstand, bei der Hand, und da er gar richtig schloß, daß es nur ein Mittel gab, zu erprüfen, ob das Mädchen ein Herz habe oder nicht, so zog er sie auf seinen Schoß nieder und fragte sie: »ob sie schon einem Bräutigam verlobt wäre?« Nein! lispelte das Mädchen, indem sie ihre großen schwarzen Augen in lieblicher Verschämtheit zur Erde schlug. Sie setzte, ohne sich auf seinem Schoß zu rühren, hinzu: Konelly, der junge Neger aus der Nachbarschaft, hätte zwar vor drei Monaten um sie angehalten; sie hätte ihn aber, weil sie noch zu jung wäre, ausgeschlagen. Der Fremde, der, mit seinen beiden Händen, ihren schlanken Leib umfaßt hielt, sagte: »in seinem Vaterlande wäre, nach einem daselbst herrschenden Sprichwort, ein Mädchen von vierzehn Jahren und sieben Wochen bejahrt genug, um zu heiraten.« Er fragte, während sie ein kleines, goldenes Kreuz, das er auf der Brust trug, betrachtete: »wie alt sie wäre?« – Funfzehn Jahre, erwiderte Toni. »Nun also!« sprach der Fremde. – »Fehlt es ihm denn an Vermögen, um sich häuslich, wie du es wünschest, mit dir niederzulassen?« Toni, ohne die Augen zu ihm aufzuschlagen, erwiderte: o nein! – Vielmehr, sprach sie, indem sie das Kreuz, das sie in der Hand hielt, fahren ließ: Konelly ist, seit der letzten Wendung der Dinge, ein reicher Mann geworden; seinem Vater ist die ganze Niederlassung, die sonst dem Pflanzer, seinem Herrn, gehörte, zugefallen. – »Warum lehntest du denn seinen Antrag ab?« fragte der Fremde. Er streichelte ihr freundlich das Haar von der Stirn und sprach: »gefiel er dir etwa nicht?« Das Mädchen, indem sie kurz mit dem Kopf schüttelte, lachte; und auf die

Frage des Fremden, ihr scherzend ins Ohr geflüstert: ob es vielleicht ein Weißer sein müsse, der ihre Gunst davon tragen solle? legte sie sich plötzlich, nach einem flüchtigen, träumerischen Bedenken, unter einem überaus reizenden Erröten, das über ihr verbranntes Gesicht aufloderte, an seine Brust. Der Fremde, von ihrer Anmut und Lieblichkeit gerührt, nannte sie sein liebes Mädchen, und schloß sie, wie durch göttliche Hand von jeder Sorge erlöst, in seine Arme. Es war ihm unmöglich zu glauben, daß alle diese Bewegungen, die er an ihr wahrnahm, der bloße elende Ausdruck einer kalten und gräßlichen Verräterei sein sollten. Die Gedanken, die ihn beunruhigt hatten, wichen, wie ein Heer schauerlicher Vögel, von ihm; er schalt sich, ihr Herz nur einen Augenblick verkannt zu haben, und während er sie auf seinen Knieen schaukelte, und den süßen Atem einsog, den sie ihm heraufsandte, drückte er, gleichsam zum Zeichen der Aussöhnung und Vergebung, einen Kuß auf ihre Stirn. Inzwischen hatte sich das Mädchen, unter einem sonderbar plötzlichen Aufhorchen, als ob jemand von dem Gange her der Tür nahte, emporgerichtet; sie rückte sich gedankenvoll und träumerisch das Tuch, das sich über ihrer Brust verschoben hatte, zurecht; und erst als sie sah, daß sie von einem Irrtum getäuscht worden war, wandte sie sich mit einigem Ausdruck von Heiterkeit wieder zu dem Fremden zurück und erinnerte ihn: daß sich das Wasser, wenn er nicht bald Gebrauch davon machte, abkälten würde. – Nun? sagte sie betreten, da der Fremde schwieg und sie gedankenvoll betrachtete: was seht Ihr mich so aufmerksam an? Sie suchte, indem sie sich mit ihrem Latz beschäftigte, die Verlegenheit, die sie ergriffen, zu verbergen, und rief lachend: wunderlicher Herr, was fällt Euch in meinem Anblick so auf? Der Fremde, der sich mit der Hand über die Stirn gefahren war, sagte, einen Seufzer unterdrückend, indem er sie von seinem Schoß herunterhob: »eine wunderbare Ähnlichkeit zwischen dir und einer Freundin!« – Toni, welche sichtbar bemerkte, daß sich seine Heiterkeit zerstreut hatte, nahm ihn freundlich und teilnehmend bei der Hand, und fragte: mit welcher? worauf jener, nach einer kurzen Besinnung das Wort nahm und sprach: »Ihr Name war Mariane Congreve und ihre Vaterstadt Straßburg. Ich hatte sie in dieser Stadt, wo ihr Vater Kaufmann war, kurz vor dem Ausbruch der

Revolution kennen gelernt, und war glücklich genug gewesen,
ihr Jawort und vorläufig auch ihrer Mutter Zustimmung zu erhalten. Ach, es war die treuste Seele unter der Sonne; und die
schrecklichen und rührenden Umstände, unter denen ich sie verlor, werden mir, wenn ich dich ansehe, so gegenwärtig, daß ich
mich vor Wehmut der Tränen nicht enthalten kann.« Wie? sagte
Toni, indem sie sich herzlich und innig an ihn drückte: sie lebt
nicht mehr? – »Sie starb«, antwortete der Fremde, »und ich lernte
den Inbegriff aller Güte und Vortrefflichkeit erst mit ihrem Tode
kennen. Gott weiß«, fuhr er fort, indem er sein Haupt schmerz-
lich an ihre Schulter lehnte, »wie ich die Unbesonnenheit so weit
treiben konnte, mir eines Abends an einem öffentlichen Ort
Äußerungen über das eben errichtete furchtbare Revolutions-
tribunal zu erlauben. Man verklagte, man suchte mich; ja, in Ermangelung meiner, der glücklich genug gewesen war, sich in die
Vorstadt zu retten, lief die Rotte meiner rasenden Verfolger, die
ein Opfer haben mußte, nach der Wohnung meiner Braut, und
durch ihre wahrhaftige Versicherung, daß sie nicht wisse, wo ich
sei, erbittert, schleppte man dieselbe, unter dem Vorwand, daß
sie mit mir im Einverständnis sei, mit unerhörter Leichtfertigkeit
statt meiner auf den Richtplatz. Kaum war mir diese entsetzliche
Nachricht hinterbracht worden, als ich sogleich aus dem Schlupf-
winkel, in welchen ich mich geflüchtet hatte, hervortrat, und indem ich, die Menge durchbrechend, nach dem Richtplatz eilte,
laut ausrief: Hier, ihr Unmenschlichen, hier bin ich! Doch sie,
die schon auf dem Gerüste der Guillotine stand, antwortete auf
die Frage einiger Richter, denen ich unglücklicher Weise fremd
sein mußte, indem sie sich mit einem Blick, der mir unauslösch-
lich in die Seele geprägt ist, von mir abwandte: diesen Menschen
kenne ich nicht! – worauf unter Trommeln und Lärmen, von
den ungeduldigen Blutmenschen angezettelt, das Eisen, wenige
Augenblicke nachher, herabfiel, und ihr Haupt von seinem
Rumpfe trennte. – Wie ich gerettet worden bin, das weiß ich
nicht; ich befand mich, eine Viertelstunde darauf, in der Wohnung eines Freundes, wo ich aus einer Ohnmacht in die andere
fiel, und halbwahnwitzig gegen Abend auf einen Wagen geladen
und über den Rhein geschafft wurde.« – Bei diesen Worten trat
der Fremde, indem er das Mädchen losließ, an das Fenster; und

da diese sah, daß er sein Gesicht sehr gerührt in ein Tuch drückte:
so übernahm sie, von manchen Seiten geweckt, ein menschliches
Gefühl; sie folgte ihm mit einer plötzlichen Bewegung, fiel ihm
um den Hals, und mischte ihre Tränen mit den seinigen.

Was weiter erfolgte, brauchen wir nicht zu melden, weil es
jeder, der an diese Stelle kommt, von selbst liest. Der Fremde,
als er sich wieder gesammlet hatte, wußte nicht, wohin ihn die
Tat, die er begangen, führen würde; inzwischen sah er so viel
ein, daß er gerettet, und in dem Hause, in welchem er sich befand,
für ihn nichts von dem Mädchen zu befürchten war. Er versuchte, da er sie mit verschränkten Armen auf dem Bett weinen
sah, alles nur Mögliche, um sie zu beruhigen. Er nahm sich das
kleine goldene Kreuz, ein Geschenk der treuen Mariane, seiner
abgeschiedenen Braut, von der Brust; und, indem er sich unter
unendlichen Liebkosungen über sie neigte, hing er es ihr als ein
Brautgeschenk, wie er es nannte, um den Hals. Er setzte sich, da
sie in Tränen zerfloß und auf seine Worte nicht hörte, auf den
Rand des Bettes nieder, und sagte ihr, indem er ihre Hand bald
streichelte, bald küßte: daß er bei ihrer Mutter am Morgen des
nächsten Tages um sie anhalten wolle. Er beschrieb ihr, welch ein
kleines Eigentum, frei und unabhängig, er an den Ufern der Aar
besitze; eine Wohnung, bequem und geräumig genug, sie und
auch ihre Mutter, wenn ihr Alter die Reise zulasse, darin aufzunehmen; Felder, Gärten, Wiesen und Weinberge; und einen alten
ehrwürdigen Vater, der sie dankbar und liebreich daselbst, weil
sie seinen Sohn gerettet, empfangen würde. Er schloß sie, da ihre
Tränen in unendlichen Ergießungen auf das Bettkissen nieder-
flossen, in seine Arme, und fragte sie, von Rührung selber ergriffen: was er ihr zu Leide getan und ob sie ihm nicht vergeben
könne? Er schwor ihr, daß die Liebe für sie nie aus seinem Herzen
weichen würde, und daß nur, im Taumel wunderbar verwirrter
Sinne, eine Mischung von Begierde und Angst, die sie ihm ein-
geflößt, ihn zu einer solchen Tat habe verführen können. Er erinnerte sie zuletzt, daß die Morgensterne funkelten, und daß,
wenn sie länger im Bette verweilte, die Mutter kommen und sie
darin überraschen würde; er forderte sie, ihrer Gesundheit wegen, auf, sich zu erheben und noch einige Stunden auf ihrem
eignen Lager auszuruhen; er fragte sie, durch ihren Zustand in die

entsetzlichsten Besorgnisse gestürzt, ob er sie vielleicht in seinen
Armen aufheben und in ihre Kammer tragen solle; doch da sie
auf alles, was er vorbrachte, nicht antwortete, und, ihr Haupt
stilljammernd, ohne sich zu rühren, in ihre Arme gedrückt, auf
den verwirrten Kissen des Bettes dalag: so blieb ihm zuletzt, hell
wie der Tag schon durch beide Fenster schimmerte, nichts übrig,
als sie, ohne weitere Rücksprache, aufzuheben; er trug sie, die
wie eine Leblose von seiner Schulter niederhing, die Treppe hinauf in ihre Kammer, und nachdem er sie auf ihr Bette niedergelegt, und ihr unter tausend Liebkosungen noch einmal alles, was
er ihr schon gesagt, wiederholt hatte, nannte er sie noch einmal
seine liebe Braut, drückte einen Kuß auf ihre Wangen, und eilte
in sein Zimmer zurück.

Sobald der Tag völlig angebrochen war, begab sich die alte
Babekan zu ihrer Tochter hinauf, und eröffnete ihr, indem sie
sich an ihr Bett niedersetzte, welch einen Plan sie mit dem Fremden sowohl, als seiner Reisegesellschaft vorhabe. Sie meinte, daß,
da der Neger Congo Hoango erst in zwei Tagen wiederkehre,
alles darauf ankäme, den Fremden während dieser Zeit in dem
Hause hinzuhalten, ohne die Familie seiner Angehörigen, deren
Gegenwart, ihrer Menge wegen, gefährlich werden könnte, darin
zuzulassen. Zu diesem Zweck, sprach sie, habe sie erdacht, dem
Fremden vorzuspiegeln, daß, einer soeben eingelaufenen Nachricht zufolge, der General Dessalines sich mit seinem Heer in
diese Gegend wenden werde, und daß man mithin, wegen allzu-
großer Gefahr, erst am dritten Tage, wenn er vorüber wäre,
würde möglich machen können, die Familie, seinem Wunsche
gemäß, in dem Hause aufzunehmen. Die Gesellschaft selbst,
schloß sie, müsse inzwischen, damit sie nicht weiter reise, mit
Lebensmitteln versorgt, und gleichfalls, um sich ihrer späterhin
zu bemächtigen, in dem Wahn, daß sie eine Zuflucht in dem
Hause finden werde, hingehalten werden. Sie bemerkte, daß die
Sache wichtig sei, indem die Familie wahrscheinlich beträchtliche
Habseligkeiten mit sich führe; und forderte die Tochter auf, sie
aus allen Kräften in dem Vorhaben, das sie ihr angegeben, zu
unterstützen. Toni, halb im Bette aufgerichtet, indem die Röte
des Unwillens ihr Gesicht überflog, versetzte: »daß es schändlich
und niederträchtig wäre, das Gastrecht an Personen, die man in

das Haus gelockt, also zu verletzen. Sie meinte, daß ein Verfolg-
ter, der sich ihrem Schutz anvertraut, doppelt sicher bei ihnen
sein sollte; und versicherte, daß, wenn sie ihr den blutigen Anschlag,
den sie ihr geäußert, nicht aufgäbe, sie auf der Stelle hingehen und
dem Fremden anzeigen würde, welch eine Mördergrube das Haus
sei, in welchem er geglaubt habe, seine Rettung zu finden.« Toni!
sagte die Mutter, indem sie die Arme in die Seite stemmte, und
dieselbe mit großen Augen ansah. – »Gewiß!« erwiderte Toni,
indem sie die Stimme senkte. »Was hat uns dieser Jüngling, der
von Geburt gar nicht einmal ein Franzose, sondern, wie wir gesehen haben, ein Schweizer ist, zu Leide getan, daß wir, nach Art
der Räuber, über ihn herfallen, ihn töten und ausplündern wollen? Gelten die Beschwerden, die man hier gegen die Pflanzer
führt, auch in der Gegend der Insel, aus welcher er herkömmt?
Zeigt nicht vielmehr alles, daß er der edelste und vortrefflichste
Mensch ist, und gewiß das Unrecht, das die Schwarzen seiner
Gattung vorwerfen mögen, auf keine Weise teilt?« – Die Alte,
während sie den sonderbaren Ausdruck des Mädchens betrachtete, sagte bloß mit bebenden Lippen: daß sie erstaune. Sie fragte,
was der junge Portugiese verschuldet, den man unter dem Torweg kürzlich mit Keulen zu Boden geworfen habe? Sie fragte,
was die beiden Holländer verbrochen, die vor drei Wochen durch
die Kugeln der Neger im Hofe gefallen wären? Sie wollte wissen,
was man den drei Franzosen und so vielen andern einzelnen
Flüchtlingen, vom Geschlecht der Weißen, zur Last gelegt habe,
die mit Büchsen, Spießen und Dolchen, seit dem Ausbruch der
Empörung, im Hause hingerichtet worden wären? »Beim Licht
der Sonne«, sagte die Tochter, indem sie wild aufstand, »du hast
sehr Unrecht, mich an diese Greueltaten zu erinnern! Die Un-
menschlichkeiten, an denen ihr mich Teil zu nehmen
zwingt, empörten längst mein innerstes Gefühl; und um mir
Gottes Rache wegen alles, was vorgefallen, zu versöhnen, so
schwöre ich dir, daß ich eher zehnfachen Todes sterben, als zugeben werde, daß diesem Jüngling, so lange er sich in unserm
Hause befindet, auch nur ein Haar gekrümmt werde.« – Wohlan,
sagte die Alte, mit einem plötzlichen Ausdruck von Nachgiebigkeit: so mag der Fremde reisen! Aber wenn Congo Hoango zu-
rückkömmt, setzte sie hinzu, indem sie um das Zimmer zu ver-

lassen, aufstand, und erfährt, daß ein Weißer in unserm Hause
übernachtet hat, so magst du das Mitleiden, das dich bewog, ihn
gegen das ausdrückliche Gebot wieder abziehen zu lassen, ver-
antworten.

Auf diese Äußerung, bei welcher, trotz aller scheinbaren
Milde, der Ingrimm der Alten heimlich hervorbrach, blieb das
Mädchen in nicht geringer Bestürzung im Zimmer zurück. Sie
kannte den Haß der Alten gegen die Weißen zu gut, als daß sie
hätte glauben können, sie werde eine solche Gelegenheit, ihn zu
sättigen, ungenutzt vorüber gehen lassen. Furcht, daß sie sogleich
in die benachbarten Pflanzungen schicken und die Neger zur
Überwältigung des Fremden herbeirufen möchte, bewog sie, sich
anzukleiden und ihr unverzüglich in das untere Wohnzimmer
zu folgen. Sie stellte sich, während diese verstört den Speise-
schrank, bei welchem sie ein Geschäft zu haben schien, verließ,
und sich an einen Spinnrocken niedersetzte, vor das an die Tür
geschlagene Mandat, in welchem allen Schwarzen bei Lebens-
strafe verboten war, den Weißen Schutz und Obdach zu geben;
und gleichsam als ob sie, von Schrecken ergriffen, das Unrecht,
das sie begangen, einsähe, wandte sie sich plötzlich, und fiel der
Mutter, die sie, wie sie wohl wußte, von hinten beobachtet hatte,
zu Füßen. Sie bat, die Kniee derselben umklammernd, ihr die
rasenden Äußerungen, die sie sich zu Gunsten des Fremden erlaubt, zu vergeben; entschuldigte sich mit dem Zustand, halb
träumend, halb wachend, in welchem sie von ihr mit den Vor-
schlägen zu seiner Überlistung, da sie noch im Bette gelegen,
überrascht worden sei, und meinte, daß sie ihn ganz und gar der
Rache der bestehenden Landesgesetze, die seine Vernichtung einmal beschlossen, preis gäbe. Die Alte, nach einer Pause, in der sie
das Mädchen unverwandt betrachtete, sagte: »Beim Himmel,
diese deine Erklärung rettet ihm für heute das Leben! Denn die
Speise, da du ihn in deinen Schutz zu nehmen drohtest, war schon
vergiftet, die ihn der Gewalt Congo Hoangos, seinem Befehl
gemäß, wenigstens tot überliefert haben würde.« Und damit
stand sie auf und schüttete einen Topf mit Milch, der auf dem
Tisch stand, aus dem Fenster. Toni, welche ihren Sinnen nicht
traute, starrte, von Entsetzen ergriffen, die Mutter an. Die Alte,
während sie sich wieder niedersetzte, und das Mädchen, das noch

immer auf den Knien dalag, vom Boden aufhob, fragte: »was
denn im Lauf einer einzigen Nacht ihre Gedanken so plötzlich
umgewandelt hätte? Ob sie gestern, nachdem sie ihm das Bad
bereitet, noch lange bei ihm gewesen wäre? Und ob sie viel mit
dem Fremden gesprochen hätte?« Doch Toni, deren Brust flog,
antwortete hierauf nicht, oder nichts Bestimmtes; das Auge zu
Boden geschlagen, stand sie, indem sie sich den Kopf hielt, und
berief sich auf einen Traum; ein Blick jedoch auf die Brust ihrer
unglücklichen Mutter, sprach sie, indem sie sich rasch bückte und
ihre Hand küßte, rufe ihr die ganze Unmenschlichkeit der Gattung, zu der dieser Fremde gehöre, wieder ins Gedächtnis zurück:
und beteuerte, indem sie sich umkehrte und das Gesicht in ihre
Schürze drückte, daß, sobald der Neger Hoango eingetroffen
wäre, sie sehen würde, was sie an ihr für eine Tochter habe.
    Babekan saß noch in Gedanken versenkt, und erwog, woher
wohl die sonderbare Leidenschaftlichkeit des Mädchens ent-
springe: als der Fremde mit einem in seinem Schlafgemach ge-
schriebenen Zettel, worin er die Familie einlud, einige Tage in
der Pflanzung des Negers Hoango zuzubringen, in das Zimmer
trat. Er grüßte sehr heiter und freundlich die Mutter und die
Tochter, und bat, indem er der Alten den Zettel übergab: daß
man sogleich in die Waldung schicken und für die Gesellschaft,
dem ihm gegebenen Versprechen gemäß, Sorge tragen möchte.
Babekan stand auf und sagte, mit einem Ausdruck von Unruhe,
indem sie den Zettel in den Wandschrank legte: »Herr, wir müssen Euch bitten, Euch sogleich in Euer Schlafzimmer zurück zu
verfügen. Die Straße ist voll von einzelnen Negertrupps, die vorüberziehen und uns anmelden, daß sich der General Dessalines
mit seinem Heer in diese Gegend wenden werde. Dies Haus, das
jedem offen steht, gewährt Euch keine Sicherheit, falls Ihr Euch
nicht in Eurem, auf den Hof hinausgehenden, Schlafgemach ver-
bergt, und die Türen sowohl, als auch die Fensterladen, auf das
sorgfältigste verschließt.« – Wie? sagte der Fremde betroffen:
der General Dessalines – »Fragt nicht!« unterbrach ihn die Alte,
indem sie mit einem Stock dreimal auf den Fußboden klopfte:
»in Eurem Schlafgemach, wohin ich Euch folgen werde, will ich
Euch alles erklären.« Der Fremde von der Alten mit ängstlichen
Gebärden aus dem Zimmer gedrängt, wandte sich noch einmal

unter der Tür und rief: aber wird man der Familie, die meiner
harrt, nicht wenigstens einen Boten zusenden müssen, der sie –?
»Es wird alles besorgt werden«, fiel ihm die Alte ein, während,
durch ihr Klopfen gerufen, der Bastardknabe, den wir schon kennen, hereinkam; und damit befahl sie Toni, die, dem Fremden
den Rücken zukehrend, vor den Spiegel getreten war, einen
Korb mit Lebensmitteln, der in dem Winkel stand, aufzunehmen;
und Mutter, Tochter, der Fremde und der Knabe begaben sich
in das Schlafzimmer hinauf.

Hier erzählte die Alte, indem sie sich auf gemächliche Weise
auf den Sessel niederließ, wie man die ganze Nacht über auf den,
den Horizont abschneidenden Bergen, die Feuer des Generals
Dessalines schimmern gesehen: ein Umstand, der in der Tat gegründet war, obschon sich bis diesen Augenblick noch kein einziger Neger von seinem Heer, das südwestlich gegen Port au
Prince anrückte, in dieser Gegend gezeigt hatte. Es gelang ihr,
den Fremden dadurch in einen Wirbel von Unruhe zu stürzen,
den sie jedoch nachher wieder durch die Versicherung, daß sie
alles Mögliche, selbst in dem schlimmen Fall, daß sie Einquartie-
rung bekäme, zu seiner Rettung beitragen würde, zu stillen
wußte. Sie nahm, auf die wiederholte inständige Erinnerung desselben, unter diesen Umständen seiner Familie wenigstens mit
Lebensmitteln beizuspringen, der Tochter den Korb aus der
Hand, und indem sie ihn dem Knaben gab, sagte sie ihm: er solle
an den Möwenweiher, in die nahgelegnen Waldberge hinaus
gehen, und ihn der daselbst befindlichen Familie des fremden
Offiziers überbringen. »Der Offizier selbst«, solle er hinzusetzen,
»befinde sich wohl; Freunde der Weißen, die selbst viel der Partei
wegen, die sie ergriffen, von den Schwarzen leiden müßten, hätten ihn in ihrem Hause mitleidig aufgenommen.« Sie schloß, daß
sobald die Landstraße nur von den bewaffneten Negerhaufen, die
man erwartete, befreit wäre, man sogleich Anstalten treffen
würde, auch ihr, der Familie, ein Unterkommen in diesem Hause
zu verschaffen. – Hast du verstanden? fragte sie, da sie geendet
hatte. Der Knabe, indem er den Korb auf seinen Kopf setzte, antwortete: daß er den ihm beschriebenen Möwenweiher, an dem er
zuweilen mit seinen Kameraden zu fischen pflege, gar wohl
kenne, und daß er alles, wie man es ihm aufgetragen, an die da-

selbst übernachtende Familie des fremden Herrn bestellen würde.
Der Fremde zog sich, auf die Frage der Alten: ob er noch etwas
hinzuzusetzen hätte? noch einen Ring vom Finger, und händigte
ihn dem Knaben ein, mit dem Auftrag, ihn zum Zeichen, daß es
mit den überbrachten Meldungen seine Richtigkeit habe, dem
Oberhaupt der Familie, Herrn Strömli, zu übergeben. Hierauf
traf die Mutter mehrere, die Sicherheit des Fremden, wie sie
sagte, abzweckende Veranstaltungen; befahl Toni, die Fensterladen zu verschließen, und zündete selbst, um die Nacht, die dadurch in dem Zimmer herrschend geworden war, zu zerstreuen,
an einem auf dem Kaminsims befindlichen Feuerzeug, nicht ohne
Mühseligkeit, indem der Zunder nicht fangen wollte, ein Licht
an. Der Fremde benutzte diesen Augenblick, um den Arm sanft
um Tonis Leib zu legen, und ihr ins Ohr zu flüstern: wie sie geschlafen? und: ob er die Mutter nicht von dem, was vorgefallen,
unterrichten solle? doch auf die erste Frage antwortete Toni
nicht, und auf die andere versetzte sie, indem sie sich aus seinem
Arm loswand: nein, wenn Ihr mich liebt, kein Wort! Sie unterdrückte die Angst, die alle diese lügenhaften Anstalten in ihr er-
weckten; und unter dem Vorwand, dem Fremden ein Frühstück
zu bereiten, stürzte sie eilig in das untere Wohnzimmer herab.

Sie nahm aus dem Schrank der Mutter den Brief, worin der
Fremde in seiner Unschuld die Familie eingeladen hatte, dem
Knaben in die Niederlassung zu folgen: und auf gut Glück hin,
ob die Mutter ihn vermissen würde, entschlossen, im schlimmsten Falle den Tod mit ihm zu leiden, flog sie damit dem schon
auf der Landstraße wandernden Knaben nach. Denn sie sah den
Jüngling, vor Gott und ihrem Herzen, nicht mehr als einen bloßen Gast, dem sie Schutz und Obdach gegeben, sondern als ihren
Verlobten und Gemahl an, und war willens, sobald nur seine
Partei im Hause stark genug sein würde, dies der Mutter, auf deren Bestürzung sie unter diesen Umständen rechnete, ohne Rückhalt zu erklären. »Nanky«, sprach sie, da sie den Knaben atemlos
und eilfertig auf der Landstraße erreicht hatte: »die Mutter hat
ihren Plan, die Familie Herrn Strömlis anbetreffend, umgeändert.
Nimm diesen Brief! Er lautet an Herrn Strömli, das alte Oberhaupt der Familie, und enthält die Einladung, einige Tage mit
allem, was zu ihm gehört, in unserer Niederlassung zu verweilen.

– Sei klug und trage selbst alles Mögliche dazu bei, diesen Entschluß zur Reife zu bringen; Congo Hoango, der Neger, wird,
wenn er wiederkömmt, es dir lohnen!« Gut, gut, Base Toni, antwortete der Knabe. Er fragte, indem er den Brief sorgsam einge-
wickelt in seine Tasche steckte: und ich soll dem Zuge, auf seinem
Wege hierher, zum Führer dienen? »Allerdings«, versetzte Toni;
»das versteht sich, weil sie die Gegend nicht kennen, von selbst.
Doch wirst du, möglicher Truppenmärsche wegen, die auf der
Landstraße statt finden könnten, die Wanderung eher nicht, als
um Mitternacht antreten; aber dann dieselbe auch so beschleunigen, daß du vor der Dämmerung des Tages hier eintriffst. – Kann
man sich auf dich verlassen?« fragte sie. Verlaßt euch auf Nanky!
antwortete der Knabe; ich weiß, warum ihr diese weißen
Flüchtlinge in die Pflanzung lockt, und der Neger Hoango soll
mit mir zufrieden sein!

Hierauf trug Toni dem Fremden das Frühstück auf; und nachdem es wieder abgenommen war, begaben sich Mutter und
Tochter, ihrer häuslichen Geschäfte wegen, in das vordere Wohnzimmer zurück. Es konnte nicht fehlen, daß die Mutter einige
Zeit darauf an den Schrank trat, und, wie es natürlich war, den
Brief vermißte. Sie legte die Hand, ungläubig gegen ihr Gedächtnis, einen Augenblick an den Kopf, und fragte Toni: wo
sie den Brief, den ihr der Fremde gegeben, wohl hingelegt haben
könne? Toni antwortete nach einer kurzen Pause, in der sie auf
den Boden niedersah: daß ihn der Fremde ja, ihres Wissens, wieder eingesteckt und oben im Zimmer, in ihrer beider Gegenwart,
zerrissen habe! Die Mutter schaute das Mädchen mit großen
Augen an; sie meinte, sich bestimmt zu erinnern, daß sie den
Brief aus seiner Hand empfangen und in den Schrank gelegt
habe; doch da sie ihn nach vielem vergeblichen Suchen darin
nicht fand, und ihrem Gedächtnis, mehrerer ähnlichen Vorfälle
wegen, mißtraute: so blieb ihr zuletzt nichts übrig, als der Meinung, die ihr die Tochter geäußert, Glauben zu schenken. Inzwischen konnte sie ihr lebhaftes Mißvergnügen über diesen Umstand nicht unterdrücken, und meinte, daß der Brief dem Neger
Hoango, um die Familie in die Pflanzung hereinzubringen, von
der größten Wichtigkeit gewesen sein würde. Am Mittag und
Abend, da Toni den Fremden mit Speisen bediente, nahm sie, zu

seiner Unterhaltung an der Tischecke sitzend, mehreremal Gelegenheit, ihn nach dem Briefe zu fragen; doch Toni war geschickt genug, das Gespräch, so oft es auf diesen gefährlichen
Punkt kam, abzulenken oder zu verwirren; dergestalt, daß die
Mutter durch die Erklärungen des Fremden über das eigentliche
Schicksal des Briefes auf keine Weise ins Reine kam. So verfloß
der Tag; die Mutter verschloß nach dem Abendessen aus Vorsicht, wie sie sagte, des Fremden Zimmer; und nachdem sie noch
mit Toni überlegt hatte, durch welche List sie sich von neuem,
am folgenden Tage, in den Besitz eines solchen Briefes setzen
könne, begab sie sich zur Ruhe, und befahl dem Mädchen
gleichfalls, zu Bette zu gehen.

Sobald Toni, die diesen Augenblick mit Sehnsucht erwartet
hatte, ihre Schlafkammer erreicht und sich überzeugt hatte, daß
die Mutter entschlummert war, stellte sie das Bildnis der heiligen
Jungfrau, das neben ihrem Bette hing, auf einen Sessel, und ließ
sich mit verschränkten Händen auf Knieen davor nieder. Sie
flehte den Erlöser, ihren göttlichen Sohn, in einem Gebet voll
unendlicher Inbrunst, um Mut und Standhaftigkeit an, dem Jüngling, dem sie sich zu eigen gegeben, das Geständnis der Verbrechen, die ihren jungen Busen beschwerten, abzulegen. Sie gelobte,
diesem, was es ihrem Herzen auch kosten würde, nichts, auch
nicht die Absicht, erbarmungslos und entsetzlich, in der sie ihn
gestern in das Haus gelockt, zu verbergen; doch um der Schritte
willen, die sie bereits zu seiner Rettung getan, wünschte sie, daß
er ihr vergeben, und sie als sein treues Weib mit sich nach Europa
führen möchte. Durch dies Gebet wunderbar gestärkt, ergriff
sie, indem sie aufstand, den Hauptschlüssel, der alle Gemächer
des Hauses schloß, und schritt damit langsam, ohne Licht, über
den schmalen Gang, der das Gebäude durchschnitt, dem Schlafgemach des Fremden zu. Sie öffnete das Zimmer leise und trat
vor sein Bett, wo er in tiefen Schlaf versenkt ruhte. Der Mond
beschien sein blühendes Antlitz, und der Nachtwind, der durch
die geöffneten Fenster eindrang, spielte mit dem Haar auf seiner
Stirn. Sie neigte sich sanft über ihn und rief ihn, seinen süßen
Atem einsaugend, beim Namen; aber ein tiefer Traum, von dem
sie der Gegenstand zu sein schien, beschäftigte ihn: wenigstens
hörte sie, zu wiederholten Malen, von seinen glühenden, zittern-

den Lippen das geflüsterte Wort: Toni! Wehmut, die nicht zu
beschreiben ist, ergriff sie; sie konnte sich nicht entschließen, ihn
aus den Himmeln lieblicher Einbildung in die Tiefe einer gemeinen und elenden Wirklichkeit herabzureißen; und in der Gewißheit, daß er ja früh oder spät von selbst erwachen müsse, kniete
sie an seinem Bette nieder und überdeckte seine teure Hand mit
Küssen.

Vorzeitige Rückkehr Kongo Hoangos

Aber wer beschreibt das Entsetzen, das wenige Augenblicke
darauf ihren Busen ergriff, als sie plötzlich, im Innern des Hofraums, ein Geräusch von Menschen, Pferden und Waffen hörte,
und darunter ganz deutlich die Stimme des Negers Congo Hoango erkannte, der unvermuteter Weise mit seinem ganzen Troß
aus dem Lager des Generals Dessalines zurückgekehrt war. Sie
stürzte, den Mondschein, der sie zu verraten drohte, sorgsam vermeidend, hinter die Vorhänge des Fensters, und hörte auch schon
die Mutter, welche dem Neger von allem, was während dessen
vorgefallen war, auch von der Anwesenheit des europäischen
Flüchtlings im Hause, Nachricht gab. Der Neger befahl den
Seinigen, mit gedämpfter Stimme, im Hofe still zu sein. Er fragte
die Alte, wo der Fremde in diesem Augenblick befindlich sei?
worauf diese ihm das Zimmer bezeichnete, und sogleich auch
Gelegenheit nahm, ihn von dem sonderbaren und auffallenden
Gespräch, das sie, den Flüchtling betreffend, mit der Tochter gehabt hatte, zu unterrichten. Sie versicherte dem Neger, daß das
Mädchen eine Verräterin, und der ganze Anschlag, desselben
habhaft zu werden, in Gefahr sei, zu scheitern. Wenigstens sei die
Spitzbübin, wie sie bemerkt, heimlich beim Einbruch der Nacht
in sein Bette geschlichen, wo sie noch bis diesen Augenblick in
guter Ruhe befindlich sei; und wahrscheinlich, wenn der Fremde
nicht schon entflohen sei, werde derselbe eben jetzt gewarnt, und
die Mittel, wie seine Flucht zu bewerkstelligen sei, mit ihm ver-
abredet. Der Neger, der die Treue des Mädchens schon in ähnlichen Fällen erprobt hatte, antwortete: es wäre wohl nicht
möglich? Und: Kelly! rief er wütend, und: Omra! Nehmt eure
Büchsen! Und damit, ohne weiter ein Wort zu sagen, stieg er,
im Gefolge aller seiner Neger, die Treppe hinauf, und begab sich
in das Zimmer des Fremden.

Toni, vor deren Augen sich, während weniger Minuten, dieser

ganze Auftritt abgespielt hatte, stand, gelähmt an allen Gliedern, als ob sie ein Wetterstrahl getroffen hätte, da. Sie dachte einen Augenblick daran, den Fremden zu wecken; doch teils war, wegen Besetzung des Hofraums, keine Flucht für ihn möglich, teils auch sah sie voraus, daß er zu den Waffen greifen, und somit bei der Überlegenheit der Neger, Zubodenstreckung unmittelbar sein Los sein würde. Ja, die entsetzlichste Rücksicht, die sie zu nehmen genötigt war, war diese, daß der Unglückliche sie selbst, wenn er sie in dieser Stunde bei seinem Bette fände, für eine Verräterin halten, und, statt auf ihren Rat zu hören, in der Raserei eines so heillosen Wahns, dem Neger Hoango völlig besinnungslos in die Arme laufen würde. In dieser unaussprechlichen Angst fiel ihr ein Strick in die Augen, welcher, der Himmel weiß durch welchen Zufall, an dem Riegel der Wand hing. Gott selbst, meinte sie, indem sie ihn herabriß, hätte ihn zu ihrer und des Freundes Rettung dahin geführt. Sie umschlang den Jüngling, vielfache Knoten schürzend, an Händen und Füßen damit; und nachdem sie, ohne darauf zu achten, daß er sich rührte und sträubte, die Enden angezogen und an das Gestell des Bettes festgebunden hatte: drückte sie, froh, des Augenblicks mächtig geworden zu sein, einen Kuß auf seine Lippen, und eilte dem Neger Hoango, der schon auf der Treppe klirrte, entgegen.

Der Neger, der dem Bericht der Alten, Toni anbetreffend, immer noch keinen Glauben schenkte, stand, als er sie aus dem bezeichneten Zimmer hervortreten sah, bestürzt und verwirrt, im Korridor mit seinem Troß von Fackeln und Bewaffneten still. Er rief: »die Treulose! die Bundbrüchige!« und indem er sich zu Babekan wandte, welche einige Schritte vorwärts gegen die Tür des Fremden getan hatte, fragte er: »ist der Fremde entflohn?« Babekan, welche die Tür, ohne hineinzusehen, offen gefunden hatte, rief, indem sie als eine Wütende zurückkehrte: Die Gaunerin! Sie hat ihn entwischen lassen! Eilt, und besetzt die Ausgänge, ehe er das weite Feld erreicht! »Was gibts?« fragte Toni, indem sie mit dem Ausdruck des Erstaunens den Alten und die Neger, die ihn umringten, ansah. Was es gibt? erwiderte Hoango; und damit ergriff er sie bei der Brust und schleppte sie nach dem Zimmer hin. »Seid ihr rasend?« rief Toni, indem sie den Alten, der bei dem sich ihm darbietenden Anblick erstarrte, von

sich stieß: »da liegt der Fremde, von mir in seinem Bette festgebunden; und, beim Himmel, es ist nicht die schlechteste Tat, die
ich in meinem Leben getan!« Bei diesen Worten kehrte sie ihm
den Rücken zu, und setzte sich, als ob sie weinte, an einen Tisch
nieder. Der Alte wandte sich gegen die in Verwirrung zur Seite
stehende Mutter und sprach: o Babekan, mit welchem Märchen
hast du mich getäuscht? »Dem Himmel sei Dank«, antwortete die
Mutter, indem sie die Stricke, mit welchen der Fremde gebunden
war, verlegen untersuchte; »der Fremde ist da, obschon ich von
dem Zusammenhang nichts begreife.« Der Neger trat, das
Schwert in die Scheide steckend, an das Bett und fragte den
Fremden: wer er sei? woher er komme und wohin er reise? Doch
da dieser, unter krampfhaften Anstrengungen sich loszuwinden,
nichts hervorbrachte, als, auf jämmerlich schmerzhafte Weise:
o Toni! o Toni! – so nahm die Mutter das Wort und bedeutete
ihm, daß er ein Schweizer sei, namens Gustav von der Ried, und
daß er mit einer ganzen Familie europäischer Hunde, welche in
diesem Augenblick in den Berghöhlen am Möwenweiher versteckt sei, von dem Küstenplatz Fort Dauphin komme. Hoango,
der das Mädchen, den Kopf schwermütig auf ihre Hände gestützt,
dasitzen sah, trat zu ihr und nannte sie sein liebes Mädchen;
klopfte ihr die Wangen, und forderte sie auf, ihm den übereilten
Verdacht, den er ihr geäußert, zu vergeben. Die Alte, die gleichfalls vor das Mädchen hingetreten war, stemmte die Arme kopf-
schüttelnd in die Seite und fragte: weshalb sie denn den Fremden,
der doch von der Gefahr, in der er sich befunden, gar nichts gewußt, mit Stricken in dem Bette festgebunden habe? Toni, vor
Schmerz und Wut in der Tat weinend, antwortete, plötzlich zur
Mutter gekehrt: »weil du keine Augen und Ohren hast! Weil er
die Gefahr, in der er schwebte, gar wohl begriff! Weil er entfliehen wollte; weil er mich gebeten hatte, ihm zu seiner Flucht
behülflich zu sein; weil er einen Anschlag auf dein eignes Leben
gemacht hatte, und sein Vorhaben bei Anbruch des Tages ohne
Zweifel, wenn ich ihn nicht schlafend gebunden hätte, in Ausführung gebracht haben würde.« Der Alte liebkosete und beruhigte das Mädchen, und befahl Babekan, von dieser Sache zu
schweigen. Er rief ein paar Schützen mit Büchsen vor, um das
Gesetz, dem der Fremdling verfallen war, augenblicklich an dem-

selben zu vollstrecken; aber Babekan flüsterte ihm heimlich zu:
»nein, ums Himmels willen, Hoango!« – Sie nahm ihn auf die
Seite und bedeutete ihm: »Der Fremde müsse, bevor er hingerichtet werde, eine Einladung aufsetzen, um vermittelst derselben
die Familie, deren Bekämpfung im Walde manchen Gefahren
ausgesetzt sei, in die Pflanzung zu locken.« – Hoango, in Erwägung, daß die Familie wahrscheinlich nicht unbewaffnet sein
werde, gab diesem Vorschlage seinen Beifall; er stellte, weil es
zu spät war, den Brief verabredetermaßen schreiben zu lassen,
zwei Wachen bei dem weißen Flüchtling aus; und nachdem er
noch, der Sicherheit wegen, die Stricke untersucht, auch, weil
er sie zu locker befand, ein paar Leute herbeigerufen hatte, um
sie noch enger zusammenzuziehen, verließ er mit seinem ganzen
Troß das Zimmer, und alles nach und nach begab sich zur Ruh.

Aber Toni, welche nur scheinbar dem Alten, der ihr noch einmal die Hand gereicht, gute Nacht gesagt und sich zu Bette gelegt hatte, stand, sobald sie alles im Hause still sah, wieder auf,
schlich sich durch eine Hinterpforte des Hauses auf das freie Feld
hinaus, und lief, die wildeste Verzweiflung im Herzen, auf dem,
die Landstraße durchkreuzenden, Wege der Gegend zu, von
welcher die Familie Herrn Strömlis herankommen mußte. Denn
die Blicke voll Verachtung, die der Fremde von seinem Bette aus
auf sie geworfen hatte, waren ihr empfindlich, wie Messerstiche,
durchs Herz gegangen; es mischte sich ein Gefühl heißer Bitter-
keit in ihre Liebe zu ihm, und sie frohlockte bei dem Gedanken,
in dieser zu seiner Rettung angeordneten Unternehmung zu
sterben. Sie stellte sich, in der Besorgnis, die Familie zu verfehlen,
an den Stamm einer Pinie, bei welcher, falls die Einladung angenommen worden war, die Gesellschaft vorüberziehen mußte,
und kaum war auch, der Verabredung gemäß, der erste Strahl
der Dämmerung am Horizont angebrochen, als Nankys, des
Knaben, Stimme, der dem Trosse zum Führer diente, schon fern-
her unter den Bäumen des Waldes hörbar ward.

Der Zug bestand aus Herrn Strömli und seiner Gemahlin,
welche letztere auf einem Maulesel ritt; fünf Kindern desselben,
deren zwei, Adelbert und Gottfried, Jünglinge von 18 und 17
Jahren, neben dem Maulesel hergingen; drei Dienern und zwei
Mägden, wovon die eine, einen Säugling an der Brust, auf dem

andern Maulesel ritt; in allem aus zwölf Personen. Er bewegte
sich langsam über die den Weg durchflechtenden Kienwurzeln,
dem Stamm der Pinie zu: wo Toni, so geräuschlos, als niemand
zu erschrecken nötig war, aus dem Schatten des Baums hervortrat, und dem Zuge zurief: Halt! Der Knabe kannte sie sogleich; 5
und auf ihre Frage: wo Herr Strömli sei? während Männer, Weiber und Kinder sie umringten, stellte dieser sie freudig dem alten
Oberhaupt der Familie, Herrn Strömli, vor. »Edler Herr!« sagte
Toni, indem sie die Begrüßungen desselben mit fester Stimme
unterbrach: »der Neger Hoango ist, auf überraschende Weise, 10
mit seinem ganzen Troß in die Niederlassung zurück gekommen.
Ihr könnt jetzt, ohne die größeste Lebensgefahr, nicht darin ein-
kehren; ja, euer Vetter, der zu seinem Unglück eine Aufnahme
darin fand, ist verloren, wenn ihr nicht zu den Waffen greift, und
mir, zu seiner Befreiung aus der Haft, in welcher ihn der Neger 15
Hoango gefangen hält, in die Pflanzung folgt!« Gott im Himmel!
riefen, von Schrecken erfaßt, alle Mitglieder der Familie; und die
Mutter, die krank und von der Reise erschöpft war, fiel von dem
Maultier ohnmächtig auf den Boden nieder. Toni, während, auf
den Ruf Herrn Strömlis die Mägde herbeieilten, um ihrer Frau 20
zu helfen, führte, von den Jünglingen mit Fragen bestürmt, Herrn
Strömli und die übrigen Männer, aus Furcht vor dem Knaben
Nanky, auf die Seite. Sie erzählte den Männern, ihre Tränen vor
Scham und Reue nicht zurückhaltend, alles, was vorgefallen;
wie die Verhältnisse, in dem Augenblick, da der Jüngling einge- 25
troffen, im Hause bestanden; wie das Gespräch, das sie unter vier
Augen mit ihm gehabt, dieselben auf ganz unbegreifliche Weise
verändert; was sie bei der Ankunft des Negers, fast wahnsinnig
vor Angst, getan, und wie sie nun Tod und Leben daran setzen wolle,
ihn aus der Gefangenschaft, worin sie ihn selbst gestürzt, wieder zu 30
befreien. Meine Waffen! rief Herr Strömli, indem er zu dem
Maultier seiner Frau eilte und seine Büchse herabnahm. Er sagte,
während auch Adelbert und Gottfried, seine rüstigen Söhne, und
die drei wackern Diener sich bewaffneten: Vetter Gustav hat
mehr als einem von uns das Leben gerettet; jetzt ist es an uns, ihm 35
den gleichen Dienst zu tun; und damit hob er seine Frau, welche
sich erholt hatte, wieder auf das Maultier, ließ dem Knaben
Nanky, aus Vorsicht, als eine Art von Geißel, die Hände binden;

schickte den ganzen Troß, Weiber und Kinder, unter dem bloßen
Schutz seines dreizehnjährigen, gleichfalls bewaffneten Sohnes,
Ferdinand, an den Möwenweiher zurück; und nachdem er noch
Toni, welche selbst einen Helm und einen Spieß genommen
hatte, über die Stärke der Neger und ihre Verteilung im Hof-
raume ausgefragt und ihr versprochen hatte, Hoangos sowohl,
als ihrer Mutter, so viel es sich tun ließ, bei dieser Unternehmung
zu schonen: stellte er sich mutig, und auf Gott vertrauend, an die
Spitze seines kleinen Haufens, und brach, von Toni geführt, in
die Niederlassung auf.

Toni, sobald der Haufen durch die hintere Pforte eingeschli-
chen war, zeigte Herrn Strömli das Zimmer, in welchem Hoango
und Babekan ruhten; und während Herr Strömli geräuschlos mit
seinen Leuten in das offne Haus eintrat, und sich sämtlicher zu-
sammengesetzter Gewehre der Neger bemächtigte, schlich sie zur
Seite ab in den Stall, in welchem der fünfjährige Halbbruder des
Nanky, Seppy, schlief. Denn Nanky und Seppy, Bastardkinder
des alten Hoango, waren diesem, besonders der letzte, dessen
Mutter kürzlich gestorben war, sehr teuer; und da, selbst in dem
Fall, daß man den gefangenen Jüngling befreite, der Rückzug an
den Möwenweiher und die Flucht von dort nach Port au Prince,
der sie sich anzuschließen gedachte, noch mancherlei Schwierigkeiten ausgesetzt war: so schloß sie nicht unrichtig, daß der Besitz beider Knaben, als einer Art von Unterpfand, dem Zuge, bei
etwaniger Verfolgung der Negern, von großem Vorteil sein
würde. Es gelang ihr, den Knaben ungesehen aus seinem Bette zu
heben, und in ihren Armen, halb schlafend, halb wachend, in das
Hauptgebäude hinüberzutragen. Inzwischen war Herr Strömli,
so heimlich, als es sich tun ließ, mit seinem Haufen in Hoangos
Stubentüre eingetreten; aber statt ihn und Babekan, wie er
glaubte, im Bette zu finden, standen, durch das Geräusch geweckt, beide, obschon halbnackt und hülflos, in der Mitte des
Zimmers da. Herr Strömli, indem er seine Büchse in die Hand
nahm, rief: sie sollten sich ergeben, oder sie wären des Todes!
doch Hoango, statt aller Antwort, riß ein Pistol von der Wand
und platzte es, Herrn Strömli am Kopf streifend, unter die
Menge los. Herrn Strömlis Haufen, auf dies Signal, fiel wütend
über ihn her; Hoango, nach einem zweiten Schuß, der einem

Diener die Schulter durchbohrte, ward durch einen Säbelhieb an
der Hand verwundet, und beide, Babekan und er, wurden nieder-
geworfen und mit Stricken am Gestell eines großen Tisches fest
gebunden. Mittlerweile waren, durch die Schüsse geweckt, die
Neger des Hoango, zwanzig und mehr an der Zahl, aus ihren
Ställen hervorgestürzt, und drangen, da sie die alte Babekan im
Hause schreien hörten, wütend gegen dasselbe vor, um ihre Waffen wieder zu erobern. Vergebens postierte Herr Strömli, dessen
Wunde von keiner Bedeutung war, seine Leute an die Fenster des
Hauses, und ließ, um die Kerle im Zaum zu halten, mit Büchsen
unter sie feuern; sie achteten zweier Toten nicht, die schon auf
dem Hofe umher lagen, und waren im Begriff, Äxte und Brechstangen zu holen, um die Haustür, welche Herr Strömli verriegelt
hatte, einzusprengen, als Toni, zitternd und bebend, den Knaben
Seppy auf dem Arm, in Hoangos Zimmer trat. Herr Strömli, dem
diese Erscheinung äußerst erwünscht war, riß ihr den Knaben
vom Arm; er wandte sich, indem er seinen Hirschfänger zog, zu
Hoango, und schwor, daß er den Jungen augenblicklich töten
würde, wenn er den Negern nicht zuriefe, von ihrem Vorhaben
abzustehen. Hoango, dessen Kraft durch den Hieb über die drei
Finger der Hand gebrochen war, und der sein eignes Leben, im
Fall einer Weigerung, ausgesetzt haben würde, erwiderte nach
einigen Bedenken, indem er sich vom Boden aufheben ließ: »daß
er dies tun wolle«; er stellte sich, von Herrn Strömli geführt, an
das Fenster, und mit einem Schnupftuch, das er in die linke Hand
nahm, über den Hof hinauswinkend, rief er den Negern zu: »daß
sie die Tür, indem es, sein Leben zu retten, keiner Hülfe bedürfe,
unberührt lassen sollten und in ihre Ställe zurückkehren möchten!« Hierauf beruhigte sich der Kampf ein wenig; Hoango
schickte, auf Verlangen Herrn Strömlis, einen im Hause einge-
fangenen Neger, mit der Wiederholung dieses Befehls, zu dem
im Hofe noch verweilenden und sich beratschlagenden Haufen
hinab; und da die Schwarzen, so wenig sie auch von der Sache begriffen, den Worten dieses förmlichen Botschafters Folge leisten
mußten, so gaben sie ihren Anschlag, zu dessen Ausführung schon
alles in Bereitschaft war, auf, und verfügten sich nach und nach,
obschon murrend und schimpfend, in ihre Ställe zurück. Herr
Strömli, indem er dem Knaben Seppy vor den Augen Hoangos

die Hände binden ließ, sagte diesem: »daß seine Absicht keine
andere sei, als den Offizier, seinen Vetter aus der in der Pflanzung
über ihn verhängten Haft zu befreien, und daß, wenn seiner
Flucht nach Port au Prince keine Hindernisse in den Weg gelegt
5 würden, weder für sein, Hoangos, noch für seiner Kinder Leben,
die er ihm wiedergeben würde, etwas zu befürchten sein würde.
Babekan, welcher Toni sich näherte und zum Abschied in einer
Rührung, die sie nicht unterdrücken konnte, die Hand geben
wollte, stieß diese heftig von sich. Sie nannte sie eine Niederträch-
10 tige und Verräterin, und meinte, indem sie sich am Gestell des
Tisches, an dem sie lag, umkehrte: die Rache Gottes würde sie,
noch ehe sie ihrer Schandtat froh geworden, ereilen. Toni antwortete: »ich habe euch nicht verraten; ich bin eine Weiße, und
dem Jüngling, den ihr gefangen haltet, verlobt; ich gehöre zu
15 dem Geschlecht derer, mit denen ihr im offenen Kriege liegt, und
werde vor Gott, daß ich mich auf ihre Seite stellte, zu verantwor-
ten wissen.« Hierauf gab Herr Strömli dem Neger Hoango, den
er zur Sicherheit wieder hatte fesseln und an die Pfosten der Tür
festbinden lassen, eine Wache; er ließ den Diener, der, mit zer-
20 splittertem Schulterknochen, ohnmächtig am Boden lag, aufheben und wegtragen; und nachdem er dem Hoango noch gesagt hatte, daß er beide Kinder, den Nanky sowohl als den Seppy,
nach Verlauf einiger Tage, in Sainte Lüze, wo die ersten französischen Vorposten stünden, abholen lassen könne, nahm er
25 Toni, die, von mancherlei Gefühlen bestürmt, sich nicht enthalten
konnte zu weinen, bei der Hand, und führte sie, unter den Flüchen Babekans und des alten Hoango, aus dem Schlafzimmer
fort.

Inzwischen waren Adelbert und Gottfried, Herrn Strömlis
30 Söhne, schon nach Beendigung des ersten, an den Fenstern ge-
fochtenen Hauptkampfs, auf Befehl des Vaters, in das Zimmer
ihres Vetters Gustav geeilt, und waren glücklich genug gewesen,
die beiden Schwarzen, die diesen bewachten, nach einem hartnäckigen Widerstand zu überwältigen. Der eine lag tot im Zim-
35 mer; der andere hatte sich mit einer schweren Schußwunde bis
auf den Korridor hinausgeschleppt. Die Brüder, deren einer, der
Ältere, dabei selbst, obschon nur leicht, am Schenkel verwundet
worden war, banden den teuren lieben Vetter los: sie umarmten

und küßten ihn, und forderten ihn jauchzend, indem sie ihm Gewehr und Waffen gaben, auf, ihnen nach dem vorderen Zimmer,
in welchem, da der Sieg entschieden, Herr Strömli wahrscheinlich alles schon zum Rückzug anordne, zu folgen. Aber Vetter
Gustav, halb im Bette aufgerichtet, drückte ihnen freundlich die
Hand; im übrigen war er still und zerstreut, und statt die Pistolen,
die sie ihm darreichten, zu ergreifen, hob er die Rechte, und
strich sich, mit einem unaussprechlichen Ausdruck von Gram,
damit über die Stirn. Die Jünglinge, die sich bei ihm niedergesetzt hatten, fragten: was ihm fehle? und schon, da er sie mit seinem Arm umschloß, und sich mit dem Kopf schweigend an die
Schulter des Jüngern lehnte, wollte Adelbert sich erheben, um
ihm im Wahn, daß ihn eine Ohnmacht anwandle, einen Trunk
Wasser herbeizuholen: als Toni, den Knaben Seppy auf dem
Arm, an der Hand Herrn Strömlis, in das Zimmer trat. Gustav
wechselte bei diesem Anblick die Farbe; er hielt sich, indem er
aufstand, als ob er umsinken wollte, an den Leibern der Freunde
fest; und ehe die Jünglinge noch wußten, was er mit dem Pistol,
das er ihnen jetzt aus der Hand nahm, anfangen wollte: drückte
er dasselbe schon, knirschend vor Wut, gegen Toni ab. Der
Schuß war ihr mitten durch die Brust gegangen; und da sie, mit
einem gebrochenen Laut des Schmerzes, noch einige Schritte gegen ihn tat, und sodann, indem sie den Knaben an Herrn Strömli
gab, vor ihm niedersank: schleuderte er das Pistol über sie, stieß
sie mit dem Fuß von sich, und warf sich, indem er sie eine Hure
nannte, wieder auf das Bette nieder. »Du ungeheurer Mensch!«
riefen Herr Strömli und seine beiden Söhne. Die Jünglinge warfen sich über das Mädchen, und riefen, indem sie es aufhoben,
einen der alten Diener herbei, der dem Zuge schon in manchen
ähnlichen, verzweiflungsvollen Fällen die Hülfe eines Arztes geleistet hatte; aber das Mädchen, das sich mit der Hand krampf-
haft die Wunde hielt, drückte die Freunde hinweg, und: »sagt
ihm –!« stammelte sie röchelnd, auf ihn, der sie erschossen, hin-
deutend, und wiederholte: »sagt ihm – –!« Was sollen wir ihm
sagen? fragte Herr Strömli, da der Tod ihr die Sprache raubte.
Adelbert und Gottfried standen auf und riefen dem unbegreiflich
gräßlichen Mörder zu: ob er wisse, daß das Mädchen seine Ret-
terin sei; daß sie ihn liebe und daß es ihre Absicht gewesen sei,

mit ihm, dem sie alles, Eltern und Eigentum, aufgeopfert, nach
Port au Prince zu entfliehen? – Sie donnerten ihm: Gustav! in die
Ohren, und fragten ihn: ob er nichts höre? und schüttelten ihn
und griffen ihm in die Haare, da er unempfindlich, und ohne auf
sie zu achten, auf dem Bette lag. Gustav richtete sich auf. Er warf
einen Blick auf das in seinem Blut sich wälzende Mädchen; und
die Wut, die diese Tat veranlaßt hatte, machte, auf natürliche
Weise, einem Gefühl gemeinen Mitleidens Platz. Herr Strömli,
heiße Tränen auf sein Schnupftuch niederweinend, fragte: warum, Elender, hast du das getan? Vetter Gustav, der von dem Bette
aufgestanden war, und das Mädchen, indem er sich den Schweiß
von der Stirn abwischte, betrachtete, antwortete: daß sie ihn
schändlicher Weise zur Nachtzeit gebunden, und dem Neger
Hoango übergeben habe. »Ach!« rief Toni, und streckte, mit
einem unbeschreiblichen Blick, ihre Hand nach ihm aus: »dich,
liebsten Freund, band ich, weil – – !« Aber sie konnte nicht reden
und ihn auch mit der Hand nicht erreichen; sie fiel, mit einer
plötzlichen Erschlaffung der Kraft, wieder auf den Schoß Herrn
Strömlis zurück. Weshalb? fragte Gustav blaß, indem er zu ihr
niederkniete. Herr Strömli, nach einer langen, nur durch das
Röcheln Tonis unterbrochenen Pause, in welcher man vergebens
auf eine Antwort von ihr gehofft hatte, nahm das Wort und
sprach: weil, nach der Ankunft Hoangos, dich, Unglücklichen,
zu retten, kein anderes Mittel war; weil sie den Kampf, den du
unfehlbar eingegangen wärest, vermeiden, weil sie Zeit gewinnen
wollte, bis wir, die wir schon vermöge ihrer Veranstaltung herbeieilten, deine Befreiung mit den Waffen in der Hand erzwingen konnten. Gustav legte die Hände vor sein Gesicht. Oh! rief
er, ohne aufzusehen, und meinte, die Erde versänke unter seinen
Füßen: ist das, was ihr mir sagt, wahr? Er legte seine Arme um
ihren Leib und sah ihr mit jammervoll zerrissenem Herzen ins
Gesicht. »Ach«, rief Toni, und dies waren ihre letzten Worte: »du
hättest mir nicht mißtrauen sollen!« Und damit hauchte sie ihre
schöne Seele aus. Gustav raufte sich die Haare. Gewiß! sagte er,
da ihn die Vettern von der Leiche wegrissen: ich hätte dir nicht
mißtrauen sollen; denn du warst mir durch einen Eidschwur verlobt, obschon wir keine Worte darüber gewechselt hatten! Herr
Strömli drückte jammernd den Latz, der des Mädchens Brust

umschloß, nieder. Er ermunterte den Diener, der mit einigen un-
vollkommenen Rettungswerkzeugen neben ihm stand, die Kugel, die, wie er meinte, in dem Brustknochen stecken müsse, aus-
zuziehen; aber alle Bemühung, wie gesagt, war vergebens, sie
war von dem Blei ganz durchbohrt, und ihre Seele schon zu besseren Sternen entflohn. – Inzwischen war Gustav ans Fenster getreten; und während Herr Strömli und seine Söhne unter stillen
Tränen beratschlagten, was mit der Leiche anzufangen sei, und
ob man nicht die Mutter herbeirufen solle: jagte Gustav sich die
Kugel, womit das andere Pistol geladen war, durchs Hirn. Diese
neue Schreckenstat raubte den Verwandten völlig alle Besinnung.
Die Hülfe wandte sich jetzt auf ihn; aber des Ärmsten Schädel
war ganz zerschmettert, und hing, da er sich das Pistol in den
Mund gesetzt hatte, zum Teil an den Wänden umher. Herr
Strömli war der erste, der sich wieder sammelte. Denn da der
Tag schon ganz hell durch die Fenster schien, und auch Nachrichten einliefen, daß die Neger sich schon wieder auf dem Hofe
zeigten: so blieb nichts übrig, als ungesäumt an den Rückzug zu
denken. Man legte die beiden Leichen, die man nicht der mut-
willigen Gewalt der Neger überlassen wollte, auf ein Brett, und
nachdem die Büchsen von neuem geladen waren, brach der
traurige Zug nach dem Möwenweiher auf. Herr Strömli, den
Knaben Seppy auf dem Arm, ging voran; ihm folgten die beiden
stärksten Diener, welche auf ihren Schultern die Leichen trugen;
der Verwundete schwankte an einem Stabe hinterher; und Adelbert und Gottfried gingen mit gespannten Büchsen dem langsam
fortschreitenden Leichenzuge zur Seite. Die Neger, da sie den
Haufen so schwach erblickten, traten mit Spießen und Gabeln
aus ihren Wohnungen hervor, und schienen Miene zu machen,
angreifen zu wollen; aber Hoango, den man die Vorsicht beobachtet hatte, loszubinden, trat auf die Treppe des Hauses hinaus,
und winkte den Negern, zu ruhen. »In Sainte Lüze!« rief er Herrn
Strömli zu, der schon mit den Leichen unter dem Torweg war.
»In Sainte Lüze!« antwortete dieser: worauf der Zug, ohne verfolgt zu werden, auf das Feld hinauskam und die Waldung erreichte. Am Möwenweiher, wo man die Familie fand, grub man,
unter vielen Tränen, den Leichen ein Grab; und nachdem man
noch die Ringe, die sie an der Hand trugen, gewechselt hatte,

senkte man sie unter stillen Gebeten in die Wohnungen des ewigen Friedens ein. Herr Strömli war glücklich genug, mit seiner Frau und seinen Kindern, fünf Tage darauf, Sainte Lüze zu erreichen, wo er die beiden Negerknaben, seinem Versprechen gemäß, zurückließ. Er traf kurz vor Anfang der Belagerung in Port au Prince ein, wo er noch auf den Wällen für die Sache der Weißen focht; und als die Stadt nach einer hartnäckigen Gegenwehr an den General Dessalines überging, rettete er sich mit dem französischen Heer auf die englische Flotte, von wo die Familie nach Europa überschiffte, und ohne weitere Unfälle ihr Vaterland, die Schweiz, erreichte. Herr Strömli kaufte sich daselbst mit dem Rest seines kleinen Vermögens, in der Gegend des Rigi, an; und noch im Jahr 1807 war unter den Büschen seines Gartens das Denkmal zu sehen, das er Gustav, seinem Vetter, und der Verlobten desselben, der treuen Toni, hatte setzen lassen.

DAS BETTELWEIB VON LOCARNO

Am Fuße der Alpen, bei Locarno im oberen Italien, befand sich
ein altes, einem Marchese gehöriges Schloß, das man jetzt, wenn
man vom St. Gotthard kommt, in Schutt und Trümmern liegen
sieht: ein Schloß mit hohen und weitläufigen Zimmern, in
deren einem einst, auf Stroh, das man ihr unterschüttete, eine
alte kranke Frau, die sich bettelnd vor der Tür eingefunden hatte,
von der Hausfrau aus Mitleiden gebettet worden war. Der Marchese, der, bei der Rückkehr von der Jagd, zufällig in das Zimmer trat, wo er seine Büchse abzusetzen pflegte, befahl der Frau
unwillig, aus dem Winkel, in welchem sie lag, aufzustehen, und
sich hinter den Ofen zu verfügen. Die Frau, da sie sich erhob,
glitschte mit der Krücke auf dem glatten Boden aus, und be-
schädigte sich, auf eine gefährliche Weise, das Kreuz; dergestalt,
daß sie zwar noch mit unsäglicher Mühe aufstand und quer,
wie es vorgeschrieben war, über das Zimmer ging, hinter den
Ofen aber, unter Stöhnen und Ächzen, niedersank und verschied.

Mehrere Jahre nachher, da der Marchese, durch Krieg und
Mißwachs, in bedenkliche Vermögensumstände geraten war,
fand sich ein florentinischer Ritter bei ihm ein, der das Schloß,
seiner schönen Lage wegen, von ihm kaufen wollte. Der Marchese, dem viel an dem Handel gelegen war, gab seiner Frau auf,
den Fremden in dem obenerwähnten, leerstehenden Zimmer, das
sehr schön und prächtig eingerichtet war, unterzubringen. Aber
wie betreten war das Ehepaar, als der Ritter mitten in der Nacht,
verstört und bleich, zu ihnen herunter kam, hoch und teuer versichernd, daß es in dem Zimmer spuke, indem etwas, das dem
Blick unsichtbar gewesen, mit einem Geräusch, als ob es auf
Stroh gelegen, im Zimmerwinkel aufgestanden, mit vernehmli-
chen Schritten, langsam und gebrechlich, quer über das Zimmer
gegangen, und hinter dem Ofen, unter Stöhnen und Ächzen,
niedergesunken sei.

Der Marchese erschrocken, er wußte selbst nicht recht warum, lachte den Ritter mit erkünstelter Heiterkeit aus, und sagte, er wolle sogleich aufstehen, und die Nacht zu seiner Beruhigung, mit ihm in dem Zimmer zubringen. Doch der Ritter bat um die Gefälligkeit, ihm zu erlauben, daß er auf einem Lehnstuhl, in seinem Schlafzimmer übernachte, und als der Morgen kam, ließ er anspannen, empfahl sich und reiste ab.

Dieser Vorfall, der außerordentliches Aufsehen machte, schreckte auf eine dem Marchese höchst unangenehme Weise, mehrere Käufer ab; dergestalt, daß, da sich unter seinem eigenen Hausgesinde, befremdend und unbegreiflich, das Gerücht erhob, daß es in dem Zimmer, zur Mitternachtsstunde, umgehe, er, um es mit einem entscheidenden Verfahren niederzuschlagen, beschloß, die Sache in der nächsten Nacht selbst zu untersuchen. Demnach ließ er, beim Einbruch der Dämmerung, sein Bett in dem besagten Zimmer aufschlagen, und erharrte, ohne zu schlafen, die Mitternacht. Aber wie erschüttert war er, als er in der Tat, mit dem Schlage der Geisterstunde, das unbegreifliche Geräusch wahrnahm; es war, als ob ein Mensch sich von Stroh, das unter ihm knisterte, erhob, quer über das Zimmer ging, und hinter dem Ofen, unter Geseufz und Geröchel niedersank. Die Marquise, am andern Morgen, da er herunter kam, fragte ihn, wie die Untersuchung abgelaufen; und da er sich, mit scheuen und ungewissen Blicken, umsah, und, nachdem er die Tür verriegelt, versicherte, daß es mit dem Spuk seine Richtigkeit habe: so erschrak sie, wie sie in ihrem Leben nicht getan, und bat ihn, bevor er die Sache verlauten ließe, sie noch einmal, in ihrer Gesellschaft, einer kaltblütigen Prüfung zu unterwerfen. Sie hörten aber, samt einem treuen Bedienten, den sie mitgenommen hatten, in der Tat, in der nächsten Nacht, dasselbe unbegreifliche, gespensterartige Geräusch; und nur der dringende Wunsch, das Schloß, es koste was es wolle, los zu werden, vermochte sie, das Entsetzen, das sie ergriff, in Gegenwart ihres Dieners zu unterdrücken, und dem Vorfall irgend eine gleichgültige und zufällige Ursache, die sich entdecken lassen müsse, unterzuschieben. Am Abend des dritten Tages, da beide, um der Sache auf den Grund zu kommen, mit Herzklopfen wieder die Treppe zu dem Fremdenzimmer bestiegen, fand sich zufällig der Haushund, den man von der Kette losgelassen hatte, vor der Tür desselben ein; dergestalt, daß beide, ohne sich bestimmt zu erklären, vielleicht in der unwillkürlichen Absicht, außer sich selbst noch etwas Drittes, Lebendiges, bei sich zu haben, den Hund mit sich in das Zimmer nahmen. Das Ehepaar, zwei Lichter auf dem Tisch, die Marquise unausgezogen, der Marchese Degen und Pistolen, die er aus dem Schrank genommen, neben sich, setzen sich, gegen eilf Uhr, jeder auf sein Bett; und während sie sich mit Gesprächen, so gut sie vermögen, zu unterhalten suchen, legt sich der Hund, Kopf und Beine zusammen gekauert, in der Mitte des Zimmers nieder und schläft ein. Drauf, in dem Augenblick der Mitternacht, läßt sich das entsetzliche Geräusch wieder hören; jemand, den kein Mensch mit Augen sehen kann, hebt sich, auf Krücken, im Zimmerwinkel empor; man hört das Stroh, das unter ihm rauscht; und mit dem ersten Schritt: tapp! tapp! erwacht der Hund, hebt sich plötzlich, die Ohren spitzend, vom Boden empor, und knurrend und bellend, grad als ob ein Mensch auf ihn eingeschritten käme, rückwärts gegen den Ofen weicht er aus. Bei diesem Anblick stürzt die Marquise, mit sträubenden Haaren, aus dem Zimmer; und während der Marquis, der den Degen ergriffen: wer da? ruft, und da ihm niemand antwortet, gleich einem Rasenden, nach allen Richtungen die Luft durchhaut, läßt sie anspannen, entschlossen, augenblicklich, nach der Stadt abzufahren. Aber ehe sie noch einige Sachen zusammengepackt und aus dem Tore herausgerasselt, sieht sie schon das Schloß ringsum in Flammen aufgehen. Der Marchese, von Entsetzen überreizt, hatte eine Kerze genommen, und dasselbe, überall mit Holz getäfelt wie es war, an allen vier Ecken, müde seines Lebens, angesteckt. Vergebens schickte sie Leute hinein, den Unglücklichen zu retten; er war auf die elendiglichste Weise bereits umgekommen, und noch jetzt liegen, von den Landleuten zusammengetragen, seine weißen Gebeine in dem Winkel des Zimmers, von welchem er das Bettelweib von Locarno hatte aufstehen heißen.

DER FINDLING

Antonio Piachi, ein wohlhabender Güterhändler in Rom, war genötigt, in seinen Handelsgeschäften zuweilen große Reisen zu machen. Er pflegte dann gewöhnlich *Elvire*, seine junge Frau, unter dem Schutz ihrer Verwandten, daselbst zurückzulassen. Eine dieser Reisen führte ihn mit seinem Sohn *Paolo*, einem eilf-jährigen Knaben, den ihm seine erste Frau geboren hatte, nach Ragusa. Es traf sich, daß hier eben eine pestartige Krankheit aus-gebrochen war, welche die Stadt und Gegend umher in großes Schrecken setzte. Piachi, dem die Nachricht davon erst auf der Reise zu Ohren gekommen war, hielt in der Vorstadt an, um sich nach der Natur derselben zu erkundigen. Doch da er hörte, daß das Übel von Tage zu Tage bedenklicher werde, und daß man damit umgehe, die Tore zu sperren; so überwand die Sorge für seinen Sohn alle kaufmännischen Interessen: er nahm Pferde und reisete wieder ab.

Er bemerkte, da er im Freien war, einen Knaben neben seinem Wagen, der, nach Art der Flehenden, die Hände zu ihm aus-streckte und in großer Gemütsbewegung zu sein schien. Piachi ließ halten; und auf die Frage: was er wolle? antwortete der Knabe in seiner Unschuld: er sei angesteckt; die Häscher ver-folgten ihn, um ihn ins Krankenhaus zu bringen, wo sein Vater und seine Mutter schon gestorben wären; er bitte um aller Heili-gen willen, ihn mitzunehmen, und nicht in der Stadt umkommen zu lassen. Dabei faßte er des Alten Hand, drückte und küßte sie und weinte darauf nieder. Piachi wollte in der ersten Regung des Entsetzens, den Jungen weit von sich schleudern; doch da dieser, in eben diesem Augenblick, seine Farbe veränderte und ohnmäch-tig auf den Boden niedersank, so regte sich des guten Alten Mitleid: er stieg mit seinem Sohn aus, legte den Jungen in den Wagen, und fuhr mit ihm fort, obschon er auf der Welt nicht wußte, was er mit demselben anfangen sollte.

Er unterhandelte noch, in der ersten Station, mit den Wirts-

leuten, über die Art und Weise, wie er seiner wieder los werden
könne: als er schon auf Befehl der Polizei, welche davon Wind
bekommen hatte, arretiert und unter einer Bedeckung, er, sein
Sohn und Nicolo, so hieß der kranke Knabe, wieder nach Ragusa
zurück transportiert ward. Alle Vorstellungen von Seiten Piachis,
über die Grausamkeit dieser Maßregel, halfen zu nichts; in Ragusa angekommen, wurden nunmehr alle drei, unter Aufsicht eines
Häschers, nach dem Krankenhause abgeführt, wo er zwar, Piachi,
gesund blieb, und Nicolo, der Knabe, sich von dem Übel wieder
erholte: sein Sohn aber, der eilfjährige Paolo, von demselben
angesteckt ward, und in drei Tagen starb.

Die Tore wurden nun wieder geöffnet und Piachi, nachdem
er seinen Sohn begraben hatte, erhielt von der Polizei Erlaubnis,
zu reisen. Er bestieg eben, sehr von Schmerz bewegt, den Wagen
und nahm, bei dem Anblick des Platzes, der neben ihm leer blieb,
sein Schnupftuch heraus, um seine Tränen fließen zu lassen: als
Nicolo, mit der Mütze in der Hand, an seinen Wagen trat und
ihm eine glückliche Reise wünschte. Piachi beugte sich aus dem
Schlage heraus und fragte ihn, mit einer von heftigem Schluchzen unterbrochenen Stimme: ob er mit ihm reisen wollte? Der
Junge, sobald er den Alten nur verstanden hatte, nickte und
sprach: o ja! sehr gern; und da die Vorsteher des Krankenhauses,
auf die Frage des Güterhändlers: ob es dem Jungen wohl erlaubt
wäre, einzusteigen? lächelten und versicherten: daß er Gottes
Sohn wäre und niemand ihn vermissen würde; so hob ihn
Piachi, in einer großen Bewegung, in den Wagen, und nahm ihn,
an seines Sohnes Statt, mit sich nach Rom.

Auf der Straße, vor den Toren der Stadt, sah sich der Land-
mäkler den Jungen erst recht an. Er war von einer besondern,
etwas starren Schönheit, seine schwarzen Haare hingen ihm, in
schlichten Spitzen, von der Stirn herab, ein Gesicht beschattend,
das, ernst und klug, seine Mienen niemals veränderte. Der Alte
tat mehrere Fragen an ihn, worauf jener aber nur kurz antwortete: ungesprächig und in sich gekehrt saß er, die Hände in die
Hosen gesteckt, im Winkel da, und sah sich, mit gedankenvoll
scheuen Blicken, die Gegenstände an, die an dem Wagen vor-
überflogen. Von Zeit zu Zeit holte er sich, mit stillen und ge-
räuschlosen Bewegungen, eine Handvoll Nüsse aus der Tasche,

die er bei sich trug, und während Piachi sich die Tränen vom Auge wischte, nahm er sie zwischen die Zähne und knackte sie auf.

In Rom stellte ihn Piachi, unter einer kurzen Erzählung des Vorfalls, Elviren, seiner jungen trefflichen Gemahlin vor, welche sich zwar nicht enthalten konnte, bei dem Gedanken an Paolo, ihren kleinen Stiefsohn, den sie sehr geliebt hatte, herzlich zu weinen; gleichwohl aber den Nicolo, so fremd und steif er auch vor ihr stand, an ihre Brust drückte, ihm das Bette, worin jener geschlafen hatte, zum Lager anwies, und sämtliche Kleider desselben zum Geschenk machte. Piachi schickte ihn in die Schule, wo er Schreiben, Lesen und Rechnen lernte, und da er, auf eine leicht begreifliche Weise, den Jungen in dem Maße lieb gewonnen, als er ihm teuer zu stehen gekommen war, so adoptierte er ihn, mit Einwilligung der guten Elvire, welche von dem Alten keine Kinder mehr zu erhalten hoffen konnte, schon nach wenigen Wochen, als seinen Sohn. Er dankte späterhin einen Kommis ab, mit dem er, aus mancherlei Gründen, unzufrieden war, und hatte, da er den Nicolo, statt seiner, in dem Kontor anstellte, die Freude zu sehn, daß derselbe die weitläuftigen Geschäfte, in welchen er verwickelt war, auf das tätigste und vorteilhafteste verwaltete. Nichts hatte der Vater, der ein geschworner Feind aller Bigotterie war, an ihm auszusetzen, als den Umgang mit den Mönchen des Karmeliterklosters, die dem jungen Mann, wegen des beträchtlichen Vermögens das ihm einst, aus der Hinterlassenschaft des Alten, zufallen sollte, mit großer Gunst zugetan waren; und nichts ihrerseits die Mutter, als einen früh, wie es ihr schien, in der Brust desselben sich regenden Hang für das weibliche Geschlecht. Denn schon in seinem funfzehnten Jahre, war er, bei Gelegenheit dieser Mönchsbesuche, die Beute der Verführung einer gewissen *Xaviera Tartini*, Beischläferin ihres Bischofs, geworden, und ob er gleich, durch die strenge Forderung des Alten genötigt, diese Verbindung zerriß, so hatte Elvire doch mancherlei Gründe zu glauben, daß seine Enthaltsamkeit auf diesem gefährlichen Felde nicht eben groß war. Doch da Nicolo sich, in seinem zwanzigsten Jahre, mit *Constanza Parquet*, einer jungen liebenswürdigen Genueserin, Elvirens Nichte, die unter ihrer Aufsicht in Rom erzogen wurde, vermählte, so schien wenigstens das

letzte Übel damit an der Quelle verstopft; beide Eltern vereinigten sich in der Zufriedenheit mit ihm, und um ihm davon einen
Beweis zu geben, ward ihm eine glänzende Ausstattung zuteil,
wobei sie ihm einen beträchtlichen Teil ihres schönen und weitläuftigen Wohnhauses einräumten. Kurz, als Piachi sein sechzigstes Jahr erreicht hatte, tat er das Letzte und Äußerste, was er für
ihn tun konnte: er überließ ihm, auf gerichtliche Weise, mit
Ausnahme eines kleinen Kapitals, das er sich vorbehielt, das
ganze Vermögen, das seinem Güterhandel zum Grunde lag, und
zog sich, mit seiner treuen, trefflichen Elvire, die wenige Wünsche
in der Welt hatte, in den Ruhestand zurück.

Elvire hatte einen stillen Zug von Traurigkeit im Gemüt, der
ihr aus einem rührenden Vorfall, aus der Geschichte ihrer Kindheit, zurückgeblieben war. Philippo Parquet, ihr Vater, ein be-
mittelter Tuchfärber in Genua, bewohnte ein Haus, das, wie es
sein Handwerk erforderte, mit der hinteren Seite hart an den,
mit Quadersteinen eingefaßten, Rand des Meeres stieß; große,
am Giebel eingefugte Balken, an welchen die gefärbten Tücher
aufgehängt wurden, liefen, mehrere Ellen weit, über die See
hinaus. Einst, in einer unglücklichen Nacht, da Feuer das Haus
ergriff, und gleich, als ob es von Pech und Schwefel erbaut wäre,
zu gleicher Zeit in allen Gemächern, aus welchen es zusammenge-
setzt war, emporknitterte, flüchtete sich, überall von Flammen
geschreckt, die dreizehnjährige Elvire von Treppe zu Treppe,
und befand sich, sie wußte selbst nicht wie, auf einem dieser
Balken. Das arme Kind wußte, zwischen Himmel und Erde
schwebend, gar nicht, wie es sich retten sollte; hinter ihr der
brennende Giebel, dessen Glut, vom Winde gepeitscht, schon
den Balken angefressen hatte, und unter ihr die weite, öde, entsetzliche See. Schon wollte sie sich allen Heiligen empfehlen und
unter zwei Übeln das kleinere wählend, in die Fluten hinabsprin-
gen; als plötzlich ein junger Genueser, vom Geschlecht der Patri-
zier, am Eingang erschien, seinen Mantel über den Balken warf,
sie umfaßte, und sich, mit eben so viel Mut als Gewandtheit, an
einem der feuchten Tücher, die von dem Balken niederhingen,
in die See mit ihr herabließ. Hier griffen Gondeln, die auf dem
Hafen schwammen, sie auf, und brachten sie, unter vielem Jauch-
zen des Volks, ans Ufer; doch es fand sich, daß der junge Held,

schon beim Durchgang durch das Haus, durch einen vom Ge-
sims desselben herabfallenden Stein, eine schwere Wunde am
Kopf empfangen hatte, die ihn auch bald, seiner Sinne nicht mächtig, am Boden niederstreckte. Der Marquis, sein Vater, in dessen
Hotel er gebracht ward, rief, da seine Wiederherstellung sich in
die Länge zog, Ärzte aus allen Gegenden Italiens herbei, die ihn
zu verschiedenen Malen trepanierten und ihm mehrere Knochen
aus dem Gehirn nahmen; doch alle Kunst war, durch eine unbegreifliche Schickung des Himmels, vergeblich: er erstand nur
selten an der Hand Elvirens, die seine Mutter zu seiner Pflege
herbeigerufen hatte, und nach einem dreijährigen höchst schmer-
zenvollen Krankenlager, während dessen das Mädchen nicht von
seiner Seite wich, reichte er ihr noch einmal freundlich die Hand
und verschied.

Piachi, der mit dem Hause dieses Herrn in Handelsverbindun-
gen stand, und Elviren eben dort, da sie ihn pflegte, kennen gelernt und zwei Jahre darauf geheiratet hatte, hütete sich sehr,
seinen Namen vor ihr zu nennen, oder sie sonst an ihn zu erinnern, weil er wußte, daß es ihr schönes und empfindliches Gemüt
auf das heftigste bewegte. Die mindeste Veranlassung, die sie
auch nur von fern an die Zeit erinnerte, da der Jüngling für sie
litt und starb, rührte sie immer bis zu Tränen, und alsdann gab
es keinen Trost und keine Beruhigung für sie; sie brach, wo sie
auch sein mochte, auf, und keiner folgte ihr, weil man schon erprobt hatte, daß jedes andere Mittel vergeblich war, als sie still für
sich, in der Einsamkeit, ihren Schmerz ausweinen zu lassen. Niemand, außer Piachi, kannte die Ursache dieser sonderbaren und
häufigen Erschütterungen, denn niemals, so lange sie lebte, war
ein Wort, jene Begebenheit betreffend, über ihre Lippen gekommen. Man war gewohnt, sie auf Rechnung eines überreizten
Nervensystems zu setzen, das ihr aus einem hitzigen Fieber, in
welches sie gleich nach ihrer Verheiratung verfiel, zurückgeblieben war, und somit allen Nachforschungen über die Veranlassung derselben ein Ende zu machen.

Einstmals war Nicolo, mit jener Xaviera Tartini, mit welcher
er, trotz des Verbots des Vaters, die Verbindung nie ganz aufgegeben hatte, heimlich, und ohne Vorwissen seiner Gemahlin,
unter der Vorspiegelung, daß er bei einem Freund eingeladen sei,

auf dem Karneval gewesen und kam, in der Maske eines genuesischen Ritters, die er zufällig gewählt hatte, spät in der Nacht, da
schon alles schlief, in sein Haus zurück. Es traf sich, daß dem Alten
plötzlich eine Unpäßlichkeit zugestoßen war, und Elvire, um
ihm zu helfen, in Ermangelung der Mägde, aufgestanden, und
in den Speisesaal gegangen war, um ihm eine Flasche mit Essig
zu holen. Eben hatte sie einen Schrank, der in dem Winkel stand,
geöffnet, und suchte, auf der Kante eines Stuhles stehend, unter
den Gläsern und Caravinen umher: als Nicolo die Tür sacht öffnete, und mit einem Licht, das er sich auf dem Flur angesteckt
hatte, mit Federhut, Mantel und Degen, durch den Saal ging.
Harmlos, ohne Elviren zu sehen, trat er an die Tür, die in sein
Schlafgemach führte, und bemerkte eben mit Bestürzung, daß
sie verschlossen war: als Elvire hinter ihm, mit Flaschen und Gläsern, die sie in der Hand hielt, wie durch einen unsichtbaren Blitz
getroffen, bei seinem Anblick von dem Schemel, auf welchem sie
stand, auf das Getäfel des Bodens niederfiel. Nicolo, von Schrek-
ken bleich, wandte sich um und wollte der Unglücklichen bei-
springen; doch da das Geräusch, das sie gemacht hatte, notwendig den Alten herbeiziehen mußte, so unterdrückte die Besorgnis, einen Verweis von ihm zu erhalten, alle andere Rücksichten:
er riß ihr, mit verstörter Beeiferung, ein Bund Schlüssel von der
Hüfte, das sie bei sich trug, und einen gefunden, der paßte, warf
er den Bund in den Saal zurück und verschwand. Bald darauf,
da Piachi, krank wie er war, aus dem Bette gesprungen war, und
sie aufgehoben hatte, und auch Bediente und Mägde, von ihm
zusammengeklingelt, mit Licht erschienen waren, kam auch
Nicolo in seinem Schlafrock, und fragte, was vorgefallen sei;
doch da Elvire, starr vor Entsetzen, wie ihre Zunge war, nicht
sprechen konnte, und außer ihr nur er selbst noch Auskunft auf
diese Frage geben konnte, so blieb der Zusammenhang der Sache
in ein ewiges Geheimnis gehüllt; man trug Elviren, die an allen
Gliedern zitterte, zu Bett, wo sie mehrere Tage lang an einem
heftigen Fieber darniederlag, gleichwohl aber durch die natürliche Kraft ihrer Gesundheit den Zufall überwand, und bis auf
eine sonderbare Schwermut, die ihr zurückblieb, sich ziemlich
wieder erholte.

So verfloß ein Jahr, als Constanze, Nicolos Gemahlin, nieder-

kam, und samt dem Kinde, das sie geboren hatte, in den Wochen
starb. Dieser Vorfall, bedauernswürdig an sich, weil ein tugend-
haftes und wohlerzogenes Wesen verloren ging, war es doppelt,
weil er den beiden Leidenschaften Nicolos, seiner Bigotterie und
seinem Hange zu den Weibern, wieder Tor und Tür öffnete.
Ganze Tage lang trieb er sich wieder, unter dem Vorwand, sich
zu trösten, in den Zellen der Karmelitermönche umher, und
gleichwohl wußte man, daß er während der Lebzeiten seiner
Frau, nur mit geringer Liebe und Treue an ihr gehangen hatte.
Ja, Constanze war noch nicht unter der Erde, als Elvire schon zur
Abendzeit, in Geschäften des bevorstehenden Begräbnisses in
sein Zimmer tretend, ein Mädchen bei ihm fand, das, geschürzt
und geschminkt, ihr als die Zofe der Xaviera Tartini nur zu wohl
bekannt war. Elvire schlug bei diesem Anblick die Augen nieder,
kehrte sich, ohne ein Wort zu sagen, um, und verließ das Zimmer; weder Piachi, noch sonst jemand, erfuhr ein Wort von
diesem Vorfall, sie begnügte sich, mit betrübtem Herzen bei der
Leiche Constanzens, die den Nicolo sehr geliebt hatte, niederzu-
knien und zu weinen. Zufällig aber traf es sich, daß Piachi, der
in der Stadt gewesen war, beim Eintritt in sein Haus dem Mädchen begegnete, und da er wohl merkte, was sie hier zu schaffen
gehabt hatte, sie heftig anging und ihr halb mit List, halb mit
Gewalt, den Brief, den sie bei sich trug, abgewann. Er ging auf
sein Zimmer, um ihn zu lesen, und fand, was er vorausgesehen
hatte, eine dringende Bitte Nicolos an Xaviera, ihm, behufs einer
Zusammenkunft, nach der er sich sehne, gefälligst Ort und
Stunde zu bestimmen. Piachi setzte sich nieder und antwortete,
mit verstellter Schrift, im Namen Xavieras: »gleich, noch vor
Nacht, in der Magdalenenkirche.« – siegelte diesen Zettel mit
einem fremden Wappen zu, und ließ ihn, gleich als ob er von der
Dame käme, in Nicolos Zimmer abgeben. Die List glückte vollkommen; Nicolo nahm augenblicklich seinen Mantel, und begab
sich in Vergessenheit Constanzens, die im Sarg ausgestellt war,
aus dem Hause. Hierauf bestellte Piachi, tief entwürdigt, das feierliche, für den kommenden Tag festgesetzte Leichenbegängnis ab,
ließ die Leiche, so wie sie ausgesetzt war, von einigen Trägern
aufheben, und bloß von Elviren, ihm und einigen Verwandten
begleitet, ganz in der Stille in dem Gewölbe der Magdalenen-

kirche, das für sie bereitet war, beisetzen. Nicolo, der in dem
Mantel gehüllt, unter den Hallen der Kirche stand, und zu seinem
Erstaunen einen ihm wohlbekannten Leichenzug herannahen sah,
fragte den Alten, der dem Sarge folgte: was dies bedeute? und
wen man herantrüge? Doch dieser, das Gebetbuch in der Hand,
ohne das Haupt zu erheben, antwortete bloß: Xaviera Tartini:
– worauf die Leiche, als ob Nicolo gar nicht gegenwärtig wäre,
noch einmal entdeckelt, durch die Anwesenden gesegnet, und
alsdann versenkt und in dem Gewölbe verschlossen ward.

Dieser Vorfall, der ihn tief beschämte, erweckte in der Brust
des Unglücklichen einen brennenden Haß gegen Elviren; denn
ihr glaubte er den Schimpf, den ihm der Alte vor allem Volk
angetan hatte, zu verdanken zu haben. Mehrere Tage lang sprach
Piachi kein Wort mit ihm; und da er gleichwohl, wegen der
Hinterlassenschaft Constanzens, seiner Geneigtheit und Gefälligkeit bedurfte: so sah er sich genötigt, an einem Abend des Alten
Hand zu ergreifen und ihm mit der Miene der Reue, unverzüglich und auf immerdar, die Verabschiedung der Xaviera anzu-
geloben. Aber dies Versprechen war er wenig gesonnen zu halten;
vielmehr schärfte der Widerstand, den man ihm entgegen setzte,
nur seinen Trotz, und übte ihn in der Kunst, die Aufmerksamkeit
des redlichen Alten zu umgehen. Zugleich war ihm Elvire niemals schöner vorgekommen, als in dem Augenblick, da sie, zu
seiner Vernichtung, das Zimmer, in welchem sich das Mädchen
befand, öffnete und wieder schloß. Der Unwille, der sich mit
sanfter Glut auf ihren Wangen entzündete, goß einen unendlichen
Reiz über ihr mildes, von Affekten nur selten bewegtes Antlitz;
es schien ihm unglaublich, daß sie, bei soviel Lockungen dazu,
nicht selbst zuweilen auf dem Wege wandeln sollte, dessen Blu-
men zu brechen er eben so schmählich von ihr gestraft worden
war. Er glühte vor Begierde, ihr, falls dies der Fall sein sollte, bei
dem Alten denselben Dienst zu erweisen, als sie ihm, und bedurfte
und suchte nichts, als die Gelegenheit, diesen Vorsatz ins Werk
zu richten.

Einst ging er, zu einer Zeit, da gerade Piachi außer dem Hause
war, an Elvirens Zimmer vorbei, und hörte, zu seinem Befremden, daß man darin sprach. Von raschen, heimtückischen Hoffnungen durchzuckt, beugte er sich mit Augen und Ohren gegen

das Schloß nieder, und – Himmel! was erblickte er? Da lag sie, in der Stellung der Verzückung, zu jemandes Füßen, und ob er gleich die Person nicht erkennen konnte, so vernahm er doch ganz deutlich, recht mit dem Akzent der Liebe ausgesprochen, das geflüsterte Wort: Colino. Er legte sich mit klopfendem Herzen in das Fenster des Korridors, von wo aus er, ohne seine Absicht zu verraten, den Eingang des Zimmers beobachten konnte; und schon glaubte er, bei einem Geräusch, das sich ganz leise am Riegel erhob, den unschätzbaren Augenblick, da er die Scheinheilige entlarven könne, gekommen: als, statt des Unbekannten den er erwartete, Elvire selbst, ohne irgend eine Begleitung, mit einem ganz gleichgültigen und ruhigen Blick, den sie aus der Ferne auf ihn warf, aus dem Zimmer hervortrat. Sie hatte ein Stück selbstgewebter Leinwand unter dem Arm; und nachdem sie das Gemach, mit einem Schlüssel, den sie sich von der Hüfte nahm, verschlossen hatte, stieg sie ganz ruhig, die Hand ans Geländer gelehnt, die Treppe hinab. Diese Verstellung, diese scheinbare Gleichgültigkeit, schien ihm der Gipfel der Frechheit und Arglist, und kaum war sie ihm aus dem Gesicht, als er schon lief, einen Hauptschlüssel herbeizuholen, und nachdem er die Umringung, mit scheuen Blicken, ein wenig geprüft hatte, heimlich die Tür des Gemachs öffnete. Aber wie erstaunte er, als er alles leer fand, und in allen vier Winkeln, die er durchspähte, nichts, das einem Menschen auch nur ähnlich war, entdeckte: außer dem Bild eines jungen Ritters in Lebensgröße, das in einer Nische der Wand, hinter einem rotseidenen Vorhang, von einem besondern Lichte bestrahlt, aufgestellt war. Nicolo erschrak, er wußte selbst nicht warum: und eine Menge von Gedanken fuhren ihm, den großen Augen des Bildes, das ihn starr ansah, gegenüber, durch die Brust: doch ehe er sie noch gesammelt und geordnet hatte, ergriff ihn schon Furcht, von Elviren entdeckt und gestraft zu werden; er schloß, in nicht geringer Verwirrung, die Tür wieder zu, und entfernte sich.

Je mehr er über diesen sonderbaren Vorfall nachdachte, je wichtiger ward ihm das Bild, das er entdeckt hatte, und je peinlicher und brennender ward die Neugierde in ihm, zu wissen, wer damit gemeint sei. Denn er hatte sie, im ganzen Umriß ihrer Stellung auf Knien liegen gesehen, und es war nur zu gewiß, daß derjenige, vor dem dies geschehen war, die Gestalt des jungen Ritters auf der Leinwand war. In der Unruhe des Gemüts, die sich seiner bemeisterte, ging er zu Xaviera Tartini, und erzählte ihr die wunderbare Begebenheit, die er erlebt hatte. Diese, die in dem Interesse, Elviren zu stürzen, mit ihm zusammentraf, indem alle Schwierigkeiten, die sie in ihrem Umgang fanden, von ihr herrührten, äußerte den Wunsch, das Bild, das in dem Zimmer derselben aufgestellt war, einmal zu sehen. Denn einer ausgebreiteten Bekanntschaft unter den Edelleuten Italiens konnte sie sich rühmen, und falls derjenige, der hier in Rede stand, nur irgend einmal in Rom gewesen und von einiger Bedeutung war, so durfte sie hoffen, ihn zu kennen. Es fügte sich auch bald, daß die beiden Eheleute Piachi, da sie einen Verwandten besuchen wollten, an einem Sonntag auf das Land reiseten, und kaum wußte Nicolo auf diese Weise das Feld rein, als er schon zu Xavieren eilte, und diese mit einer kleinen Tochter, die sie von dem Kardinal hatte, unter dem Vorwande, Gemälde und Stickereien zu besehen, als eine fremde Dame in Elvirens Zimmer führte. Doch wie betroffen war Nicolo, als die kleine Klara (so hieß die Tochter), sobald er nur den Vorhang erhoben hatte, ausrief: »Gott, mein Vater! Signor Nicolo, wer ist das anders, als Sie?« – Xaviera verstummte. Das Bild, in der Tat, je länger sie es ansah, hatte eine auffallende Ähnlichkeit mit ihm: besonders wenn sie sich ihn, wie ihrem Gedächtnis gar wohl möglich war, in dem ritterlichen Aufzug dachte, in welchem er, vor wenigen Monaten, heimlich mit ihr auf dem Karneval gewesen war. Nicolo versuchte ein plötzliches Erröten, das sich über seine Wangen ergoß, wegzuspotten; er sagte, indem er die Kleine küßte: wahrhaftig, liebste Klara, das Bild gleicht mir, wie du demjenigen, der sich deinen Vater glaubt! – Doch Xaviera, in deren Brust das bittere Gefühl der Eifersucht rege geworden war, warf einen Blick auf ihn; sie sagte, indem sie vor den Spiegel trat, zuletzt sei es gleichgültig, wer die Person sei; empfahl sich ihm ziemlich kalt und verließ das Zimmer.

Nicolo verfiel, sobald Xaviera sich entfernt hatte, in die lebhafteste Bewegung über diesen Auftritt. Er erinnerte sich, mit vieler Freude, der sonderbaren und lebhaften Erschütterung, in welche er, durch die phantastische Erscheinung jener Nacht, El-

viren versetzt hatte. Der Gedanke, die Leidenschaft dieser, als ein
Muster der Tugend umwandelnden Frau erweckt zu haben,
schmeichelte ihn fast eben so sehr, als die Begierde, sich an ihr zu
rächen; und da sich ihm die Aussicht eröffnete, mit einem und
demselben Schlage beide, das eine Gelüst, wie das andere, zu befriedigen, so erwartete er mit vieler Ungeduld Elvirens Wieder-
kunft, und die Stunde, da ein Blick in ihr Auge seine schwankende
Überzeugung krönen würde. Nichts störte ihn in dem Taumel,
der ihn ergriffen hatte, als die bestimmte Erinnerung, daß Elvire
das Bild, vor dem sie auf Knieen lag, damals, als er sie durch das
Schlüsselloch belauschte: Colino, genannt hatte; doch auch in
dem Klang dieses, im Lande nicht eben gebräuchlichen Namens,
lag mancherlei, das sein Herz, er wußte nicht warum, in süße
Träume wiegte, und in der Alternative, einem von beiden Sinnen, seinem Auge oder seinem Ohr zu mißtrauen, neigte er sich,
wie natürlich, zu demjenigen hinüber, der seiner Begierde am
lebhaftesten schmeichelte.

Inzwischen kam Elvire erst nach Verlauf mehrerer Tage von
dem Lande zurück, und da sie aus dem Hause des Vetters, den sie
besucht hatte, eine junge Verwandte mitbrachte, die sich in Rom
umzusehen wünschte, so warf sie, mit Artigkeiten gegen diese
beschäftigt, auf Nicolo, der sie sehr freundlich aus dem Wagen
hob, nur einen flüchtigen nichtsbedeutenden Blick. Mehrere
Wochen, der Gastfreundin, die man bewirtete, aufgeopfert, vergingen in einer dem Hause ungewöhnlichen Unruhe; man besuchte, in- und außerhalb der Stadt, was einem Mädchen, jung
und lebensfroh, wie sie war, merkwürdig sein mochte; und Nicolo, seiner Geschäfte im Kontor halber, zu allen diesen kleinen
Fahrten nicht eingeladen, fiel wieder, in Bezug auf Elviren, in die
übelste Laune zurück. Er begann wieder, mit den bittersten und
quälendsten Gefühlen, an den Unbekannten zurück zu denken,
den sie in heimlicher Ergebung vergötterte; und dies Gefühl zerriß besonders am Abend der längst mit Sehnsucht erharrten Abreise jener jungen Verwandten sein verwildertes Herz, da Elvire,
statt nun mit ihm zu sprechen, schweigend, während einer ganzen
Stunde, mit einer kleinen, weiblichen Arbeit beschäftigt, am
Speisetisch saß. Es traf sich, daß Piachi, wenige Tage zuvor, nach
einer Schachtel mit kleinen, elfenbeinernen Buchstaben gefragt

hatte, vermittelst welcher Nicolo in seiner Kindheit unterrichtet
worden, und die dem Alten nun, weil sie niemand mehr brauchte,
in den Sinn gekommen war, an ein kleines Kind in der Nachbarschaft zu verschenken. Die Magd, der man aufgegeben hatte, sie,
unter vielen anderen, alten Sachen, aufzusuchen, hatte inzwischen
nicht mehr gefunden, als die sechs, die den Namen: *Nicolo* aus-
machen; wahrscheinlich weil die andern, ihrer geringeren Beziehung auf den Knaben wegen, minder in Acht genommen und,
bei welcher Gelegenheit es sei, verschleudert worden waren. Da
nun Nicolo die Lettern, welche seit mehreren Tagen auf dem
Tisch lagen, in die Hand nahm, und während er, mit dem Arm
auf die Platte gestützt, in trüben Gedanken brütete, damit spielte,
fand er – zufällig, in der Tat, selbst, denn er erstaunte darüber, wie
er noch in seinem Leben nicht getan – die Verbindung heraus,
welche den Namen: *Colino* bildet. Nicolo, dem diese logogriphische Eigenschaft seines Namens fremd war, warf, von rasenden Hoffnungen von neuem getroffen, einen ungewissen und
scheuen Blick auf die ihm zur Seite sitzende Elvire. Die Übereinstimmung, die sich zwischen beiden Wörtern angeordnet fand,
schien ihm mehr als ein bloßer Zufall, er erwog, in unterdrückter
Freude, den Umfang dieser sonderbaren Entdeckung, und harrte,
die Hände vom Tisch genommen, mit klopfendem Herzen des
Augenblicks, da Elvire aufsehen und den Namen, der offen da lag,
erblicken würde. Die Erwartung, in der er stand, täuschte ihn auch
keineswegs; denn kaum hatte Elvire, in einem müßigen Moment,
die Aufstellung der Buchstaben bemerkt, und harmlos und ge-
dankenlos, weil sie ein wenig kurzsichtig war, sich näher darüber
hingebeugt, um sie zu lesen: als sie schon Nicolos Antlitz, der in
scheinbarer Gleichgültigkeit darauf niedersah, mit einem sonderbar beklommenen Blick überflog, ihre Arbeit, mit einer Wehmut,
die man nicht beschreiben kann, wieder aufnahm, und, unbemerkt wie sie sich glaubte, eine Träne nach der anderen, unter
sanftem Erröten, auf ihren Schoß fallen ließ. Nicolo, der alle diese
innerlichen Bewegungen, ohne sie anzusehen, beobachtete, zweifelte gar nicht mehr, daß sie unter dieser Versetzung der Buchstaben nur seinen eignen Namen verberge. Er sah sie die Buchstaben mit einemmall sanft übereinander schieben, und seine wilden Hoffnungen erreichten den Gipfel der Zuversicht, als sie auf-

stand, ihre Handarbeit weglegte und in ihr Schlafzimmer verschwand. Schon wollte er aufstehen und ihr dahin folgen: als Piachi eintrat, und von einer Hausmagd, auf die Frage, wo Elvire sei? zur Antwort erhielt: »daß sie sich nicht wohl befinde und sich auf das Bett gelegt habe.« Piachi, ohne eben große Bestürzung zu zeigen, wandte sich um, und ging, um zu sehen, was sie mache; und da er nach einer Viertelstunde, mit der Nachricht, daß sie nicht zu Tische kommen würde, wiederkehrte und weiter kein Wort darüber verlor: so glaubte Nicolo den Schlüssel zu allen rätselhaften Auftritten dieser Art, die er erlebt hatte, gefunden zu haben.

Am andern Morgen, da er, in seiner schändlichen Freude, beschäftigt war, den Nutzen, den er aus dieser Entdeckung zu ziehen hoffte, zu überlegen, erhielt er ein Billet von Xavieren, worin sie ihn bat, zu ihr zu kommen, indem sie ihm, Elviren betreffend, etwas, das ihm interessant sein würde, zu eröffnen hätte. Xaviera stand, durch den Bischof, der sie unterhielt, in der engsten Verbindung mit den Mönchen des Karmeliterklosters; und da seine Mutter in diesem Kloster zur Beichte ging, so zweifelte er nicht, daß es jener möglich gewesen wäre, über die geheime Geschichte ihrer Empfindungen Nachrichten, die seine unnatürlichen Hoffnungen bestätigen konnten, einzuziehen. Aber wie unangenehm, nach einer sonderbaren schalkhaften Begrüßung Xavierens, ward er aus der Wiege genommen, als sie ihn lächelnd auf den Diwan, auf welchem sie saß, niederzog, und ihm sagte: sie müsse ihm nur eröffnen, daß der Gegenstand von Elvirens Liebe ein, schon seit zwölf Jahren, im Grabe schlummernder Toter sei. – Aloysius, Marquis von Montferrat, dem ein Oheim zu Paris, bei dem er erzogen worden war, den Zunamen *Collin*, späterhin in Italien scherzhafter Weise in *Colino* umgewandelt, gegeben hatte, war das Original des Bildes, das er in der Nische, hinter dem rotseidenen Vorhang, in Elvirens Zimmer entdeckt hatte; der junge, genuesische Ritter, der sie, in ihrer Kindheit, auf so edelmütige Weise aus dem Feuer gerettet und an den Wunden, die er dabei empfangen hatte, gestorben war. – Sie setzte hinzu, daß sie ihn nur bitte, von diesem Geheimnis weiter keinen Gebrauch zu machen, indem es ihr, unter dem Siegel der äußersten Verschwiegenheit, von einer Person, die selbst kein eigentliches Recht darüber habe, im Karmeliterkloster anvertraut worden sei. Nicolo versicherte, indem Blässe und Röte auf seinem Gesicht wechselten, daß sie nichts zu befürchten habe; und gänzlich außer Stand, wie er war, Xaveriens schelmischen Blicken gegenüber, die Verlegenheit, in welche ihn diese Eröffnung gestürzt hatte, zu verbergen, schützte er ein Geschäft vor, das ihn abrufe, nahm, unter einem häßlichen Zucken seiner Oberlippe, seinen Hut, empfahl sich und ging ab.

Beschämung, Wollust und Rache vereinigten sich jetzt, um die abscheulichste Tat, die je verübt worden ist, auszubrüten. Er fühlte wohl, daß Elvirens reiner Seele nur durch einen Betrug beizukommen sei; und kaum hatte ihm Piachi, der auf einige Tage aufs Land ging, das Feld geräumt, als er auch schon Anstalten traf, den satanischen Plan, den er sich ausgedacht hatte, ins Werk zu richten. Er besorgte sich genau denselben Anzug wieder, in welchem er, vor wenig Monaten, da er zur Nachtzeit heimlich vom Karneval zurückkehrte, Elviren erschienen war; und Mantel, Kollett und Federhut, genuesischen Zuschnitts, genau so, wie sie das Bild trug, umgeworfen, schlich er sich, kurz vor dem Schlafengehen, in Elvirens Zimmer, hing ein schwarzes Tuch über das in der Nische stehende Bild, und wartete, einen Stab in der Hand, ganz in der Stellung des gemalten jungen Patriziers, Elvirens Vergötterung ab. Er hatte auch, im Scharfsinn seiner schändlichen Leidenschaft, ganz richtig gerechnet; denn kaum hatte Elvire, die bald darauf eintrat, nach einer stillen und ruhigen Entkleidung, wie sie gewöhnlich zu tun pflegte, den seidnen Vorhang, der die Nische bedeckte, eröffnet und ihn erblickt: als sie schon: Colino! Mein Geliebter! rief und ohnmächtig auf das Getäfel des Bodens niedersank. Nicolo trat aus der Nische hervor; er stand einen Augenblick, im Anschauen ihrer Reize versunken, und betrachtete ihre zarte, unter dem Kuß des Todes plötzlich erblassende Gestalt: hob sie aber bald, da keine Zeit zu verlieren war, in seinen Armen auf, und trug sie, indem er das schwarze Tuch von dem Bild herabriß, auf das im Winkel des Zimmers stehende Bett. Dies abgetan, ging er, die Tür zu verriegeln, fand aber, daß sie schon verschlossen war; und sicher, daß sie auch nach Wiederkehr ihrer verstörten Sinne, seiner phantastischen, dem Ansehen nach überirdischen Erscheinung keinen Widerstand lei-

sten würde, kehrte er jetzt zu dem Lager zurück, bemüht, sie mit
heißen Küssen auf Brust und Lippen aufzuwecken. Aber die
Nemesis, die dem Frevel auf dem Fuß folgt, wollte, daß Piachi,
den der Elende noch auf mehrere Tage entfernt glaubte, unver-
mutet, in eben dieser Stunde, in seine Wohnung zurückkehren
mußte; leise, da er Elviren schon schlafen glaubte, schlich er durch
den Korridor heran, und da er immer den Schlüssel bei sich trug,
so gelang es ihm, plötzlich, ohne daß irgend ein Geräusch ihn
angekündigt hätte, in das Zimmer einzutreten. Nicolo stand wie
vom Donner gerührt; er warf sich, da seine Büberei auf keine
Weise zu bemänteln war, dem Alten zu Füßen, und bat ihn, unter
der Beteurung, den Blick nie wieder zu seiner Frau zu erheben,
um Vergebung. Und in der Tat war der Alte auch geneigt, die
Sache still abzumachen; sprachlos, wie ihn einige Worte Elvirens
gemacht hatten, die sich von seinen Armen umfaßt, mit einem
entsetzlichen Blick, den sie auf den Elenden warf, erholt hatte,
nahm er bloß, indem er die Vorhänge des Bettes, auf welchem
sie ruhte, zuzog, die Peitsche von der Wand, öffnete ihm die Tür
und zeigte ihm den Weg, den er unmittelbar wandern sollte.
Doch dieser, eines Tartüffe völlig würdig, sah nicht sobald, daß
auf diesem Wege nichts auszurichten war, als er plötzlich vom
Fußboden erstand und erklärte: an ihm, dem Alten, sei es, das
Haus zu räumen, denn er durch vollgültige Dokumente eingesetzt, sei der Besitzer und werde sein Recht, gegen wen immer
auf der Welt es sei, zu behaupten wissen! – Piachi traute seinen
Sinnen nicht; durch diese unerhörte Frechheit wie entwaffnet,
legte er die Peitsche weg, nahm Hut und Stock, lief augenblicklich zu seinem alten Rechtsfreund, dem Doktor Valerio, klingelte
eine Magd heraus, die ihm öffnete, und fiel, da er sein Zimmer
erreicht hatte, bewußtlos, noch ehe er ein Wort vorgebracht
hatte, an seinem Bette nieder. Der Doktor, der ihn und späterhin
auch Elviren in seinem Hause aufnahm, eilte gleich am andern
Morgen, die Festsetzung des höllischen Bösewichts, der mancherlei Vorteile für sich hatte, auszuwirken; doch während Piachi
seine machtlosen Hebel ansetzte, ihn aus den Besitzungen, die ihm
einmal zugeschrieben waren, wieder zu verdrängen, flog jener
schon mit einer Verschreibung über den ganzen Inbegriff derselben, zu den Karmelitermönchen, seinen Freunden, und forder-

te sie auf, ihn gegen den alten Narren, der ihn daraus vertreiben
wolle, zu beschützen. Kurz, da er Xavieren, welche der Bischof
los zu sein wünschte, zu heiraten willigte, siegte die Bosheit, und
die Regierung erließ, auf Vermittelung dieses geistlichen Herrn,
ein Dekret, in welchem Nicolo in den Besitz bestätigt und dem
Piachi aufgegeben ward, ihn nicht darin zu belästigen.

Piachi hatte gerade Tags zuvor die unglückliche Elvire be-
graben, die an den Folgen eines hitzigen Fiebers, das ihr jener
Vorfall zugezogen hatte, gestorben war. Durch diesen doppelten
Schmerz gereizt, ging er, das Dekret in der Tasche, in das Haus,
und stark, wie die Wut ihn machte, warf er den von Natur
schwächeren Nicolo nieder und drückte ihm das Gehirn an der
Wand ein. Die Leute die im Hause waren, bemerkten ihn nicht
eher, als bis die Tat geschehen war; sie fanden ihn noch, da er den
Nicolo zwischen den Knien hielt, und ihm das Dekret in den
Mund stopfte. Dies abgemacht, stand er, indem er alle seine
Waffen abgab, auf; ward ins Gefängnis gesetzt, verhört und verurteilt, mit dem Strange vom Leben zum Tode gebracht zu
werden.

In dem Kirchenstaat herrscht ein Gesetz, nach welchem kein
Verbrecher zum Tode geführt werden kann, bevor er die Absolution empfangen. Piachi, als ihm der Stab gebrochen war, ver-
weigerte sich hartnäckig der Absolution. Nachdem man vergebens alles, was die Religion an die Hand gab, versucht hatte,
ihm die Strafwürdigkeit seiner Handlung fühlbar zu machen,
hoffte man, ihn durch den Anblick des Todes, der seiner wartete,
in das Gefühl der Reue hineinzuschrecken, und führte ihn nach
dem Galgen hinaus. Hier stand ein Priester und schilderte ihm,
mit der Lunge der letzten Posaune, alle Schrecknisse der Hölle, in
die seine Seele hinabzufahren im Begriff war; dort ein anderer,
den Leib des Herrn, das heilige Entsühnungsmittel in der Hand,
und pries ihm die Wohnungen des ewigen Friedens. – »Willst du
der Wohltat der Erlösung teilhaftig werden?« fragten ihn beide.
»Willst du das Abendmahl empfangen?« – Nein, antwortete
Piachi. – »Warum nicht?« – Ich will nicht selig sein. Ich will in
den untersten Grund der Hölle hinabfahren. Ich will den Nicolo,
der nicht im Himmel sein wird, wiederfinden, und meine Rache,
die ich hier nur unvollständig befriedigen konnte, wieder auf-

nehmen! – Und damit bestieg er die Leiter und forderte den
Nachrichter auf, sein Amt zu tun. Kurz, man sah sich genötigt,
mit der Hinrichtung einzuhalten, und den Unglücklichen, den
das Gesetz in Schutz nahm, wieder in das Gefängnis zurückzu-
führen. Drei hinter einander folgende Tage machte man dieselben
Versuche und immer mit demselben Erfolg. Als er am dritten
Tage wieder, ohne an den Galgen geknüpft zu werden, die Leiter
herabsteigen mußte: hob er, mit einer grimmigen Gebärde, die
Hände empor, das unmenschliche Gesetz verfluchend, das ihn
nicht zur Hölle fahren lassen wolle. Er rief die ganze Schar der
Teufel herbei, ihn zu holen, verschwor sich, sein einziger Wunsch
sei, gerichtet und verdammt zu werden, und versicherte, er
würde noch dem ersten, besten Priester an den Hals kommen,
um des Nicolo in der Hölle wieder habhaft zu werden! – Als man
dem Papst dies meldete, befahl er, ihn ohne Absolution hinzu-
richten; kein Priester begleitete ihn, man knüpfte ihn, ganz in der
Stille, auf dem Platz del popolo auf.

DIE HEILIGE CÄCILIE

oder

DIE GEWALT DER MUSIK

(Eine Legende)

Um das Ende des sechzehnten Jahrhunderts, als die Bilderstürmerei in den Niederlanden wütete, trafen drei Brüder, junge in
Wittenberg studierende Leute, mit einem vierten, der in Antwerpen als Prädikant angestellt war, in der Stadt Aachen zusammen. Sie wollten daselbst eine Erbschaft erheben, die ihnen von
Seiten eines alten, ihnen allen unbekannten Oheims zugefallen
war, und kehrten, weil niemand in dem Ort war, an den sie sich
hätten wenden können, in einem Gasthof ein. Nach Verlauf einiger Tage, die sie damit zugebracht hatten, den Prädikanten über
die merkwürdigen Auftritte, die in den Niederlanden vorgefallen
waren, anzuhören, traf es sich, daß von den Nonnen im Kloster
der heiligen Cäcilie, das damals vor den Toren dieser Stadt lag,
der Fronleichnamstag festlich begangen werden sollte; dergestalt, daß die vier Brüder, von Schwärmerei, Jugend und dem
Beispiel der Niederländer erhitzt, beschlossen, auch der Stadt
Aachen das Schauspiel einer Bilderstürmerei zu geben. Der Prädikant, der dergleichen Unternehmungen mehr als einmal schon
geleitet hatte, versammelte, am Abend zuvor, eine Anzahl junger,
der neuen Lehre ergebener Kaufmannssöhne und Studenten,
welche, in dem Gasthofe, bei Wein und Speisen, unter Verwünschungen des Papsttums, die Nacht zubrachten; und, da der Tag
über die Zinnen der Stadt aufgegangen, versahen sie sich mit
Äxten und Zerstörungswerkzeugen aller Art, um ihr ausgelas-
senes Geschäft zu beginnen. Sie verabredeten frohlockend ein
Zeichen, auf welches sie damit anfangen wollten, die Fenster-
scheiben, mit biblischen Geschichten bemalt, einzuwerfen; und
eines großen Anhangs, den sie unter dem Volk finden würden,
gewiß, verfügten sie sich, entschlossen keinen Stein auf dem andern zu lassen, in der Stunde, da die Glocken läuteten, in den

Dom. Die Äbtissin, die, schon beim Anbruch des Tages, durch einen Freund von der Gefahr, in welcher das Kloster schwebte, benachrichtigt worden war, schickte vergebens, zu wiederholten Malen, zu dem kaiserlichen Offizier, der in der Stadt kommandierte, und bat sich, zum Schutz des Klosters, eine Wache aus; der Offizier, der selbst ein Feind des Papsttums, und als solcher, wenigstens unter der Hand, der neuen Lehre zugetan war, wußte ihr unter dem staatsklugen Vorgeben, daß sie Geister sähe, und für ihr Kloster auch nicht der Schatten einer Gefahr vorhanden sei, die Wache zu verweigern. Inzwischen brach die Stunde an, da die Feierlichkeiten beginnen sollten, und die Nonnen schickten sich, unter Angst und Beten, und jammervoller Erwartung der Dinge, die da kommen sollten, zur Messe an. Niemand beschützte sie, als ein alter, siebenzigjähriger Klostervogt, der sich, mit einigen bewaffneten Troßknechten, am Eingang der Kirche aufstellte. In den Nonnenklöstern führen, auf das Spiel jeder Art der Instrumente geübt, die Nonnen, wie bekannt, ihre Musiken selber auf; oft mit einer Präzision, einem Verstand und einer Empfindung, die man in männlichen Orchestern (vielleicht wegen der weiblichen Geschlechtsart dieser geheimnisvollen Kunst) vermißt. Nun fügte es sich, zur Verdoppelung der Bedrängnis, daß die Kapellmeisterin, Schwester Antonia, welche die Musik auf dem Orchester zu dirigieren pflegte, wenige Tage zuvor, an einem Nervenfieber heftig erkrankte; dergestalt, daß abgesehen von den vier gotteslästerlichen Brüdern, die man bereits, in Mänteln gehüllt, unter den Pfeilern der Kirche erblickte, das Kloster auch, wegen Aufführung eines schicklichen Musikwerks, in der lebhaftesten Verlegenheit war. Die Äbtissin, die am Abend des vorhergehenden Tages befohlen hatte, daß eine uralte von einem unbekannten Meister herrührende, italienische Messe aufgeführt werden möchte, mit welcher die Kapelle mehrmals schon, einer besondern Heiligkeit und Herrlichkeit wegen, mit welcher sie gedichtet war, die größesten Wirkungen hervorgebracht hatte, schickte, mehr als jemals auf ihren Willen beharrend, noch einmal zur Schwester Antonia herab, um zu hören, wie sich dieselbe befinde; die Nonne aber, die dies Geschäft übernahm, kam mit der Nachricht zurück, daß die Schwester in gänzlich bewußtlosem Zustande daniederliege, und daß an ihre Direktionsführung, bei der vorhabenden Musik, auf keine Weise zu denken sei. Inzwischen waren in dem Dom, in welchem sich nach und nach mehr denn hundert, mit Beilen und Brechstangen versehene Frevler, von allen Ständen und Altern, eingefunden hatten, bereits die bedenklichsten Auftritte vorgefallen; man hatte einige Troßknechte, die an den Portälen standen, auf die unanständigste Weise geneckt, und sich die frechsten und unverschämtesten Äußerungen gegen die Nonnen erlaubt, die sich hin und wieder, in frommen Geschäften, einzeln in den Hallen blicken ließen: dergestalt, daß der Klostervogt sich in die Sakristei verfügte, und die Äbtissin auf Knieen beschwor, das Fest einzustellen und sich in die Stadt, unter den Schutz des Kommandanten zu begeben. Aber die Äbtissin bestand unerschütterlich darauf, daß das zur Ehre des höchsten Gottes angeordnete Fest begangen werden müsse; sie erinnerte den Klostervogt an seine Pflicht, die Messe und den feierlichen Umgang, der in dem Dom gehalten werden würde, mit Leib und Leben zu beschirmen; und befahl, weil eben die Glocke schlug, den Nonnen, die sie, unter Zittern und Beben umringten, ein Oratorium, gleichviel welches und von welchem Wert es sei, zu nehmen, und mit dessen Aufführung sofort den Anfang zu machen.

Eben schickten sich die Nonnen auf dem Altan der Orgel dazu an; die Partitur eines Musikwerks, das man schon häufig gegeben hatte, ward verteilt, Geigen, Hoboen und Bässe geprüft und gestimmt: als Schwester Antonia plötzlich, frisch und gesund, ein wenig bleich im Gesicht, von der Treppe her erschien; sie trug die Partitur der uralten, italienischen Messe, auf deren Aufführung die Äbtissin so dringend bestanden hatte, unter dem Arm. Auf die erstaunte Frage der Nonnen: »wo sie herkomme? und wie sie sich plötzlich so erholt habe?« antwortete sie: gleichviel, Freundinnen, gleichviel! verteilte die Partitur, die sie bei sich trug, und setzte sich selbst, von Begeisterung glühend, an die Orgel, um die Direktion des vortrefflichen Musikstücks zu übernehmen. Demnach kam es, wie ein wunderbarer, himmlischer Trost, in die Herzen der frommen Frauen; sie stellten sich augenblicklich mit ihren Instrumenten an die Pulte; die Beklemmung selbst, in der sie sich befanden, kam hinzu, um ihre Seelen, wie auf Schwingen, durch alle Himmel des Wohlklangs zu führen;

das Oratorium ward mit der höchsten und herrlichsten musikalischen Pracht ausgeführt; es regte sich, während der ganzen Darstellung, kein Odem in den Hallen und Bänken; besonders bei dem salve regina und noch mehr bei dem gloria in excelsis, war es, als ob die ganze Bevölkerung der Kirche tot sei: dergestalt, daß den vier gottverdammten Brüdern und ihrem Anhang zum Trotz, auch der Staub auf dem Estrich nicht verweht ward, und das Kloster noch bis an den Schluß des dreißigjährigen Krieges bestanden hat, wo man es, vermöge eines Artikels im westfälischen Frieden, gleichwohl säkularisierte.

Sechs Jahre darauf, da diese Begebenheit längst vergessen war, kam die Mutter dieser vier Jünglinge aus dem Haag an, und stellte, unter dem betrübten Vorgeben, daß dieselben gänzlich verschollen wären, bei dem Magistrat zu Aachen, wegen der Straße, die sie von hier aus genommen haben mochten, gerichtliche Untersuchungen an. Die letzten Nachrichten, die man von ihnen in den Niederlanden, wo sie eigentlich zu Hause gehörten, gehabt hatte, waren, wie sie meldete, ein vor dem angegebenen Zeitraum, am Vorabend eines Fronleichnamsfestes, geschriebener Brief des Prädikanten, an seinen Freund, einen Schullehrer in Antwerpen, worin er demselben, mit vieler Heiterkeit oder vielmehr Ausgelassenheit, von einer gegen das Kloster der heiligen Cäcilie entworfenen Unternehmung, über welche sich die Mutter jedoch nicht näher auslassen wollte, auf vier dichtgedrängten Seiten vorläufige Anzeige machte. Nach mancherlei vergeblichen Bemühungen, die Personen, welche diese bekümmerte Frau suchte, auszumitteln, erinnerte man sich endlich, daß sich schon seit einer Reihe von Jahren, welche ohngefähr auf die Angabe paßte, vier junge Leute, deren Vaterland und Herkunft unbekannt sei, in dem durch des Kaisers Vorsorge unlängst gestifteten Irrenhause der Stadt befanden. Da dieselben jedoch an der Ausschweifung einer religiösen Idee krank lagen, und ihre Aufführung, wie das Gericht dunkel gehört zu haben meinte, äußerst trübselig und melancholisch war; so paßte dies zu wenig auf den, der Mutter nur leider zu wohl bekannten Gemütsstand ihrer Söhne, als daß sie auf diese Anzeige, besonders da es fast herauskam, als ob die Leute katholisch wären, viel hätte geben sollen. Gleichwohl, durch mancherlei Kennzeichen, womit man sie beschrieb, seltsam getroffen, begab sie sich eines Tages, in Begleitung eines Gerichtsboten, in das Irrenhaus, und bat die Vorsteher um die Gefälligkeit, ihr zu den vier unglücklichen, sinnverwirrten Männern, die man daselbst aufbewahre, einen prüfenden Zutritt zu gestatten. Aber wer beschreibt das Entsetzen der armen Frau, als sie gleich auf den ersten Blick, so wie sie in die Tür trat, ihre Söhne erkannte: sie saßen, in langen, schwarzen Talaren, um einen Tisch, auf welchem ein Kruzifix stand, und schienen, mit gefalteten Händen schweigend auf die Platte gestützt, dasselbe anzubeten. Auf die Frage der Frau, die ihrer Kräfte beraubt, auf einen Stuhl niedergesunken war: was sie daselbst machten? antworteten ihr die Vorsteher: »daß sie bloß in der Verherrlichung des Heilands begriffen wären, von dem sie, nach ihrem Vorgeben, besser als andre, einzusehen glaubten, daß er der wahrhaftige Sohn des alleinigen Gottes sei.« Sie setzten hinzu: »daß die Jünglinge, seit nun schon sechs Jahren, dies geisterartige Leben führten; daß sie wenig schliefen und wenig genössen; daß kein Laut über ihre Lippen käme; daß sie sich bloß in der Stunde der Mitternacht einmal von ihren Sitzen erhöben; und daß sie alsdann, mit einer Stimme, welche die Fenster des Hauses bersten machte, das gloria in excelsis intonierten.« Die Vorsteher schlossen mit der Versicherung: daß die jungen Männer dabei körperlich vollkommen gesund wären; daß man ihnen sogar eine gewisse, obschon sehr ernste und feierliche, Heiterkeit nicht absprechen könnte; daß sie, wenn man sie für verrückt erklärte, mitleidig die Achseln zuckten, und daß sie schon mehr als einmal geäußert hätten: »wenn die gute Stadt Aachen wüßte, was sie, so würde dieselbe ihre Geschäfte bei Seite legen, und sich gleichfalls, zur Absingung des gloria, um das Kruzifix des Herrn niederlassen.«

Die Frau, die den schauderhaften Anblick dieser Unglücklichen nicht ertragen konnte und sich bald darauf, auf wankenden Knieen, wieder hatte zu Hause führen lassen, begab sich, um über die Veranlassung dieser ungeheuren Begebenheit Auskunft zu erhalten, am Morgen des folgenden Tages, zu Herrn Veit Gotthelf, berühmten Tuchhändler der Stadt; denn dieses Mannes erwähnte der von dem Prädikanten geschriebene Brief, und es ging daraus hervor, daß derselbe an dem Projekt, das Kloster der heiligen Cäcilie am Tage des Fronleichnamsfestes zu zerstören, eifrigen Anteil genommen habe. Veit Gotthelf, der Tuchhändler, der sich inzwischen verheiratet, mehrere Kinder gezeugt, und die beträchtliche Handlung seines Vaters übernommen hatte, empfing die Fremde sehr liebreich: und da er erfuhr, welch ein Anliegen sie zu ihm führe, so verriegelte er die Tür, und ließ sich, nachdem er sie auf einen Stuhl niedergenötigt hatte, folgendermaßen vernehmen: »Meine liebe Frau! Wenn Ihr mich, der mit Euren Söhnen vor sechs Jahren in genauer Verbindung gestanden, in keine Untersuchung deshalb verwickeln wollt, so will ich Euch offenherzig und ohne Rückhalt gestehen: ja, wir haben den Vorsatz gehabt, dessen der Brief erwähnt! Wodurch diese Tat, zu deren Ausführung alles, auf das Genaueste, mit wahrhaft gottlosem Scharfsinn, angeordnet war, gescheitert ist, ist mir unbegreiflich; der Himmel selbst scheint das Kloster der frommen Frauen in seinen heiligen Schutz genommen zu haben. Denn wißt, daß sich Eure Söhne bereits, zur Einleitung entscheidenderer Auftritte, mehrere mutwillige, den Gottesdienst störende Possen erlaubt hatten: mehr denn dreihundert, mit Beilen und Pechkränzen versehene Bösewichter, aus den Mauern unserer damals irregeleiteten Stadt, erwarteten nichts als das Zeichen, das der Prädikant geben sollte, um den Dom der Erde gleich zu machen. Dagegen, bei Anhebung der Musik, nehmen Eure Söhne plötzlich, in gleichzeitiger Bewegung, und auf eine uns auffallende Weise, die Hüte ab; sie legen, nach und nach, wie in tiefer unaussprechlicher Rührung, die Hände vor ihr herabgebeugtes Gesicht, und der Prädikant, indem er sich, nach einer erschütternden Pause, plötzlich umwendet, ruft uns allen mit lauter fürchterlicher Stimme zu: gleichfalls unsere Häupter zu entblößen! Vergebens fordern ihn einige Genossen flüsternd, indem sie ihn mit ihren Armen leichtfertig anstoßen, auf, das zur Bilderstürmerei verabredete Zeichen zu geben: der Prädikant, statt zu antworten, läßt sich, mit kreuzweis auf die Brust gelegten Händen, auf Knieen nieder und murmelt, samt den Brüdern, die Stirn inbrünstig in den Staub herab gedrückt, die ganze Reihe noch kurz vorher von ihm verspotteter Gebete ab. Durch diesen Anblick tief im Innersten verwirrt, steht der Haufen der jämmerlichen Schwärmer, seiner Anführer beraubt, in Unschlüssigkeit und

Untätigkeit, bis an den Schluß des, vom Altan wunderbar her-
abrauschenden Oratoriums da; und da, auf Befehl des Kommandanten, in eben diesem Augenblick mehrere Arretierungen ver-
fügt, und einige Frevler, die sich Unordnungen erlaubt hatten,
von einer Wache aufgegriffen und abgeführt wurden, so bleibt
der elenden Schar nichts übrig, als sich schleunigst, unter dem
Schutz der gedrängt aufbrechenden Volksmenge, aus dem Got-
teshause zu entfernen. Am Abend, da ich in dem Gasthofe vergebens mehrere Mal nach Euren Söhnen, welche nicht wiedergekehrt waren, gefragt hatte, gehe ich, in der entsetzlichsten Unruhe, mit einigen Freunden wieder nach dem Kloster hinaus, um
mich bei den Türstehern, welche der kaiserlichen Wache hülf-
reich an die Hand gegangen waren, nach ihnen zu erkundigen.
Aber wie schildere ich Euch mein Entsetzen, edle Frau, da ich
diese vier Männer nach wie vor, mit gefalteten Händen, den
Boden mit Brust und Scheiteln küssend, als ob sie zu Stein erstarrt wären, heißer Inbrunst voll vor dem Altar der Kirche
daniedergestreckt liegen sehe! Umsonst forderte sie der Klostervogt, der in eben diesem Augenblick herbeikommt, indem er sie
am Mantel zupft und an den Armen rüttelt, auf, den Dom, in
welchem es schon ganz finster werde, und kein Mensch mehr
gegenwärtig sei, zu verlassen: sie hören, auf träumerische Weise
halb aufstehend, nicht eher auf ihn, als bis er sie durch seine
Knechte unter den Arm nehmen, und vor das Portal hinaus führen läßt: wo sie uns endlich, obschon unter Seufzern und häufi-
gem herzzerreißenden Umsehen nach der Kathedrale, die hinter
uns im Glanz der Sonne prächtig funkelte, nach der Stadt folgen.
Die Freunde und ich, wir fragen sie, zu wiederholten Malen,
zärtlich und liebreich auf dem Rückwege, was ihnen in aller
Welt Schreckliches, fähig, ihr innerstes Gemüt dergestalt umzukehren, zugestoßen sei; sie drücken uns, indem sie uns freundlich
ansehen, die Hände, schauen gedankenvoll auf den Boden nieder
und wischen sich – ach! von Zeit zu Zeit, mit einem Ausdruck,
der mir noch jetzt das Herz spaltet, die Tränen aus den Augen.
Drauf, in ihre Wohnungen angekommen, binden sie sich ein
Kreuz, sinnreich und zierlich von Birkenreisern zusammen, und
setzen es, einem kleinen Hügel von Wachs eingedrückt, zwischen
zwei Lichtern, womit die Magd erscheint, auf dem großen Tisch

in des Zimmers Mitte nieder, und während die Freunde, deren
Schar sich von Stunde zu Stunde vergrößert, händeringend zur
Seite stehen, und in zerstreuten Gruppen, sprachlos vor Jammer,
ihrem stillen, gespensterartigen Treiben zusehen: lassen sie sich,
gleich als ob ihre Sinne vor jeder andern Erscheinung verschlossen
wären, um den Tisch nieder, und schicken sich still, mit gefalteten
Händen, zur Anbetung an. Weder des Essens begehren sie, das
ihnen, zur Bewirtung der Genossen, ihrem am Morgen gegebenen Befehl gemäß, die Magd bringt, noch späterhin, da die Nacht
sinkt, des Lagers, das sie ihnen, weil sie müde scheinen, im Neben-
gemach aufgestapelt hat; die Freunde, um die Entrüstung des
Wirts, den diese Aufführung befremdet, nicht zu reizen, müssen
sich an einen, zur Seite üppig gedeckten Tisch niederlassen, und
die, für eine zahlreiche Gesellschaft zubereiteten Speisen, mit dem
Salz ihrer bitterlichen Tränen gebeizt, einnehmen. Jetzt plötzlich
schlägt die Stunde der Mitternacht; Eure vier Söhne, nachdem
sie einen Augenblick gegen den dumpfen Klang der Glocke auf-
gehorcht, heben sich plötzlich in gleichzeitiger Bewegung, von
ihren Sitzen empor; und während wir, mit niedergelegten Tisch-
tüchern, zu ihnen hinüberschauen, ängstlicher Erwartung voll,
was auf so seltsames und befremdendes Beginnen erfolgen werde:
fangen sie, mit einer entsetzlichen und gräßlichen Stimme, das
gloria in excelsis zu intonieren an. So mögen sich Leoparden und
Wölfe anhören lassen, wenn sie zur eisigen Winterzeit, das Firmament anbrüllen: die Pfeiler des Hauses, versichere ich Euch, er-
schütterten, und die Fenster, von ihrer Lungen sichtbarem Atem
getroffen, drohten klirrend, als ob man Hände voll schweren
Sandes gegen ihre Flächen würfe, zusammen zu brechen. Bei
diesem grausenhaften Auftritt stürzen wir besinnungslos, mit sträubenden Haaren auseinander; wir zerstreuen uns, Mäntel und Hüte
zurücklassend, durch die umliegenden Straßen, welche in kurzer
Zeit, statt unsrer, von mehr denn hundert, aus dem Schlaf ge-
schreckter Menschen, angefüllt waren; das Volk drängt sich, die
Haustüre sprengend, über die Stiege dem Saale zu, um die Quelle
dieses schauderhaften und empörenden Gebrülls, das, wie von
den Lippen ewig verdammter Sünder, aus dem tiefsten Grund der
flammenvollen Hölle, jammervoll um Erbarmung zu Gottes
Ohren heraufdrang, aufzusuchen. Endlich, mit dem Schlage der

Glocke Eins, ohne auf das Zürnen des Wirts, noch auf die er-
schütterten Ausrufungen des sie umringenden Volks gehört zu
haben, schließen sie den Mund; sie wischen sich mit einem Tuch
den Schweiß von der Stirn, der ihnen, in großen Tropfen, auf
Kinn und Brust niederträuft; und breiten ihre Mäntel aus, und
legen sich, um eine Stunde von so qualvollen Geschäften auszuruhen, auf das Getäfel des Bodens nieder. Der Wirt, der sie gewähren läßt, schlägt, sobald er sie schlummern sieht, ein Kreuz
über sie; und froh, des Elends für den Augenblick erledigt zu sein,
bewegt er, unter der Versicherung, der Morgen werde eine heil-
same Veränderung herbeiführen, den Männerhaufen, der gegenwärtig ist, und der geheimnisvoll mit einander murmelt, das
Zimmer zu verlassen. Aber leider! schon mit dem ersten Schrei
des Hahns, stehen die Unglücklichen wieder auf, um dem auf
dem Tisch befindlichen Kreuz gegenüber, dasselbe öde, gespensterartige Klosterleben, das nur Erschöpfung sie auf einen Augenblick auszusetzen zwang, wieder anzufangen. Sie nehmen von
dem Wirt, dessen Herz ihr jammervoller Anblick schmelzt, keine
Ermahnung, keine Hülfe an; sie bitten ihn, die Freunde liebreich
abzuweisen, die sich sonst regelmäßig am Morgen jedes Tages bei
ihnen zu versammeln pflegten; sie begehren nichts von ihm, als
Wasser und Brot, und eine Streu, wenn es sein kann, für die
Nacht: dergestalt, daß dieser Mann, der sonst viel Geld von ihrer
Heiterkeit zog, sich genötigt sah, den ganzen Vorfall den Gerichten anzuzeigen und sie zu bitten, ihm diese vier Menschen, in
welchen ohne Zweifel der böse Geist walten müsse, aus dem
Hause zu schaffen. Worauf sie, auf Befehl des Magistrats, in ärzt-
liche Untersuchung genommen, und, da man sie verrückt befand,
wie Ihr wißt, in die Gemächer des Irrenhauses untergebracht
wurden, das die Milde des letzt verstorbenen Kaisers, zum Besten
der Unglücklichen dieser Art, innerhalb der Mauern unserer
Stadt gegründet hat.« Dies und noch Mehreres sagte Veit Gotthelf, der Tuchhändler, das wir hier, weil wir zur Einsicht in den
inneren Zusammenhang der Sache genug gesagt zu haben meinen, unterdrücken; und forderte die Frau nochmals auf, ihn auf
keine Weise, falls es zu gerichtlichen Nachforschungen über diese
Begebenheit kommen sollte, darin zu verstricken.

Drei Tage darauf, da die Frau, durch diesen Bericht tief im

Innersten erschüttert, am Arm einer Freundin nach dem Kloster hinausgegangen war, in der wehmütigen Absicht, auf einem Spaziergang, weil eben das Wetter schön war, den entsetzlichen Schauplatz in Augenschein zu nehmen, auf welchem Gott ihre Söhne wie durch unsichtbare Blitze zu Grunde gerichtet hatte: fanden die Weiber den Dom, weil eben gebaut wurde, am Eingang durch Planken versperrt, und konnten, wenn sie sich mühsam erhoben, durch die Öffnungen der Bretter hindurch von dem Inneren nichts, als die prächtig funkelnde Rose im Hintergrund der Kirche wahrnehmen. Viele hundert Arbeiter, welche fröhliche Lieder sangen, waren auf schlanken, vielfach verschlungenen Gerüsten beschäftigt, die Türme noch um ein gutes Dritteil zu erhöhen, und die Dächer und Zinnen derselben, welche bis jetzt nur mit Schiefer bedeckt gewesen waren, mit starkem, hellen, im Strahl der Sonne glänzigen Kupfer zu belegen. Dabei stand ein Gewitter, dunkelschwarz, mit vergoldeten Rändern, im Hintergrunde des Baus; dasselbe hatte schon über die Gegend von Aachen ausgedonnert, und nachdem es noch einige kraftlose Blitze, gegen die Richtung, wo der Dom stand, geschleudert hatte, sank es, zu Dünsten aufgelöst, mißvergnügt murmelnd in Osten herab. Es traf sich, daß da die Frauen von der Treppe des weitläufigen klösterlichen Wohngebäudes herab, in mancherlei Gedanken vertieft, dies doppelte Schauspiel betrachteten, eine Klosterschwester, welche vorüberging, zufällig erfuhr, wer die unter dem Portal stehende Frau sei; dergestalt, daß die Äbtissin, die von einem, den Fronleichnamstag betreffenden Brief, den dieselbe bei sich trug, gehört hatte, unmittelbar darauf die Schwester zu ihr herabschickte, und die niederländische Frau ersuchen ließ, zu ihr herauf zu kommen. Die Niederländerin, obschon einen Augenblick dadurch betroffen, schickte sich nichts desto weniger ehrfurchtsvoll an, dem Befehl, den man ihr angekündigt hatte, zu gehorchen; und während die Freundin, auf die Einladung der Nonne, in ein dicht an dem Eingang befindliches Nebenzimmer abtrat, öffnete man der Fremden, welche die Treppe hinaufsteigen mußte, die Flügeltüren des schön gebildeten Söllers selbst. Daselbst fand sie die Äbtissin, welches eine edle Frau, von stillem königlichen Ansehn war, auf einem Sessel sitzen, den Fuß auf einem Schemel gestützt, der auf Drachenklauen ruhte; ihr zur

Seite, auf einem Pulte, lag die Partitur einer Musik. Die Äbtissin,
nachdem sie befohlen hatte, der Fremden einen Stuhl hinzusetzen,
entdeckte ihr, daß sie bereits durch den Bürgermeister von ihrer
Ankunft in der Stadt gehört; und nachdem sie sich, auf menschenfreundliche Weise, nach dem Befinden ihrer unglücklichen Söhne
erkundigt, auch sie ermuntert hatte, sich über das Schicksal, das
dieselben betroffen, weil es einmal nicht zu ändern sei, möglichst
zu fassen: eröffnete sie ihr den Wunsch, den Brief zu sehen, den
der Prädikant an seinen Freund, den Schullehrer in Antwerpen
geschrieben hatte. Die Frau, welche Erfahrung genug besaß, einzusehen, von welchen Folgen dieser Schritt sein konnte, fühlte
sich dadurch auf einen Augenblick in Verlegenheit gestürzt; da
jedoch das ehrwürdige Antlitz der Dame unbedingtes Vertrauen
erforderte, und auf keine Weise schicklich war, zu glauben, daß
ihre Absicht sein könne, von dem Inhalt desselben einen öffentlichen Gebrauch zu machen; so nahm sie, nach einer kurzen
Besinnung, den Brief aus ihrem Busen, und reichte ihn, unter
einem heißen Kuß auf ihre Hand, der fürstlichen Dame dar. Die
Frau, während die Äbtissin den Brief überlas, warf nunmehr einen
Blick auf die nachlässig über dem Pult aufgeschlagene Partitur;
und da sie, durch den Bericht des Tuchhändlers, auf den Gedanken gekommen war, es könne wohl die Gewalt der Töne
gewesen sein, die, an jenem schauerlichen Tage, das Gemüt ihrer
armen Söhne zerstört und verwirrt habe: so fragte sie die Klosterschwester, die hinter ihrem Stuhle stand, indem sie sich zu ihr
umkehrte, schüchtern: »ob dies das Musikwerk wäre, das vor
sechs Jahren, am Morgen jenes merkwürdigen Fronleichnamsfestes, in der Kathedrale aufgeführt worden sei?« Auf die Antwort
der jungen Klosterschwester: ja! sie erinnere sich davon gehört
zu haben, und es pflege seitdem, wenn man es nicht brauche, im
Zimmer der hochwürdigsten Frau zu liegen: stand, lebhaft erschüttert, die Frau auf, und stellte sich, von mancherlei Gedanken
durchkreuzt, vor den Pult. Sie betrachtete die unbekannten
zauberischen Zeichen, womit sich ein fürchterlicher Geist geheimnisvoll den Kreis abzustecken schien, und meinte, in die Erde zu
sinken, da sie grade das gloria in excelsis aufgeschlagen fand. Es
war ihr, als ob das ganze Schrecken der Tonkunst, das ihre Söhne
verderbt hatte, über ihrem Haupte rauschend daherzöge; sie

glaubte, bei dem bloßen Anblick ihre Sinne zu verlieren, und nachdem sie schnell, mit einer unendlichen Regung von Demut und Unterwerfung unter die göttliche Allmacht, das Blatt an ihre Lippen gedrückt hatte, setzte sie sich wieder auf ihren Stuhl zurück. Inzwischen hatte die Äbtissin den Brief ausgelesen und sagte, indem sie ihn zusammen faltete: »Gott selbst hat das Kloster, an jenem wunderbaren Tage, gegen den Übermut Eurer schwer verirrten Söhne beschirmt. Welcher Mittel er sich dabei bedient, kann Euch, die Ihr eine Protestantin seid, gleichgültig sein: Ihr würdet auch das, was ich Euch darüber sagen könnte, schwerlich begreifen. Denn vernehmt, daß schlechterdings niemand weiß, wer eigentlich das Werk, das Ihr dort aufgeschlagen findet, im Drang der schreckenvollen Stunde, da die Bilderstürmerei über uns hereinbrechen sollte, ruhig auf dem Sitz der Orgel dirigiert habe. Durch ein Zeugnis, das am Morgen des folgenden Tages, in Gegenwart des Klostervogts und mehrerer anderen Männer aufgenommen und im Archiv niedergelegt ward, ist erwiesen, daß Schwester Antonia, die einzige, die das Werk dirigieren konnte, während des ganzen Zeitraums seiner Aufführung, krank, bewußtlos, ihrer Glieder schlechthin unmächtig, im Winkel ihrer Klosterzelle darniedergelegen habe; eine Klosterschwester, die ihr als leibliche Verwandte zur Pflege ihres Körpers beigeordnet war, ist während des ganzen Vormittags, da das Fronleichnamsfest in der Kathedrale gefeiert worden, nicht von ihrem Bette gewichen. Ja, Schwester Antonia würde ohnfehlbar selbst den Umstand, daß sie es nicht gewesen sei, die, auf so seltsame und befremdende Weise, auf dem Altan der Orgel erschien, bestätigt und bewahrheitet haben: wenn ihr gänzlich sinnberaubter Zustand erlaubt hätte, sie darum zu befragen, und die Kranke nicht noch am Abend desselben Tages, an dem Nervenfieber, an dem sie danieder lag, und welches früherhin gar nicht lebensgefährlich schien, verschieden wäre. Auch hat der Erzbischof von Trier, an den dieser Vorfall berichtet ward, bereits das Wort ausgesprochen, das ihn allein erklärt, nämlich, ›daß die heilige Cäcilie selbst dieses zu gleicher Zeit schreckliche und herrliche Wunder vollbracht habe‹; und von dem Papst habe ich soeben ein Breve erhalten, wodurch er dies bestätigt.« Und damit gab sie der Frau den Brief, den sie sich bloß von ihr erbeten hatte,

um über das, was sie schon wußte, nähere Auskunft zu erhalten,
unter dem Versprechen, daß sie davon keinen Gebrauch machen
würde, zurück; und nachdem sie dieselbe noch gefragt hatte, ob
zur Wiederherstellung ihrer Söhne Hoffnung sei, und ob sie ihr
vielleicht mit irgend etwas, Geld oder eine andere Unterstützung,
zu diesem Zweck dienen könne, welches die Frau, indem sie ihr
den Rock küßte, weinend verneinte: grüßte sie dieselbe freundlich mit der Hand und entließ sie.

Hier endigt diese Legende. Die Frau, deren Anwesenheit in
Aachen gänzlich nutzlos war, ging mit Zurücklassung eines
kleinen Kapitals, das sie zum Besten ihrer armen Söhne bei den
Gerichten niederlegte, nach dem Haag zurück, wo sie ein Jahr
darauf, durch diesen Vorfall tief bewegt, in den Schoß der katho-
lischen Kirche zurückkehrte: die Söhne aber starben, im späten
Alter, eines heitern und vergnügten Todes, nachdem sie noch
einmal, ihrer Gewohnheit gemäß, das gloria in excelsis abge-
sungen hatten.

DER ZWEIKAMPF

Herzog Wilhelm von Breysach, der, seit seiner heimlichen Verbindung mit einer Gräfin, namens Katharina von Heersbruck, aus dem Hause Alt-Hüningen, die unter seinem Range zu sein schien, mit seinem Halbbruder, dem Grafen Jakob dem Rotbart, in Feindschaft lebte, kam gegen das Ende des vierzehnten Jahrhunderts, da die Nacht des heiligen Remigius zu dämmern begann, von einer in Worms mit dem deutschen Kaiser abgehaltenen Zusammenkunft zurück, worin er sich von diesem Herrn, in Ermangelung ehelicher Kinder, die ihm gestorben waren, die Legitimation eines, mit seiner Gemahlin vor der Ehe erzeugten, natürlichen Sohnes, des Grafen Philipp von Hüningen, ausgewirkt hatte. Freudiger, als während des ganzen Laufs seiner Regierung in die Zukunft blickend, hatte er schon den Park, der hinter seinem Schlosse lag, erreicht: als plötzlich ein Pfeilschuß aus dem Dunkel der Gebüsche hervorbrach, und ihm, dicht unter dem Brustknochen, den Leib durchbohrte. Herr Friedrich von Trota, sein Kämmerer, brachte ihn, über diesen Vorfall äußerst betroffen, mit Hülfe einiger andern Ritter, in das Schloß, wo er nur noch, in den Armen seiner bestürzten Gemahlin, die Kraft hatte, einer Versammlung von Reichsvasallen, die schleunigst, auf Veranstaltung der letztern, zusammenberufen worden war, die kaiserliche Legitimationsakte vorzulesen; und nachdem, nicht ohne lebhaften Widerstand, indem, in Folge des Gesetzes, die Krone an seinen Halbbruder, den Grafen Jakob den Rotbart, fiel, die Vasallen seinen letzten bestimmten Willen erfüllt, und unter dem Vorbehalt, die Genehmigung des Kaisers einzuholen, den Grafen Philipp als Thronerben, die Mutter aber, wegen Minderjährigkeit desselben, als Vormünderin und Regentin anerkannt hatten: legte er sich nieder und starb.

Die Herzogin bestieg nun, ohne weiteres, unter einer bloßen Anzeige, die sie, durch einige Abgeordnete, an ihren Schwager, den Grafen Jakob den Rotbart, tun ließ, den Thron; und was

mehrere Ritter des Hofes, welche die abgeschlossene Gemütsart
des letzteren zu durchschauen meinten, vorausgesagt hatten, das
traf, wenigstens dem äußeren Anschein nach, ein: Jakob der Rotbart verschmerzte, in kluger Erwägung der obwaltenden Umstände, das Unrecht, das ihm sein Bruder zugefügt hatte; zum
mindesten enthielt er sich aller und jeder Schritte, den letzten
Willen des Herzogs umzustoßen, und wünschte seinem jungen
Neffen zu dem Thron, den er erlangt hatte, von Herzen Glück.
Er beschrieb den Abgeordneten, die er sehr heiter und freundlich
an seine Tafel zog, wie er seit dem Tode seiner Gemahlin, die
ihm ein königliches Vermögen hinterlassen, frei und unabhängig
auf seiner Burg lebe; wie er die Weiber der angrenzenden Edelleute, seinen eignen Wein, und, in Gesellschaft munterer Freunde,
die Jagd liebe, und wie ein Kreuzzug nach Palästina, auf welchem
er die Sünden einer raschen Jugend, auch leider, wie er zugab, im
Alter noch wachsend, abzubüßen dachte, die ganze Unternehmung sei, auf die er noch, am Schluß seines Lebens, hinaussehe.
Vergebens machten ihm seine beiden Söhne, welche in der bestimmten Hoffnung der Thronfolge erzogen worden waren,
wegen der Unempfindlichkeit und Gleichgültigkeit mit welcher
er, auf ganz unerwartete Weise, in diese unheilbare Kränkung
ihrer Ansprüche willigte, die bittersten Vorwürfe: er wies sie, die
noch unbärtig waren, mit kurzen und spöttischen Machtsprüchen
zur Ruhe, nötigte sie, ihm am Tage des feierlichen Leichen-
begängnisses, in die Stadt zu folgen, und daselbst, an seiner Seite,
den alten Herzog, ihren Oheim, wie es sich gebühre, zur Gruft zu
bestatten; und nachdem er im Thronsaal des herzoglichen Palastes, dem jungen Prinzen, seinem Neffen, in Gegenwart der
Regentin Mutter, gleich allen andern Großen des Hofes, die
Huldigung geleistet hatte, kehrte er unter Ablehnung aller Ämter
und Würden, welche die letztere ihm antrug, begleitet von den
Segnungen des, ihn um seine Großmut und Mäßigung doppelt
verehrenden Volks, wieder auf seine Burg zurück.

Die Herzogin schritt nun, nach dieser unverhofft glücklichen
Beseitigung der ersten Interessen, zur Erfüllung ihrer zweiten
Regentenpflicht, nämlich, wegen der Mörder ihres Gemahls,
deren man im Park eine ganze Schar wahrgenommen haben
wollte, Untersuchungen anzustellen, und prüfte zu diesem Zweck

selbst, mit Herrn Godwin von Herrthal, ihrem Kanzler, den Pfeil, der seinem Leben ein Ende gemacht hatte. Inzwischen fand man an demselben nichts, das den Eigentümer hätte verraten können, außer etwa, daß er, auf befremdende Weise, zierlich und prächtig gearbeitet war. Starke, krause und glänzende Federn steckten in einem Stiel, der, schlank und kräftig, von dunkelm Nußbaumholz, gedrechselt war; die Bekleidung des vorderen Endes war von glänzendem Messing, und nur die äußerste Spitze selbst, scharf wie die Gräte eines Fisches, war von Stahl. Der Pfeil schien für die Rüstkammer eines vornehmen und reichen Mannes verfertigt zu sein, der entweder in Fehden verwickelt, oder ein großer Liebhaber von der Jagd war; und da man aus einer, dem Knopf eingegrabenen, Jahrszahl ersah, daß dies erst vor kurzem geschehen sein konnte: so schickte die Herzogin, auf Anraten des Kanzlers, den Pfeil, mit dem Kronsiegel versehen, in alle Werkstätten von Deutschland umher, um den Meister, der ihn gedrechselt hatte, aufzufinden, und, falls dies gelang, von demselben den Namen dessen zu erfahren, auf dessen Bestellung er gedrechselt worden war.

Fünf Monden darauf lief an Herrn Godwin, den Kanzler, dem die Herzogin die ganze Untersuchung der Sache übergeben hatte, die Erklärung von einem Pfeilmacher aus Straßburg ein, daß er ein Schock solcher Pfeile, samt dem dazu gehörigen Köcher, vor drei Jahren für den Grafen Jakob den Rotbart verfertigt habe. Der Kanzler, über diese Erklärung äußerst betroffen, hielt dieselbe mehrere Wochen lang in seinem Geheimschrank zurück; zum Teil kannte er, wie er meinte, trotz der freien und ausschweifenden Lebensweise des Grafen, den Edelmut desselben zu gut, als daß er ihn einer so abscheulichen Tat, als die Ermordung eines Bruders war, hätte für fähig halten sollen; zum Teil auch, trotz vieler andern guten Eigenschaften, die Gerechtigkeit der Regentin zu wenig, als daß er, in einer Sache, die das Leben ihres schlimmsten Feindes galt, nicht mit der größten Vorsicht hätte verfahren sollen. Inzwischen stellte er, unter der Hand, in der Richtung dieser sonderbaren Anzeige, Untersuchungen an, und da er durch die Beamten der Stadtvogtei zufällig ausmittelte, daß der Graf, der seine Burg sonst nie oder nur höchst selten zu verlassen pflegte, in der Nacht der Ermordung des Herzogs daraus

abwesend gewesen war: so hielt er es für seine Pflicht, das Geheimnis fallen zu lassen, und die Herzogin, in einer der nächsten
Sitzungen des Staatsrats, von dem befremdenden und seltsamen
Verdacht, der durch diese beiden Klagpunkte auf ihren Schwager,
den Grafen Jakob den Rotbart fiel, umständlich zu unterrichten.

Die Herzogin, die sich glücklich pries, mit dem Grafen, ihrem
Schwager, auf einem so freundschaftlichen Fuß zu stehen, und
nichts mehr fürchtete, als seine Empfindlichkeit durch unüber-
legte Schritte zu reizen, gab inzwischen, zum Befremden des
Kanzlers, bei dieser zweideutigen Eröffnung nicht das mindeste
Zeichen der Freude von sich; vielmehr, als sie die Papiere zweimal
mit Aufmerksamkeit überlesen hatte, äußerte sie lebhaft ihr Mißfallen, daß man eine Sache, die so ungewiß und bedenklich sei,
öffentlich im Staatsrat zur Sprache bringe. Sie war der Meinung,
daß ein Irrtum oder eine Verleumdung dabei statt finden müsse,
und befahl, von der Anzeige schlechthin bei den Gerichten keinen
Gebrauch zu machen. Ja, bei der außerordentlichen, fast schwär-
merischen Volksverehrung, deren der Graf, nach einer natürlichen Wendung der Dinge, seit seiner Ausschließung vom Throne
genoß, schien ihr auch schon dieser bloße Vortrag im Staatsrat
äußerst gefährlich; und da sie voraus sah, daß ein Stadtgeschwätz
darüber zu seinen Ohren kommen würde, so schickte sie, von
einem wahrhaft edelmütigen Schreiben begleitet, die beiden
Klagpunkte, die sie das Spiel eines sonderbaren Mißverständ-
nisses nannte, samt dem, worauf sie sich stützen sollten, zu ihm
hinaus, mit der bestimmten Bitte, sie, die im voraus von seiner
Unschuld überzeugt sei, mit aller Widerlegung derselben zu verschonen.

Der Graf der eben mit einer Gesellschaft von Freunden bei der
Tafel saß, stand, als der Ritter mit der Botschaft der Herzogin,
zu ihm eintrat, verbindlich von seinem Sessel auf; aber kaum,
während die Freunde den feierlichen Mann, der sich nicht niederlassen wollte, betrachteten, hatte er in der Wölbung des Fensters
den Brief überlesen: als er die Farbe wechselte, und die Papiere
mit den Worten den Freunden übergab: Brüder, seht! welch eine
schändliche Anklage, auf den Mord meines Bruders, wider mich
zusammengeschmiedet worden ist! Er nahm dem Ritter, mit
einem funkelnden Blick, den Pfeil aus der Hand, und setzte, die

Vernichtung seiner Seele verbergend, inzwischen die Freunde sich unruhig um ihn versammelten, hinzu: daß in der Tat das Geschoß sein gehöre und auch der Umstand, daß er in der Nacht des heiligen Remigius aus seinem Schloß abwesend gewesen, gegründet sei! Die Freunde fluchten über diese hämische und niederträchtige Arglistigkeit; sie schoben den Verdacht des Mordes auf die verruchten Ankläger selbst zurück, und schon waren sie im Begriff, gegen den Abgeordneten, der die Herzogin, seine Frau, in Schutz nahm, beleidigend zu werden: als der Graf, der die Papiere noch einmal überlesen hatte, indem er plötzlich unter sie trat, ausrief: ruhig, meine Freunde! – und damit nahm er sein Schwert, das im Winkel stand, und übergab es dem Ritter mit den Worten: daß er sein Gefangener sei! Auf die betroffene Frage des Ritters: ob er recht gehört, und ob er in der Tat die beiden Klagpunkte, die der Kanzler aufgesetzt, anerkenne? antwortete der Graf: ja! ja! ja! – Inzwischen hoffe er der Notwendigkeit überhoben zu sein, den Beweis wegen seiner Unschuld anders, als vor den Schranken eines förmlich von der Herzogin niedergesetzten Gerichts zu führen. Vergebens bewiesen die Ritter, mit dieser Äußerung höchst unzufrieden, daß er in diesem Fall wenigstens keinem andern, als dem Kaiser, von dem Zusammenhang der Sache Rechenschaft zu geben brauche; der Graf, der sich in einer sonderbar plötzlichen Wendung der Gesinnung, auf die Gerechtigkeit der Regentin berief, bestand darauf, sich vor dem Landestribunal zu stellen, und schon, indem er sich aus ihren Armen losriß, rief er, aus dem Fenster hinaus, nach seinen Pferden, willens, wie er sagte, dem Abgeordneten unmittelbar in die Ritterhaft zu folgen: als die Waffengefährten ihm gewaltsam, mit einem Vorschlag, den er endlich annehmen mußte, in den Weg traten. Sie setzten in ihrer Gesamtzahl ein Schreiben an die Herzogin auf, forderten als ein Recht, das jedem Ritter in solchem Fall zustehe, freies Geleit für ihn, und boten ihr zur Sicherheit, daß er sich dem von ihr errichteten Tribunal stellen, auch allem, was dasselbe über ihn verhängen möchte, unterwerfen würde, eine Bürgschaft von 20000 Mark Silbers an.

Die Herzogin, auf diese unerwartete und ihr unbegreifliche Erklärung, hielt es, bei den abscheulichen Gerüchten, die bereits über die Veranlassung der Klage, im Volk herrschten, für das

Ratsamste, mit gänzlichem Zurücktreten ihrer eignen Person, dem Kaiser die ganze Streitsache vorzulegen. Sie schickte ihm, auf den Rat des Kanzlers, sämtliche über den Vorfall lautende Aktenstücke zu, und bat, in seiner Eigenschaft als Reichsoberhaupt ihr die Untersuchung in einer Sache abzunehmen, in der sie selber als Partei befangen sei. Der Kaiser, der sich wegen Verhandlungen mit der Eidgenossenschaft grade damals in Basel aufhielt, willigte in diesen Wunsch; er setzte daselbst ein Gericht von drei Grafen, zwölf Rittern und zwei Gerichtsassessoren nieder; und nachdem er dem Grafen Jakob dem Rotbart, dem Antrag seiner Freunde gemäß, gegen die dargebotene Bürgschaft von 20000 Mark Silbers freies Geleit zugestanden hatte, forderte er ihn auf, sich dem erwähnten Gericht zu stellen, und demselben über die beiden Punkte: wie der Pfeil, der, nach seinem eignen Geständnis, sein gehöre, in die Hände des Mörders gekommen? auch: an welchem dritten Ort er sich in der Nacht des heiligen Remigius aufgehalten habe, Red und Antwort zu geben.

Es war am Montag nach Trinitatis, als der Graf Jakob der Rotbart, mit einem glänzenden Gefolge von Rittern, der an ihn ergangenen Aufforderung gemäß, in Basel vor den Schranken des Gerichts erschien, und sich daselbst, mit Übergehung der ersten, ihm, wie er vorgab, gänzlich unauflöslichen Frage, in Bezug auf die zweite, welche für den Streitpunkt entscheidend war, folgendermaßen faßte: »Edle Herren!« und damit stützte er seine Hände auf das Geländer, und schaute aus seinen kleinen blitzenden Augen, von rötlichen Augenwimpern überschattet, die Versammlung an. »Ihr beschuldigt mich, der von seiner Gleichgültigkeit gegen Krone und Szepter Proben genug gegeben hat, der abscheulichsten Handlung, die begangen werden kann, der Ermordung meines, mir in der Tat wenig geneigten, aber darum nicht minder teuren Bruders; und als einen der Gründe, worauf ihr eure Anklage stützt, führt ihr an, daß ich in der Nacht des heiligen Remigius, da jener Frevel verübt ward, gegen eine durch viele Jahre beobachtete Gewohnheit, aus meinem Schlosse abwesend war. Nun ist mir gar wohl bekannt, was ein Ritter, der Ehre solcher Damen, deren Gunst ihm heimlich zuteil wird, schuldig ist; und wahrlich! hätte der Himmel nicht, aus heiterer Luft, dies sonderbare Verhängnis über mein Haupt zusammen-

geführt: so würde das Geheimnis, das in meiner Brust schläft, mit
mir gestorben, zu Staub verwest, und erst auf den Posaunenruf
des Engels, der die Gräber sprengt, vor Gott mit mir erstanden
sein. Die Frage aber, die kaiserliche Majestät durch euren Mund
an mein Gewissen richtet, macht, wie ihr wohl selbst einseht, alle
Rücksichten und alle Bedenklichkeiten zu Schanden; und weil
ihr denn wissen wollt, warum es weder wahrscheinlich, noch
auch selbst möglich sei, daß ich an dem Mord meines Bruders, es
sei nun persönlich oder mittelbar, Teil genommen, so vernehmt,
daß ich in der Nacht des heiligen Remigius, also zur Zeit, da er
verübt worden, heimlich bei der schönen, in Liebe mir ergebenen
Tochter des Landdrosts Winfried von Breda, Frau Wittib Littegarde von Auerstein war.«
    Nun muß man wissen, daß Frau Wittib Littegarde von Auer-
stein, so wie die schönste, so auch, bis auf den Augenblick dieser
schmählichen Anklage, die unbescholtenste und makelloseste Frau
des Landes war. Sie lebte, seit dem Tode des Schloßhauptmanns
von Auerstein, ihres Gemahls, den sie wenige Monden nach ihrer
Vermählung an einem ansteckenden Fieber verloren hatte, still
und eingezogen auf der Burg ihres Vaters; und nur auf den
Wunsch dieses alten Herrn, der sie gern wieder vermählt zu sehen
wünschte, ergab sie sich darin, dann und wann bei den Jagdfesten
und Banketten zu erscheinen, welche von der Ritterschaft der
umliegenden Gegend, und hauptsächlich von Herrn Jakob dem
Rotbart, angestellt wurden. Viele Grafen und Herren, aus den
edelsten und begütertsten Geschlechtern des Landes, fanden sich
mit ihren Werbungen, bei solchen Gelegenheiten um sie ein, und
unter diesen war ihr Herr Friedrich von Trota, der Kämmerer,
der ihr einst auf der Jagd gegen den Anlauf eines verwundeten
Ebers tüchtiger Weise das Leben gerettet hatte, der Teuerste und
Liebste; inzwischen hatte sie sich aus Besorgnis, ihren beiden, auf
die Hinterlassenschaft ihres Vermögens rechnenden Brüdern dadurch zu mißfallen, aller Ermahnungen ihres Vaters ungeachtet,
noch nicht entschließen können, ihm ihre Hand zu geben. Ja,
als Rudolf, der Ältere von beiden sich mit einem reichen Fräulein
aus der Nachbarschaft vermählte, und ihm, nach einer dreijährigen kinderlosen Ehe, zur großen Freude der Familie, ein Stamm-
halter geboren ward: so nahm sie, durch manche deutliche und

undeutliche Erklärung bewogen, von Herrn Friedrich, ihrem
Freunde, in einem unter vielen Tränen abgefaßten Schreiben,
förmlich Abschied, und willigte, um die Einigkeit des Hauses zu
erhalten, in den Vorschlag ihres Bruders, den Platz als Äbtissin in
einem Frauenstift einzunehmen, das unfern ihrer väterlichen Burg
an den Ufern des Rheins lag.

Grade um die Zeit, da bei dem Erzbischof von Straßburg
dieser Plan betrieben ward, und die Sache im Begriff war zur
Ausführung zu kommen, war es, als der Landdrost, Herr Winfried von Breda, durch das von dem Kaiser eingesetzte Gericht,
die Anzeige von der Schande seiner Tochter Littegarde, und die
Aufforderung erhielt, dieselbe zur Verantwortung gegen die
von dem Grafen Jakob wider sie angebrachte Beschuldigung
nach Basel zu befördern. Man bezeichnete ihm, im Verlauf des
Schreibens, genau die Stunde und den Ort, in welchem der
Graf, seinem Vorgeben gemäß, bei Frau Littegarde seinen Besuch heimlich abgestattet haben wollte, und schickte ihm sogar
einen, von ihrem verstorbenen Gemahl herrührenden Ring mit,
den er beim Abschied, zum Andenken an die verflossene Nacht,
aus ihrer Hand empfangen zu haben versicherte. Nun litt Herr
Winfried eben, am Tage der Ankunft dieses Schreibens, an einer
schweren und schmerzvollen Unpäßlichkeit des Alters; er wankte,
in einem äußerst gereizten Zustande, an der Hand seiner Tochter
im Zimmer umher, das Ziel schon ins Auge fassend, das allem
was Leben atmet gesteckt ist; dergestalt, daß ihn, bei Überlesung
dieser fürchterlichen Anzeige, der Schlag augenblicklich rührte,
und er, indem er das Blatt fallen ließ, mit gelähmten Gliedern
auf den Fußboden niederschlug. Die Brüder, die gegenwärtig
waren, hoben ihn bestürzt vom Boden auf, und riefen einen Arzt
herbei, der zu seiner Pflege, in den Nebengebäuden wohnte; aber
alle Mühe, ihn wieder ins Leben zurück zu bringen, war umsonst:
er gab, während Frau Littegarde besinnungslos in dem Schoß
ihrer Frauen lag, seinen Geist auf, und diese, da sie erwachte, hatte
auch nicht den letzten bittersüßen Trost, ihm ein Wort zur Verteidigung ihrer Ehre in die Ewigkeit mitgegeben zu haben. Das
Schrecken der beiden Brüder über diesen heillosen Vorfall, und
ihre Wut über die der Schwester angeschuldigte und leider nur
zu wahrscheinliche Schandtat, die ihn veranlaßt hatte, war unbe-

schreiblich. Denn sie wußten nur zu wohl, daß Graf Jakob der
Rotbart ihr in der Tat, während des ganzen vergangenen Sommers, angelegentlich den Hof gemacht hatte; mehrere Turniere
und Bankette waren bloß ihr zu Ehren von ihm angestellt, und
sie, auf eine schon damals sehr anstößige Weise, vor allen andern
Frauen, die er zur Gesellschaft zog, von ihm ausgezeichnet worden. Ja, sie erinnerten sich, daß Littegarde, grade um die Zeit
des besagten Remigiustages, eben diesen von ihrem Gemahl her-
stammenden Ring, der sich jetzt, auf sonderbare Weise in den
Händen des Grafen Jakob wieder fand, auf einem Spaziergang
verloren zu haben vorgegeben hatte; dergestalt, daß sie nicht
einen Augenblick an der Wahrhaftigkeit der Aussage, die der
Graf vor Gericht gegen sie abgeleistet hatte, zweifelten. Vergebens – inzwischen unter den Klagen des Hofgesindes die väter-
liche Leiche weggetragen ward – umklammerte sie, nur um
einen Augenblick Gehör bittend, die Kniee ihrer Brüder; Rudolf, vor Entrüstung flammend, fragte sie, indem er sich zu ihr
wandte: ob sie einen Zeugen für die Nichtigkeit der Beschuldigung für sich aufstellen könne? und da sie unter Zittern und
Beben erwiderte: daß sie sich leider auf nichts, als die Unsträflichkeit ihres Lebenswandels berufen könne, indem ihre Zofe
grade wegen eines Besuchs, den sie in der bewußten Nacht bei
ihren Eltern abgestattet, aus ihrem Schlafzimmer abwesend gewesen sei: so stieß Rudolf sie mit Füßen von sich, riß ein Schwert
das an der Wand hing, aus der Scheide, und befahl ihr, in miß-
geschaffner Leidenschaft tobend, indem er Hunde und Knechte
herbeirief, augenblicklich das Haus und die Burg zu verlassen.
Littegarde stand bleich wie Kreide, vom Boden auf; sie bat, indem sie seinen Mißhandlungen schweigend auswich, ihr wenigstens zur Anordnung der erforderten Abreise die nötige Zeit zu
lassen; doch Rudolf antwortete weiter nichts, als, vor Wut
schäumend: hinaus, aus dem Schloß! dergestalt, daß da er auf
seine eigne Frau, die ihm mit der Bitte um Schonung und
Menschlichkeit, in den Weg trat, nicht hörte, und sie, durch
einen Stoß mit dem Griff des Schwerts, der ihr das Blut fließen
machte, rasend auf die Seite warf, die unglückliche Littegarde,
mehr tot als lebendig, das Zimmer verließ: sie wankte, von den
Blicken der gemeinen Menge umstellt, über den Hofraum

der Schloßpforte zu, wo Rudolf ihr ein Bündel mit Wäsche,
wozu er einiges Geld legte, hinausreichen ließ, und selbst hinter
ihr, unter Flüchen und Verwünschungen, die Torflügel verschloß.

Dieser plötzliche Sturz, von der Höhe eines heiteren und fast
ungetrübten Glücks, in die Tiefe eines unabsehbaren und gänzlich
hülflosen Elends, war mehr als das arme Weib ertragen konnte.
Unwissend, wohin sie sich wenden solle, wankte sie, gestützt
am Geländer, den Felsenpfad hinab, um sich wenigstens für die
einbrechende Nacht ein Unterkommen zu verschaffen; doch ehe
sie noch den Eingang des Dörfchens, das verstreut im Tale lag,
erreicht hatte, sank sie schon ihrer Kräfte beraubt, auf den Fußboden nieder. Sie mochte, allen Erdenleiden entrückt, wohl eine
Stunde so gelegen haben, und völlige Finsternis deckte schon die
Gegend, als sie, umringt von mehreren mitleidigen Einwohnern
des Orts, erwachte. Denn ein Knabe, der am Felsenabhang spielte,
hatte sie daselbst bemerkt, und in dem Hause seiner Eltern von
einer so sonderbaren und auffallenden Erscheinung Bericht abgestattet; worauf diese, die von Littegarden mancherlei Wohltai-
ten empfangen hatten, äußerst bestürzt sie in einer so trostlosen
Lage zu wissen, sogleich aufbrachen, um ihr mit Hülfe, so gut es
in ihren Kräften stand, beizuspringen. Sie erholte sich durch die
Bemühungen dieser Leute gar bald, und gewann auch, bei dem
Anblick der Burg, die hinter ihr verschlossen war, ihre Besinnung wieder; sie weigerte sich aber das Anerbieten zweier Weiber, sie wieder auf das Schloß hinauf zu führen, anzunehmen, und
bat nur um die Gefälligkeit, ihr sogleich einen Führer herbei zu
schaffen, um ihre Wanderung fortzusetzen. Vergebens stellten
ihr die Leute vor, daß sie in ihrem Zustande keine Reise antreten
könne; Littegarde bestand unter dem Vorwand, daß ihr Leben
in Gefahr sei, darauf, augenblicklich die Grenzen des Burggebiets
zu verlassen; ja, sie machte, da sich der Haufen um sie, ohne ihr
zu helfen, immer vergrößerte, Anstalten, sich mit Gewalt los zu
reißen, und sich allein, trotz der Dunkelheit der hereinbrechen-
den Nacht, auf den Weg zu begeben; dergestalt daß die Leute
notgedrungen, aus Furcht, von der Herrschaft, falls ihr ein Unglück zustieße, dafür in Anspruch genommen zu werden, in ihren
Wunsch willigten, und ihr ein Fuhrwerk herbeischafften, das mit

ihr, auf die wiederholt an sie gerichtete Frage, wohin sie sich denn
eigentlich wenden wolle, nach Basel abfuhr.

Aber schon vor dem Dorfe änderte sie, nach einer aufmerk-
samern Erwägung der Umstände, ihren Entschluß, und befahl
ihrem Führer umzukehren, und sie nach der, nur wenige Meilen
entfernten Trotenburg zu fahren. Denn sie fühlte wohl, daß sie
ohne Beistand, gegen einen solchen Gegner, als der Graf Jakob
der Rotbart war, vor dem Gericht zu Basel nichts ausrichten
würde; und niemand schien ihr des Vertrauens, zur Verteidigung
ihrer Ehre aufgerufen zu werden, würdiger, als ihr wackerer,
ihr in Liebe, wie sie wohl wußte, immer noch ergebener Freund,
der treffliche Kämmerer Herr Friedrich von Trota. Es mochte
ohngefähr Mitternacht sein, und die Lichter im Schlosse schim-
merten noch, als sie äußerst ermüdet von der Reise, mit ihrem
Fuhrwerk daselbst ankam. Sie schickte einen Diener des Hauses,
der ihr entgegen kam, hinauf, um der Familie ihre Ankunft anmelden zu lassen; doch ehe dieser noch seinen Auftrag vollführt
hatte, traten auch schon Fräulein Bertha und Kunigunde, Herrn
Friedrichs Schwestern, vor die Tür hinaus, die zufällig, in Geschäften des Haushalts, im untern Vorsaal waren. Die Freundinnen
hoben Littegarden, die ihnen gar wohl bekannt war, unter freudigen Begrüßungen vom Wagen, und führten sie, obschon nicht
ohne einige Beklemmung, zu ihrem Bruder hinauf, der in Akten, womit ihn ein Prozeß überschüttete, versenkt, an einem
Tische saß. Aber wer beschreibt das Erstaunen Herrn Friedrichs,
als er auf das Geräusch, das sich hinter ihm erhob, sein Antlitz
wandte, und Frau Littegarden, bleich und entstellt, ein wahres
Bild der Verzweiflung, vor ihm auf Knieen nieder sinken sah.
»Meine teuerste Littegarde!« rief er, indem er aufstand, und sie
vom Fußboden erhob: »was ist Euch widerfahren?« Littegarde,
nachdem sie sich auf einen Sessel niedergelassen hatte, erzählte
ihm, was vorgefallen; welch eine verruchte Anzeige der Graf
Jakob der Rotbart, um sich von dem Verdacht, wegen Ermordung des Herzogs, zu reinigen, vor dem Gericht zu Basel in Bezug auf sie, vorgebracht habe; wie die Nachricht davon ihrem
alten, eben an einer Unpäßlichkeit leidenden Vater augenblicklich
den Nervenschlag zugezogen, an welchem er auch, wenige Minuten darauf, in den Armen seiner Söhne verschieden sei; und

wie diese in Entrüstung darüber rasend, ohne auf das, was sie zu ihrer Verteidigung vorbringen könne, zu hören, sie mit den entsetzlichsten Mißhandlungen überhäuft, und zuletzt, gleich einer Verbrecherin, aus dem Hause gejagt hatten. Sie bat Herrn Friedrich, sie unter einer schicklichen Begleitung nach Basel zu befördern, und ihr daselbst einen Rechtsgehülfen anzuweisen, der ihr, bei ihrer Erscheinung vor dem von dem Kaiser eingesetzten Gericht, mit klugem und besonnenen Rat, gegen jene schändliche Beschuldigung, zur Seite stehen könne. Sie versicherte, daß ihr aus dem Munde eines Parthers oder Persers, den sie nie mit Augen gesehen, eine solche Behauptung nicht hätte unerwarteter kommen können, als aus dem Munde des Grafen Jakobs des Rotbarts, indem ihr derselbe seines schlechten Rufs sowohl, als seiner äußeren Bildung wegen, immer in der tiefsten Seele verhaßt gewesen sei, und sie die Artigkeiten, die er sich, bei den Festgelagen des vergangenen Sommers, zuweilen die Freiheit genommen ihr zu sagen, stets mit der größten Kälte und Verachtung abgewiesen habe. »Genug, meine teuerste Littegarde!« rief Herr Friedrich, indem er mit edlem Eifer ihre Hand nahm, und an seine Lippen drückte: »verliert kein Wort zur Verteidigung und Rechtfertigung Eurer Unschuld! In meiner Brust spricht eine Stimme für Euch, weit lebhafter und überzeugender, als alle Versicherungen, ja selbst als alle Rechtsgründe und Beweise, die Ihr vielleicht aus der Verbindung der Umstände und Begebenheiten, vor dem Gericht zu Basel für Euch aufzubringen vermögt. Nehmt mich, weil Eure ungerechten und ungroßmütigen Brüder Euch verlassen, als Euren Freund und Bruder an, und gönnt mir den Ruhm, Euer Anwalt in dieser Sache zu sein; ich will den Glanz Eurer Ehre vor dem Gericht zu Basel und vor dem Urteil der ganzen Welt wiederherstellen!« Damit führte er Littegarden, deren Tränen vor Dankbarkeit und Rührung, bei so edelmütigen Äußerungen heftig flossen, zu Frau Helenen, seiner Mutter hinauf, die sich bereits in ihr Schlafzimmer zurückgezogen hatte; er stellte sie dieser würdigen alten Dame, die ihr mit besonderer Liebe zugetan war, als eine Gastfreundin vor, die sich, wegen eines Zwistes, der in ihrer Familie ausgebrochen, entschlossen habe, ihren Aufenthalt während einiger Zeit auf seiner Burg zu nehmen; man räumte ihr noch in derselben Nacht einen ganzen

Flügel des weitläufigen Schlosses ein, erfüllte, aus dem Vorrat der Schwestern, die Schränke, die sich darin befanden, reichlich mit Kleidern und Wäsche für sie, wies ihr auch, ganz ihrem Range gemäß, eine anständige ja prächtige Dienerschaft an: und schon am dritten Tage befand sich Herr Friedrich von Trota, ohne sich über die Art und Weise, wie er seinen Beweis vor Gericht zu führen gedachte, auszulassen, mit einem zahlreichen Gefolge von Reisigen und Knappen auf der Straße nach Basel.

Inzwischen war, von den Herren von Breda, Littegardens Brüdern, ein Schreiben, den auf der Burg statt gehabten Vorfall anbetreffend, bei dem Gericht zu Basel eingelaufen, worin sie das arme Weib, sei es nun, daß sie dieselbe wirklich für schuldig hielten, oder daß sie sonst Gründe haben mochten, sie zu verderben, ganz und gar, als eine überwiesene Verbrecherin, der Verfolgung der Gesetze preis gaben. Wenigstens nannten sie die Verstoßung derselben aus der Burg, unedelmütiger und unwahrhaftiger Weise, eine freiwillige Entweichung; sie beschrieben, wie sie sogleich, ohne irgend etwas zur Verteidigung ihrer Unschuld aufbringen zu können, auf einige entrüstete Äußerungen, die ihnen entfahren wären, das Schloß verlassen habe; und waren, bei der Vergeblichkeit aller Nachforschungen, die sie beteuerten, ihrethalb angestellt zu haben, der Meinung, daß sie jetzt wahrscheinlich, an der Seite eines dritten Abenteurers, in der Welt umirre, um das Maß ihrer Schande zu erfüllen. Dabei trugen sie, zur Ehrenrettung der durch sie beleidigten Familie, darauf an, ihren Namen aus der Geschlechtstafel des Bredaschen Hauses auszustreichen, und begehrten, unter weitläufigen Rechtsdeduktionen, sie, zur Strafe wegen so unerhörter Vergehungen, aller Ansprüche auf die Verlassenschaft des edlen Vaters, den ihre Schande ins Grab gestürzt, für verlustig zu erklären. Nun waren die Richter zu Basel zwar weit entfernt, diesem Antrag, der ohnehin gar nicht vor ihr Forum gehörte, zu willfahren; da inzwischen der Graf Jakob, beim Empfang dieser Nachricht, von seiner Teilnahme an dem Schicksal Littegardens die unzweideutigsten und entscheidendsten Beweise gab, und heimlich, wie man erfuhr, Reuter ausschickte, um sie aufzusuchen und ihr einen Aufenthalt auf seiner Burg anzubieten: so setzte das Gericht in die Wahrhaftigkeit seiner Aussage keinen Zweifel mehr, und be-

schloß die Klage die wegen Ermordung des Herzogs über ihn
schwebte, sofort aufzuheben. Ja, diese Teilnahme, die er der Unglücklichen in diesem Augenblick der Not schenkte, wirkte selbst
höchst vorteilhaft auf die Meinung des in seinem Wohlwollen
für ihn sehr wankenden Volks; man entschuldigte jetzt, was man
früherhin schwer gemißbilligt hatte, die Preisgebung einer ihm
in Liebe ergebenen Frau, vor der Verachtung aller Welt, und
fand, daß ihm unter so außerordentlichen und ungeheuren Umständen, da es ihm nichts Geringeres, als Leben und Ehre galt,
nichts übrig geblieben sei, als rücksichtslose Aufdeckung des
Abenteuers, das sich in der Nacht des heiligen Remigius zugetragen hatte. Demnach ward, auf ausdrücklichen Befehl des Kaisers, der Graf Jakob der Rotbart von neuem vor Gericht geladen,
um feierlich, bei offnen Türen, von dem Verdacht, zur Ermordung des Herzogs mitgewirkt zu haben, freigesprochen zu werden. Eben hatte der Herold, unter den Hallen des weitläufigen
Gerichtssaals, das Schreiben der Herren von Breda abgelesen,
und das Gericht machte sich bereit, dem Schluß des Kaisers gemäß, in Bezug auf den ihm zur Seite stehenden Angeklagten, zu
einer förmlichen Ehrenerklärung zu schreiten: als Herr Friedrich
von Trota vor die Schranken trat, und sich, auf das allgemeine
Recht jedes unparteiischen Zuschauers gestützt, den Brief auf
einen Augenblick zur Durchsicht ausbat. Man willigte, während
die Augen alles Volks auf ihn gerichtet waren, in seinen Wunsch;
aber kaum hatte Herr Friedrich aus den Händen des Herolds das
Schreiben erhalten, als er es, nach einem flüchtig hinein gewor-
fenen Blick, von oben bis unten zerriß, und die Stücken, samt seinem Handschuh, die er zusammen wickelte, mit der Erklärung
dem Grafen Jakob dem Rotbart ins Gesicht warf: daß er ein
schändlicher und niederträchtiger Verleumder, und er entschlossen sei, die Schuldlosigkeit Frau Littegardens an dem Frevel, den
er ihr vorgeworfen, auf Tod und Leben, vor aller Welt, im Gottesurteil zu beweisen! – Graf Jakob der Rotbart, nachdem er,
blaß im Gesicht, den Handschuh aufgenommen, sagte: »so gewiß
als Gott gerecht, im Urteil der Waffen, entscheidet, so gewiß
werde ich dir die Wahrhaftigkeit dessen, was ich, Frau Littegarden betreffend, notgedrungen verlautbart, im ehrlichen ritterlichen Zweikampf beweisen! Erstattet, edle Herren,« sprach er,

indem er sich zu den Richtern wandte, »kaiserlicher Majestät
Bericht von dem Einspruch, welchen Herr Friedrich getan, und
ersucht sie, uns Stunde und Ort zu bestimmen, wo wir uns, mit
dem Schwert in der Hand, zur Entscheidung dieser Streitsache
begegnen können!« Dem gemäß schickten die Richter, unter
Aufhebung der Session, eine Deputation, mit dem Bericht über
diesen Vorfall an den Kaiser ab; und da dieser durch das Auftre-
ten Herrn Friedrichs, als Verteidiger Littegardens, nicht wenig
in seinem Glauben an die Unschuld des Grafen irre geworden
war: so rief er, wie es die Ehrengesetze erforderten, Frau Littegarden, zur Beiwohnung des Zweikampfs, nach Basel, und setzte
zur Aufklärung des sonderbaren Geheimnisses, das über dieser
Sache schwebte, den Tag der heiligen Margarethe als die Zeit,
und den Schloßplatz zu Basel als den Ort an, wo beide, Herr
Friedrich von Trota und der Graf Jakob der Rotbart, in Gegenwart Frau Littegardens einander treffen sollten.

Eben ging, diesem Schluß gemäß, die Mittagssonne des Mar-
garethentages über die Türme der Stadt Basel, und eine unermeßliche Menschenmenge, für welche man Bänke und Gerüste zusammen gezimmert hatte, war auf dem Schloßplatz versammelt,
als auf den dreifachen Ruf des vor dem Altan der Kampfrichter
stehenden Herolds, beide, von Kopf zu Fuß in schimmerndes
Erz gerüstet, Herr Friedrich und der Graf Jakob, zur Ausfechtung
ihrer Sache, in die Schranken traten. Fast die ganze Ritterschaft
von Schwaben und der Schweiz war auf der Rampe des im
Hintergrund befindlichen Schlosses gegenwärtig; und auf dem
Balkon desselben saß, von seinem Hofgesinde umgeben, der
Kaiser selbst, nebst seiner Gemahlin, und den Prinzen und Prin-
zessinnen, seinen Söhnen und Töchtern. Kurz vor Beginn des
Kampfes, während die Richter Licht und Schatten zwischen den
Kämpfern teilten, traten Frau Helena und ihre beiden Töchter
Bertha und Kunigunde, welche Littegarden nach Basel begleitet
hatten, noch einmal an die Pforten des Platzes, und baten die
Wächter, die daselbst standen, um die Erlaubnis, eintreten, und
mit Frau Littegarden, welche, einem uralten Gebrauch gemäß,
auf einem Gerüst innerhalb der Schranken saß, ein Wort sprechen zu dürfen. Denn obschon der Lebenswandel dieser Dame die
vollkommenste Achtung und ein ganz uneingeschränktes Ver-

trauen in die Wahrhaftigkeit ihrer Versicherungen zu erfordern
schien, so stürzte doch der Ring, den der Graf Jakob aufzuweisen
hatte, und noch mehr der Umstand, daß Littegarde ihre Kammerzofe, die einzige, die ihr hätte zum Zeugnis dienen können,
in der Nacht des heiligen Remigius beurlaubt hatte, ihre Gemüter in die lebhafteste Besorgnis; sie beschlossen die Sicherheit des
Bewußtseins, das der Angeklagten inwohnte, im Drang dieses entscheidenden Augenblicks, noch einmal zu prüfen, und ihr die
Vergeblichkeit, ja Gotteslästerlichkeit des Unternehmens, falls
wirklich eine Schuld ihre Seele drückte, auseinander zu setzen,
sich durch den heiligen Ausspruch der Waffen, der die Wahrheit
unfehlbar ans Licht bringen würde, davon reinigen zu wollen.
Und in der Tat hatte Littegarde alle Ursache, den Schritt, den
Herr Friedrich jetzt für sie tat, wohl zu überlegen; der Scheiterhaufen wartete ihrer sowohl, als ihres Freundes, des Ritters von
Trota, falls Gott sich im eisernen Urteil nicht für ihn, sondern für
den Grafen Jakob den Rotbart, und für die Wahrheit der Aussage entschied, die derselbe vor Gericht gegen sie abgeleistet
hatte. Frau Littegarde, als sie Herrn Friedrichs Mutter und
Schwestern zur Seite eintreten sah, stand, mit dem ihr eigenen
Ausdruck von Würde, der durch den Schmerz, welcher über ihr
Wesen verbreitet war, noch rührender ward, von ihrem Sessel
auf, und fragte sie, indem sie ihnen entgegen ging: was sie in
einem so verhängnisvollen Augenblick zu ihr führe? »Mein liebes
Töchterchen«, sprach Frau Helena, indem sie dieselbe auf die
Seite führte: »wollt Ihr einer Mutter, die keinen Trost im öden
Alter, als den Besitz ihres Sohnes hat, den Kummer ersparen,
ihn an seinem Grabe beweinen zu müssen; Euch, ehe noch der
Zweikampf beginnt, reichlich beschenkt und ausgestattet, auf
einen Wagen setzen, und eins von unsern Gütern, das jenseits des
Rheins liegt, und Euch anständig und freundlich empfangen
wird, von uns zum Geschenk annehmen?« Littegarde, nachdem
sie ihr, mit einer Blässe, die ihr über das Antlitz flog, einen Augenblick starr ins Gesicht gesehen hatte, bog, sobald sie die Bedeutung dieser Worte in ihrem ganzen Umfang verstanden hatte,
ein Knie vor ihr. Verehrungswürdigste und vortreffliche Frau!
sprach sie; kommt die Besorgnis, daß Gott sich, in dieser entscheidenden Stunde, gegen die Unschuld meiner Brust erklären

werde, aus dem Herzen Eures edlen Sohnes? – »Weshalb?« fragte
Frau Helena. – Weil ich ihn in diesem Falle beschwöre das
Schwert, das keine vertrauensvolle Hand führt, lieber nicht zu
zücken, und die Schranken, unter welchem schicklichen Vor-
wand es sei, seinem Gegner zu räumen: mich aber, ohne dem
Gefühl des Mitleids, von dem ich nichts annehmen kann, ein
unzeitiges Gehör zu geben, meinem Schicksal, das ich in Gottes
Hand stelle, zu überlassen! – »Nein!« sagte Frau Helena verwirrt;
»mein Sohn weiß von nichts! Es würde ihm, der vor Gericht sein
Wort gegeben hat, Eure Sache zu verfechten, wenig anstehen,
Euch jetzt, da die Stunde der Entscheidung schlägt, einen solchen
Antrag zu machen. Im festen Glauben an Eure Unschuld steht er,
wie Ihr seht, bereits zum Kampf gerüstet, dem Grafen Eurem
Gegner gegenüber; es war ein Vorschlag, den wir uns, meine
Töchter und ich, in der Bedrängnis des Augenblicks, zur Berück-
sichtigung aller Vorteile und Vermeidung alles Unglücks ausgedacht haben.« – Nun, sagte Frau Littegarde, indem sie die
Hand der alten Dame, unter einem heißen Kuß, mit ihren Tränen befeuchtete: so laßt ihn sein Wort lösen! Keine Schuld be-
fleckt mein Gewissen; und ginge er ohne Helm und Harnisch
in den Kampf, Gott und alle seine Engel beschirmen ihn! Und
damit stand sie vom Boden auf, und führte Frau Helena und ihre
Töchter auf einige, innerhalb des Gerüstes befindliche Sitze, die
hinter dem, mit roten Tuch beschlagenen Sessel, auf dem sie sich
selbst niederließ, aufgestellt waren.

Hierauf blies der Herold, auf den Wink des Kaisers, zum
Kampf, und beide Ritter, Schild und Schwert in der Hand, gingen auf einander los. Herr Friedrich verwundete gleich auf den
ersten Hieb den Grafen; er verletzte ihn mit der Spitze seines,
nicht eben langen Schwertes da, wo zwischen Arm und Hand
die Gelenke der Rüstung in einander griffen; aber der Graf, der,
durch die Empfindung geschreckt, zurücksprang, und die Wunde
untersuchte, fand, daß, obschon das Blut heftig floß, doch nur die
Haut obenhin geritzt war: dergestalt, daß er auf das Murren der
auf der Rampe befindlichen Ritter, über die Unschicklichkeit
dieser Aufführung, wieder vordrang, und den Kampf, mit erneuerten Kräften, einem völlig Gesunden gleich, wieder fortsetzte. Jetzt wogte zwischen beiden Kämpfern der Streit, wie

zwei Sturmwinde einander begegnen, wie zwei Gewitterwolken, ihre Blitze einander zusendend, sich treffen, und, ohne sich zu vermischen, unter dem Gekrach häufiger Donner, getürmt um einander herumschweben. Herr Friedrich stand, Schild und Schwert vorstreckend, auf dem Boden, als ob er darin Wurzel fassen wollte, da; bis an die Sporen grub er sich, bis an die Knöchel und Waden, in dem, von seinem Pflaster befreiten, absichtlich aufgelockerten, Erdreich ein, die tückischen Stöße des Grafen, der, klein und behend, gleichsam von allen Seiten zugleich angriff, von seiner Brust und seinem Haupt abwehrend. Schon hatte der Kampf, die Augenblicke der Ruhe, zu welcher Entatmung beide Parteien zwang, mitgerechnet, fast eine Stunde gedauert: als sich von neuem ein Murren unter den auf dem Gerüst befindlichen Zuschauern erhob. Es schien, es galt diesmal nicht den Grafen Jakob, der es an Eifer, den Kampf zu Ende zu bringen, nicht fehlen ließ, sondern Herrn Friedrichs Einpfählung auf einem und demselben Fleck, und seine seltsame, dem Anschein nach fast eingeschüchterte, wenigstens starrsinnige Enthaltung alles eignen Angriffs. Herr Friedrich, obschon sein Verfahren auf guten Gründen beruhen mochte, fühlte dennoch zu leise, als daß er es nicht sogleich gegen die Forderung derer, die in diesem Augenblick über seine Ehre entschieden, hätte aufopfern sollen; er trat mit einem mutigen Schritt aus dem, sich von Anfang herein gewählten Standpunkt, und der Art natürlicher Verschanzung, die sich um seinen Fußtritt gebildet hatte, hervor, über das Haupt seines Gegners, dessen Kräfte schon zu sinken anfingen, mehrere derbe und ungeschwächte Streiche, die derselbe jedoch unter geschickten Seitenbewegungen mit seinem Schild aufzufangen wußte, danieder schmetternd. Aber schon in den ersten Momenten dieses dergestalt veränderten Kampfs, hatte Herr Friedrich ein Unglück, das die Anwesenheit höherer, über den Kampf waltender Mächte nicht eben anzudeuten schien; er stürzte, den Fußtritt in seinen Sporen verwickelnd, stolpernd abwärts, und während er, unter der Last des Helms und des Harnisches, die seine oberen Teile beschwerten, mit in dem Staub vorgestützter Hand, in die Kniee sank, stieß ihm Graf Jakob der Rotbart, nicht eben auf die edelmütigste und ritterlichste Weise, das Schwert in die dadurch bloßgegebene Seite.

Herr Friedrich sprang, mit einem Laut des augenblicklichen Schmerzes, von der Erde empor. Er drückte sich zwar den Helm in die Augen, und machte, das Antlitz rasch seinem Gegner wieder zuwendend, Anstalten, den Kampf fortzusetzen: aber während er sich, mit vor Schmerz krummgebeugtem Leibe auf seinen Degen stützte, und Dunkelheit seine Augen umfloß: stieß ihm der Graf seinen Flammberg noch zweimal, dicht unter dem Herzen, in die Brust; worauf er, von seiner Rüstung umrasselt, zu Boden schmetterte, und Schwert und Schild neben sich niederfallen ließ. Der Graf setzte ihm, nachdem er die Waffen über die Seite geschleudert, unter einem dreifachen Tusch der Trompeten, den Fuß auf die Brust; und inzwischen alle Zuschauer, der Kaiser selbst an der Spitze, unter dumpfen Ausrufungen des Schreckens und Mitleidens, von ihren Sitzen aufstanden: stürzte sich Frau Helena, im Gefolge ihrer beiden Töchter, über ihren teuern, sich in Staub und Blut wälzenden Sohn. »O mein Friedrich!« rief sie, an seinem Haupt jammernd niederkniend; während Frau Littegarde ohnmächtig und besinnungslos, durch zwei Häscher, von dem Boden des Gerüstes, auf welchen sie herab gesunken war, aufgehoben und in ein Gefängnis getragen ward. »Und o die Verruchte,« setzte sie hinzu, »die Verworfene, die, das Bewußtsein der Schuld im Busen, hierher zu treten, und den Arm des treusten und edelmütigsten Freundes zu bewaffnen wagt, um ihr ein Gottesurteil, in einem ungerechten Zweikampf zu erstreiten!« Und damit hob sie den geliebten Sohn, inzwischen die Töchter ihn von seinem Harnisch befreiten, wehklagend vom Boden auf, und suchte ihm das Blut, das aus seiner edlen Brust vordrang, zu stillen. Aber Häscher traten auf Befehl des Kaisers herbei, die auch ihn, als einen dem Gesetz Verfallenen, in Verwahrsam nahmen; man legte ihn, unter Beihülfe einiger Ärzte, auf eine Bahre, und trug ihn, unter der Begleitung einer großen Volksmenge gleichfalls in ein Gefängnis, wohin Frau Helena jedoch und ihre Töchter, die Erlaubnis bekamen, ihm, bis an seinen Tod, an dem niemand zweifelte, folgen zu dürfen.

Es zeigte sich aber gar bald, daß Herrn Friedrichs Wunden, so lebensgefährliche und zarte Teile sie auch berührten, durch eine besondere Fügung des Himmels nicht tödlich waren; vielmehr konnten die Ärzte, die man ihm zugeordnet hatte, schon

wenige Tage darauf die bestimmte Versicherung an die Familie
geben, daß er am Leben erhalten werden würde, ja, daß er, bei
der Stärke seiner Natur, binnen wenigen Wochen, ohne irgend
eine Verstümmlung an seinem Körper zu erleiden, wieder
hergestellt sein würde. Sobald ihm seine Besinnung, deren ihn der
Schmerz während langer Zeit beraubte, wiederkehrte, war seine
an die Mutter gerichtete Frage unaufhörlich: was Frau Littegarde mache? Er konnte sich der Tränen nicht enthalten, wenn
er sich dieselbe in der Öde des Gefängnisses, der entsetzlichsten
Verzweiflung zum Raube hingegeben dachte, und forderte die
Schwestern, indem er ihnen liebkosend das Kinn streichelte, auf,
sie zu besuchen und sie zu trösten. Frau Helena, über diese Äußerung betroffen, bat ihn, diese Schändliche und Niederträchtige
zu vergessen; sie meinte, daß das Verbrechen, dessen der Graf
Jakob vor Gericht Erwähnung getan, und das nun durch den
Ausgang des Zweikampfs ans Tageslicht gekommen, verziehen
werden könne, nicht aber die Schamlosigkeit und Frechheit, mit
dem Bewußtsein dieser Schuld, ohne Rücksicht auf den edelsten
Freund, den sie dadurch ins Verderben stürze, das geheiligte
Urteil Gottes, gleich einer Unschuldigen, für sich aufzurufen.
Ach, meine Mutter, sprach der Kämmerer, wo ist der Sterbliche,
und wäre die Weisheit aller Zeiten sein, der es wagen darf, den
geheimnisvollen Spruch, den Gott in diesem Zweikampf getan
hat, auszulegen? »Wie?« rief Frau Helena: »blieb der Sinn dieses
göttlichen Spruchs dir dunkel? Hast du nicht, auf eine nur leider
zu bestimmte und unzweideutige Weise, dem Schwert deines
Gegners im Kampf unterlegen?« – Sei es! versetzte Herr Friedrich: auf einen Augenblick unterlag ich ihm. Aber ward ich
durch den Grafen überwunden? Leb ich nicht? Blühe ich nicht,
wie unter dem Hauch des Himmels, wunderbar wieder empor,
vielleicht in wenig Tagen schon mit der Kraft doppelt und drei-
fach ausgerüstet, den Kampf, in dem ich durch einen nichtigen
Zufall gestört ward, von neuem wieder aufzunehmen? – »Törich-
ter Mensch!« rief die Mutter. »Und weißt du nicht, daß ein Gesetz besteht, nach welchem ein Kampf, der einmal nach dem Ausspruch der Kampfrichter abgeschlossen ist, nicht wieder zur
Ausfechtung derselben Sache vor den Schranken des göttlichen
Gerichts aufgenommen werden darf?« – Gleichviel! versetzte der

Kämmerer unwillig. Was kümmern mich diese willkürlichen Gesetze der Menschen? Kann ein Kampf, der nicht bis an den Tod eines der beiden Kämpfer fortgeführt worden ist, nach jeder vernünftigen Schätzung der Verhältnisse für abgeschlossen gehalten werden? und dürfte ich nicht, falls mir ihn wieder aufzunehmen gestattet wäre, hoffen, den Unfall, der mich betroffen, wieder herzustellen, und mir mit dem Schwert einen ganz andern Spruch Gottes zu erkämpfen, als den, der jetzt beschränkter und kurzsichtiger Weise dafür angenommen wird? »Gleichwohl«, entgegnete die Mutter bedenklich, »sind diese Gesetze, um welche du dich nicht zu bekümmern vorgibst, die waltenden und herrschenden; sie üben, verständig oder nicht, die Kraft göttlicher Satzungen aus, und überliefern dich und sie, wie ein verabscheuungswürdiges Frevelpaar, der ganzen Strenge der peinlichen Gerichtsbarkeit.« – Ach, rief Herr Friedrich; das eben ist es, was mich Jammervollen in Verzweiflung stürzt! Der Stab ist, einer Überwiesenen gleich, über sie gebrochen; und ich, der ihre Tugend und Unschuld vor der Welt erweisen wollte, bin es, der dies Elend über sie gebracht: ein heilloser Fehltritt in die Riemen meiner Sporen, durch den Gott mich vielleicht, ganz unabhängig von ihrer Sache, der Sünden meiner eignen Brust wegen, strafen wollte, gibt ihre blühenden Glieder der Flamme und ihr Andenken ewiger Schande preis! – – Bei diesen Worten stieg ihm die Träne heißen männlichen Schmerzes ins Auge; er kehrte sich, indem er sein Tuch ergriff, der Wand zu, und Frau Helena und ihre Töchter knieten in stiller Rührung an seinem Bett nieder, und mischten, indem sie seine Hand küßten, ihre Tränen mit den seinigen. Inzwischen war der Turmwächter, mit Speisen für ihn und die Seinigen, in sein Zimmer getreten, und da Herr Friedrich ihn fragte, wie sich Frau Littegarde befinde: vernahm er in abgerissenen und nachlässigen Worten desselben, daß sie auf einem Bündel Stroh liege, und noch seit dem Tage, da sie eingesetzt worden, kein Wort von sich gegeben habe. Herr Friedrich ward durch diese Nachricht in die äußerste Besorgnis gestürzt; er trug ihm auf, der Dame, zu ihrer Beruhigung zu sagen, daß er, durch eine sonderbare Schickung des Himmels, in seiner völligen Besserung begriffen sei, und bat sich von ihr die Erlaubnis aus, sie nach Wiederherstellung seiner Gesundheit, mit Genehmigung

des Schloßvogts, einmal in ihrem Gefängnis besuchen zu dürfen.
Doch die Antwort, die der Turmwächter von ihr, nach mehrma-
ligem Rütteln derselben am Arm, da sie wie eine Wahnsinnige,
ohne zu hören und zu sehen, auf dem Stroh lag, empfangen zu
haben, vorgab, war: nein, sie wolle, so lange sie auf Erden sei,
keinen Menschen mehr sehen; – ja, man erfuhr, daß sie noch an
demselben Tage dem Schloßvogt, in einer eigenhändigen Zuschrift, befohlen hatte, niemanden, wer es auch sei, den Kämmerer von Trota aber am allerwenigsten, zu ihr zu lassen; dergestalt, daß Herr Friedrich, von der heftigsten Bekümmernis über
ihren Zustand getrieben, an einem Tage, an welchem er seine
Kraft besonders lebhaft wiederkehren fühlte, mit Erlaubnis des
Schloßvogts aufbrach, und sich, ihrer Verzeihung gewiß, ohne
bei ihr angemeldet worden zu sein, in Begleitung seiner Mutter
und beiden Schwestern, nach ihrem Zimmer verfügte.

Aber wer beschreibt das Entsetzen der unglücklichen Littegarde, als sie sich, bei dem an der Tür entstehenden Geräusch, mit
halb offner Brust und aufgelöstem Haar, von dem Stroh, das
ihr untergeschüttet war, erhob und statt des Turmwächters,
den sie erwartete, den Kämmerer, ihren edlen und vortrefflichen
Freund, mit manchen Spuren der ausgestandenen Leiden, eine
wehmütige und rührende Erscheinung, an Berthas und Kuni-
gundens Arm bei sich eintreten sah. »Hinweg!« rief sie, indem sie
sich mit dem Ausdruck der Verzweiflung rückwärts auf die
Decken ihres Lagers zurückwarf, und die Hände vor ihr Antlitz
drückte: »wenn dir ein Funken von Mitleid im Busen glimmt,
hinweg!« – Wie, meine teuerste Littegarde? versetzte Herr Friedrich. Er stellte sich ihr, gestützt auf seine Mutter, zur Seite und
neigte sich in unaussprechlicher Rührung über sie, um ihre Hand
zu ergreifen. »Hinweg!« rief sie, mehrere Schritt weit auf Knien
vor ihm auf dem Stroh zurückbebend: »wenn ich nicht wahnsinnig werden soll, so berühre mich nicht! Du bist mir ein Greuel;
loderndes Feuer ist mir minder schrecklich, als du!« – Ich dir ein
Greuel? versetzte Herr Friedrich betroffen. Womit, meine edelmütige Littegarde, hat dein Friedrich diesen Empfang verdient? – Bei diesen Worten setzte ihm Kunigunde, auf den Wink
der Mutter, einen Stuhl hin, und lud ihn, schwach wie er war,
ein, sich darauf zu setzen. »O Jesus!« rief jene, indem sie sich, in

der entsetzlichsten Angst, das Antlitz ganz auf den Boden ge-
streckt, vor ihm niederwarf: »räume das Zimmer, mein Geliebter, und verlaß mich! Ich umfasse in heißer Inbrunst deine Kniee,
ich wasche deine Füße mit meinen Tränen, ich flehe dich, wie
ein Wurm vor dir im Staube gekrümmt, um die einzige Erbarmung an: räume, mein Herr und Gebieter, räume mir das Zimmer, räume es augenblicklich und verlaß mich!« – Herr Friedrich stand durch und durch erschüttert vor ihr da. Ist dir mein
Anblick so unerfreulich Littegarde? fragte er, indem er ernst auf
sie niederschaute. »Entsetzlich, unerträglich, vernichtend!« antwortete Littegarde, ihr Gesicht mit verzweiflungsvoll vorgestütz-
ten Händen, ganz zwischen die Sohlen seiner Füße bergend. »Die
Hölle, mit allen Schauern und Schrecknissen, ist süßer mir und
anzuschauen lieblicher, als der Frühling deines mir in Huld und
Liebe zugekehrten Angesichts!« – Gott im Himmel! rief der
Kämmerer; was soll ich von dieser Zerknirschung deiner Seele
denken? Sprach das Gottesurteil, Unglückliche, die Wahrheit,
und bist du des Verbrechens, dessen dich der Graf vor Gericht
geziehen hat, bist du dessen schuldig? – »Schuldig, überwiesen,
verworfen, in Zeitlichkeit und Ewigkeit verdammt und verurteilt!« rief Littegarde, indem sie sich den Busen, wie eine Rasende
zerschlug: »Gott ist wahrhaftig und untrüglich; geh, meine Sinne
reißen, und meine Kraft bricht. Laß mich mit meinem Jammer
und meiner Verzweiflung allein!« – Bei diesen Worten fiel Herr
Friedrich in Ohnmacht; und während Littegarde sich mit einem
Schleier das Haupt verhüllte, und sich, wie in gänzlicher Verabschiedung von der Welt, auf ihr Lager zurücklegte, stürzten
Bertha und Kunigunde jammernd über ihren entseelten Bruder,
um ihn wieder ins Leben zurück zu rufen. »O sei verflucht!« rief
Frau Helena, da der Kämmerer wieder die Augen aufschlug:
»verflucht zu ewiger Reue diesseits des Grabes, und jenseits desselben zu ewiger Verdammnis: nicht wegen der Schuld, die du
jetzt eingestehst, sondern wegen der Unbarmherzigkeit und Unmenschlichkeit, sie eher nicht, als bis du meinen schuldlosen Sohn
mit dir ins Verderben herabgerissen, einzugestehn! Ich Törin!«
fuhr sie fort, indem sie sich verachtungsvoll von ihr abwandte,
»hätte ich doch einem Wort, das mir, noch kurz vor Eröffnung
des Gottesgerichts, der Prior des hiesigen Augustinerklosters an-

vertraut, bei dem der Graf, in frommer Vorbereitung zu der entscheidenden Stunde, die ihm bevorstand, zur Beichte gewesen,
Glauben geschenkt! Ihm hat er, auf die heilige Hostie, die Wahrhaftigkeit der Angabe, die er vor Gericht in Bezug auf die Elende,
niedergelegt, beschworen; die Gartenpforte hat er ihm bezeichnet, an welcher sie ihn, der Verabredung gemäß, beim Einbruch
der Nacht erwartet und empfangen, das Zimmer ihm, ein Sei-
tengemach des unbewohnten Schloßturms, beschrieben, worin
sie ihn, von den Wächtern unbemerkt, eingeführt, das Lager, von
Polstern bequem und prächtig unter einem Thronhimmel aufgestapelt, worauf sie sich, in schamloser Schwelgerei, heimlich mit
ihm gebettet! Ein Eidschwur in einer solchen Stunde getan, enthält keine Lüge: und hätte ich, Verblendete, meinem Sohn, auch
nur noch in dem Augenblick des ausbrechenden Zweikampfs,
eine Anzeige davon gemacht: so würde ich ihm die Augen geöffnet haben, und er vor dem Abgrund an welchem er stand,
zurückgebebt sein. – Aber komm!« rief Frau Helena, indem sie
Herrn Friedrich sanft umschloß, und ihm einen Kuß auf die
Stirne drückte: »Entrüstung, die sie der Worte würdigt, ehrt sie;
unsern Rücken mag sie erschaun, und vernichtet durch die Vorwürfe, womit wir sie verschonen, verzweifeln!« – Der Elende!
versetzte Littegarde, indem sie sich gereizt durch diese Worte emporrichtete. Sie stützte ihr Haupt schmerzvoll auf ihre Kniee,
und indem sie heiße Tränen auf ihr Tuch niederweinte, sprach
sie: Ich erinnere mich, daß meine Brüder und ich, drei Tage vor
jener Nacht des heiligen Remigius, auf seinem Schlosse waren;
er hatte, wie er oft zu tun pflegte, ein Fest mir zu Ehren veran-
staltet, und mein Vater, der den Reiz meiner aufblühenden Jugend gern gefeiert sah, mich bewogen, die Einladung, in Begleitung meiner Brüder, anzunehmen. Spät, nach Beendigung des
Tanzes, da ich mein Schlafzimmer besteige, finde ich einen
Zettel auf meinem Tisch liegen, der, von unbekannter Hand geschrieben und ohne Namensunterschrift, eine förmliche Liebes-
erklärung enthielt. Es traf sich, daß meine beiden Brüder grade
wegen Verabredung unserer Abreise, die auf den kommenden
Tag festgesetzt war, in dem Zimmer gegenwärtig waren; und
da ich keine Art des Geheimnisses vor ihnen zu haben gewohnt
war, so zeigte ich ihnen, von sprachlosem Erstaunen ergriffen,

den sonderbaren Fund, den ich soeben gemacht hatte. Diese,
welche sogleich des Grafen Hand erkannten, schäumten vor
Wut, und der ältere war willens, sich augenblicks mit dem Papier
in sein Gemach zu verfügen; doch der jüngere stellte ihm vor,
wie bedenklich dieser Schritt sei, da der Graf die Klugheit gehabt,
den Zettel nicht zu unterschreiben; worauf beide in der tiefsten
Entwürdigung über eine so beleidigende Aufführung, sich noch
in derselben Nacht mit mir in den Wagen setzten, und mit dem
Entschluß, seine Burg nie wieder mit ihrer Gegenwart zu be-
ehren, auf das Schloß ihres Vaters zurück kehrten. – Dies ist die
einzige Gemeinschaft, setzte sie hinzu, die ich jemals mit diesem
Nichtswürdigen und Niederträchtigen gehabt! – »Wie?« sagte
der Kämmerer, indem er ihr sein tränenvolles Gesicht zukehrte:
»diese Worte waren Musik meinem Ohr! – Wiederhole sie mir!«
sprach er nach einer Pause, indem er sich auf Knieen vor ihr
niederließ, und seine Hände faltete: »Hast du mich, um jenes
Elenden willen, nicht verraten, und bist du rein von der Schuld,
deren er dich vor Gericht geziehen?« Lieber! flüsterte Littegarde,
indem sie seine Hand an ihre Lippen drückte – »Bist dus?« rief
der Kämmerer: »bist dus?« – Wie die Brust eines neugebornen
Kindes, wie das Gewissen eines aus der Beichte kommenden
Menschen, wie die Leiche einer, in der Sakristei, unter der Ein-
kleidung, verschiedenen Nonne! – »O Gott, der Allmächtige!«
rief Herr Friedrich, ihre Kniee umfassend: »habe Dank! Deine
Worte geben mir das Leben wieder; der Tod schreckt mich nicht
mehr, und die Ewigkeit, soeben noch wie ein Meer unabsehbaren
Elends vor mir ausgebreitet, geht wieder, wie ein Reich voll
tausend glänziger Sonnen, vor mir auf!« – Du Unglücklicher,
sagte Littegarde, indem sie sich zurück zog: wie kannst du dem,
was dir mein Mund sagt, Glauben schenken? – »Warum nicht?«
fragte Herr Friedrich glühend. – Wahnsinniger! Rasender! rief
Littegarde; hat das geheiligte Urteil Gottes nicht gegen mich
entschieden? Hast du dem Grafen nicht in jenem verhängnisvollen
Zweikampf unterlegen, und er nicht die Wahrhaftigkeit dessen,
was er vor Gericht gegen mich angebracht, ausgekämpft? – »O
meine teuerste Littegarde«, rief der Kämmerer: »bewahre deine
Sinne vor Verzweiflung! türme das Gefühl, das in deiner Brust
lebt, wie einen Felsen empor: halte dich daran und wanke nicht,

und wenn Erd und Himmel unter dir und über dir zu Grunde
gingen! Laß uns, von zwei Gedanken, die die Sinne verwirren,
den verständlicheren und begreiflicheren denken, und ehe du
dich schuldig glaubst, lieber glauben, daß ich in dem Zweikampf
den ich für dich gefochten, siegte! – Gott, Herr meines Lebens«,
setzte er in diesem Augenblick hinzu, indem er seine Hände vor
sein Antlitz legte, »bewahre meine Seele selbst vor Verwirrung!
Ich meine, so wahr ich selig werden will, vom Schwert meines
Gegners nicht überwunden worden zu sein, da ich schon unter
den Staub seines Fußtritts hingeworfen, wieder ins Dasein erstanden bin. Wo liegt die Verpflichtung der höchsten göttlichen
Weisheit, die Wahrheit im Augenblick der glaubensvollen An-
rufung selbst, anzuzeigen und auszusprechen? O Littegarde«, beschloß er, indem er ihre Hand zwischen die seinigen drückte:
»im Leben laß uns auf den Tod, und im Tode auf die Ewigkeit
hinaus sehen, und des festen, unerschütterlichen Glaubens sein:
deine Unschuld wird, und wird durch den Zweikampf, den ich
für dich gefochten, zum heitern, hellen Licht der Sonne gebracht
werden!« – Bei diesen Worten trat der Schloßvogt ein; und
da er Frau Helena, welche weinend an einem Tisch saß, erinnerte,
daß so viele Gemütsbewegungen ihrem Sohne schädlich werden
könnten: so kehrte Herr Friedrich, auf das Zureden der Seinigen,
nicht ohne das Bewußtsein, einigen Trost gegeben und empfangen zu haben, wieder in sein Gefängnis zurück.

Inzwischen war, vor dem zu Basel von dem Kaiser eingesetzten Tribunal, gegen Herrn Friedrich von Trota sowohl, als seine
Freundin, Frau Littegarde von Auerstein, die Klage wegen sünd-
haft angerufenen göttlichen Schiedsurteils eingeleitet, und beide,
dem bestehenden Gesetz gemäß, verurteilt worden, auf dem
Platz des Zweikampfs selbst, den schmählichen Tod der Flammen
zu erleiden. Man schickte eine Deputation von Räten ab, um es
den Gefangenen anzukündigen, und das Urteil würde auch,
gleich nach Wiederherstellung des Kämmerers an ihnen vollstreckt
worden sein, wenn es des Kaisers geheime Absicht nicht gewesen wäre, den Grafen Jakob den Rotbart, gegen den er eine Art
von Mißtrauen nicht unterdrücken konnte, dabei gegenwärtig
zu sehen. Aber dieser lag, auf eine in der Tat sonderbare und
merkwürdige Weise, an der kleinen, dem Anschein nach unbe-

deutenden Wunde, die er, zu Anfang des Zweikampfs, von Herrn Friedrich erhalten hatte, noch immer krank; ein äußerst verderbter Zustand seiner Säfte verhinderte, von Tage zu Tage, und von Woche zu Woche, die Heilung derselben, und die ganze Kunst der Ärzte, die man nach und nach aus Schwaben und der Schweiz herbeirief, vermochte nicht, sie zu schließen. Ja, ein ätzender der ganzen damaligen Heilkunst unbekannter Eiter, fraß auf eine krebsartige Weise, bis auf den Knochen herab im ganzen System seiner Hand um sich, dergestalt, daß man zum Entsetzen aller seiner Freunde genötigt gewesen war, ihm die ganze schadhafte Hand, und späterhin, da auch hierdurch dem Eiterfraß kein Ziel gesetzt ward, den Arm selbst abzunehmen. Aber auch dies, als eine Radikalkur gepriesene Heilmittel vergrößerte nur, wie man heutzutage leicht eingesehen haben würde, statt ihm abzuhelfen, das Übel; und die Ärzte, da sich sein ganzer Körper nach und nach in Eiterung und Fäulnis auflöste, erklärten, daß keine Rettung für ihn sei, und er noch, vor Abschluß der laufenden Woche, sterben müsse. Vergebens forderte ihn der Prior des Augustinerklosters, der in dieser unerwarteten Wendung der Dinge die furchtbare Hand Gottes zu erblicken glaubte, auf, im Bezug auf den zwischen ihm und der Herzogin Regentin bestehenden Streit, die Wahrheit einzugestehen; der Graf nahm, durch und durch erschüttert, noch einmal das heilige Sakrament auf die Wahrhaftigkeit seiner Aussage, und gab, unter allen Zeichen der entsetzlichsten Angst, falls er Frau Littegarden verleumderischer Weise angeklagt hätte, seine Seele der ewigen Verdammnis preis. Nun hatte man, trotz der Sittenlosigkeit seines Lebenswandels, doppelte Gründe, an die innerliche Redlichkeit dieser Versicherung zu glauben: einmal, weil der Kranke in der Tat von einer gewissen Frömmigkeit war, die einen falschen Eidschwur, in solchem Augenblick getan, nicht zu gestatten schien, und dann, weil sich aus einem Verhör, das über den Turmwächter des Schlosses derer von Breda angestellt worden war, welchen er, behufs eines heimlichen Eintritts in die Burg, bestochen zu haben vorgegeben hatte, bestimmt ergab, daß dieser Umstand gegründet, und der Graf wirklich in der Nacht des heiligen Remigius, im Innern des Bredaschen Schlosses gewesen war. Demnach blieb dem Prior fast nichts übrig, als an eine Täuschung des Gra-

fen selbst, durch eine dritte ihm unbekannte Person zu glauben;
und noch hatte der Unglückliche, der, bei der Nachricht von der
wunderbaren Wiederherstellung des Kämmerers, selbst auf diesen
schrecklichen Gedanken geriet, das Ende seines Lebens nicht erreicht, als sich dieser Glaube schon zu seiner Verzweiflung vollkommen bestätigte. Man muß nämlich wissen, daß der Graf
schon lange, ehe seine Begierde sich auf Frau Littegarden stellte,
mit Rosalien, ihrer Kammerzofe, auf einem nichtswürdigen Fuß
lebte; fast bei jedem Besuch, den ihre Herrschaft auf seinem
Schlosse abstattete, pflegte er dies Mädchen, welches ein leicht-
fertiges und sittenloses Geschöpf war, zur Nachtzeit auf sein
Zimmer zu ziehen. Da nun Littegarde, bei dem letzten Aufenthalt, den sie mit ihren Brüdern auf seiner Burg nahm, jenen
zärtlichen Brief, worin er ihr seine Leidenschaft erklärte, von
ihm empfing: so erweckte dies die Empfindlichkeit und Eifersucht dieses seit mehreren Monden schon von ihm vernachlässig-
ten Mädchens; sie ließ, bei der bald darauf erfolgten Abreise
Littegardens, welche sie begleiten mußte, im Namen derselben
einen Zettel an den Grafen zurück, worin sie ihm meldete, daß
die Entrüstung ihrer Brüder über den Schritt, den er getan, ihr
zwar keine unmittelbare Zusammenkunft gestattete: ihn aber
einlud, sie zu diesem Zweck, in der Nacht des heiligen Remigius,
in den Gemächern ihrer väterlichen Burg zu besuchen. Jener,
voll Freude über das Glück seiner Unternehmung, fertigte sogleich einen zweiten Brief an Littegarden ab, worin er ihr seine
bestimmte Ankunft in der besagten Nacht meldete, und sie nur
bat, ihm, zur Vermeidung aller Irrung, einen treuen Führer, der
ihn nach ihren Zimmern geleiten könne, entgegen zu schicken;
und da die Zofe, in jeder Art der Ränke geübt, auf eine solche
Anzeige rechnete, so glückte es ihr, dies Schreiben aufzufangen,
und ihm in einer zweiten falschen Antwort zu sagen, daß sie ihn
selbst an der Gartenpforte erwarten würde. Darauf, am Abend
vor der verabredeten Nacht, bat sie sich unter dem Vorwand,
daß ihre Schwester krank sei, und daß sie dieselbe besuchen wolle,
von Littegarden einen Urlaub aufs Land aus; sie verließ auch,
da sie denselben erhielt, wirklich, spät am Nachmittag, mit einem
Bündel Wäsche den sie unter dem Arm trug, das Schloß, und
begab sich, vor aller Augen nach der Gegend, wo jene Frau

wohnte, auf den Weg. Statt aber diese Reise zu vollenden, fand
sie sich bei Einbruch der Nacht, unter dem Vorgeben, daß ein
Gewitter heranziehe, wieder auf der Burg ein, und mittelte sich,
um ihre Herrschaft, wie sie sagte, nicht zu stören, indem es ihre
Absicht sei in der Frühe des kommenden Morgens ihre Wanderung anzutreten, ein Nachtlager in einem der leerstehenden
Zimmer des verödeten und wenig besuchten Schloßturms aus.
Der Graf, der sich bei dem Turmwächter durch Geld den Eingang in die Burg zu verschaffen wußte, und in der Stunde der
Mitternacht, der Verabredung gemäß, von einer verschleierten
Person an der Gartenpforte empfangen ward, ahndete, wie man
leicht begreift, nichts von dem ihm gespielten Betrug; das Mädchen drückte ihm flüchtig einen Kuß auf den Mund, und führte
ihn, über mehrere Treppen und Gänge des verödeten Seiten-
flügels, in eines der prächtigsten Gemächer des Schlosses selbst,
dessen Fenster vorher sorgsam von ihr verschlossen worden waren. Hier, nachdem sie seine Hand haltend, auf geheimnisvolle
Weise an den Türen umhergehorcht, und ihm, mit flüsternder
Stimme, unter dem Vorgeben, daß das Schlafzimmer des Bruders ganz in der Nähe sei, Schweigen geboten hatte, ließ sie sich
mit ihm auf dem zur Seite stehenden Ruhebette nieder; der
Graf, durch ihre Gestalt und Bildung getäuscht, schwamm im
Taumel des Vergnügens, in seinem Alter noch eine solche Eroberung gemacht zu haben; und als sie ihn beim ersten Dämmer-
licht des Morgens entließ, und ihm zum Andenken an die verflossene Nacht einen Ring, den Littegarde von ihrem Gemahl
empfangen und den sie ihr am Abend zuvor zu diesem Zweck
entwendet hatte, an den Finger steckte, versprach er ihr, sobald
er zu Hause angelangt sein würde, zum Gegengeschenk einen
anderen, der ihm am Hochzeitstage von seiner verstorbenen Gemahlin verehrt worden war. Drei Tage darauf hielt er auch Wort,
und schickte diesen Ring, den Rosalie wieder geschickt genug
war aufzufangen, heimlich auf die Burg; ließ aber, wahrscheinlich aus Furcht, daß dies Abenteuer ihn zu weit führen könne,
weiter nichts von sich hören, und wich, unter mancherlei Vor-
wänden, einer zweiten Zusammenkunft aus. Späterhin war das
Mädchen eines Diebstahls wegen, wovon der Verdacht mit
ziemlicher Gewißheit auf ihr ruhte, verabschiedet und in das

Haus ihrer Eltern, welche am Rhein wohnten, zurückgeschickt
worden, und da, nach Verlauf von neun Monaten, die Folgen
ihres ausschweifenden Lebens sichtbar wurden, und die Mutter
sie mit großer Strenge verhörte, gab sie den Grafen Jakob den
Rotbart, unter Entdeckung der ganzen geheimen Geschichte,
die sie mit ihm gespielt hatte, als den Vater ihres Kindes an.
Glücklicherweise hatte sie den Ring, der ihr von dem Grafen
übersendet worden war, aus Furcht, für eine Diebin gehalten zu
werden, nur sehr schüchtern zum Verkauf ausbieten können,
auch in der Tat, seines großen Werts wegen, niemand gefunden,
der ihn zu erstehen Lust gezeigt hätte: dergestalt, daß die Wahrhaftigkeit ihrer Aussage nicht in Zweifel gezogen werden konnte,
und die Eltern, auf dies augenscheinliche Zeugnis gestützt, klag-
bar, wegen Unterhaltung des Kindes, bei den Gerichten gegen
den Grafen Jakob einkamen. Die Gerichte, welche von dem
sonderbaren Rechtsstreit, der in Basel anhängig gemacht worden
war, schon gehört hatten, beeilten sich, diese Entdeckung, die
für den Ausgang desselben von der größten Wichtigkeit war,
zur Kenntnis des Tribunals zu bringen; und da eben ein Ratsherr
in öffentlichen Geschäften nach dieser Stadt abging, so gaben sie
ihm, zur Auflösung des fürchterlichen Rätsels, das ganz Schwaben und die Schweiz beschäftigte, einen Brief mit der gerichtlichen Aussage des Mädchens, dem sie den Ring beifügten, für
den Grafen Jakob den Rotbart mit.

Es war eben an dem zur Hinrichtung Herrn Friedrichs und
Littegardens bestimmten Tage, welche der Kaiser, unbekannt
mit den Zweifeln, die sich in der Brust des Grafen selbst erhoben
hatten, nicht mehr aufschieben zu dürfen glaubte, als der Ratsherr zu dem Kranken, der sich in jammervoller Verzweiflung
auf seinem Lager wälzte, mit diesem Schreiben ins Zimmer trat.
»Es ist genug!« rief dieser, da er den Brief überlesen, und den
Ring empfangen hatte: »ich bin das Licht der Sonne zu schauen,
müde! Verschafft mir«, wandte er sich zum Prior, »eine Bahre,
und führt mich Elenden, dessen Kraft zu Staub versinkt, auf den
Richtplatz hinaus: ich will nicht, ohne eine Tat der Gerechtigkeit
verübt zu haben, sterben!« Der Prior, durch diesen Vorfall tief
erschüttert, ließ ihn sogleich, wie er begehrte, durch vier Knechte
auf ein Traggestell heben; und zugleich mit einer unermeßlichen

Menschenmenge, welche das Glockengeläut um den Scheiterhaufen, auf welchen Herr Friedrich und Littegarde bereits festgebunden waren, versammelte, kam er, mit dem Unglücklichen, der ein Kruzifix in der Hand hielt, daselbst an. »Halt!« rief
der Prior, indem er die Bahre, dem Altan des Kaisers gegenüber,
niedersetzen ließ: »bevor ihr das Feuer an jenen Scheiterhaufen
legt, vernehmt ein Wort, das euch der Mund dieses Sünders zu
eröffnen hat!« – Wie? rief der Kaiser, indem er sich leichenblaß
von seinem Sitz erhob, hat das geheiligte Urteil Gottes nicht für
die Gerechtigkeit seiner Sache entschieden, und ist es, nach dem
was vorgefallen, auch nur zu denken erlaubt, daß Littegarde an
dem Frevel, dessen er sie geziehen, unschuldig sei? – Bei diesen
Worten stieg er betroffen vom Altan herab; und mehr denn
tausend Ritter, denen alles Volk, über Bänke und Schranken
herab, folgte, drängten sich um das Lager des Kranken zusammen.
»Unschuldig«, versetzte dieser, indem er sich gestützt auf den
Prior, halb darauf emporrichtete: »wie es der Spruch des höchsten
Gottes, an jenem verhängnisvollen Tage, vor den Augen aller
versammelten Bürger von Basel entschieden hat! Denn er, von
drei Wunden, jede tödlich, getroffen, blüht, wie ihr seht, in
Kraft und Lebensfülle; indessen ein Hieb von seiner Hand, der
kaum die äußerste Hülle meines Lebens zu berühren schien, in
langsam fürchterlicher Fortwirkung den Kern desselben selbst
getroffen, und meine Kraft, wie der Sturmwind eine Eiche, gefällt hat. Aber hier, falls ein Ungläubiger noch Zweifel nähren
sollte, sind die Beweise: Rosalie, ihre Kammerzofe, war es, die
mich in jener Nacht des heiligen Remigius empfing, während
ich Elender in der Verblendung meiner Sinne, sie selbst, die meine
Anträge stets mit Verachtung zurückgewiesen hat, in meinen
Armen zu halten meinte!« Der Kaiser stand erstarrt wie zu Stein,
bei diesen Worten da. Er schickte, indem er sich nach dem Scheiterhaufen umkehrte, einen Ritter ab, mit dem Befehl, selbst die
Leiter zu besteigen, und den Kämmerer sowohl als die Dame,
welche letztere bereits in den Armen ihrer Mutter in Ohnmacht
lag, loszubinden und zu ihm heranzuführen. »Nun, jedes Haar
auf eurem Haupt bewacht ein Engel!« rief er, da Littegarde, mit
halb offner Brust und entfesselten Haaren, an der Hand Herrn
Friedrichs, ihres Freundes, dessen Knie selbst, unter dem Ge-

fühl dieser wunderbaren Rettung, wankten, durch den Kreis des
in Ehrfurcht und Erstaunen ausweichenden Volks, zu ihm herantrat. Er küßte beiden, die vor ihm niederknieten, die Stirn; und
nachdem er sich den Hermelin, den seine Gemahlin trug, erbeten,
und ihn Littegarden um die Schultern gehängt hatte, nahm er,
vor den Augen aller versammelten Ritter, ihren Arm, in der
Absicht, sie selbst in die Gemächer seines kaiserlichen Schlosses
zu führen. Er wandte sich, während der Kämmerer gleichfalls
statt des Sünderkleids, das ihn deckte, mit Federhut und ritter-
lichem Mantel geschmückt ward, gegen den auf der Bahre jammervoll sich wälzenden Grafen zurück, und von einem Gefühl
des Mitleidens bewegt, da derselbe sich doch in den Zweikampf,
der ihn zu Grunde gerichtet, nicht eben auf frevelhafte und gotteslästerliche Weise eingelassen hatte, fragte er den ihm zur Seite
stehenden Arzt: ob keine Rettung für den Unglücklichen sei? –
»Vergebens!« antwortete Jakob der Rotbart, indem er sich, unter
schrecklichen Zuckungen, auf den Schoß seines Arztes stützte:
»und ich habe den Tod, den ich erleide, verdient. Denn wißt,
weil mich doch der Arm der weltlichen Gerechtigkeit nicht mehr
ereilen wird, ich bin der Mörder meines Bruders, des edeln Herzogs Wilhelm von Breysach: der Bösewicht, der ihn mit dem
Pfeil aus meiner Rüstkammer nieder warf, war sechs Wochen
vorher, zu dieser Tat, die mir die Krone verschaffen sollte, von
mir gedungen!« – Bei dieser Erklärung sank er auf die Bahre
zurück und hauchte seine schwarze Seele aus. »Ha, die Ahndung
meines Gemahls, des Herzogs, selbst!« rief die an der Seite des
Kaisers stehende Regentin, die sich gleichfalls vom Altan des
Schlosses herab, im Gefolge der Kaiserin, auf den Schloßplatz
begeben hatte: »mir noch im Augenblick des Todes, mit gebrochenen Worten, die ich gleichwohl damals nur unvollkommen
verstand, kund getan!« – Der Kaiser versetzte in Entrüstung: so
soll der Arm der Gerechtigkeit noch deine Leiche ereilen! nehmt
ihn, rief er, indem er sich umkehrte, den Häschern zu, und über-
gebt ihn gleich, gerichtet wie er ist, den Henkern: er möge, zur
Brandmarkung seines Andenkens, auf jenem Scheiterhaufen verderben, auf welchem wir eben, um seinetwillen, im Begriff waren, zwei Unschuldige zu opfern! Und damit, während die
Leiche des Elenden in rötlichen Flammen aufprasselnd, vom

Hauche des Nordwindes in alle Lüfte verstreut und verweht ward,
führte er Frau Littegarden, im Gefolge aller seiner Ritter, auf das
Schloß. Er setzte sie, durch einen kaiserlichen Schluß, wieder
in ihr väterliches Erbe ein, von welchem die Brüder in ihrer
unedelmütigen Habsucht schon Besitz genommen hatten; und
schon nach drei Wochen ward, auf dem Schlosse zu Breysach, die
Hochzeit der beiden trefflichen Brautleute gefeiert, bei welcher
die Herzogin Regentin, über die ganze Wendung, die die Sache
genommen hatte, sehr erfreut, Littegarden einen großen Teil
der Besitzungen des Grafen, die dem Gesetz verfielen, zum Brautgeschenk machte. Der Kaiser aber hing Herrn Friedrich, nach der
Trauung, eine Gnadenkette um den Hals; und sobald er, nach
Vollendung seiner Geschäfte mit der Schweiz, wieder in Worms
angekommen war, ließ er in die Statuten des geheiligten göttlichen Zweikampfs, überall wo vorausgesetzt wird, daß die Schuld
dadurch unmittelbar ans Tageslicht komme, die Worte ein-
rücken: »wenn es Gottes Wille ist.«

ANEKDOTEN

TAGESBEGEBENHEIT

Dem Kapitän v. Bürger, vom ehemaligen Regiment Tauentzien, sagte der, auf der neuen Promenade erschlagene Arbeitsmann Brietz: der Baum, unter dem sie beide ständen, wäre auch wohl zu klein für zwei, und er könnte sich wohl unter einen andern stellen. Der Kapitän Bürger, der ein stiller und bescheidener Mann ist, stellte sich wirklich unter einen andern: worauf der ꝛc. Brietz unmittelbar darauf vom Blitz getroffen und getötet ward.

FRANZOSEN-BILLIGKEIT

(wert in Erz gegraben zu werden)

Zu dem französischen General *Hulin* kam, während des Kriegs, ein . . . Bürger, und gab, behufs einer kriegsrechtlichen Beschlagnehmung, zu des Feindes Besten, eine Anzahl, im Pontonhof liegender, Stämme an. Der General, der sich eben anzog, sagte: Nein, mein Freund; diese Stämme können wir nicht nehmen. – »Warum nicht?« fragte der Bürger. »Es ist königliches Eigentum.« – Eben darum, sprach der General, indem er ihn flüchtig ansah. Der König von Preußen braucht dergleichen Stämme, um solche Schurken daran hängen zu lassen, wie er. –

DER VERLEGENE MAGISTRAT

Eine Anekdote

Ein H . . . r Stadtsoldat hatte vor nicht gar langer Zeit, ohne Erlaubnis seines Offiziers, die Stadtwache verlassen. Nach einem uralten Gesetz steht auf ein Verbrechen dieser Art, das sonst der Streifereien des Adels wegen, von großer Wichtigkeit war, eigentlich der Tod. Gleichwohl, ohne das Gesetz, mit bestimmten Worten aufzuheben, ist davon seit vielen hundert Jahren kein Gebrauch mehr gemacht worden: dergestalt, daß statt auf die Todesstrafe zu erkennen, derjenige, der sich dessen schuldig macht, nach einem feststehenden Gebrauch, zu einer bloßen Geldstrafe, die er an die Stadtkasse zu erlegen hat, verurteilt wird. Der besagte Kerl aber, der keine Lust haben mochte, das Geld zu entrichten, erklärte, zur großen Bestürzung des Magistrats: daß er, weil es ihm einmal zukomme, dem Gesetz gemäß, sterben wolle. Der Magistrat, der ein Mißverständnis vermutete, schickte einen Deputierten an den Kerl ab, und ließ ihm bedeuten, um wieviel vorteilhafter es für ihn wäre, einige Gulden Geld zu erlegen, als arkebusiert zu werden. Doch der Kerl blieb dabei, daß er seines Lebens müde sei, und daß er sterben wolle: dergestalt, daß dem Magistrat, der kein Blut vergießen wollte, nichts übrig blieb, als dem Schelm die Geldstrafe zu erlassen, und noch froh war, als er erklärte, daß er, bei so bewandten Umständen am Leben bleiben wolle.   rz.

DER GRIFFEL GOTTES

In Polen war eine Gräfin von P . . . ., eine bejahrte Dame, die ein sehr bösartiges Leben führte, und besonders ihre Untergebenen, durch ihren Geiz und ihre Grausamkeit, bis auf das Blut quälte. Diese Dame, als sie starb, vermachte einem Kloster, das ihr die Absolution erteilt hatte, ihr Vermögen; wofür ihr das Kloster, auf dem Gottesacker, einen kostbaren, aus Erz gegossenen, Leichenstein setzen ließ, auf welchem dieses Umstandes, mit vielem Gepränge, Erwähnung geschehen war. Tags darauf schlug der Blitz, das Erz schmelzend, über den Leichenstein ein, und ließ nichts, als eine Anzahl von Buchstaben stehen, die, zusammen gelesen, also lauteten: *sie ist gerichtet!* – Der Vorfall (die Schriftgelehrten mögen ihn erklären) ist gegründet; der Leichenstein existiert noch, und es leben Männer in dieser Stadt, die ihn samt der besagten Inschrift gesehen.

ANEKDOTE AUS DEM LETZTEN PREUSSISCHEN KRIEGE

In einem bei Jena liegenden Dorf, erzählte mir, auf einer Reise nach Frankfurt, der Gastwirt, daß sich mehrere Stunden nach der Schlacht, um die Zeit, da das Dorf schon ganz von der Armee des Prinzen von Hohenlohe verlassen und von Franzosen, die es für besetzt gehalten, umringt gewesen wäre, ein einzelner preußischer Reiter darin gezeigt hätte; und versicherte mir, daß wenn

alle Soldaten, die an diesem Tage mitgefochten, so tapfer gewesen wären, wie dieser, die Franzosen hätten geschlagen werden
müssen, wären sie auch noch dreimal stärker gewesen, als sie in
der Tat waren. Dieser Kerl, sprach der Wirt, sprengte, ganz von
Staub bedeckt, vor meinen Gasthof, und rief: »Herr Wirt!« und
da ich frage: was gibts? »ein Glas Branntewein!« antwortet er,
indem er sein Schwert in die Scheide wirft: »mich dürstet.« Gott
im Himmel! sag ich: will er machen, Freund, daß er wegkömmt?
Die Franzosen sind ja dicht vor dem Dorf! »Ei, was!« spricht er,
indem er dem Pferde den Zügel über den Hals legt. »Ich habe den
ganzen Tag nichts genossen!« Nun er ist, glaub ich, vom Satan
besessen –! He! Liese! rief ich, und schaff ihm eine Flasche Dan-
ziger herbei, und sage: da! und will ihm die ganze Flasche in die
Hand drücken, damit er nur reite. »Ach, was!« spricht er, indem
er die Flasche wegstößt, und sich den Hut abnimmt: »wo soll ich
mit dem Quark hin?« Und: »schenk er ein!« spricht er, indem er
sich den Schweiß von der Stirn abtrocknet: »denn ich habe keine
Zeit!« Nun er ist ein Kind des Todes, sag ich. Da! sag ich, und
schenk ihm ein; da! trink er und reit er! Wohl mags ihm bekommen: »Noch eins!« spricht der Kerl; während die Schüsse schon
von allen Seiten ins Dorf prasseln. Ich sage: noch eins? Plagt
ihn –! »Noch eins!« spricht er, und streckt mir das Glas hin –
»Und gut gemessen«, spricht er, indem er sich den Bart wischt,
und sich vom Pferde herab schneuzt: »denn es wird bar bezahlt!«
Ei, mein Seel, so wollt ich doch, daß ihn –! Da! sag ich, und
schenk ihm noch, wie er verlangt, ein zweites, und schenk ihm,
da er getrunken, noch ein drittes ein, und frage: ist er nun zufrieden? »Ach!« – schüttelt sich der Kerl. »Der Schnaps ist gut! –
Na!« spricht er, und setzt sich den Hut auf: »was bin ich schuldig?« Nichts! nichts! versetz ich. Pack er sich, ins Teufelsnamen;
die Franzosen ziehen augenblicklich ins Dorf! »Na!« sagt er, indem er in seinen Stiefel greift: »so solls ihm Gott lohnen«, und
holt, aus dem Stiefel, einen Pfeifenstummel hervor, und spricht,
nachdem er den Kopf ausgeblasen: »schaff er mir Feuer!« Feuer?
sag ich: plagt ihn –? »Feuer, ja!« spricht er: »denn ich will mir eine
Pfeife Tabak anmachen.« Ei, den Kerl reiten Legionen –! He,
Liese, ruf ich das Mädchen! und während der Kerl sich die Pfeife
stopft, schafft das Mensch ihm Feuer. »Na!« sagt der Kerl, die

Pfeife, die er sich angeschmaucht, im Maul: »nun sollen doch die
Franzosen die Schwerenot kriegen!« Und damit, indem er sich
den Hut in die Augen drückt, und zum Zügel greift, wendet er
das Pferd und zieht von Leder. Ein Mordkerl! sag ich; ein ver-
fluchter, verwetterter Galgenstrick! Will er sich ins Henkers
Namen scheren, wo er hingehört? Drei Chasseurs – sieht er
nicht? halten ja schon vor dem Tor? »Ei was!« spricht er, indem er
ausspuckt; und faßt die drei Kerls blitzend ins Auge. »Wenn ihrer
zehen wären, ich fürcht mich nicht.« Und in dem Augenblick
reiten auch die drei Franzosen schon ins Dorf. »Bassa Manelka!«
ruft der Kerl, und gibt seinem Pferde die Sporen und sprengt
auf sie ein; sprengt, so wahr Gott lebt, auf sie ein, und greift sie,
als ob er das ganze Hohenlohische Korps hinter sich hätte, an;
dergestalt, daß, da die Chasseurs, ungewiß, ob nicht noch mehr
Deutsche im Dorf sein mögen, einen Augenblick, wider ihre
Gewohnheit, stutzen, er, mein Seel, ehe man noch eine Hand
umkehrt, alle drei vom Sattel haut, die Pferde, die auf dem Platz
herumlaufen, aufgreift, damit bei mir vorbeisprengt, und: »Bassa
Teremtetem!« ruft, und: »Sieht er wohl, Herr Wirt?« und »Adies!«
und »auf Wiedersehn!« und: »hoho! hoho! hoho!« – – So einen
Kerl, sprach der Wirt, habe ich zeit meines Lebens nicht gesehen.

MUTWILLE DES HIMMELS

Eine Anekdote

Der in Frankfurt an der Oder, wo er ein Infanterieregiment besaß,
verstorbene General Dieringshofen, ein Mann von strengem und
rechtschaffenem Charakter, aber dabei von manchen Eigentüm-
lichkeiten und Wunderlichkeiten, äußerte, als er, in spätem Alter,
an einer langwierigen Krankheit, auf den Tod darniederlag, seinen Widerwillen, unter die Hände der Leichenwäscherinnen zu
fallen. Er befahl bestimmt, daß niemand, ohne Ausnahme, seinen
Leib berühren solle; daß er ganz und gar in dem Zustand, in
welchem er sterben würde, mit Nachtmütze, Hosen und Schlafrock, wie er sie trage, in den Sarg gelegt und begraben sein wolle;
und bat den damaligen Feldprediger seines Regiments, Herrn
P . . ., welcher der Freund seines Hauses war, die Sorge für die
Vollstreckung dieses seinen letzten Willens zu übernehmen. Der

Feldprediger P . . . versprach es ihm: er verpflichtete sich, um jedem Zufall vorzubeugen, bis zu seiner Bestattung, von dem Augenblick an, da er verschieden sein würde, nicht von seiner Seite zu weichen. Darauf nach Verlauf mehrerer Wochen, kömmt, bei der ersten Frühe des Tages, der Kammerdiener in das Haus des Feldpredigers, der noch schläft, und meldet ihm, daß der General um die Stunde der Mitternacht schon, sanft und ruhig, wie es vorauszusehen war, gestorben sei. Der Feldprediger P . . . zieht sich, seinem Versprechen getreu, sogleich an, und begibt sich in die Wohnung des Generals. Was aber findet er? – Die Leiche des Generals schon eingeseift auf einem Schemel sitzen: der Kammerdiener, der von dem Befehl nichts gewußt, hatte einen Barbier herbeigerufen, um ihm vorläufig zum Behuf einer schicklichen Ausstellung, den Bart abzunehmen. Was sollte der Feldprediger unter so wunderlichen Umständen machen? Er schalt den Kammerdiener aus, daß er ihn nicht früher herbei gerufen hatte; schickte den Barbier, der den Herrn bei der Nase gefaßt hielt, hinweg, und ließ ihn, weil doch nichts anders übrig blieb, eingeseift und mit halbem Bart, wie er ihn vorfand, in den Sarg legen und begraben.

CHARITÉ-VORFALL

Der von einem Kutscher kürzlich übergefahrne Mann, namens Beyer, hat bereits dreimal in seinem Leben ein ähnliches Schicksal gehabt; dergestalt, daß bei der Untersuchung, die der Geheimerat Herr K., in der Charité mit ihm vornahm, die lächerlichsten Mißverständnisse vorfielen. Der Geheimerat, der zuvörderst seine beiden Beine, welche krumm und schief und mit Blut bedeckt waren, bemerkte, fragte ihn: ob er an diesen Gliedern verletzt wäre? worauf der Mann jedoch erwiderte: nein! die Beine wären ihm schon vor fünf Jahr, durch einen andern Doktor, abgefahren worden. Hierauf bemerkte ein Arzt, der dem Geheimenrat zur Seite stand, daß sein linkes Auge geplatzt war; als man ihn jedoch fragte: ob ihn das Rad hier getroffen hätte? antwortete er: nein! das Auge hätte ihm ein Doktor bereits vor vierzehn Jahren ausgefahren. Endlich, zum Erstaunen aller Anwesenden, fand sich, daß ihm die linke Rippenhälfte, in jämmerlicher Verstümmelung, ganz auf den Rücken gedreht war; als aber der Geheimerat ihn fragte: ob ihn des Doktors Wagen hier beschädigt hätte? antwortete er: nein! die Rippen wären ihm schon vor sieben Jahren durch einen Doktorwagen zusammen gefahren worden. – Bis sich endlich zeigte, daß ihm durch die letztere Überfahrt der linke Ohrknorpel ins Gehörorgan hineingefahren war. – Der Berichterstatter hat den Mann selbst über diesen Vorfall vernommen, und selbst die Todkranken, die in dem Saale auf den Betten herumlagen, mußten, über die spaßhafte und indolente Weise, wie er dies vorbrachte, lachen. – Übrigens bessert er sich; und falls er sich vor den Doktoren, wenn er auf der Straße geht, in acht nimmt, kann er noch lange leben.

DER BRANNTWEINSÄUFER UND DIE BERLINER GLOCKEN

Eine Anekdote

Ein Soldat vom ehemaligen Regiment Lichnowsky, ein heilloser und unverbesserlicher Säufer, versprach nach unendlichen Schlägen, die er deshalb bekam, daß er seine Aufführung bessern und sich des Branntweins enthalten wolle. Er hielt auch, in der Tat, Wort, während drei Tage: ward aber am vierten wieder besoffen in einem Rennstein gefunden, und, von einem Unteroffizier, in Arrest gebracht. Im Verhör befragte man ihn, warum er, seines Vorsatzes uneingedenk, sich von neuem dem Laster des Trunks ergeben habe? »Herr Hauptmann!« antwortete er; »es ist nicht meine Schuld. Ich ging in Geschäften eines Kaufmanns, mit einer Kiste Färbholz, über den Lustgarten; da läuteten vom Dom herab die Glocken: ›Pommeranzen! *Pom*meranzen! *Pom*meranzen!‹ Läut, Teufel, läut! sprach ich, und gedachte meines Vorsatzes und trank nichts. In der Königsstraße, wo ich die Kiste abgeben sollte, steh ich einen Augenblick, um mich auszuruhen, vor dem Rathaus still: da bimmelt es vom Turm herab: ›Kümmel! Kümmel! Kümmel! – Kümmel! Kümmel! Kümmel!‹ Ich sage, zum Turm: bimmle du, daß die Wolken reißen – und gedenke, mein Seel, gedenke meines Vorsatzes, ob ich gleich durstig war, und trinke nichts. Drauf führt mich der Teufel, auf dem Rückweg, über den Spittelmarkt; und da ich eben vor einer Kneipe, wo mehr denn dreißig Gäste beisammen waren, stehe, geht es, vom Spit-

telturm herab: ›Anisette! Anisette! Anisette!‹ Was kostet das
Glas, frag ich? Der Wirt spricht: Sechs Pfennige. Geb er her, sag
ich – und was weiter aus mir geworden ist, das weiß ich nicht.«
                                                                xyz.

ANEKDOTE AUS DEM LETZTEN KRIEGE

Den ungeheuersten Witz, der vielleicht, so lange die Erde steht,
über Menschenlippen gekommen ist, hat, im Lauf des letztver-
flossenen Krieges, ein Tambour gemacht; ein Tambour meines
Wissens von dem damaligen Regiment von Puttkamer; ein
Mensch, zu dem, wie man gleich hören wird, weder die griechische noch römische Geschichte ein Gegenstück liefert. Dieser
hatte, nach Zersprengung der preußischen Armee bei Jena, ein
Gewehr aufgetrieben, mit welchem er, auf seine eigne Hand, den
Krieg fortsetzte; dergestalt, daß da er, auf der Landstraße, alles,
was ihm an Franzosen in den Schuß kam, niederstreckte und aus-
plünderte, er von einem Haufen französischer Gensdarmen, die
ihn aufspürten, ergriffen, nach der Stadt geschleppt, und, wie es
ihm zukam, verurteilt ward, erschossen zu werden. Als er den
Platz, wo die Exekution vor sich gehen sollte, betreten hatte, und
wohl sah, daß alles, was er zu seiner Rechtfertigung vorbrachte,
vergebens war, bat er sich von dem Obristen, der das Detasche-
ment kommandierte, eine Gnade aus; und da der Obrist, inzwischen die Offiziere, die ihn umringten, in gespannter Erwartung
zusammentraten, ihn fragte: was er wolle? zog er sich die Hosen
ab, und sprach: sie möchten ihn in den ... schießen, damit das
F ... kein L ... bekäme. – Wobei man noch die Shakespearesche
Eigenschaft bemerken muß, daß der Tambour mit seinem Witz,
aus seiner Sphäre als Trommelschläger nicht herausging.   x.

ANEKDOTE

Bach, als seine Frau starb, sollte zum Begräbnis Anstalten machen. Der arme Mann war aber gewohnt, alles durch seine Frau
besorgen zu lassen; dergestalt, daß da ein alter Bedienter kam, und
ihm für Trauerflor, den er einkaufen wollte, Geld abforderte, er
unter stillen Tränen, den Kopf auf einen Tisch gestützt, antwortete: »sagts meiner Frau.« –

FRANZÖSISCHES EXERZITIUM
das man nachmachen sollte

Ein französischer Artilleriekapitän, der, beim Beginn einer Schlacht, eine Batterie, bestimmt, das feindliche Geschütz in Respekt zu halten oder zugrund zu richten, placieren will, stellt sich zuvörderst in der Mitte des ausgewählten Platzes, es sei nun ein Kirchhof, ein sanfter Hügel oder die Spitze eines Gehölzes, auf: er drückt sich, während er den Degen zieht, den Hut in die Augen, und inzwischen die Karren, im Regen der feindlichen Kanonenkugeln, von allen Seiten rasselnd, um ihr Werk zu beginnen, abprotzen, faßt er mit der geballten Linken, die Führer der verschiedenen Geschütze (die Feuerwerker) bei der Brust, und mit der Spitze des Degens auf einen Punkt des Erdbodens hinzeigend, spricht er: »hier stirbst du!« wobei er ihn ansieht – und zu einem anderen: »hier du!« – und zu einem dritten und vierten und alle folgenden: »hier du! hier du! hier du!« – und zu dem letzten: »hier du!« – – Diese Instruktion an die Artilleristen, bestimmt und unverklausuliert, an dem Ort wo die Batterie aufgefahren wird zu sterben, soll, wie man sagt, in der Schlacht, wenn sie gut ausgeführt wird, die außerordentlichste Wirkung tun.   Vx.

RÄTSEL

Ein junger Doktor der Rechte und eine Stiftsdame, von denen kein Mensch wußte, daß sie mit einander in Verhältnis standen, befanden sich einst bei dem Kommandanten der Stadt, in einer zahlreichen und ansehnlichen Gesellschaft. Die Dame, jung und schön, trug, wie es zu derselben Zeit Mode war, ein kleines schwarzes Schönpflästerchen im Gesicht, und zwar dicht über der Lippe, auf der rechten Seite des Mundes. Irgend ein Zufall veranlaßte, daß die Gesellschaft sich auf einem Augenblick aus dem Zimmer entfernte, dergestalt, daß nur der Doktor und die besagte Dame darin zurückblieben. Als die Gesellschaft zurückkehrte, fand sich, zum allgemeinen Befremden derselben, daß der Doktor das Schönpflästerchen im Gesicht trug; und zwar gleichfalls über der Lippe, aber auf der linken Seite des Mundes. –

(Die Auflösung im folgenden Stück)

KORRESPONDENZ-NACHRICHT

Herr Unzelmann, der, seit einiger Zeit, in Königsberg Gastrollen gibt, soll zwar, welches das Entscheidende ist, dem Publiko daselbst sehr gefallen: mit den Kritikern aber (wie man auch aus der Königsberger Zeitung ersieht) und mit der Direktion viel zu schaffen haben. Man erzählt, daß ihm die Direktion verboten, zu improvisieren. Herr Unzelmann der jede Widerspenstigkeit haßt, fügte sich in diesem Befehl: als aber ein Pferd, das man, bei der Darstellung eines Stücks, auf die Bühne gebracht hatte, inmitten der Bretter, zur großen Bestürzung des Publikums, Mist fallen ließ: wandte er sich plötzlich, indem er die Rede unterbrach, zu dem Pferde und sprach: »Hat dir die Direktion nicht verboten, zu improvisieren?« – Worüber selbst die Direktion, wie man versichert, gelacht haben soll.

ANEKDOTE

Zwei berühmte englische Baxer, der eine aus Portsmouth gebürtig, der andere aus Plymouth, die seit vielen Jahren von einander gehört hatten, ohne sich zu sehen, beschlossen, da sie in London zusammentrafen, zur Entscheidung der Frage, wem von ihnen der Siegerruhm gebühre, einen öffentlichen Wettkampf zu halten. Demnach stellten sich beide, im Angesicht des Volks, mit geballten Fäusten, im Garten einer Kneipe, gegeneinander; und als der Plymouther den Portsmouther, in wenig Augenblicken, dergestalt auf die Brust traf, daß er Blut spie, rief dieser, indem er sich den Mund abwischte: brav! – Als aber bald darauf, da sie sich wieder gestellt hatten, der Portsmouther den Plymouther, mit der Faust der geballten Rechten, dergestalt auf den Leib traf, daß dieser, indem er die Augen verkehrte, umfiel, rief der letztere: das ist auch nicht übel –! Worauf das Volk, das im Kreise herumstand, laut aufjauchzte, und, während der Plymouther, der an den Gedärmen verletzt worden war, tot weggetragen ward, dem Portsmouther den Siegsruhm zuerkannte. – Der Portsmouther soll aber auch Tags darauf am Blutsturz gestorben sein.

ANEKDOTE

Ein Kapuziner begleitete einen Schwaben bei sehr regnichtem

Wetter zum Galgen. Der Verurteilte klagte unterwegs mehrmal zu Gott, daß er, bei so schlechtem und unfreundlichem Wetter, einen so sauren Gang tun müsse. Der Kapuziner wollte ihn christlich trösten und sagte: du Lump, was klagst du viel, du brauchst doch bloß hinzugehen, ich aber muß, bei diesem Wetter, wieder zurück, denselben Weg. – Wer es empfunden hat, wie öde einem, auch selbst an einem schönen Tage, der Rückweg vom Richtplatz wird, der wird den Ausspruch des Kapuziners nicht so dumm finden.

ANEKDOTE

Ein mecklenburgischer Landmann, namens Jonas, war seiner Leibesstärke wegen, im ganzen Lande bekannt.

Ein Thüringer, der in die Gegend geriet, und von jenem mit Ruhm sprechen hörte, nahm sichs vor sich mit ihm zu versuchen.

Als der Thüringer vor das Haus kam, sah er vom Pferde über die Mauer hinweg auf dem Hofe einen Mann Holz spalten und fragte diesen: ob hier der starke Jonas wohne? erhielt aber keine Antwort.

So stieg er vom Pferde, öffnete die Pforte, führte das Pferd herein, und band es an die Mauer.

Hier eröffnete der Thüringer seine Absicht, sich mit dem starken Jonas zu messen.

Jonas ergriff den Thüringer, warf ihn sofort über die Mauer zurück, und nahm seine Arbeit wieder vor.

Nach einer halben Stunde rief der Thüringer, jenseits der Mauer: Jonas! – Nun was gibts? antwortete dieser.

Lieber Jonas, sagte der Thüringer: sei so gut und schmeiß mir einmal auch mein Pferd wieder herüber!   Z.

SONDERBARE GESCHICHTE, DIE SICH, ZU MEINER ZEIT, IN ITALIEN ZUTRUG

Am Hofe der Prinzessin von St. C . . . zu Neapel, befand sich, im Jahr 1788, als Gesellschafterin oder eigentlich als Sängerin eine junge Römerin, namens Franzeska N . . ., Tochter eines armen invaliden Seeoffiziers, ein schönes und geistreiches Mädchen, das die Prinzessin von St. C . . ., wegen eines Dienstes, den ihr der

Vater geleistet, von früher Jugend an, zu sich genommen und in
ihrem Hause erzogen hatte. Auf einer Reise, welche die Prinzessin in die Bäder zu Messina, und von hieraus, von der Witterung
und dem Gefühl einer erneuerten Gesundheit aufgemuntert, auf
den Gipfel des Ätna machte, hatte das junge, unerfahrne Mädchen das Unglück, von einem Kavalier, dem Vicomte von P . . .,
einem alten Bekannten aus Paris, der sich dem Zuge anschloß,
auf das abscheulichste und unverantwortlichste betrogen zu werden; dergestalt, daß ihr, wenige Monden darauf, bei ihrer Rückkehr nach Neapel, nichts übrig blieb, als sich der Prinzessin, ihrer
zweiten Mutter, zu Füßen zu werfen, und ihr unter Tränen den
Zustand, in dem sie sich befand, zu entdecken. Die Prinzessin,
welche die junge Sünderin sehr liebte, machte ihr zwar wegen
der Schande, die sie über ihren Hof gebracht hatte, die heftigsten
Vorwürfe; doch da sie ewige Besserung und klösterliche Eingezogenheit und Enthaltsamkeit, für ihr ganzes künftiges Leben,
angelobte, und der Gedanke, das Haus ihrer Gönnerin und Wohl-
täterin verlassen zu müssen, ihr gänzlich unerträglich war, so
wandte sich das menschenfreundliche, zur Verzeihung ohnehin
in solchen Fällen geneigte Gemüt der Prinzessin: sie hob die Unglückliche vom Boden auf, und die Frage war nur, wie man der
Schmach, die über sie hereinzubrechen drohte, vorbeugen
könne? In Fällen dieser Art fehlt es den Frauen, wie bekannt, niemals an Witz und der erforderlichen Erfindung; und wenige
Tage verflossen: so ersann die Prinzessin selbst zur Ehrenrettung
ihrer Freundin folgenden kleinen Roman.

Zuvörderst erhielt sie abends, in ihrem Hotel, da sie beim Spiel
saß, vor den Augen mehrerer, zu einem Souper eingeladenen
Gäste einen Brief: sie erbricht und überliest ihn, und indem sie
sich zur Signora Franzeska wendet: »Signora«, spricht sie, »Graf
Scharfeneck, der junge Deutsche, der Sie vor zwei Jahren in
Rom gesehen, hält aus Venedig, wo er den Winter zubringt, um
Ihre Hand an. – Da!« setzt sie hinzu, indem sie wieder zu den
Karten greift, »lesen Sie selbst: es ist ein edler und würdiger Kava-
lier, vor dessen Antrag Sie sich nicht zu schämen brauchen.«
Signora Franzeska steht errötend auf; sie empfängt den Brief,
überfliegt ihn, und, indem sie die Hand der Prinzessin küßt:
»Gnädigste«, spricht sie: »da der Graf in diesem Schreiben erklärt,

daß er Italien zu seinem Vaterlande machen kann, so nehme ich
ihn, von Ihrer Hand, als meinen Gatten an!« – Hierauf geht das
Schreiben unter Glückwünschungen von Hand zu Hand; jedermann erkundigt sich nach der Person des Freiers, den niemand
kennt, und Signora Franzeska gilt, von diesem Augenblick an,
für die Braut des Grafen Scharfeneck. Drauf, an dem zur Ankunft
des Bräutigams bestimmten Tage, an welchem nach seinem
Wunsche auch sogleich die Hochzeit sein soll, fährt ein Reisewagen mit vier Pferden vor: es ist der Graf Scharfeneck! Die
ganze Gesellschaft, die, zur Feier dieses Tages, in dem Zimmer der
Prinzessin versammelt war, eilt voll Neugierde an die Fenster,
man sieht ihn, jung und schön wie ein junger Gott, aussteigen –
inzwischen verbreitet sich sogleich, durch einen vorangeschickten
Kammerdiener, das Gerücht, daß der Graf krank sei, und in
einem Nebenzimmer habe abtreten müssen. Auf diese unangenehme Meldung wendet sich die Prinzessin betreten zur Braut;
und beide begeben sich nach einem kurzen Gespräch, in das
Zimmer des Grafen, wohin ihnen nach Verlauf von etwa einer
Stunde der Priester folgt. Inzwischen wird die Gesellschaft durch
den Hauskavalier der Prinzessin zur Tafel geladen; es verbreitet
sich, während sie auf das kostbarste und ausgesuchteste bewirtet
wird, durch diesen die Nachricht, daß der junge Graf, als ein
echter, deutscher Herr, weniger krank, als vielmehr nur ein Son-
derling sei, der die Gesellschaft bei Festlichkeiten dieser Art nicht
liebe; bis spät, um 11 Uhr in der Nacht, die Prinzessin, Signora
Franzeska an der Hand, auftritt, und den versammelten Gästen
mit der Äußerung, daß die Trauung bereits vollzogen sei, die
Frau Gräfin von Scharfeneck vorstellt. Man erhebt sich, man erstaunt und freut sich, man jubelt und fragt: doch alles, was man
von der Prinzessin und der Gräfin erfährt, ist, daß der Graf wohl-
auf sei; daß er sich auch in kurzem sämtlichen Herrschaften, die
hier die Güte gehabt, sich zu versammeln, zeigen würde; daß
dringende Geschäfte jedoch ihn nötigten, mit der Frühe des
nächsten Morgens nach Venedig, wo ihm ein Onkel gestorben
sei und er eine Erbschaft zu erheben habe, zurückzukehren. Hierauf, unter wiederholten Glückwünschungen und Umarmungen
der Braut, entfernt sich die Gesellschaft; und mit dem Anbruch
des Tages fährt, im Angesicht der ganzen Dienerschaft, der Graf

in seinem Reisewagen mit vier Pferden wieder ab. – Sechs Wochen darauf erhalten die Prinzessin und die Gräfin, in einem schwarz versiegelten Briefe, die Nachricht, daß der Graf Scharfeneck in dem Hafen von Venedig ertrunken sei. Es heißt, daß er, nach einem scharfen Ritt, die Unbesonnenheit begangen, sich zu baden; daß ihn der Schlag auf der Stelle gerührt, und sein Körper noch bis diesen Augenblick im Meere nicht gefunden sei. – Alles, was zu dem Hause der Prinzessin gehört, versammelt sich, auf diese schreckliche Post, zur Teilnahme und Kondolation; die Prinzessin zeigt den unseligen Brief, die Gräfin, die ohne Bewußtsein in ihren Armen liegt, jammert und ist untröstlich –; hat jedoch nach einigen Tagen Kraft genug, nach Venedig abzureisen, um die ihr dort zugefallene Erbschaft in Besitz zu nehmen. – Kurz, nach Verfluß von ungefähr neun Monaten (denn so lange dauerte der Prozeß) kehrt sie zurück; und zeigt einen allerliebsten kleinen Grafen Scharfeneck, mit welchem sie der Himmel daselbst gesegnet hatte. Ein Deutscher, der eine große genealogische Kenntnis seines Vaterlands hatte, entdeckte das Geheimnis, das dieser Intrige zum Grunde lag, und schickte dem jungen Grafen, in einer zierlichen Handzeichnung, sein Wappen zu, welches die Ecke einer Bank darstellte, unter welcher ein Kind lag. Die Dame hielt sich gleichwohl, unter dem Namen einer Gräfin Scharfeneck, noch mehrere Jahre in Neapel auf; bis der Vicomte von P ..., im Jahr 1793, zum zweitenmale nach Italien kam, und sich, auf Veranlassung der Prinzessin, entschloß, sie zu heiraten. – Im Jahr 1802 kehrten beide nach Frankreich zurück.   mz.

NEUJAHRSWUNSCH EINES FEUERWERKERS AN SEINEN HAUPTMANN, AUS DEM SIEBENJÄHRIGEN KRIEGE

Hochwohlgeborner Herr,
Hochzuehrender, Hochgebietender, Vester und
Strenger Herr Hauptmann!

Sintemal und alldieweil und gleichwie, wenn die ungestüme Wasserflut und deren schäumende Wellen einer ganzen Stadt Untergang und Verwüstung drohen, und dann der zitternde Bürger mit Rettungswerkzeugen herzu eilet und rennt, um wo möglich den rauschenden, brausenden und erzürnten Fluten Einhalt zu tun: so und nicht anders eile ich Ew. Hochwohlgeboren bei dem jetzigen Jahreswechsel von der Unverbesserlichkeit meiner, Ihnen gewidmeten Ergebenheit bereitwilligst und dienstbeflissentlichst zu versichern und zu überzeugen und dabei meinem Hochgeehrten Herrn Hauptmann ein ganzes Arsenal voll aller zur Glückseligkeit des menschlichen Lebens erforderlichen Bedürfnisse anzuwünschen. – Es müsse meinem Hochgeehrtesten Herrn Hauptmann weder an Pulver der edlen Gesundheit, noch an den Kugeln eines immerwährenden Vergnügens, weder an Bomben der Zufriedenheit, weder an Karkassen der Gemütsruhe, noch an der Lunte eines langen Lebens ermangeln. Es müssen die Feinde unsrer Ruhe, die pandurenmäßigen Sorgen, sich nimmer der Zitadelle Ihres Herzens nähern; ja, es müsse Ihnen gelingen, die Tranchéen ihrer Kränkungen vor der Redoute Ihrer Lustempfindungen zu öffnen. Das Glacis Ihres Wohlergehns sei bis in das späteste Alter mit den Palisaden des Segens verwahrt, und die Sturmleitern des Kummers müssen vergebens an das Ravelin Ihrer Freude gelegt werden. Es müssen Ew. Hochwohlgeboren alle, bei dem beschwerlichen Marsch dieses Lebens vorkommende, Defiléen ohne Verlust und Schaden passieren, und fehle es zu keiner Zeit, weder der Kavallerie Ihrer Wünsche, noch der Infanterie Ihrer Hoffnungen, noch der reitenden Artillerie Ihrer Projekte an dem Proviant und den Munitionen eines glücklichen Erfolgs. Übrigens ermangle ich auch nicht, das Gewehr meiner mit scharfen Patronen geladenen Dankbarkeit zu der Salve Ihres gütigen Wohlwollens loszuschießen, und mit ganzen Pelotons der Erkenntlichkeit durch zu chargieren. Ich verabscheue die Handgriffe der Falschheit, ich mache den Pfanndeckel der Verstellung ab, und dringe mit aufgepflanztem Bajonett meiner ergebensten Bitte in das Bataillon Quarré Ihrer Freundschaft ein, um dieselbe zu forcieren, daß sie mir den Wahlplatz Ihrer Gewogenheit überlassen müsse, wo ich mich zu maintenieren suchen werde, bis die unvermeidliche Mine des Todes ihren Effekt tut, und mich, nicht in die Luft sprengen, wohl aber in die dunkle Kasematte des Grabes einquartieren wird. Bis dahin verharre ich meines

Hochzuehrenden Herrn Hauptmanns
respektmäßiger Diener N. N.

DER NEUERE (GLÜCKLICHERE) WERTHER

Zu L..e in Frankreich war ein junger Kaufmannsdiener, Charles C..., der die Frau seines Prinzipals, eines reichen aber bejahrten Kaufmanns, namens D..., heimlich liebte. Tugendhaft und rechtschaffen, wie er die Frau kannte, machte er nicht den mindesten Versuch, ihre Gegenliebe zu erhalten: um so weniger, da er durch manche Bande der Dankbarkeit und Ehrfurcht an seinen Prinzipal geknüpft war. Die Frau, welche mit seinem Zustande, der seiner Gesundheit nachteilig zu werden drohte, Mitleiden hatte, forderte ihren Mann, unter mancherlei Vorwand auf, ihn aus dem Hause zu entfernen; der Mann schob eine Reise, zu welcher er ihn bestimmt hatte, von Tage zu Tage auf, und erklärte endlich ganz und gar, daß er ihn in seinem Kontor nicht entbehren könne. Einst machte Herr D..., mit seiner Frau, eine Reise zu einem Freunde, aufs Land; er ließ den jungen C..., um die Geschäfte der Handlung zu führen, im Hause zurück. Abends, da schon alles schläft, macht sich der junge Mann, von welchen Empfindungen getrieben, weiß ich nicht, auf, um noch einen Spaziergang durch den Garten zu machen. Er kömmt bei dem Schlafzimmer der teuern Frau vorbei, er steht still, er legt die Hand an die Klinke, er öffnet das Zimmer: das Herz schwillt ihm bei dem Anblick des Bettes, in welchem sie zu ruhen pflegt, empor, und kurz, er begeht, nach manchen Kämpfen mit sich selbst, die Torheit, weil es doch niemand sieht, und zieht sich aus und legt sich hinein. Nachts, da er schon mehrere Stunden, sanft und ruhig, geschlafen, kommt, aus irgend einem besonderen Grunde, der, hier anzugeben, gleichgültig ist, das Ehepaar unerwartet nach Hause zurück; und da der alte Herr mit seiner Frau ins Schlafzimmer tritt, finden sie den jungen C..., der sich, von dem Geräusch, das sie verursachen, aufgeschreckt, halb im Bette, erhebt. Scham und Verwirrung, bei diesem Anblick, ergreifen ihn; und während das Ehepaar betroffen umkehrt, und wieder in das Nebenzimmer, aus dem sie gekommen waren, verschwindet, steht er auf, und zieht sich an; er schleicht, seines Lebens müde, in sein Zimmer, schreibt einen kurzen Brief, in welchem er den Vorfall erklärt, an die Frau, und schießt sich mit einem Pistol, das an der Wand hängt, in die Brust. Hier scheint die Geschichte seines Lebens aus; und gleichwohl (sonderbar genug) fängt sie hier

erst allererst an. Denn statt ihn, den Jüngling, auf den er gemünzt
war, zu töten, zog der Schuß dem alten Herrn, der in dem Nebenzimmer befindlich war, den Schlagfluß zu: Herr D . . . verschied
wenige Stunden darauf, ohne daß die Kunst aller Ärzte, die man
herbeigerufen, imstande gewesen wäre, ihn zu retten. Fünf Tage
nachher, da Herr D . . . schon längst begraben war, erwachte der
junge C . . ., dem der Schuß, aber nicht lebensgefährlich, durch
die Lunge gegangen war: und wer beschreibt wohl – wie soll ich
sagen, seinen Schmerz oder seine Freude? als er erfuhr, was vorgefallen war, und sich in den Armen der lieben Frau befand, um
derentwillen er sich den Tod hatte geben wollen! Nach Verlauf
eines Jahres heiratete ihn die Frau; und beide lebten noch im
Jahr 1801, wo ihre Familie bereits, wie ein Bekannter erzählt,
aus 13 Kindern bestand.

MUTTERLIEBE

Zu St. Omer im nördlichen Frankreich ereignete sich im Jahr
1803 ein merkwürdiger Vorfall. Daselbst fiel ein großer toller
Hund, der schon mehrere Menschen beschädigt hatte, über zwei,
unter einer Haustür spielende, Kinder her. Eben zerreißt er das
jüngste, das sich, unter seinen Klauen, im Blute wälzt; da erscheint, aus einer Nebenstraße, mit einem Eimer Wasser, den sie
auf dem Kopf trägt, die Mutter. Diese, während der Hund die
Kinder losläßt, und auf sie zuspringt, setzt den Eimer neben sich
nieder; und außerstand zu fliehen, entschlossen, das Untier mindestens mit sich zu verderben, umklammert sie, mit Gliedern,
gestählt von Wut und Rache, den Hund: sie erdrosselt ihn, und
fällt, von grimmigen Bissen zerfleischt, ohnmächtig neben ihm
nieder. Die Frau begrub noch ihre Kinder und ward, in wenig
Tagen, da sie an der Tollwut starb, selbst zu ihnen ins Grab gelegt.

UNWAHRSCHEINLICHE WAHRHAFTIGKEITEN

»Drei Geschichten«, sagte ein alter Offizier in einer Gesellschaft,
»sind von der Art, daß ich ihnen zwar selbst vollkommenen Glauben beimesse, gleichwohl aber Gefahr liefe, für einen Windbeutel
gehalten zu werden, wenn ich sie erzählen wollte. Denn die Leute
fordern, als erste Bedingung, von der Wahrheit, daß sie wahr-

scheinlich sei; und doch ist die Wahrscheinlichkeit, wie die Erfahrung lehrt, nicht immer auf Seiten der Wahrheit.«

Erzählen Sie, riefen einige Mitglieder, erzählen Sie! – denn man kannte den Offizier als einen heitern und schätzenswürdigen Mann, der sich der Lüge niemals schuldig machte.

Der Offizier sagte lachend, er wolle der Gesellschaft den Gefallen tun; erklärte aber noch einmal im voraus, daß er auf den Glauben derselben, in diesem besonderen Fall, keinen Anspruch mache.

Die Gesellschaft dagegen sagte ihm denselben im voraus zu; sie forderte ihn nur auf, zu reden, und horchte.

»Auf einem Marsch 1792 in der Rheinkampagne«, begann der Offizier, »bemerkte ich, nach einem Gefecht, das wir mit dem Feinde gehabt hatten, einen Soldaten, der stramm, mit Gewehr und Gepäck, in Reih und Glied ging, obschon er einen Schuß mitten durch die Brust hatte; wenigstens sah man das Loch vorn im Riemen der Patrontasche, wo die Kugel eingeschlagen hatte, und hinten ein anderes im Rock, wo sie wieder herausgegangen war. Die Offiziere, die ihren Augen bei diesem seltsamen Anblick nicht trauten, forderten ihn zu wiederholten Malen auf, hinter die Front zu treten und sich verbinden zu lassen; aber der Mensch versicherte, daß er gar keine Schmerzen habe, und bat, ihn, um dieses Prellschusses willen, wie er es nannte, nicht von dem Regiment zu entfernen. Abends, da wir ins Lager gerückt waren, untersuchte der herbeigerufene Chirurgus seine Wunde; und fand, daß die Kugel vom Brustknochen, den sie nicht Kraft genug gehabt, zu durchschlagen, zurückgeprellt, zwischen der Ribbe und der Haut, welche auf elastische Weise nachgegeben, um den ganzen Leib herumgeglitscht, und hinten, da sie sich am Ende des Rückgrats gestoßen, zu ihrer ersten senkrechten Richtung zurückgekehrt, und aus der Haut wieder hervorgebrochen war. Auch zog diese kleine Fleischwunde dem Kranken nichts als ein Wundfieber zu: und wenige Tage verflossen, so stand er wieder in Reih und Glied.«

Wie? fragten einige Mitglieder der Gesellschaft betroffen, und glaubten, sie hätten nicht recht gehört.

Die Kugel? Um den ganzen Leib herum? Im Kreise? – – Die Gesellschaft hatte Mühe, ein Gelächter zu unterdrücken.

»Das war die erste Geschichte«, sagte der Offizier, indem er eine Prise Tabak nahm, und schwieg.

Beim Himmel! platzte ein Landedelmann los: da haben Sie recht; diese Geschichte ist von der Art, daß man sie nicht glaubt!

»Eilf Jahre darauf«, sprach der Offizier, »im Jahr 1803, befand ich mich, mit einem Freunde, in dem Flecken Königstein in Sachsen, in dessen Nähe, wie bekannt, etwa auf eine halbe Stunde, am Rande des äußerst steilen, vielleicht dreihundert Fuß hohen, Elbufers, ein beträchtlicher Steinbruch ist. Die Arbeiter pflegen, bei großen Blöcken, wenn sie mit Werkzeugen nicht mehr hinzu kommen können, feste Körper, besonders Pfeifenstiele, in den Riß zu werfen, und überlassen der, keilförmig wirkenden, Gewalt dieser kleinen Körper das Geschäft, den Block völlig von dem Felsen abzulösen. Es traf sich, daß, eben um diese Zeit, ein ungeheurer, mehrere tausend Kubikfuß messender, Block zum Fall auf die Fläche des Elbufers, in dem Steinbruch, bereit war; und da dieser Augenblick, wegen des sonderbar im Gebirge widerhallenden Donners, und mancher andern, aus der Erschütterung des Erdreichs hervorgehender Erscheinungen, die man nicht berechnen kann, merkwürdig ist: so begaben, unter vielen andern Einwohnern der Stadt, auch wir uns, mein Freund und ich, täglich abends nach dem Steinbruch hinaus, um den Moment, da der Block fallen würde, zu erhaschen. Der Block fiel aber in der Mittagsstunde, da wir eben, im Gasthof zu Königstein, an der Tafel saßen; und erst um 5 Uhr gegen Abend hatten wir Zeit, hinaus zu spazieren, und uns nach den Umständen, unter denen er gefallen war, zu erkundigen. Was aber war die Wirkung dieses seines Falls gewesen? Zuvörderst muß man wissen, daß, zwischen der Felswand des Steinbruchs und dem Bette der Elbe, noch ein beträchtlicher, etwa 50 Fuß in der Breite haltender Erdstrich befindlich war; dergestalt, daß der Block (welches hier wichtig ist) nicht unmittelbar ins Wasser der Elbe, sondern auf die sandige Fläche dieses Erdstrichs gefallen war. Ein Elbkahn, meine Herren, das war die Wirkung dieses Falls gewesen, war, durch den Druck der Luft, der dadurch verursacht worden, aufs Trockne gesetzt worden; ein Kahn, der, etwa 60 Fuß lang und 30 breit, schwer mit Holz beladen, am andern, entgegengesetzten, Ufer der Elbe lag: diese Augen haben ihn im Sande – was sag ich? sie haben, am anderen Tage, noch die Arbeiter gesehen, welche, mit Hebeln und Walzen, bemüht waren, ihn wieder flott zu machen, und ihn, vom Ufer herab, wieder ins Wasser zu schaffen. Es ist wahrscheinlich, daß die ganze Elbe (die Oberfläche derselben) einen Augenblick ausgetreten, auf das andere flache Ufer übergeschwappt und den Kahn, als einen festen Körper, daselbst zurückgelassen; etwa wie, auf dem Rande eines flachen Gefäßes, ein Stück Holz zurückbleibt, wenn das Wasser, auf welchem es schwimmt, erschüttert wird.«

Und der Block, fragte die Gesellschaft, fiel nicht ins Wasser der Elbe?

Der Offizier wiederholte: nein!

Seltsam! rief die Gesellschaft.

Der Landedelmann meinte, daß er die Geschichten, die seinen Satz belegen sollten, gut zu wählen wüßte.

»Die dritte Geschichte«, fuhr der Offizier fort, »trug sich zu, im Freiheitskriege der Niederländer, bei der Belagerung von Antwerpen durch den Herzog von Parma. Der Herzog hatte die Schelde, vermittelst einer Schiffsbrücke, gesperrt, und die Antwerpner arbeiteten ihrerseits, unter Anleitung eines geschickten Italieners, daran, dieselbe durch Brander, die sie gegen die Brücke losließen, in die Luft zu sprengen. In dem Augenblick, meine Herren, da die Fahrzeuge die Schelde herab, gegen die Brücke, anschwimmen, steht, das merken Sie wohl, ein Fahnenjunker, auf dem linken Ufer der Schelde, dicht neben dem Herzog von Parma; jetzt, verstehen Sie, jetzt geschieht die Explosion: und der Junker, Haut und Haar, samt Fahne und Gepäck, und ohne daß ihm das mindeste auf dieser Reise zugestoßen, steht auf dem rechten. Und die Schelde ist hier, wie Sie wissen werden, einen kleinen Kanonenschuß breit.«

»Haben Sie verstanden?«

Himmel, Tod und Teufel! rief der Landedelmann.

Dixi! sprach der Offizier, nahm Stock und Hut und ging weg.

Herr Hauptmann! riefen die andern lachend: Herr Hauptmann! – Sie wollten wenigstens die Quelle dieser abenteuerlichen Geschichte, die er für wahr ausgab, wissen.

Lassen Sie ihn, sprach ein Mitglied der Gesellschaft; die Geschichte steht in dem Anhang zu Schillers Geschichte vom Abfall

der vereinigten Niederlande; und der Verfasser bemerkt ausdrücklich, daß ein Dichter von diesem Faktum keinen Gebrauch machen könne, der Geschichtschreiber aber, wegen der Unverwerf-
lichkeit der Quellen und der Übereinstimmung der Zeugnisse,
genötigt sei, dasselbe aufzunehmen.   vx.

SONDERBARER RECHTSFALL IN ENGLAND

Man weiß, daß in England jeder Beklagte zwölf Geschworne von
seinem Stande zu Richtern hat, deren Ausspruch einstimmig sein
muß, und die, damit die Entscheidung sich nicht zu sehr in die
Länge verziehe, ohne Essen und Trinken so lange eingeschlossen
bleiben, bis sie eines Sinnes sind. Zwei Gentlemen, die einige Meilen von London lebten, hatten in Gegenwart von Zeugen einen
sehr lebhaften Streit miteinander; der eine drohte dem andern,
und setzte hinzu, daß ehe vier und zwanzig Stunden vergingen,
ihn sein Betragen reuen solle. Gegen Abend wurde dieser Edelmann erschossen gefunden; der Verdacht fiel natürlich auf den,
der die Drohungen gegen ihn ausgestoßen hatte. Man brachte
ihn zu gefänglicher Haft, das Gericht wurde gehalten, es fanden
sich noch mehrere Beweise, und 11 Beisitzer verdammten ihn
zum Tode; allein der zwölfte bestand hartnäckig darauf, nicht
einzuwilligen, weil er ihn für unschuldig hielte.

Seine Kollegen baten ihn, Gründe anzuführen, warum er dies
glaubte; allein er ließ sich nicht darauf ein, und beharrte bei seiner
Meinung. Es war schon spät in der Nacht, und der Hunger plagte
die Richter heftig; einer stand endlich auf, und meinte, daß es
besser sei, einen Schuldigen loszusprechen, als 11 Unschuldige
verhungern zu lassen; man fertigte also die Begnadigung aus,
führte aber auch zugleich die Umstände an, die das Gericht dazu
gezwungen hätten. Das ganze Publikum war wider den einzigen
Starrkopf; die Sache kam sogar vor den König, der ihn zu sprechen verlangte; der Edelmann erschien, und nachdem er sich vom
Könige das Wort geben lassen, daß seine Aufrichtigkeit nicht von
nachteiligen Folgen für ihn sein sollte, so erzählte er dem Mon-
archen, daß, als er im Dunkeln von der Jagd gekommen, und
sein Gewehr losgeschossen, es unglücklicher Weise diesen Edelmann, der hinter einem Busche gestanden, getötet habe. Da ich,

fuhr er fort, weder Zeugen meiner Tat, noch meiner Unschuld
hatte, so beschloß ich, Stillschweigen zu beobachten; aber als ich
hörte, daß man einen Unschuldigen anklagte, so wandte ich
alles an, um einer von den Geschwornen zu werden; fest entschlossen, eher zu verhungern, als den Beklagten umkommen zu
lassen. Der König hielt sein Wort, und der Edelmann bekam
seine Begnadigung.

ANEKDOTE

In einem Werke, betitelt: *Reise mit der Armee im Jahr 1809.* Rudol-
stadt, Hofbuchhdl. 1810. erzählt ein Franzose folgende Anekdote
vom Kaiser Napoleon, die von seiner Fähigkeit lebhafte Regun-
gen des Mitleids zu empfinden, ein merkwürdiges Beispiel gibt.
Es ist bekannt, daß derselbe, in der Schlacht bei Aspern, den verwundeten Marschall Lannes lange mit großer Bewegung in den
Armen hielt. Am Abend eben dieser Schlacht beobachtete er,
mitten im Kartätschenfeuer, den Angriff seiner Kavallerie; eine
Menge Blessierter lagen um ihn herum – schweigend, wie der
Augenzeuge dieses Vorfalls sagt, um dem Kaiser, mit ihren Klagen, nicht zur Last zu fallen. Drauf setzt ein ganzes fr. Kürassierregiment, der feindlichen Übermacht ausweichend, über die Unglücklichen hinweg; es erhebt sich ein lautes Geschrei des Jam-
mers, mit dem untermischten Ausruf (gleichsam um es zu über-
täuben): Vive l'Empereur! Vive l'Empereur! Der Kaiser wendet
sich; indem er die Hand vors Gesicht hält, stürzen ihm die Tränen
aus den Augen, und nur mit Mühe behält er seine Fassung.

(Misz. d. n. Weltk.)

URALTE REICHSTAGSFEIERLICHKEIT,
ODER KAMPF DER BLINDEN MIT DEM SCHWEINE

Als *Kaiser Maximilian der Erste* zu Augsburg, um die Stände zu
einem Türkenkriege zu bewegen, einen Reichstag hielt, ergötz-
ten sich Fürsten und Adel mit mancherlei ritterlichen Spielen.
Aber eine eigene Belustigung für den Kaiser hatte sich *Kunz von
der Rosen*, Maximilians Hofnarr sowohl als Obrist, ausgedacht.
Auf dem Weinmarkt nämlich, in der Mitte eines von starken
Schranken eingeschlossenen Platzes, ward ein Pfahl befestigt; an
dem Pfahl aber, vermittelst eines langen Stricks, ein fettes Schwein
gebunden. Zwölf Blinde, arme Leute, mit einem Prügel bewaffnet, eine Pickelhaube auf, und von Kopf zu Fuß in altes rostiges
Eisen gesteckt, traten nun in die Schranken, um gegen das
Schwein zu kämpfen; denn Kunz von der Rosen hatte verspro-

chen, daß demjenigen das Schwein gehören solle, der es erlegen
würde. Drauf, nachdem die Blinden sich in einen Kreis gestellt,
geht, auf einen Trompetenstoß, der Angriff an. Die Blinden tapp-
ten auf den Punkt zu, wo die Sau auf etwas Stroh lag und grunzte.
Jetzt empfing diese einen Streich und fing an zu schreien und fuhr
dabei einem oder zwei Blinden zwischen die Füße und warf die
Blinden um. Die übrigen, auf der Seite stehenden, welche die
Sau grunzen und schreien hörten, eilten auch hinzu, schlugen
tapfer darauf los, und trafen eben so oft einen Mitkämpfer, als die
Sau. Der Mitkämpfer schlug auf den Angreifer, dem er nichts
getan hatte, ärgerlich zurück; und endlich schlug gar ein dritter,
der von ihrem Hader nichts wußte, indem er meinte, sie schlügen
auf das Schwein, auf beide los. Zuweilen waren die Blinden alle
mit ihren Prügeln aneinander und arbeiteten so grimmig auf die
Pickelhauben der Mitkämpfer los, daß es klang, als wären Kessel-
schmiede und Pfannenflicker in Eisenhütten und Werkstätten ge-
schäftig. Die Sau, welche den Vorteil hatte, gut zu sehen und den
Streichen ausweichen zu können, fing indessen an, zu gröllen.
Auf dies Gegröll spitzen die Blinden die Ohren; sie verlassen einander und gehen, mit ihren Prügeln, auf das Schwein zu. Aber
dies hat sich indessen schon wieder einen andern Platz gesucht;
und die Blinden stoßen aneinander, sie fallen über das Seil, woran
das Schwein festgebunden ist, sie berühren die Schranke, und
führen, weil sie glauben, das Schwein getroffen zu haben, einen
ungeheuren Schlag darauf. Endlich, nach vielen Stunden vergeblichen Suchens, gelingt es einem; er trifft das Schwein mit
dem Prügel auf die Schnauze; es fällt – und ein unendliches Jubel-
geschrei erhebt sich. Er wird zum Sieger ausgerufen, das Schwein
ihm, vom Kampfherold zuerkannt; und blutrünstig und unter-
laufen, wie sie sein mögen, setzen sie sich, samt und sonders, an
einem herrlichen Gastmahl nieder, das die Feierlichkeit be-
schließt. –   (Gem. Unterh. Bl.)

ANEKDOTE

Als man den Diogenes fragte, wo er nach seinem Tode begraben
sein wolle? antwortete er: »mitten auf das Feld.« Was, versetzte
jemand, willst du von den Vögeln und wilden Tieren gefressen
werden? »So lege man meinen Stab neben mich«, antwortete er,

»damit ich sie wegjagen könne.« Wegjagen! rief der andere;
wenn du tot bist, hast du ja keine Empfindung! »Nun denn, was
liegt mir daran«, erwiderte er, »ob mich die Vögel fressen oder
nicht?« –

HELGOLÄNDISCHES GOTTESGERICHT

Die Helgoländer haben eine sonderbare Art, ihre Streitigkeiten
in zweifelhaften Fällen, zu entscheiden; und wie die Parteien, bei
anderen Völkerschaften, zu den Waffen greifen, und das Blut entscheiden lassen, so werfen sie ihre Lotsenzeichen (Medaillen von
Messing, mit einer Nummer, die einem jeden von ihnen zuge-
hört) in einen Hut, und lassen durch einen Schiedsrichter, eine
derselben herausziehn. Der Eigentümer der Nummer bekommt
alsdann recht.

BEISPIEL EINER UNERHÖRTEN MORDBRENNEREI

Als vor einiger Zeit die Gegend von Berlin von jener berüchtig-
ten Mordbrennerbande heimgesucht ward, war jedem Gemüte,
das Ehrfurcht vor göttlicher und menschlicher Ordnung hat, die
entsetzliche Barbarei dieser Greuel unbegreiflich; und doch war
es noch wenigstens nur, um zu stehlen. Was wird man nun zu
einem Rechtsfall sagen, der im Jahr 1808 bei dem Kriminalgericht
zu Rouen statt hatte? Daselbst ward die Todesstrafe, der Mordbrennerei wegen, über einen Mann verhängt, der bis in sein 60.
Jahr für einen rechtschaffenen Mann gegolten und der Achtung
aller seiner Mitbürger genossen hatte. Johann Mauconduit, Bauer
zu Hattenville, war sein Name. Von bloßem Vergnügen an
Mordbrennerei geleitet, hatte er, seit längerer Zeit, hie und da
Gebäude in Brand gesteckt, ohne daß es jemand einfiel, ihn deshalb als den Täter anzusehn. Er hatte eine eigene Maschine erfun-
den, die sich vermittelst einer Batterie entzündete, und warf sie
auf die Häuser, denen er den Brand zugedacht hatte. Innerhalb 8
Monaten hatte er nicht weniger als zehnmal dieses Verbrechen
begangen, und zuletzt seine eigene Wohnung in Brand gesteckt:
er wußte wohl, daß der Besitzer des Grundstücks verpflichtet
war, ihm eine neue zu bauen. Aber da fand man in einem seiner
Schränke dergleichen Zündmaschinen, wie man schon öfters, in
Fällen, wo sie nicht losgebrannt waren, auf den Dächern der

Häuser gefunden hatte; und so klärten sich eine Menge anderer Zeugnisse gegen ihn auf, so, daß er sich endlich zu alle den Feuersbrünsten als Urheber angeben mußte, welche in seiner Nachbarschaft vorgefallen waren.

MERKWÜRDIGE PROPHEZEIUNG

In dem Werk: *Paris, Versailles et les Provinces au 18me siècle, par un ancien officier aux gardes françaises, 2 Vol. in 8. 1809.* wird die Erzählung einer sonderbar eingetroffenen Vorherverkündigung mit zuviel historischen Angaben belegt, als daß sie nicht einiger Erwägung wert wäre. Herr von Apchon war in seiner früheren Jugend Malteserritter, und von seiner Familie zum Seedienst bestimmt. Als er in dem Kollegium zu Lyon war, wurde er einem spanischen Jesuiten vorgestellt, der, unter seinen Mitbrüdern, für einen Wahrsager galt. Dieser, als er ihn ins Auge faßte, sagte ihm, auf eine sonderbare Weise, daß er einst eine der Stützen der Kirche, und der dritte Bischof von Dijon werden würde. Man verstand den Jesuiten um so weniger, da es damals in Dijon keinen Bischof gab, und Herr von Apchon ward, von diesem Augenblick an, von seinen Mitschülern spottweise *der Bischof* genannt: einen Zunamen, den er auch nachher als Seekadett beibehielt. Zehn Jahre darauf ward Herr von Apchon Bischof von *Dijon*, und nachheriger Erzbischof von *Auch*. – Diese Begebenheit bestätigen alle Zeitgenossen; und der ehrwürdige Prälat selbst hat sie, durch sein ganzes Leben, erzählt.

BEITRAG ZUR NATURGESCHICHTE DES MENSCHEN

Im Jahr 1809 zeigten sich in Europa zwei sonderbare entgegengesetzte menschliche Naturphänomene: das eine eine sogenannte Unverbrennliche, namens *Karoline Kopini*, das andere eine ungeheure Wassertrinkerin, namens *Chartret* aus Courlon in Frankreich. Jene, die Unverbrennliche, trank siedend heißes Öl, wusch sich mit Scheidewasser, ja sogar mit zerschmolzenem Blei, Gesicht und Hände, ging mit nackten Füßen auf einer dicken glühenden Eisenplatte umher, alles ohne irgend eine Empfindung von Schmerz. Die andere trinkt, seit ihrem achten Jahre, täglich 20 Kannen laues Wasser; wenn sie weniger trinkt, ist sie krank, fühlt Stiche in der Seite, und fällt in eine Art von Betäubung. –

Übrigens ist sie körperlich und geistig gesund, und war vor zwei Jahren 52 Jahr alt.

WASSERMÄNNER UND SIRENEN

In der Wiener Zeitung vom 30. Juli 1803 wird erzählt, daß die Fischereipächter des Königssees in Ungarn mehrmals schon, bei ihrem Geschäft, eine Art nackten, wie sie sagten, vierfüßigen Geschöpfs bemerkt hatten, ohne daß sie unterscheiden konnten, von welcher Gattung es sei, indem es schnell, sobald jemand sich zeigte, vom Ufer ins Wasser lief und verschwand. Die Fischer lauerten endlich so lange, bis sie das vermeintliche Tier, im Frühling des Jahrs 1776, mit ihren ausgesetzten Netzen fingen. Als sie nun desselben habhaft waren, sahen sie mit Erstaunen, daß es ein Mensch war. Sie schafften ihn sogleich nach Kapuvar zu dem fürstlichen Verwalter. Dieser machte eine Anzeige davon an die fürstliche Direktion, von welcher der Befehl erging, den Wassermann gut zu verwahren und ihn einem Trabanten zur Aufsicht zu übergeben. Derselbe mochte damals etwa 17 Jahr alt sein, seine Bildung war kräftig und wohlgestaltet, bloß die Hände und Füße waren krumm, weil er kroch; zwischen den Zehen und Fingern befand sich ein zartes, entenartiges Häutchen, er konnte, wie jedes Wassertier, schwimmen, und der größte Teil des Körpers war mit Schuppen bedeckt.

Man lehrte ihn gehen, und gab ihm anfangs nur rohe Fische und Krebse zur Nahrung, die er mit dem größesten Appetit verzehrte: auch füllte man einen großen Bottich mit Wasser an, in dem er sich mit großen Freudenbezeugungen badete. Die Kleider waren ihm öfters zur Last und er warf sie weg, bis er sich nach und nach daran gewöhnte. An gekochte, grüne, Mehl- und Fleischspeisen hat man ihn nie recht gewöhnen können, denn sein Magen vertrug sie nicht; er lernte auch reden und sprach schon viele Worte aus, arbeitete fleißig, war gehorsam und zahm. Allein nach einer Zeit von drei Vierteljahren, wo man ihn nicht mehr so streng beobachtete, ging er aus dem Schlosse über die Brücke, sah den mit Wasser angefüllten Schloßgraben, sprang mit seinen Kleidern hinein und verschwand.

Man traf sogleich alle Anstalten, um ihn wieder zu fangen, allein alles Nachsuchen war vergebens, und ob man ihn schon nach der Zeit, besonders bei dem Bau des Kanals durch den Königssee, im Jahr 1803, wiedergesehen hat, so hat man seiner doch nie wieder habhaft werden können.

Dieser Vorfall wirft Licht über manche, bisher für fabelhaft gehaltene, See-Erscheinungen, die man *Sirenen* nannte. So sah der Entdecker Grönlands Hudson, auf seiner zweiten Reise, am 15. Juni 1608 eine solche Sirene und die ganze Schiffsmannschaft sah sie mit ihm. Sie schwamm zur Seite des Schiffs und sah die Schiffsleute starr an. Vom Kopfe bis zum Unterleib glich sie vollkommen einem Weibe von gewöhnlicher Statur. Ihre Haut war weiß; sie hatte lange, schwarze, um die Schultern flatternde Haare. Wenn die Sirene sich umkehrte, so sahen die Schiffsleute ihren Fischschwanz, der mit dem eines Meerschweins viel Ähnlichkeit hatte, und wie ein Makrelenschwanz gefleckt war. – Nach einem wütigen Sturm im Jahr 1740, der die holländischen Dämme von Westfriesland durchbrochen hatte, fand man auf den Wiesen eine sogenannte Sirene im Wasser. Man brachte sie nach Haarlem, kleidete sie und lehrte sie spinnen. Sie nahm gewöhnliche Speise zu sich und lebte einige Jahre. Sprechen lernte sie nicht, ihre Töne glichen dem Ächzen eines Sterbenden. Immer zeigte sie den stärksten Trieb zum Wasser. – Im Jahr 1560 fingen Fischer von der Insel Ceylon mehrere solcher Ungeheuer auf einmal im Netze. Dimas Bosquez von Valence, der sie untersuchte und einige, die gestorben waren, in Gegenwart mehrerer Missionäre anatomierte, fand alle inneren Teile mit dem menschlichen Körper sehr übereinstimmend. Sie hatten einen runden Kopf, große Augen, ein volles Gesicht, platte Wangen, eine aufgeworfene Nase, sehr weiße Zähne, gräuliche, manchmal bläuliche Haare, und einen langen grauen bis auf den Magen herabhangenden Bart. – Hierher gehört auch noch der sogenannte neapolitanische *Fischnickel*, von welchem man in *Gehlers physikalischem Lexikon* eine authentische Beschreibung findet.

GESCHICHTE EINES MERKWÜRDIGEN ZWEIKAMPFS

Der Ritter Hans Carouge, Vasall des Grafen von Alenson, mußte in häuslichen Angelegenheiten eine Reise übers Meer tun. Seine junge und schöne Gemahlin ließ er auf seiner Burg. Ein anderer

Vasall des Grafen, Jakob der Graue genannt, verliebte sich in diese Dame auf das heftigste. Die Zeugen sagten vor Gericht aus, daß er·zu der und der Stunde, des und des Tages, in dem und dem Monat, sich auf das Pferd des Grafen gesetzt, und diese Dame zu Argenteuil, wo sie sich aufhielt, besucht habe. Sie empfing ihn als den Gefährten ihres Mannes, und als seinen Freund, und zeigte ihm das ganze Schloß. Er wollte auch die Warte, oder den Wachturm der Burg sehen, und die Dame führte ihn selbst dahin, ohne sich von einem Bedienten begleiten zu lassen.

Sobald sie im Turm waren, verschloß Jakob, der sehr stark war, die Türe, nahm die Dame in seine Arme, und überließ sich ganz seiner Leidenschaft. Jakob, Jakob, sagte die Dame weinend, du hast mich beschimpft, aber die Schmach wird auf dich zurückfallen, sobald mein Mann wiederkömmt. Jakob achtete nicht viel auf diese Drohung, setzte sich auf sein Pferd, und kehrte in vollem Jagen zurück. Um vier Uhr des Morgens war er in der Burg gewesen, und um neun Uhr desselben Morgens, erschien er auch beim Lever des Grafen. – Dieser Umstand muß wohl bemerkt werden. Hans Carouge kam endlich von seiner Reise zurück, und seine Frau empfing ihn mit den lebhaftesten Beweisen der Zärtlichkeit. Aber des Abends, als Carouge sich in ihr Schlafgemach und zu Bette begeben hatte, ging sie lange im Zimmer auf und nieder, machte von Zeit zu Zeit das Zeichen des Kreuzes vor sich, fiel zuletzt vor seinem Bette auf die Kniee, und erzählte ihrem Manne, unter Tränen, was ihr begegnet war. Dieser wollte es anfangs nicht glauben, doch endlich mußte er den Schwüren und wiederholten Beteurungen seiner Gemahlin trauen; und nun beschäftigte ihn bloß der Gedanke der Rache. Er versammelte seine und seiner Frau Verwandte, und die Meinung aller ging da hinaus, die Sache bei dem Grafen anzubringen, und ihm ihre Entscheidung zu überlassen.

Der Graf ließ die Parteien vor sich kommen, hörte ihre Gründe an, und nach vielem Hin- und Herstreiten fällte er den Schluß, daß der Dame die ganze Geschichte geträumt haben müsse, weil es unmöglich sei, daß ein Mensch 23 Meilen zurücklegen, und auch die Tat, deren er beschuldigt wurde, mit allen den Nebenumständen, in dem kurzen Zeitraum von fünfthalb Stunden, begehen könne, welches die einzige Zwischenzeit war,

wo man den Jakob nicht im Schloß gesehen hatte. Der Graf von
Alenson befahl also, daß man nicht weiter von der Sache sprechen sollte. Aber der Ritter Carouge, der ein Mann von Herz,
und sehr empfindlich im Punkt der Ehre war, ließ es nicht bei
dieser Entscheidung bewenden, sondern machte die Sache vor
dem Parlament zu Paris anhängig. Dies Tribunal erkannte auf
einen Zweikampf. Der König, der damals zu Sluys in Flandern
war, sandte einen Kurier mit dem Befehl ab, den Tag des Zweikampfs bis zu seiner Zurückkunft zu verschieben, weil er selbst
dabei zugegen sein wollte. Die Herzoge von Berry, Burgund und
Bourbon kamen ebenfalls nach Paris, um dies Schauspiel mit anzusehen. Man hatte zum Kampfplatz den St. Katharinenplatz gewählt, und Gerüste für die Zuschauer aufgebaut. Die Kämpfer
erschienen vom Kopf bis zu den Füßen gewaffnet. Die Dame saß
auf einem Wagen, und war ganz schwarz gekleidet. Ihr Mann
näherte sich ihr und sagte: Madame, in Eurer Fehde, und auf
Eure Versicherung schlage ich jetzt mein Leben in die Schanze,
und fechte mit Jakob dem Grauen; niemand weiß besser als Ihr,
ob meine Sache gut und gerecht ist. – Ritter, antwortete die
Dame, Ihr könnt Euch auf die Gerechtigkeit Eurer Sache verlassen, und mit Zuversicht in den Kampf gehen. Hierauf ergriff
Carouge ihre Hand, küßte sie, machte das Zeichen des Kreuzes,
und begab sich in die Schranken. Die Dame blieb während des
Gefechts im Gebet. Ihre Lage war kritisch; wurde Hans Carouge
überwunden, so wurde er gehangen, und sie ohne Barmherzigkeit
verbrannt. Als das Feld und die Sonne gehörig zwischen beiden
Kämpfern verteilt war, sprengten sie an, und gingen mit der
Lanze aufeinander los. Aber sie waren beide zu geschickt, als daß
sie sich hätten was anhaben können. Sie stiegen also von ihren
Pferden, und griffen zum Schwert. Carouge wurde am Schenkel
verwundet; seine Freunde zitterten für ihn, und seine Frau war
mehr tot als lebendig. Aber er drang auf seinen Gegner mit so
vieler Wut und Geschicklichkeit ein, daß er ihn zu Boden warf,
und ihm das Schwert in die Brust stieß. Hierauf wandte er sich
gegen die Zuschauer, und fragte sie mit lauter Stimme: Ob er
seine Schuldigkeit getan habe? Alle antworteten einstimmig, Ja!
Sogleich bemächtigte sich der Scharfrichter des Leichnams des
Jakobs, und hing ihn an den Galgen. Ritter Carouge warf sich

dem König zu Füßen, der seine Tapferkeit lobte, ihm auf der Stelle 1000 Livres auszahlen ließ, einen lebenslänglichen Gehalt von 200 Livres aussetzte, und seinen Sohn zum Kammerherrn ernannte. Carouge eilte nunmehr zu seiner Frau, umarmte sie öffentlich, und begab sich mit ihr in die Kirche, um Gott zu danken, und auf dem Altar zu opfern. Froissard erzählt diese Geschichte, und sie ist Tatsache.

ANHANG

Entstehung: Der Anfang des »Michael Kohlhaas« entstand vermutlich 1805/6 in Königsberg auf eine Anregung Ernst von Pfuels; »Die Marquise von O. . .« und »Das Erdbeben in Chili« wurden 1807 während der Gefangenschaft in Frankreich niedergeschrieben. Nach vorangegangener Veröffentlichung in Zeitschriften erschienen die drei Stücke im September 1810 als »Erzählungen von Heinrich von Kleist« in Reimers Realschulbuchhandlung. Die weiteren Erzählungen schrieb Kleist im Winter 1810/11 für seine »Berliner Abendblätter« und Kuhns »Freimüthigen«. Er faßte sie mit dem noch unveröffentlichten »Findling« und »Zweikampf« zu »Erzählungen, zweiter Teil« zusammen, die im August 1811 gleichfalls bei Reimer erschienen.

Zeugnisse zur Entstehung:

Kleist an Cotta, 17. 9. 1807: »Ew. Wohlgeboren haben durch den Hr. v. Rühle, während meiner Abwesenheit aus Deutschland, eine Erzählung erhalten, unter dem Titel Jeronimo und Josephe, und diese Erzählung für das Morgenblatt bestimmt. So lieb und angenehm mir dies auch, wenn ich einen längeren Aufenthalt in Frankreich gemacht hätte, gewesen sein würde, so muß ich doch jetzt, da ich zurückgekehrt bin, wünschen, darüber auf eine andre Art verfügen zu können . . .«

Adam Müller an Gentz, 10. 3. 1808: »Nun wollte ich über die vortreffliche Marquise von O. reden, die Sie mit demselben Rechte wie etwa eine Erzählung aus dem Dekamerone von Boccaz von einem Kunstjournale ausgeschlossen wissen wollen. Gegen Kleists Absicht und auf meinen dringenden Wunsch ist sie indes [in die Phöbus-Beiträge] eingeschlossen worden . . .«

Kleist an Reimer, 30. 4. 1810: »30 Thl. habe ich auf Abschlag eines Honorars von 50 Thl. für einen Band von Erzählungen, der in drei Monaten à dato abzuliefern ist, von H. Buchhändler Reimer, empfangen.« – Mai 1810: »Ich schicke Ihnen das Fragment vom Kohlhaas, und denke, wenn der Druck nicht zu rasch vor sich geht, den Rest, zu rechter Zeit, nachliefern zu können. Es würde mir lieb sein, wenn der Druck so wohl ins Auge fiele, als es sich, ohne weiteren Kostenaufwand, tun läßt, und schlage etwa den Persiles [von Cervantes, bei Reimer verlegt] vor. Der Titel ist: Moralische Erzählungen von Heinrich von Kleist.« – 5. 9. 1810: »In den [Morgenblatt-]Heften, liebster Reimer, die Sie mir geschickt haben, finde ich die Erzählung [»Jeronimo und Josephe«] nicht. Es ist mir höchst unangenehm, daß Ihnen diese Sache so viel Mühe macht. Hierbei erfolgt inzwischen die Marquise von O . . .«

Kleist an Reimer, 17. 2. 1811: »Sie haben mir gesagt, daß, wenn ich Ihnen, für die nächste Messe, einen zweiten Band Erzählungen schreiben wollte, Sie mir 100 Rth. Honorar dafür zahlen wollten. Nun frage ich bei Ihnen an, ob Sie sich ... entschließen können, mir dies Honorar sogleich praenumerando zu bezahlen? In diesem Fall, gehe ich den Kontrakt ein; und der Druck, da schon einige Erzählungen fertig sind, kann binnen 5 Monaten von hier beginnen.« – Juli 1811: »Dabei zeige ich zugleich an, daß ich mit einem *Roman* ziemlich weit vorgerückt bin, der wohl zwei Bände betragen dürfte, und wünsche zu wissen, ob Sie imstande sind, falls er Ihnen gefiele, mir bessere Bedingungen zu machen, als bei den Erzählungen. Es ist fast nicht möglich, für diesen Preis etwas zu liefern ...« [Der Roman ist verschollen.]

Brentano an Arnim, 10. 12. 1811: »Überhaupt werden seine Arbeiten oft über die Maßen geehrt, seine Erzählungen verschlungen. Aber das war ihm nicht genug, ja Pfuel sagt mir, daß sich vom Drama zur Erzählung herablassen zu müssen, ihn grenzenlos gedemütigt hat.«

MICHAEL KOHLHAAS (S. 9)

Erstdruck: Fragment im »Phöbus«, Heft 6, Juni 1808; bricht nach dem ersten Viertel mit »Die Fortsetzung folgt.« ab. – Unser Text nach »Erzählungen«, Berlin 1810.

Quellen: Christian Schöttgen und George Christoph Kreysig: »Diplomatische und curieuse Nachlese der Historie von Ober-Sachsen und angrentzenden Ländern«, 3. Teil, Dresden u. Leipzig 1731 (darin: »Nachricht von Hans Kohlhasen, einem Befehder derer Chur-Sächsischen Lande. Aus Petri Haftitii geschriebener Märckischer Chronic«). Kleists Quelle enthält bereits die Zurückhaltung der Pferde, die Verschleppung des Prozesses durch die sächsischen Gerichte, die Niederbrennung der Wittenberger Vorstadt, das Gespräch mit Luther, das Scheitern der Verhandlungen, den verhängnisvollen Rat Georg Nagelschmidts, das gespannte Verhältnis zwischen Sachsen und Brandenburg, Prozeß und Hinrichtung Montag nach Palmarum. Außerdem benutzte Kleist möglicherweise die bei Schöttgen erwähnten »Commentarii de Marchia et rebus Brandenburgicis« von Nicolas Leutinger.

Fremdwörter und veraltete Ausdrücke

Dechant = Dekan, Kirchenvorstand; *Deklaration* = öffentliche Erklärung; *Deposition* = Hinterlegung; *Edikt* = Erlaß; *das Erkenntnis* = Urteil; *Expresser* = eigener Bote; *Famulus* = Gehilfe; *die Gegenpart* = Prozeßgegner; *Gubernial* ... = Verwaltungs...; *Gubernium* = Verwaltung, Gouvernement; *Insinuation* = Eingabe; *Irritanzen* = Reizmittel; *Konjekturen* = Vermutungen; *Konklusum* = Beschluß;

Mandat = Strafbefehl; *Offiziant* = Bediensteter; *Okular-Inspektion* = Besichtigung; *Querulant* = Streitsüchtiger; *peremtorisch* = alles andere ausschließend; *Präliminar-Maßregel* = einleitende Maßregel; *rabulistisch* = spitzfindig; *reklamieren* = beanspruchen; *Requisition* = Ermittlung; *Reskript* = amtlicher Bescheid; *Resolution* = Entscheid; *Spezifikation* = Aufzählung; *Statuierung* = Aufstellung; *stipulieren* = vertraglich festsetzen; *Supplik* = Bittgesuch.

S. 9, Z. 6 – *in einem Dorfe, das noch von ihm den Namen führt:* Der Name Kohlhaasenbrück (zwischen Potsdam und Berlin) geht nicht auf Kohlhaas zurück.

S. 11, Z. 27 – *nach der Tafelrunde reiten:* Anspielung auf die Artussage.

S. 15, Z. 21 – *wenn der H[ans] A[rsch] die Pferde nicht wiedernehmen will:* In einer anonymen Rezension des Kohlhaas-Fragments im Phöbus schreibt K. A. Böttiger (im »Freimüthigen«, 5. 12. 1808), daß man aus dergleichen »schönen Wendungen« Kleist als Verfasser dieses Machwerks erraten würde, ohne daß er seinen Namen beizufügen brauche.

S. 26, Z. 10 – *auf eine sonderbare Art:* für »besonders«.

S. 30, Z. 25 – *Vergib deinen Feinden . . . .:* nach der Bergpredigt, Lukas 6, 27: »Liebet eure Feinde; tut denen wohl, die euch hassen«.

S. 31, Z. 34 – *beritt sie:* für »machte sie beritten«. Mit diesem Absatz schließt das Phöbus-Fragment.

S. 33, Z. 16 – *wenige Momente nachdem der Schuppen . . . zusammenstürzte:* gemeint ist natürlich »bevor«.

S. 42, Z. 19 – *Unter diesen Umständen übernahm der Doktor Martin Luther das Geschäft:* Hafftitz: »D. Luther seeliger hat, in Erwegung und Behertzigung aller Umstände, und zu Verhütung weiter Ungelegenheit, so zu beyden Theilen daraus erwachsen könte, an Kohlhasen geschrieben, und verwarnt von seinem Fürnemen abzustehen, und hat ihm allerley zu Gemüthe geführet, was ihm darauff stünde, und wie Gott seine Verletzung, wo er ihm die Ehre und Rache nicht würde geben, wohl würde an Tag bringen und rächen.« Luthers historischer Brief, dessen Wortlaut Kleist schwerlich kannte, datiert vom 8. 12. 1534.

S. 44, Z. 30 – *Er kehrte . . . in ein Wirtshaus ein:* »Darauff ist Kohlhase ganz unvermerckt gen Wittenberg selb andere reutende kommen, und im Gasthofe eingekehret, seinen Diener in der Herberge gelassen, und auff den Abend für D. Luthers Thür gegangen, angeklopffet, und begehret den D. zur Sprache zu haben. Als aber der D. sein Gesind sich nahmkündig zu machen, und was sein Begehr wäre zu entdecken, ihm etliche mahle sagen lassen, welches er nicht hat thun wollen, und doch starck drauff gedrungen, er müste den D. in eigener Person zu Sprache haben, ists dem D. eingefallen, daß es vielleicht Kohlhase seyn möchte, ist deßwegen selbst an die Thür gegan-

gen, und zu ihm gesaget: Numquid tu es Hans Kohlhase? hat er geantwortet: Sum Domine Doctor. Da hat er ihn eingelassen, heimlich
in sein Gemach geführt, den Herrn Philippum, Crucigerum Majo-
rem, und andere Theologen zu sich beruffen lassen, da hat ihnen
Kohlhase den gantzen Handel berichtet, und sind späte bey ihm in die
Nacht geblieben. Des Morgens frühe hat er dem D. gebeichtet, das
hochwürdige Sacrament empfangen, und ihnen zugesagt, daß er von
seinen Fürnemen wolte abstehen, und dem Lande Sachsen keinen
Schaden hinfort zufügen, welches er auch gehalten. Ist also unerkennt
und unvermerckt aus der Herberge geschieden, weil sie ihm getröstet,
seine Sache befodern zu helffen, daß sie eine gute Endschaft solle gewinnen.«

S. 45, Z. 22 – *mit der Gemeinheit der Menschen:* für »Gemeinschaft«,
ebenso S. 42, Z. 34: *in die friedliche Gemeinheit.*

S. 47, Z. 16 – *kann sein! indem er ans Fenster trat: kann sein, auch
nicht!:* Auffällige Abhängigkeit von »Wallensteins Tod«, 5, 5: »Hätt
ich vorher gewußt, was nun geschehn, / Und hätte mir das Herz, wie jetzt, gesprochen – /
Kann sein, ich hätte mich bedacht – kann sein / Auch nicht – Doch
was nun schonen noch? Zu ernsthaft / Hats angefangen, um in nichts
zu enden. / Hab es denn seinen Lauf! (Indem er ans Fenster tritt)«

S. 79, Z. 22 – *geschlossen wie er war:* für »gefesselt«.

S. 80, Z. 13 – *mit einem herzlichen Blick:* »herrlichen« im Erstdruck
ist offenbar ein Druckfehler.

S. 88, Z. 15 – *überall:* hier wie auch sonst für »überhaupt«.

S. 91, Z. 1 – *römische Sibylle:* die Sibylle von Cumä, auch in Kleists
»Hermannsschlacht« erwähnt. Z. 2 – *das Zeichen würde sein . . .:* Eine
ähnliche Begebenheit hatte Kleist 1801 in dem anonymen Roman
»Der Kettenträger« (1796) gelesen. Ein Jude sagt zum Beweis seiner
Wahrsagekunst voraus, daß von zwei Spanferkeln das schwarze gege-
gessen, das weiße aber dem Kettenhund zuteil würde. Daraufhin
wird dem Koch heimlich der Befehl gegeben, das weiße Ferkel zu-
zubereiten, doch kommt in der Küche der Hund darüber, so daß der
Koch nun das schwarze schlachtet und somit die Prophezeiung in Erfüllung geht.

S. 94, Z. 36 – *seiner Milde ungeachtet:* Enthauptung statt des ihm
zustehenden Rads und Galgens!

S. 96, Z. 38 – *seiner Frauen Hals:* ältere Form für »der Hals seiner
Frau«.

S. 99, Z. 20 – *Montag nach Palmarum:* Dieses Datum der Hinrichtung, am Montag vor Ostern 1540, entnahm Kleist seiner Quelle.

S. 102, Z. 13 – *seinen beiden Söhnen Heinrich und Leopold:* Die Namen sind unhistorisch, entsprechen aber den Vornamen Kleists und
seines einzigen Bruders.

Erstdruck: »Phöbus«, Heft 2, Febr. 1808. – Unser Text nach »Erzählungen«, Berlin 1810.

Quellen: In der Weltliteratur verbreitet ist das Motiv, daß eine Frau im Schlaf oder in der Ohnmacht unwissend empfängt. Kleists Erzählung liegt als stoffliche Anregung wahrscheinlich folgende derbe Anekdote aus Montaignes »Essai über die Trunksucht« (1588) zugrunde:

»In der Gegend von Bordeaux bei Castres, wo sie ihr Haus hat, sagte eine Bauersfrau, eine Witwe von züchtigem Rufe, als sie die ersten Anzeichen von Schwangerschaft fühlte, zu ihren Nachbarn, daß sie sich guter Hoffnung glauben würde, wenn sie einen Mann hätte; aber als sie von Tag zu Tag in ihrem Argwohn bestärkt wurde und es endlich völlig offensichtlich war, entschloß sie sich, von der Kanzel verkündigen zu lassen, daß sie demjenigen, der sich zu dieser Tat bekenne, verzeihen und ihn, wenn er es gut finde, heiraten wolle. Ein junger Knecht ihres Hofes, ermutigt durch diese Bekanntmachung, erklärte, er habe sie an einem Fest nach reichlichem Weingenuß bei ihrem Herd so fest eingeschlafen gefunden und in so unschicklicher Weise, daß er die Gelegenheit nutzen konnte, ohne sie aufzuwecken: sie leben noch heute als Ehepaar zusammen.«

Als weitere Quelle kommt in Betracht die Erzählung »Die gerettete Unschuld« im »Berlinischen Archiv« von 1798. Einzelne Züge auch in August Lafontaines zu O** bei Marburg spielender Novelle »Verbrechen und Strafe« von 1799.

Fremdwörter und veraltete Ausdrücke

Arsenäle = Waffenlager (Mehrz.); *Depeschen* = wichtige ministerielle Berichte; *Detachement* = zu Sonderaufgaben abkommandierte Truppe; *Domestiken* = Dienstboten; *Expedition* = Beförderung; *General en Chef* = Oberbefehlshaber; *Haubitze* = Geschütz; *infam* = ehrlos; *Intelligenzblätter* = Inseratenzeitungen; *Kassation* = bedingungslose Entlassung; *Konsulta* = Konsult, Ergebnis einer Beratung (die feminine Form ist ungewöhnlich); *konvulsivisch* = krampfartig; *Korsar* = Seeräuber, Pirat; *Marquise* = französ. Adelstitel, »Markgräfin«; *Rapport* = dienstl. Meldung; *Reverberen* = Straßenlaternen; *schließen* = fesseln; *Seiger* = Uhr; *Sensation* = Empfindung; *Zitadelle* = Festung am Rand einer Stadt.

S. 104 (Untertitel) – *Nach einer wahren Begebenheit ...:* Der Untertitel findet sich nur im Inhaltsverzeichnis des Phöbus-Heftes.

S. 109, Z. 27 – *Phantasus ... Morpheus:* bei Ovid Söhne des Schlafgottes Somnus.

S. 138, Z. 25 – *und sah nun ... die Tochter ... in des Vaters Armen liegen:* Die Liebesszene zwischen Vater und Tochter hat ihr Vorbild in Rousseaus »Neuer Héloise«, 63. Brief. Böttiger zitiert sie in seiner anonymen Rezension im »Freimüthigen« von 1808 mit der Bemerkung: »Darf so etwas in einer Zeitschrift vorkommen, die sich Goethes besonderen Schutzes, ankündigungsgemäß, zu erfreuen hat, so muß entweder der Herausgeber mit uns scherzen wollen, oder dieser – oder Goethe –«

DAS ERDBEBEN IN CHILI (S. 144)

Erstdruck: Unter dem Titel »Jeronimo und Josephe. Eine Szene aus dem Erdbeben zu Chili, vom Jahr 1647« in Cottas »Morgenblatt für gebildete Stände«, 10.–15. Sept. 1807. – Unser Text nach »Erzählungen«, Berlin 1810, unter Wiederherstellung der Textabsätze des Erstdruckes. (Von den 29 Absätzen im »Morgenblatt« waren in der Buchausgabe nur mehr zwei beibehalten worden – aus Ersparnisgründen, weil sonst der Verleger einen neuen halben Druckbogen hätte anbrechen müssen.)

Quellen: Aus welchen Unterlagen Kleist seine ins einzelne gehende Kenntnis über das Erdbeben in Chile bezog, das am 13. 5. 1647 die Hauptstadt Santiago zerstörte, ist nicht bekannt. Anregungen entnahm er vermutlich auch Kants Beschreibung des Erdbebens von Lissabon (1755), wo es u. a. hieß: »Alles, was die Einbildungskraft sich Schreckliches vorstellen kann, muß man zusammen nehmen, um das Entsetzen einigermaßen vorzubilden ... Eine solche Erzählung würde rührend sein, sie würde, weil sie eine Wirkung auf das Herz hat, vielleicht auch eine auf die Besserung desselben haben können.« Die Namen der auftretenden Personen sind zum Teil die gleichen wie in Kleists »Familie Ghonorez (Schroffenstein)«: Jeronimo (Jeronimus), Fernando, Elvire (Elmire), Pedro, Philipp, Juan, Alonzo.

S. 148, Z. 8 – *ein Kind in seinen Fluten zu reinigen:* Zu dem auf »Quelle« bezüglichen falschen Pronomen »seinen« wurde Kleist vermutlich aus dem Bedürfnis nach ei-Lauten an dieser Stelle verführt: Weib, seinen, reinigen.

DIE VERLOBUNG IN ST. DOMINGO (S. 160)

Erstdruck: Unter dem Titel »Die Verlobung« in Kuhns Zeitschrift »Der Freimüthige oder Berlinisches Unterhaltungsblatt für gebildete, unbefangene Leser«, 25. März–5. April 1811. (Nachdruck im Wiener »Sammler«, Juli 1811; danach Theodor Körners leichtfertige Dramatisierung »Toni«, 1812.) – Unser Text nach »Erzählungen, zweiter Teil«, Berlin 1811.

Quellen: Einzelnes Material aus Rainsfords »Geschichte der Insel

Hayti«, Hamburg 1806, und Dubrocas »Geschichte der Empörung auf St. Domingo« (in der »Minerva«, 1805). Kleist war 1807 auf dem gleichen Fort Joux gefangen, in dem 1803 der Negergeneral Toussaint l'Ouverture, Dessalines' Vorgänger, gestorben war.

S. 160 (Titel) – *St. (Santo) Domingo:* spanischer Name für Haiti. Z. 15 – *Babekan:* So heißt in Wielands »Oberon« ein orientalischer Prinz. Über die Rolle der farbigen Weiber berichtete Dubroca: »Überhaupt nahmen die Negerinnen und Mulattinnen einen sehr tätigen und unmittelbaren Anteil an den Verbrechen und Gräueln aller Art.« Z. 23 – *auf die unbesonnenen Schritte des National-Konvents:* 1794 war in Paris den Negern des französischen Teils der Insel Freiheit und Gleichberechtigung zugesprochen worden; daraufhin beschlossen die weißen Kolonisten, lieber zu sterben, als ihre Rechte mit einer »entarteten Menschenrasse« zu teilen.

S. 161, Z. 9 – *Mestize:* hier Mischling zwischen Weißen und Mulatten. Z. 27 – *General Dessalines:* ehemals Negersklave, Adjutant Toussaint l'Ouvertures, 1803 Oberbefehlshaber; zwang die Franzosen zur Räumung der Insel. Z. 28 – *Port au Prince:* Hauptstadt des französ. Gebiets, von der eine Heerstraße zum Fort Dauphin führte.

S. 162, Z. 31 – *Latz:* Bruststück am Kleid.

S. 172, Z. 24 – *ein Mädchen von vierzehn Jahren und sieben Wochen:* nach Gellerts Fabel, in der sich ein Mädchen darüber empört, daß es zu jung zum Freien sei: »Ich sollt erst vierzehn Jahre sein? Nein, vierzehn Jahr und sieben Wochen.«

S. 175, Z. 21 – *an den Ufern der Aar:* Dort wollte sich 1803 Kleist selbst ansiedeln.

S. 186, Z. 2 – *und, beim Himmel, es ist nicht die schlechteste Tat, die ich in meinem Leben getan:* nach Schillers »Räubern«, IV, 5: »und es ist beim Teufel nicht das Schlechteste, was ich in meinem Leben getan habe.«

S. 188, Z. 34 – *Vetter Gustav:* Kleist schreibt hier und die nächsten drei Male irrtümlich »August«, ein Versehen, das er auch in der Buchausgabe nicht beseitigt hat. Z. 38 – *als eine Art von Geißel:* Dubroca berichtete, daß die Franzosen die beiden Knaben l'Ouvertures als Geiseln verwendet hätten.

S. 193, Z. 8 – *Gefühl gemeinen Mitleidens:* für »einfachen Mitleidens«.

S. 194, Z. 13 – *da er sich das Pistol in den Mund gesetzt hatte:* Wenige Monate nach der Niederschrift nahm sich Kleist auf gleiche Weise das Leben. Achim von Arnim an die Brüder Grimm: »Im letzten Bande seiner Erzählungen soll eine ähnliche Geschichte stehen wie sein Tod.«

DAS BETTELWEIB VON LOCARNO (S. 196)

Erstdruck: »Berliner Abendblätter«, 11. Okt. 1810. – Unser Text nach »Erzählungen, zweiter Teil«, Berlin 1811.

Quellen: »Das Bettelweib von Locarno verdankt seinen Ursprung einem Abenteuer, einer Art Spukgeschichte, die dem Bruder von Ernst in Gielsdorf bei dem alten Onkel, dem Ritterschaftsdirektor von Pfuel, passiert war.« (Notiz im Pfuel-Archiv)

S. 196, Z. 2 – *Marchese:* italien. Form von »Marquis« (»Markgraf«), weibl. »Marchesa«; Kleist wechselt zwischen italien. und französ. Formen.

DER FINDLING (S. 199)

Erstdruck: »Erzählungen, zweiter Teil«, Berlin 1811.

Quellen: Molières »Tartuffe«, das Urbild des bigotten und lüsternen Erbschleichers, wird von Kleist selbst erwähnt. In einer Fabel des römischen Schriftstellers Hyginus, die Kleist durch Hederichs Mythologisches Lexikon kennen konnte, wird die Witwe Laodamia von einem Diener durch einen Türspalt beobachtet, wie sie ein Bild ihres verstorbenen Gatten verehrt, wodurch sie bei ihrem Vater in falschen Verdacht gerät.

S. 203, Z. 7 – *trepanieren:* den Schädel aufmeißeln.

S. 204, Z. 9 – *Caravinen:* Glasflaschen mit eingeschliffenem Stöpsel (italien. »Caraffina«, Krüglein).

S. 210, Z. 15 – *logogriphische Eigenschaft:* für Buchstabenrätsel geeignet. »Colino« ist die italien. Verkleinerungsform von »Nicolo«, was Kleist, der eine Vorliebe für Buchstabenspiele zeigt, entgangen war.

S. 213, Z. 3 – *Nemesis:* griechische Rachegöttin. Z. 20 – *Tartüffe:* Hauptperson des gleichnamigen Molièreschen Lustspiels.

S. 214, Z. 32 – *Wohnungen des ewigen Friedens:* hier für den Himmel, in der »Verlobung« (S. 195, Z. 1) für die Gräber gebraucht.

S. 215, Z. 17 – *del popolo:* Piazza del Popolo, berühmter Platz im nördlichen Rom.

DIE HEILIGE CÄCILIE (S. 216)

Erstdruck: »Berliner Abendblätter«, 15.–17. Nov. 1810. – Unser Text nach der erweiterten Fassung in »Erzählungen, zweiter Teil«, Berlin 1811.

Quellen: Anregung vielleicht durch einen Bericht von Matthias

Claudius über vier wahnsinnige Brüder in einem Hamburger Spital (Werke, Bd. 4, 1784): »Die merkwürdigsten von allen aber waren vier Brüder, die in einem Zimmer beisammen saßen gegen einander über wie sie auf dem Kupfer [von Chodowiecki] sitzen ... Herr Bernard sagte, sie säßen die meiste Zeit so und ließen den ganzen Tag wenig oder gar nichts von sich hören; nur so oft ein Kranker im Stift gestorben sei, werde mit drei Schlägen vom Turm signiert, und so oft die Glocke gerührt werde, sängen sie einen Vers aus einem Totenliede. Man nenne sie auch deswegen im Stift die *Toten-Hähne*.« Eine Nachdichtung von Justinus Kerner »Die vier wahnsinnigen Brüder« erschien 1824 in Cottas »Morgenblatt«.

S. 216, Z. 4 – *Prädikant*: Prediger.
S. 219, Z. 4 – *salve regina ... gloria in excelsis*: lateinische Anfangsworte berühmter Kirchenchöre. Z. 7 – *Estrich*: Fußboden. Z. 10 – *säkularisieren*: Umwandeln von Kircheneigentum in weltlichen Besitz, wie es 1648 im Westfälischen Frieden geschah.
S. 227, Z. 37 – *ein Breve*: einfaches päpstliches Schreiben.

DER ZWEIKAMPF (S. 229)

Erstdruck: »Erzählungen, zweiter Teil«, Berlin 1811.
Quellen: Anregungen aus der mittelalterlichen Chronik des Jean Froissart, wo von dem Zweikampf eines Jacquet le Gris mit Jehan de Carouge im Jahre 1387 berichtet wird (eine von Kleist mitbenutzte Nacherzählung war in den Hamburger »Gemeinnützigen Unterhaltungsblättern« von 1810 erschienen). Das Motiv des trügerischen Ausgangs eines Gottesgerichts hatte Kleist in den »Drangsalen des Persiles und der Sigismunda« (1808 bei Reimer erschienen) gefunden.

S. 229, Z. 6 – *die Nacht des heiligen Remigius*: 1. Oktober.
S. 234, Z. 18 – *Montag nach Trinitatis*: der Montag nach der Pfingstwoche.
S. 235, Z. 12 – *Landdrost*: Landvogt, Vertreter des Landesherrn.
S. 243, Z. 6 – *Session*: Gerichtssitzung. – *Deputation*: Abordnung. Z. 13 – *Tag der heiligen Margarethe*: 13. Juli. – Die folgende Schilderung weist eine überraschende Ähnlichkeit mit der Zweikampfszene in Kleists »Käthchen von Heilbronn«, V, 1, auf; auch die in beiden Dichtungen vorkommenden Personen heißen gleich: Friedrich, seine Mutter Helena, Kunigunde, Kammerzofe Rosalie, der Kaiser, der Erzbischof, der Prior des Augustinerklosters.
S. 247, Z. 7 – *Flammberg*: »Flamberg«, großes zweihändiges Schlagschwert.

Entstehung: Von Kleist für die »Berliner Abendblätter« geschrieben, die er vom 1. Okt. 1810 bis 31. März 1811 herausgab (im folgenden als »BA« zitiert).

S. 262 – *Tagesbegebenheit:* BA 2. Okt. 1810. Über den Tod des am 29. Sept. 1810 vom Blitz erschlagenen neunundvierzigjährigen Arbeitsmanns Pritz (bei Kleist: Brietz) hatten die Spenersche und die Vossische Zeitung vom 2. Okt. ausführlich berichtet, ohne den Vorfall mit dem Kapitän v. Bürger zu erwähnen. Kleist meldet die ihm wohl von dem Stabskapitän Christof Friedrich von Bürger selbst erzählte Begebenheit ohne Rücksicht auf die Witwe und die drei Kinder des Verstorbenen, weil ihn das anekdotisch Bedeutsame daran reizte. Kleists Bericht wurde mehrfach von anderen Zeitungen übernommen.

S. 262 – *Franzosen-Billigkeit:* BA 3. Okt. 1810. Die Quelle bildet der Nürnberger »Korrespondent von und für Deutschland«, 20. 1. 1808: »Vor geraumer Zeit kam Jemand unaufgefordert zu einem französischen Kommandanten in den preußischen Staaten, und wollte ihm verraten, wo man eine Quantität Bauholz verborgen habe. Der brave Kommandant wies ihn ab, und sagte: ›Lassen Sie Ihrem guten Könige dieses Holz, damit er einst Galgen bauen könne, um solche niederträchtige Verräter, wie Sie sind, daran aufzuhängen.‹« Die gleiche Quelle diente auch Johann Peter Hebel für seine Erzählung »Schlechter Lohn« im »Rheinländischen Hausfreund« von 1809.

S. 262 – *Der verlegene Magistrat:* BA 4. Okt. 1810. Hamburger Lokalanekdote; in der handschriftlichen Sammlung von Peter Friedr. Röding (1767–1846) auf den Hamburger Seidenhändler Sylingk bezogen, der zu Ende des 18. Jahrhunderts lebte. Eine ähnliche Anekdote von einem Pantoffelmacher erzählt Achim v. Arnim im »Preuß. Correspondenten« von 1814. – *arkebusiert:* erschossen.

S. 263 – *Der Griffel Gottes:* BA 5. Okt. 1810. Die Anekdote war Kleist durch Fürst Radziwill zugekommen, der sie noch 1828 erzählte, wobei er die entsprechenden Buchstaben POTEMPIONA aufzeichnete. Varnhagen vermerkt dazu: »Vom Fürsten Anton Radziwill aufgeschrieben, 1828 bei Rahel. Eine polnische Dame hatte sich ein prächtiges Grabmal errichten lassen, mit einer stolzen Inschrift, die ihr, ungeachtet ihres sehr weltlichen Wandels die Seligkeit zusprach. Bald nach ihrem Tode schlug der Blitz in das Denkmal, und ließ von der Inschrift nur die nebenstehenden Buchstaben in der angegebenen Ordnung stehen. Das Wort, welches sie bilden, heißt so viel als verdunkelt, verdammt.«

S. 263 – *Anekdote aus dem letzten preußischen Kriege:* BA 6. Okt. 1810. Kleists Anekdote geht vermutlich auf eine mündliche Überlie-

ferung zurück. – *Bassa Manelka, Bassa Teremtetem:* ungarische Flüche
aus der Husarentradition.

S. 265 – *Mutwille des Himmels:* BA 10. Okt. 1810. Offenbar aus
Kleistscher Familientradition stammend; Generalmajor Bernhard
Alexander v. Diringshofen, Chef des 24. Infanterieregiments zu
Frankfurt, war am 9. 1. 1776 gestorben. – *P...:* Carl Samuel Prot-
zen, 1770–82 Feldprediger des gleichen Regiments, hatte Kleist 1777
getauft.

S. 266 – *Charité-Vorfall:* BA 13. Okt. 1810. In den Abendblättern
hatte folgender Polizeirapport vom 7. 10. 1810 gestanden: »Ein Arbeitsmann, dessen Name noch nicht angezeigt ist, wurde gestern in
der Königsstraße vom Kutscher des Professor Grapengießer überge-
fahren. Jedoch soll die Verwundung nicht lebensgefährlich sein.« –
K.: Kohlrausch, Professor an der Charité.

S. 267 – *Der Branntweinsäufer:* BA 19. Okt. 1810. Angeregt durch
eine platte Anekdote in Kleists Konkurrenzblatt, dem »Beobachter
an der Spree« vom 8. 10. 1810: Der Sohn eines Juden, »der sich dem
Trunke leidenschaftlich ergeben hatte«, dem Vater aber Enthaltsamkeit versprach, »ging in Geschäften aus«; auf dem Hinweg wird er
durch ein buntgemaltes Firmenschild in Versuchung geführt, bleibt
aber »eingedenk seines Gelübdes«, um sich dann auf dem Rückweg
zur Belohnung seiner Standhaftigkeit einen doppelten Schnaps geben
zu lassen. Kleist verwandelt die optisch wirkende Versuchung in eine
akustische, wobei der verschieden gefärbte Klang der Berliner Glok-
ken reizvoll nachgeahmt wird. – *Pommeranzen, Kümmel, Anisette:*
drei Schnapssorten.

S. 268 – *Anekdote aus dem letzten Kriege:* BA 20. Okt. 1810. Wiederum gab eine anonyme Anekdote im »Beobachter an der Spree«
von 1810 die Anregung:

»Wahre Anekdote aus dem letzten Feldzuge.

Ein Tambour des preußischen Infanterieregiments von Puttkam-
mer zu Brandenburg geriet nach der Schlacht von Jena in französische Gefangenschaft. Er fand aber doch Gelegenheit, wieder zu entwischen und sich in den Besitz eines Gewehrs und scharfer Patronen
zu setzen. So bewaffnet, suchte er sich nun, mitten in dem Getümmel
des Krieges, nach seiner Heimat durchzuschleichen und, wo er Widerstand fand, sich den Weg mit Gewalt zu bahnen. Dies glückte
ihm auch einige Tage über und er streckte manchen Feind zu Boden.
Endlich wurde er aber doch von einem Kommando baierscher Soldaten zum Gefangnen gemacht und da es ausgemittelt wurde, daß
er aus der ersten Gefangenschaft entwischt sei und nachher manchen
getötet, so wurde er durch ein Kriegsgericht verurteilt, füsiliert zu
werden.

Nachdem man ihm diese Sentenz publiziert hatte, wurde er zum
Richtplatz geführt. Unerschrocken schritt er einher, und als er zu
dem, das Exekutionskommando anführenden baierschen Offizier

kam, stand er still und bat: ihm noch vor seinem Tode eine Gnade zu gewähren. Der Offizier bewilligte ihm seine Bitte. ›Nun so bitt ich‹, versetzte der zum Tode Verurteilte: ›mich im Hintern schießen zu lassen, damit der Balg ganz bleibe.‹«

Kleist verteidigt seinen Tambour in einem Brief an Prinz Lichnowsky als »eine so herrliche und göttliche Erscheinung«, »daß mich dünkt, das Unschickliche, was in seiner Tat liegt, verschwinde ganz und gar, und die Geschichte könnte, so wie ich sie aufgeschrieben, in Erz gegraben werden«. Wilhelm Grimm an Brentano, 6. 11. 1810: »Die Anekdoten von Kleist sind sehr gut erzählt und sehr angenehm, der Tambour, der sein Herz nicht zum Ziel will geben, hat aber ins Schwarze getroffen.«

S. 268 – *Anekdote* (Bach): BA 24. Okt. 1810. Kleists Quelle bilden die »Beispiele von Zerstreuung« in dem »Museum des Wundervollen oder Magazin des Außerordentlichen«, 1807: »Ein bekannter Tonkünstler verlor seine Frau. Da sie in den Sarg gelegt werden sollte, kam seine Tochter zu ihm und forderte einige Groschen zu Band, womit an dem Leichengewande etwas gebunden werden sollte. ›Ach! liebes Kind, antwortete er, du weißt, daß ich mich um Wirtschaftssachen nicht bekümmern kann, sag es der Mama.‹« Sehr hübsch ist der von Kleist hinzugefügte Zug, daß Bach die Antwort »unter stillen Tränen« gibt, wodurch der Anschein der Gleichgültigkeit vermieden wird (ähnlich in der Kapuziner-Anekdote). Die Anekdote bezieht sich nicht auf Bach, wie Kleist behauptet, sondern auf den Komponisten Georg Benda (1722–95).

S. 269 – *Französisches Exerzitium:* BA 25. Okt. 1810. *Batterie:* Artillerie-Einheit. – *placieren:* aufstellen. – *inzwischen:* während. – *abprotzen:* ein Geschütz von der Protze (dem Karren) heben. – *Feuerwerker:* ältere Bezeichnung für Artillerist.

S. 269 – *Rätsel:* BA 1. Nov. 1810. *Stiftsdame:* Angehörige eines (weltlichen) adligen Damenstifts. – Die von Kleist versprochene »Auflösung« des Rätsels erfolgte nicht.

S. 270 – *Korrespondenz-Nachricht:* BA 8. Nov. 1810. Der Berliner Schauspieler Karl Wilhelm Ferdinand Unzelmann (1753–1832) war wegen seiner Neigung zum Improvisieren bekannt. Der Vorfall scheint Kleist durch eine Privatkorrespondenz zugekommen zu sein.

S. 270 – *Anekdote* (Baxer): BA 22. Nov. 1810. Eine Beschreibung der englischen Faustkämpfe mit ihren bisweilen unglücklichen Folgen und Todesfällen hatte Kleist in Archenholz' »England und Italien« (Bd. 1, 1785) gefunden: »Die Kämpfer entkleiden sich gewöhnlich den Oberteil des Leibes, und so schlagen sie mit geballten Fäusten nackend auf einander los, während ein Kreis von Menschen um sie geschlossen wird ... Der Sieger, der oft mehr entkräftet als der Besiegte ist, wird nachher von den Zuschauern triumphierend weggebgleitet.« Während in der Auflage von 1785 noch von »Baxkunst«

und »Baxen« (gemäß der englischen Aussprache) die Rede ist, weist die Auflage von 1787 bereits die Schreibung »Boxkunst« auf.

S. 270 – *Anekdote* (Kapuziner): BA 30. Nov. 1810. Die anonyme Vorform dieser Anekdote ist uns vermutlich in einem Volkskalender von 1822 erhalten geblieben: »Zu einem Delinquenten, der sich über das abscheuliche Wetter beschwerte, als er zum Galgen geführt wurde, sagte der Mönch, der ihn begleitete: Laß mich erst klagen, du Lump, du brauchst doch den Weg nicht zweimal zu machen, aber ich muß wieder heim gehen.«

S. 271 – *Anekdote* (Jonas): BA 11. Dez. 1810. Schwächere Variation der Baxer-Anekdote, mit der sie den Aufbau und einige Einzelheiten gemeinsam hat; vermutlich als Lückenbüßer für einen von der Zensur gestrichenen Artikel niedergeschrieben, wofür auch die zur Streckung dienenden Absätze und die Wahl einer großen Schrifttype sprechen.

S. 271 – *Sonderbare Geschichte . . . in Italien:* BA 3. Jan. 1811. *Hotel:* Palast. – *Ecke einer Bank, unter welcher ein Kind lag:* zur Kennzeichnung des »Bankerts« wiederholt von Kleist gebrauchtes Bild.

S. 274 – *Neujahrswunsch eines Feuerwerkers:* BA 4. Jan. 1811. Der Scherz könnte auch von Cl. Brentano herrühren, worauf das verspätete Erscheinen und gewisse Anklänge an Brentanos Philister-Abhandlung (1811) deuten würden:

»[Die Philister als Volk habe ich nun] bis in die Festung Asbod auf einer musterhaften Retirade geführt, sie dort eine neun und zwanzigjährige Belagerung aushalten lassen, und dann das persönliche Gewehr strecken, die Fahnen der Namhaftigkeit ablegen und sie endlich auf dem Glacis, welches die Außenwerke der befestigten Innerlichkeit von dem Ozean der weiten Welt trennt, auseinander laufen lassen.«

S. 276 – *Der neuere . . . Werther:* BA 7. Jan. 1811. Quelle unbekannt. – *Prinzipal:* Lehrherr.

S. 277 – *Mutterliebe:* BA 9. Jan. 1811. Kleist hielt sich im Oktober 1803 in St. Omer auf, wo er von dem Vorfall gehört haben mag.

S. 277 – *Unwahrscheinliche Wahrhaftigkeiten:* BA 10. Jan. 1811. Von einer Kugel, die bei dem Lübecker Straßenkampf von 1806 einem Oberjäger »vorn in die Brust hinein- und hinten herausgegangen« war, wobei sie ihren Weg »um eine Rippe genommen« hatte, berichtete Graf Yorck von Wartenburg (Ludwig v. Reiches Memoiren, 1857). Die zweite Begebenheit mag sich während Kleists und Pfuels Dresdner Aufenthalt 1803 zugetragen haben; bei seiner Schilderung der Sandsteingewinnung verwechselt Kleist die in die Felsspalten gelegten Tonpfeifen, deren Zerbrechen das Loslösen der Blöcke anzeigt, mit den zur Sprengung eingetriebenen Keilen. Als Quelle der dritten Begebenheit meint Kleist nicht Schillers eigene Darstellung, sondern die als Anhang von Schillers »Geschichte vom Abfall der Niederlande« erschienene Fortsetzung von Carl Curths, Teil 3, Leip-

zig 1809: »Einen jungen Menschen von des Herzogs Leibwache ergriff auf der Brücke, nahe an der Flandrischen Küste, ein Wirbel, und
schleuderte ihn über den ganzen Strom auf das Brabantische Ufer,
ohne daß er eine andere Beschädigung als eine kleine Verletzung an
der Schulter beim Herabfallen erhielt.« In einem anderen Zusammenhang hieß es bei Curths: »So fabelhaft und unglaublich das scheint,
gibt uns doch die Geschichte hinreichende Aufschlüsse über den Zusammenhang dieses rätselhaften Ereignisses.« Kleist stellt hier also
dem *Dichter* Schiller den *Geschichtsschreiber* Curths gegenüber.

S. 281 – *Sonderbarer Rechtsfall in England:* BA 9. Febr. 1811. Als
Quelle diente eine längere Erzählung »Der Schein trügt« im »Museum des Wundervollen«, 1805. Die, nach der Tendenz des Museums
zu urteilen, historische Begebenheit spielt zur Zeit der Königin Elisabeth. Ein durch merkwürdiges Zusammentreffen von Indizien des
Mordes an seinem Nachbarn beschuldigter Bauer soll zum Tode verurteilt werden. Einer der zwölf Geschworenen weigert sich, dem
Urteil zuzustimmen, so daß der Angeklagte freigesprochen werden
muß, und entdeckt später dem Richter, daß er selbst der unschuldige,
in Notwehr handelnde Mörder gewesen war. Kleist vereinfacht den
verwickelten Bericht. Aus den sich streitenden Bauern werden Edelleute; der Mord geschieht nicht mehr durch eine Mistgabel, sondern
ähnlich wie in Kleists »Zweikampf« durch einen Schuß im Dunkel
aus dem Busch; die verschiedenen Verdachtsgründe werden auf
einen einzigen reduziert. Kleist läßt ferner die Figur des Lord Präsidenten fort, statt dessen kommt der Fall vor den König; auch fehlt
jedes historische Detail.

ANEKDOTEN-BEARBEITUNGEN (S. 283)

S. 283 – *Anekdote* (Napoleon): BA 14. Nov. 1810. Als Quelle
dienten Zschokkes »Miszellen für die Neueste Weltkunde«, 31. 10.
1810. In einem Bericht »Aus Deutschland« werden dort einige Anekdoten, die Rühle von Lilienstern von einem Franzosen erfahren hatte,
aus Rühles anonymer »Reise mit der Armee im Jahre 1809«, Bd. 2,
1810, abgedruckt. Sowohl Zschokke selbst wie Kleists Freund Rühle
waren Napoleon-Verehrer, was Kleist nicht hinderte, die Anekdote
für die Abendblätter zu bearbeiten. Sie lautete in den »Miszellen«:

»Auch habe man Beispiele, daß der Kaiser von heftiger Rührung
übermeistert werde. So habe er bei der Schlacht von Aspern den verwundeten Marschall Lannes mit großer Bewegung lange in seinen
Armen gehalten; und aus eben jener Schlacht erzähle man, der Kaiser
habe im Kartätschenfeuer auf dem Schlachtfelde den Angriff seiner
Kavallerie auf die österreichischen Linien beobachtet; ringsum hätten
eine Menge Blessierter schweigend im Staube gelegen, um dem Kai-

ser nicht mit ihrem Wehklagen zur Last zu fallen. Als aber bald darauf ein Kürassierregiment, feindlicher Übermacht ausweichend, über die Schweigenden wegsprengte, hätte sich ein lautes Geschrei erhoben, mit dem untermischten Ausruf: Vive l'Empereur! Vive Napoléon! Darauf habe der Kaiser die Hand vors Gesicht gehalten und die Tränen seien ihm über die Wangen herab gestürzt.«

S. 283 – *Uralte Reichstagsfeierlichkeiten:* BA 17. Nov. 1810. Kleist entnahm die Anekdote den »Gemeinnützigen Unterhaltungsblättern«, Hamburg, 27. 10. 1810. Der »altdeutsche Schwank« geht auf den ungenannten Hans Sachs (»Der blinden kampf mit der Säw«) zurück; merkwürdigerweise steht Kleists Bearbeitung dem Sachsschen Schwank näher als die von Kleist selbst als Quelle genannte Hamburger Vorlage.

S. 284 – *Anekdote* (Diogenes): BA 6. Dez. 1810. Als Quelle dienten die »Gemeinnütz. Unterhaltungsblätter«, 22. 9. 1810:

»Das Grab des Diogenes.

Man fragte den Diogenes, wo er nach seinem Tode begraben sein wollte. ›Mitten auf dem Felde,‹ antwortete er. ›Wie?‹ versetzte jemand: ›fürchtest du nicht, den Vögeln und wilden Tieren zur Speise zu dienen?‹ ›So lege man meinen Stab neben mich,‹ antwortete er: ›damit ich sie wegjagen könne, wenn sie herbei kommen sollten.‹ ›Aber,‹ sagte man hierauf: ›da wirst du ja keine Empfindung mehr haben.‹ ›Was liegt also mir daran,‹ erwiderte er: ›ob sie mich fressen oder nicht, weil ich doch nichts davon empfinden werde.‹‹«

S. 285 – *Helgoländisches Gottesgericht:* BA 6. Dez. 1810. Quelle ebenfalls die »Gemeinnütz. Unterhaltungsblätter«, 6. 11. 1810 (»Einige Nachrichten von der Insel Helgoland und ihren Bewohnern«): »Ein vortreffliches Mittel zur Vermeidung oder Beendigung ihrer Zänkereien ist das unter ihnen gewöhnliche Loosen, wozu sie in zweifelhaften Fällen sogleich ihre Zuflucht nehmen. Die Mannspersonen nehmen ihre Lootsenzeichen (Medaillons von Messing mit ihrer Nummer, die sie als Lootsen haben und beständig bei sich tragen), werfen diese in einen Hut und greifen eins davon heraus. Der Eigentümer desselben bekommt dann Recht.« Kleist faßt diesen Vorgang, der nach den weiteren Ausführungen in seiner Vorlage eher ein Fetischismus ist, als »Gottesgericht« auf und läßt dementsprechend einen »Schiedsrichter« entscheiden.

S. 285 – *Beispiel einer unerhörten Mordbrennerei:* BA 8. Jan. 1811. Dem »Korrespondent von und für Deutschland«, 10. 4. 1808, entnommen. Von Kleist sind die ersten Sätze mit ihren Anspielungen auf die Berliner Mordbrennerbande, von denen die Abendblätter häufig berichtet hatten; ab Zeile 11 dann fast wörtlich der Vorlage entnommen.

S. 286 – *Merkwürdige Prophezeiung:* BA 8. Jan. 1811. Aus dem »Museum des Wundervollen«, Bd. 8, 1809, nach dem angegebenen anonymen französischen Werk von J. L. Dugas de Bois-Saint-Just.

Von Kleist stammt vor allem die Einleitung; er erzählt den Erfolg der Prophezeiung erst am Schluß, wobei er die Zeitangabe *Zehn Jahre darauf* nach eigenem Ermessen dazusetzt.

S. 286 – *Beitrag zur Naturgeschichte des Menschen:* BA 9. Jan. 1811. Von Kleist aus zwei verschiedenen Berichten des »Museum des Wundervollen«, Bd. 8, 1809, zusammengestellt: »Die unverbrennliche Kopini« und »Eine große Wassertrinkerin« (nach »Journal de Paris«, 1. 3. 1809).

S. 287 – *Wassermänner und Sirenen:* BA 5. und 6. Febr. 1811. Die ersten drei Absätze stammen fast wörtlich aus dem »Museum des Wundervollen«, Bd. 1, 1803; der letzte Absatz, ebenfalls nur leicht verändert, aus dem Nürnberger »Korrespondenten«, 6. 7. 1808. Den Hinweis auf den *neapolitanischen Fischnickel* (gemeint ist Nicola Pesce, das Vorbild von Schillers »Taucher«) fügt Kleist hinzu.

S. 288 – *Geschichte eines merkwürdigen Zweikampfs:* BA 20. und 21. Febr. 1811. Die Quellenverhältnisse sind verwickelt. Der Abendblatt-Beitrag berührt sich eng mit C. Baechlers Erzählung »Hildegard von Carouge und Jacob der Graue« in den Hamburger »Gemeinnützigen Unterhaltungsblättern«, 21. 4. 1810; andererseits gehen beide Fassungen unabhängig voneinander, wie sich an manchen Einzelheiten zeigen läßt, auf Froissarts »Chroniques de France« zurück, die wohl von Kleist, nicht aber von Baechler als Quelle zitiert wird. Der schwierige Sachverhalt würde nur verständlich, wenn man annimmt, daß beide Froissart-Bearbeitungen von dem gleichen Verfasser herrühren, wobei man sehr wahrscheinlich den Namen C. Baechler als ein Pseudonym ansehen darf. Der Abendblattbeitrag bildet eine Vorstufe zu Kleists Novelle »Der Zweikampf«, die ihrerseits wiederum deutliche Anklänge an Baechlers Bearbeitung besitzt, aber in ihrer Datierung (»gegen das Ende des vierzehnten Jahrhunderts«) auch auf Froissarts Chronik selbst verweist.

Nach Kleists Tod suchten sich Achim von Arnim und Clemens Brentano, Weggefährten seiner letzten Berliner Zeit, in ihren Briefen über den seltsamen, so ganz aus ihrer Art geschlagenen Zeitgenossen klar zu werden. Seine Erzählungen seien gewiß sehr brav, meinte Arnim, und seinem dramatischen Talent habe nur ein Theater gefehlt, das er hätte achten können. Im zweiten Band seiner Erzählungen gebe es eine Geschichte »wie Kleists Tod« (er meint »Die Verlobung in St. Domingo«, bei der sich Gustav zuletzt mit der Pistole im Mund eine Kugel durchs Gehirn jagt). Kleist habe überhaupt die Anlage zu einem zweiten Dante besessen, solche Lust habe er an der Quälerei seiner poetischen Personen. Durch Kleists Tod fühlte sich Arnim an die Sage vom Wolfdietrich erinnert, der zuletzt von all den Geistern, die er im Leben erschlagen, selbst umgebracht wird.

Nach Brentanos Ansicht waren Kleists Arbeiten über die Maßen geehrt, seine Erzählungen verschlungen worden; aber »das war ihm nicht genug, ja Pfuel sagt mir, daß, sich vom Drama zur Erzählung herablassen zu müssen, ihn grenzenlos gedemütigt hat«. Seine poetische Decke sei zu kurz gewesen; da habe es eben so weit kommen müssen, zumal er keinen recht herrlichen Freund gekannt und geliebt habe und im übrigen grenzenlos eitel gewesen sei. – In Brentanos Äußerungen ist die Mißgunst gegenüber dem Toten nicht zu verkennen. Eitel war Kleist gewiß nicht; aber es wird zutreffen, daß er sich stets als Dramatiker fühlte und auf diesem den Romantikern wesensfremden Gebiet mit selbstbewußtem Stolz seine eigentliche Leistung sah.

Erst spät und notgedrungen hatte er sich an das Schreiben von Erzählungen gemacht. Von seinen Dramen, für die sich keine Bühne fand und die, einmal gedruckt, keine Tantiemen brachten, konnte er nicht leben. Aber die Journale und Almanache, die Lesegesellschaften und Leihbibliotheken hatten Bedarf an spannenden und rührenden Erzählungen und Romanen, und zahlreiche Schriftsteller lebten davon.

So hatte der treue Rühle von Lilienstern das Manuskript einer ersten Kleistschen Erzählung an den Verleger Cotta geschickt, um dem Freund, der in Frankreich gefangen saß, etwas Geld zu verschaffen. Als Kleist, aus der Gefangenschaft zurückgekehrt, auf eine andere Art darüber verfügen will, ist »Jeronimo und Josephe« bereits im »Morgenblatt für gebildete Stände« in fünf Fortsetzungen erschienen. Wir wissen nicht, wann und wie Kleist an jene »Szene aus dem Erdbeben zu Chili« gelangt war. In den Briefen, in denen er wohl hin und wieder von der Arbeit an Dramen berichtet, schweigt er sich über seine Erzählungen völlig aus.

Sein nächstes großartiges Prosawerk, »Die Marquise von O . . . «, füllt auf Drängen Adam Müllers, gegen Kleists Absicht, das zweite Heft der von den beiden gegründeten Zeitschrift »Phöbus« und erregt vor allem unter der weiblichen Leserschaft sittliche Entrüstung. Kleist reagiert spöttisch mit dem Phöbus-Epigramm: »Dieser Roman ist nicht für dich, meine Tochter. In Ohnmacht! / Schamlose Posse! Sie hielt, weiß ich, die Augen bloß zu.«

Beim »Michael Kohlhaas«, gleichfalls im »Phöbus« abgedruckt, blieb die versprochene Fortsetzung bereits aus. Der Hinweis auf den Chronikstoff stammte vom Freund Pfuel, der eigentlich auf Kleists Wunsch selbst eine Tragödie hatte schreiben sollen. Nun wurde eine großangelegte Novelle daraus, bei der man noch deutlich den Dramatiker am Werk spürt. So lassen sich eine Anzahl Szenen herauslösen, die zwischen »Auftritt« und »Abtritt« mehr oder weniger lange Dialoge mit szenischen Hinweisen, detaillierten Angaben von Gebärden und Requisiten enthalten; und es wundert nicht, daß in Kleists Nachfolge manche Versuche einer Dramatisierung des »Kohlhaas« entstanden.

Zwei Jahre später verspricht Kleist dem Berliner Verleger Reimer gegen einen Vorschuß von 30 Talern, dem 20 Taler folgen sollen, »einen Band von Erzählungen, der in drei Monaten à dato abzuliefern ist«. Die Anzahl der Erzählungen wird im Vertrag nicht angegeben. Kleist verfügte nur über die drei in Zeitschriften erschienenen, von denen der »Kohlhaas« erst noch vollendet werden mußte. Kleist redigiert sorgfältig den Buchtext, ja er ändert folgsam die ungewöhnlichen Wortstellungen, die ihm seinerzeit ein mißgünstiger anonymer Rezensent (K. A. Böttiger) angekreidet hatte: »drauf er: sein Gewissen, spricht er . . .«, »doch sie: o was für ein Gesicht! rief sie . . .«, »wodurch auch hast du dir . . .« usw., oder tilgt das originelle »Wiederkäuen« einer Zeitungsanzeige. Besondere Sorgfalt verwendet er auf die Interpunktion; dieses für ihn so bedeutsame Hilfsmittel zur Kennzeichnung eines Vortragsrhythmus wurde von späteren Editoren lange Zeit nur verfälscht überliefert.

Der Erfolg des zur Herbstmesse 1810 erscheinenden Bandes veranlaßte Reimer, zur nächsten Messe einen zweiten Band zu erwägen, wofür er diesmal 100 Taler (aber nicht, wie Kleist dringend verlangt, im voraus) zahlen wollte. Kleist mußte sehen, wie er den Band füllte. Er verfügte inzwischen über eine weitere Erzählung, »Die Verlobung in St. Domingo«, die er vorab im Berliner Unterhaltungsblatt »Der Freimüthige« erscheinen ließ. Aus seinen eigenen, soeben eingegangenen »Berliner Abendblättern« ließen sich zwei Beiträge verwenden: die anekdotenartige Spukgeschichte »Das Bettelweib von Locarno« und die katholisierende Legende »Die heilige Cäcilie«, die er als Taufgeschenk für die Tochter des katholisch gewordenen Adam Müller verfaßt hatte und nun zu einer etwas längeren Erzählung ausweitete. Die herrlichen Anekdoten, die zur Füllung des täglich erscheinenden Blattes gedient hatten, wurden als unseriöse literarische Kleinware nicht der Aufnahme würdig erachtet und hätten den Umfang des schmalen Bandes auch nicht wesentlich verbessert.

Kleist entschloß sich zur Abfassung von zwei weiteren Erzählungen, wobei er auf Abendblatt-Material zurückgreifen konnte. Die kurze Historie eines mittelalterlichen Zweikampfs, die er in einem Hamburger Journal gefunden und in den »Berliner Abendblättern« abgedruckt hatte, regte ihn nicht nur zu der frei ausgestalteten Novelle »Der Zweikampf« an; er benutzte zugleich den Anfang des Hamburger Beitrags stilistisch zum Einstieg für die Erzählung vom »Findling«. So entstehen zwei Prosastücke von größter Gegensätzlichkeit. Die mittelalterliche Historie wird zum Loblied auf das vom Himmel gesegnete Vertrauen eines Menschen zum anderen. Das modernere Gegenstück schildert getäuschtes Vertrauen und schändliche Niedertracht. Hatte im »Erdbeben in Chili« nach allem Schrecken und menschlicher Boshaftigkeit die Gestalt des angenommenen Kindes noch einen die Dissonanzen auflösenden Ausklang bedeutet, so ist im »Findling« davon keine Rede mehr.

Sofort nach Fertigstellung des zweiten Bandes der »Erzählungen« bot Kleist seinem Verleger einen Roman an, mit dem er ziemlich weit vorgerückt sei und der wohl zwei Bände betragen dürfe. Allerdings müsse ihm Reimer bessere Bedingungen machen als bei den Erzählungen, da es fast unmöglich sei, »für diesen Preis etwas zu liefern«, und er andernfalls den Verleger wechseln müsse. Über diesen Roman ist viel gerätselt worden. Nach Kleists Tod schrieb Achim von Arnim an Savigny in einem erst kürzlich ans Licht gekommenen Brief, bei seinem letzten Gespräch mit Kleist habe dieser gesagt, »er habe Lust, ein Buch in der Art wie die ›Manon Lescaut‹ zu schreiben«, in der Art also jenes erfolgreichen Romans des 18. Jahrhunderts, mit dem Abbé Prévost in der Darstellung der Liebesleidenschaft als verhängnisvoller Naturmacht so etwas wie den ersten modernen Roman schuf. Gewiß ein gewichtiger Hinweis. Vermutlich aber kam Kleist nicht mehr dazu, den Plan auszuführen, mit dem vor allem der Verleger für einen neuen Honorarvorschuß gewonnen werden sollte, was mißglückte. Ferdinand Grimm, der nach Kleists Tod in der Reimerschen Firma arbeitete, wo ihm anscheinend Kleists Brief in die Hände fiel, fabelte seinen Brüdern von einem Kleistschen Roman vor, in zwei Bänden vollendet, von dem er zwar nichts gesehen habe, der aber sehr gut sein solle. Schwerlich wird nach Kleists Tod ein Manuskript davon, zumal ein fertiggestelltes, noch existiert haben.

Gegenüber dem ersten Band mit den drei in sich vollendeten Erzählungen wirkt der zweite, um hundert Seiten schmalere Band ungleichwertig. Aber immer gelingt es Kleist, vom ersten Satz an bis zu dem oft grausigen Ende zu fesseln und aufs äußerste zu schockieren. Eine schreckliche oder zumindest ungewöhnliche Situation ist gegeben, in der die Menschen wie auf einem Experimentierfeld oder Prüfstand zu reagieren haben und bestehen oder unter-

gehen. Sehr schön hat noch zu Kleists Lebzeiten Wilhelm Grimm
das Wesentliche der Kleistschen Erzählungen beschrieben, in denen
alles außerordentlich sei, in Sinnes- und Handlungsart wie in den
Begebenheiten. Diese Außerordentlichkeit aber gehe hervor »aus
dem Charakter der ungewöhnlichen Personen und aus solchen Lagen
der Welt, die das Ungewöhnliche mit sich führen,« und sei so »ein
schönes Mittel, Menschennatur und Welt in ihrer ursprünglichen
Kraft und ihrem unerschöpflichen Reichtum heraufzufördern«.

Die neuere Forschung, auch die des Auslands, beschäftigt sich in
zunehmendem Maß mit Kleists Erzählungen. Man ist auf die Doppel-
bödigkeit Kleistscher Prosa aufmerksam geworden, auf die Ambi-
valenz der Gestalten, auf die verborgene Ironie, die eindeutige Urteile
verbietet. Eine Tendenz, eine vom Dichter beabsichtigte weltan-
schauliche »Aussage« läßt sich so leicht nicht herauslesen; der Erzähler antwortet nicht auf die an ihn gestellten Fragen – er läßt seine
Gestalten agieren. Interpretationen unterschiedlicher Art erbrachten
widersprechendste Ergebnisse. Der gleiche Kleist, der im »Erdbeben«
oder im »Findling« Bigotterie und Klerikalismus bloßstellt, feiert
in der Cäcilien-Legende einen mystischen Katholizismus. Kleists
Adelsgenossen im »Kohlhaas«, im »Bettelweib«, in den Anekdoten
sind verächtliche Gestalten; aber Kleist scheut sich auch nicht, in
einer Anekdote, der ersten in den »Berliner Abendblättern«, von
einem Berliner Arbeiter zu berichten, der während eines Gewitters
den Stabskapitän von Bürger, einen »stillen und bescheidenen
Mann«, von dem Baum, unter dem sie standen, verdrängte, »worauf
der Brietz unmittelbar vom Blitz getroffen und getötet ward«. Die
Geschichte ist authentisch. Der Arbeitsmann Brietz hinterließ eine
Frau und drei Kinder.

Kleist kannte keine Rücksichtnahme; auch in den Anekdoten ist
er von einer oft grausamen Härte und Kraßheit. Für Achim von
Arnim war er »der unbefangenste, fast zynische Mensch«, der ihm
seit langem begegnet, dabei aber zugleich »der beste Kerl«. Kleist
selbst, der so rätselhafte, verwahrte sich gegen seine Kritiker: »Die
Welt nahm ich, ihr wißt's, wie sie steht.«

Helmut Sembdner

1777   18. Oktober (nach Kleists Angabe: 10. Oktober): Bernd Heinrich Wilhelm von Kleist wird als ältester Sohn eines preußischen Kompaniechefs und seiner zweiten Frau in Frankfurt a. d. Oder geboren. Zwei Stiefschwestern (darunter seine Lieblingsschwester Ulrike), drei Schwestern und ein Bruder.

1788   Tod des Vaters.

1792– Als Gefreiterkorporal, Fähnrich, Sekondeleutnant im Garde-
1799   regiment Potsdam. Teilnahme am Rheinfeldzug 1793–1795. Umgang mit Ernst von Pfuel, Rühle von Lilienstern, Marie von Kleist, Adolfine von Werdeck. Erste Gedichte.

1793   Tod der Mutter.

1799– Drei Semester Student (phil. et jur.) an der Universität Frank-
1800   furt a. d. Oder. Verlobung mit Wilhelmine von Zenge (1802 wieder gelöst). Reise mit verhülltem Ziel nach Würzburg. Danach in Berlin widerwillige Vorbereitung auf den Staatsdienst.

1801   Kant-Krise. Reise mit Ulrike über Dresden nach Paris; von dort allein in die Schweiz.

1802   Aufenthalt in der Schweiz. Bekanntschaft mit Heinrich Zschokke, Ludwig Wieland, Heinrich Geßner. Anregung zum *Zerbrochnen Krug*; Arbeit an *Robert Guiskard, Familie Schroffenstein*.

1803   Bei Christoph Martin Wieland. Arbeit an *Robert Guiskard*. Buchausgabe der *Familie Schroffenstein*. Aufenthalt in Leipzig und Dresden; Ernst von Pfuel, Johann Daniel Falk. Arbeit am *Amphitryon, Zerbrochnen Krug*. Reise in die Schweiz mit Pfuel. Nach Vernichtung des *Guiskard*-Manuskripts in Paris allein ohne Paß zur Nordküste, um französische Kriegsdienste zu nehmen; vom preußischen Gesandten nach Deutschland zurückgeschickt.

1804   Berlin. Eintritt in den Staatsdienst.

1805   Als Diätar an der Domänenkammer in Königsberg.

1806   Krankheitsurlaub. Arbeit an *Penthesilea, Michael Kohlhaas, Marquise von O...*
     14. Oktober: Schlacht bei Jena; Zusammenbruch Preußens.

1807   Kleist verläßt mit Pfuel Königsberg, wird in Berlin als angeblicher Spion verhaftet und nach Fort de Joux, später nach Châlons sur Marne gebracht. In Dresden erscheint inzwischen *Amphitryon* mit einer Vorrede von Adam Müller. Ende August in Dresden. Literaten- und Künstlerkreis mit Adam Müller, Rühle von Lilienstern, Ernst von Pfuel, Christian Gottfried Körner, Gotthilf Heinrich Schubert, Karl August Böttiger, Ferdinand Hartmann, Caspar David Friedrich, Baron Buol u. a.

September: *Erdbeben in Chili* (unter dem Titel: *Jeronimo und Josephe*) in Cottas »Morgenblatt«. Arbeit an *Penthesilea* und *Käthchen von Heilbronn*.

1808 »Phöbus, ein Journal für die Kunst«, hrsg. von Kleist und Adam Müller, mit Teilabdrucken aus *Penthesilea, Zerbrochner Krug, Robert Guiskard, Käthchen von Heilbronn, Michael Kohlhaas*; vollständig: *Marquise von O…*
März: Mißlungene Aufführung vom *Zerbrochnen Krug* in Weimar.
Herbst: Buchausgabe der *Penthesilea* bei Cotta.
Dezember: *Hermannsschlacht* fertig. Quellenstudien für *Zerstörung Jerusalems* und *Prinz von Homburg*.

1809 *Kriegslyrik.* Mit Friedrich Christoph Dahlmann in Österreich; Aufenthalt in Prag, da Wien von den Franzosen besetzt.
Mai: Napoleons Niederlage bei Aspern; Juli: sein Sieg bei Wagram. Vergeblicher Versuch, eine politische Zeitschrift »Germania« zu gründen; Rückkehr nach Frankfurt a. d. Oder.

1810 Reise nach Frankfurt a. Main; Rückkehr über Gotha nach Berlin. Umgang mit Adam Müller, Achim von Arnim, Clemens Brentano, Fouqué, Franz Horn, Rahel Varnhagen, Friedrich Schulz, Staegemanns.
März: Geburtstagsgedicht an Königin Luise überreicht. *Käthchen von Heilbronn* wird in Wien uraufgeführt.
August: *Erzählungen* (Michael Kohlhaas, Die Marquise von O…, Das Erdbeben in Chili).
Oktober 1810 bis März 1811: »Berliner Abendblätter« mit Kleists *Anekdoten* und *Essays*.

1811 *Erzählungen 2. Teil* (Die Verlobung in St. Domingo, Das Bettelweib von Locarno, Der Findling, Die heilige Cäcilie, Der Zweikampf).
September: Überreichung einer Handschrift von *Prinz von Homburg* an Prinzessin Maria Anna von Homburg, Gattin des Prinzen Wilhelm von Preußen. Vergebliche Bittgesuche in Sachen »Berliner Abendblätter« an Staatskanzler Hardenberg, Prinz Wilhelm, Friedrich Wilhelm III. Freundschaft mit der kranken Henriette Vogel.
21. November: Selbstmord am Wannsee bei Potsdam mit Henriette.

LITERATURHINWEISE

Bibliographien

Minde-Pouet, Georg: Kleist-Bibliographie 1914–1937. In: Jahrbuch
d. Kleist-Ges. 1921, 1922, 1923/24, 1929/30, 1933/37.
Rothe, Eva: Kleist-Bibliographie 1945–1960. In: Jahrbuch der Dt.
Schillerges. 5, 1961, S. 414–547.
Kreuzer, Helmut: Kleist-Literatur 1955–1960. In: Der Deutsch-
unterricht 13, 1961, S. 116–135.
Lefèvre, Manfred: Kleist-Forschung 1961–1967. In: Colloquia Ger-
manica 1969, S. 1–86.

Werkausgaben

Werke. Im Verein mit Georg Minde-Pouet und Reinhold Steig
hrsg. von Erich Schmidt. Kritisch durchgesehene und erläuterte
Gesamtausgabe. 5 Bde. Leipzig [1904/05]. – 2. Aufl. 7 Bde.
[Bd. 8, Kommentar, nicht erschienen]. Leipzig [1936/38].
Sämtliche Werke und Briefe. Hrsg. von Helmut Sembdner. 2 Bde.
8. ergänzte und revidierte Aufl. München 1985. – Als Taschen-
buchausgabe: 2 Bde. München 1987.

Zu Leben und Werk

Beißner, Friedrich: Unvorgreifliche Gedanken über den Sprach-
rhythmus. In: Festschrift für Paul Kluckhohn und Hermann
Schneider. Tübingen 1948, S. 427–444.
Birkenhauer, Klaus: Kleist. Tübingen 1977.
Blöcker, Günter: Heinrich von Kleist oder das absolute Ich. Berlin
1960. – Als Taschenbuch: Frankfurt a. M. 1977.
Fricke, Gerhard: Gefühl und Schicksal bei Heinrich v. Kleist. Berlin
1929. – Reprint: Darmstadt 1963.
Hohoff, Curt: Heinrich von Kleist in Selbstzeugnissen und Bild-
dokumenten. Hamburg 1958 (Rowohlts Monographien, Bd. 1).
Kommerell, Max: Die Sprache und das Unaussprechliche. Eine Be-
trachtung über Heinrich von Kleist (1937). In: M. K.: Geist und
Buchstabe der Dichtung. Frankfurt a. M. 1940, S. 243–317.
Maass, Joachim: Kleist, Die Fackel Preußens. Eine Lebensgeschichte.
München 1957. – »Vollständig überarbeitete« Neuauflage: Kleist.
Die Geschichte seines Lebens. Bern und München 1977.
Müller-Seidel, Walter: Versehen und Erkennen. Eine Studie über
Heinrich von Kleist. Köln 1961.
Müller-Seidel, Walter (Hrsg.): Heinrich von Kleist. Aufsätze und
Essays. Darmstadt 1967 (Wege der Forschung, Bd. 147).

Müller-Seidel, Walter (Hrsg.): Kleists Aktualität. Neue Aufsätze und Essays. Darmstadt 1981.

Schmidt, Jochen: Heinrich von Kleist. Studien zu seiner poetischen Verfahrensweise. Tübingen 1974.

Sembdner, Helmut: In Sachen Kleist. Beiträge zur Forschung. München 1974. – 2., vermehrte Auflage 1984.

Sembdner, Helmut (Hrsg.): Dokumente zu Heinrich von Kleist. Bd. 1 (Lebensspuren). Bd. 2 (Nachruhm). Frankfurt a. M. 1984.

Weiss, Hermann F.: Funde und Studien zu Heinrich von Kleist. Tübingen 1984.

Wichmann, Thomas: Heinrich von Kleist. Stuttgart 1988 (Sammlung Metzler).

Zu den Erzählungen und Anekdoten

Apelt, Hedwig u. Dirk Grathoff (Hrsg.): Das Erdbeben in Chili. Erläuterungen und Dokumente. Stuttgart 1986 (Univ. Bibl. 8175)

Conrady, Karl Otto: Das Moralische in Kleists Erzählungen. In: Müller-Seidel (Hrsg.): H. v. Kleist. Darmstadt 1967, S. 707–735.

Davidts, Hermann: Die novellistische Kunst Heinrichs von Kleist. Berlin 1913. – Reprint: Hildesheim 1973.

Gassen, Kurt: Die Chronologie der Novellen Heinrich von Kleists. Weimar 1920. – Reprint: Hildesheim 1976.

Geißner, Hellmut: Heinrich von Kleists Anekdote aus dem letzten preuß. Kriege. In: Deutschunterricht f. Ausl. 9, 1959, S. 153–164.

Graf, Günter: Der dramatische Aufbaustil der Legende Heinrich von Kleists »Die heilige Cäcilie«. In: Etudes Germaniques 24, 1969, S. 346–359.

Grawe, Christian: Zur Deutung von Kleists Novelle »Der Zweikampf«. In: German.-Roman. Monatsschrift N. F. 27, 1977, S. 416 bis 425.

Hagedorn, Günter (Hrsg.): Heinrich von Kleist, Michael Kohlhaas. Erläuterungen u. Dokumente. Stuttgart 1970 (Univ. Bibl. 8106).

Herrmann, Hans Peter: Zufall und Ich. Zum Begriff der Situation in den Novellen Heinrich von Kleists (1961). In: Müller-Seidel (Hrsg.): H. v. Kleist. Darmstadt 1967, S. 367–411.

Kayser, Wolfgang: Kleist als Erzähler (1954). In: Müller-Seidel (Hrsg.): H. v. Kleist. Darmstadt 1967, S. 230–243.

Klaar, Alfred (Hrsg.): Heinrich von Kleist, Die Marquise von O. . . Die Dichtung und ihre Quellen. Berlin [1922].

Koopmann, Helmut: Das »rätselhafte Faktum« und seine Vorgeschichte. Zum analytischen Charakter der Novellen Heinrich von Kleists. In: Zeitschr. f. dt. Philologie 84, 1965, S. 508–550.

Kunz, Josef: Die Novellen Heinrich von Kleists. In: J. K.: Die deutsche Novelle zwischen Klassik u. Romantik. Berlin 1966, S. 123–164.

Mann, Thomas: Heinrich von Kleist und seine Erzählungen (1954). In: Ges. Werke. Frankfurt a. M. 1960, Bd. 9, S. 823–842.

Meyer, Heinrich: Kleists Novelle »Der Zweikampf«. In: Jahrbuch der Kleist-Gesellschaft 1933–37, S. 136–169.

Mieder, Wolfgang: Triadische Grundstruktur in Heinrich von Kleists »Verlobung in St. Domingo«. In: Neophilologus 58, 1974, S. 395–405.

Moering, Michael: Witz und Ironie in der Prosa Heinrich von Kleists. München 1972.

Moore, Erna: Heinrich von Kleists »Findling«. Psychologie des Verhängnisses. In: Colloquia Germanica 1974, S. 275–297.

Müller-Seidel, Walter: Die Struktur des Widerspruchs in Kleists »Marquise von O...« (1954). In: Müller-Seidel (Hrsg.): H. v. Kleist. Darmstadt 1967, S. 244–268.

Politzer, Heinz: Der Fall der Frau Marquise. In: Dt. Vierteljahrsschrift f. Literaturwiss. u. Geistesgesch. 51, 1977, S. 98–128.

Samuel, Richard: Heinrich von Kleists Novellen. In: Dt. Weltliteratur. Festgabe für J. Alan Pfeffer. Tübingen 1972, S. 73–88.

Schanze, Helmut (Hrsg.): Wörterbuch zu Heinrich von Kleist, Sämtliche Erzählungen, Anekdoten und kleine Schriften. Tübingen 1989.

Schröder, Jürgen: Das Bettelweib von Locarno. Zum Gespenstischen in den Novellen Heinrich von Kleists. In: German.-Roman. Monatsschrift N.F. 17, 1967, S. 193–207.

Schultze-Jahde, Karl: Kohlhaas und die Zigeunerin. In: Jahrbuch der Kleist-Gesellschaft 1933–37, S. 108–135.

Schulz, Gerhard: Kleists »Bettelweib von Locarno« – eine Ehegeschichte? In: Jahrbuch d. Dt. Schillerges. 18, 1974, S. 431–440.

Sembdner, Helmut: Die Berliner Abendblätter Heinrich von Kleists, ihre Quellen und ihre Redaktion. Berlin 1939. – Reprint: Amsterdam 1970.

Sembdner, Helmut: Zu einigen Beiträgen der »Berliner Abendblätter« (1950/53). In: H. S.: In Sachen Kleist. München 1974, S. 102–120.

Sembdner, Helmut: Kleists Interpunktion. Zur Neuausgabe seiner Werke (1962). Ebenda, S. 149–171.

Silz, Walter: Das Erdbeben in Chili (1961). In: Müller-Seidel (Hrsg.): H. v. Kleist. Darmstadt 1967, S. 351–366.

Staiger, Emil: Heinrich von Kleist, Das Bettelweib von Locarno. Zum Problem des dramatischen Stils (1942). In: Müller-Seidel (Hrsg.): H. v. Kleist. Darmstadt 1967, S. 113–129.

Wiese, Benno von: Heinrich von Kleist, Das Erdbeben in Chili. In: Jahrbuch d. Dt. Schillerges. 5, 1961, S. 102–117.

Wittkowski, Wolfgang: »Die Heilige Cäcilie« und »Der Zweikampf«. Kleists Legenden und die romantische Ironie. In: Colloquia Germanica 1972, S. 17–58.

Heinrich von Kleist

Die berühmte Kleist-Edition von Helmut Sembdner hat der
Carl Hanser Verlag zuerst 1952 vorgelegt. Die Revision anhand der
Erstdrucke und Handschriften (1961) hat den Durchbruch in der
Kleist-Philosophie gebracht: erstmals wurde die originale Zeichensetzung
– bei Kleist ein wichtiges Stilmerkmal – in einer für den Leser und
Wissenschaftler gleichermaßen attraktiven Ausgabe zugänglich gemacht.
Die zahlreichen Neuauflagen in den folgenden Jahren sind nicht nur
ein Beweis für die gute Aufnahme der Edition, sondern sie wurden auch
regelmäßig zum Anlaß genommen, den aktuellen Stand der Forschung
einzubringen, d. h. den Textbestand zu vermehren und die
Anmerkungen zu ergänzen. So liegt jetzt mit der neunten, wiederum
revidierten Auflage erneut die Kleist-Ausgabe der HanserKlassiker vor,
die den Bücherfreund durch ihre Ausstattung, den Studenten durch den
gesicherten und kommentierten Text, den Wissenschaftler durch die
Zitierbarkeit überzeugt.

Heinrich von Kleist
Sämtliche Werke und Briefe
Herausgegeben von Helmut Sembdner
9. durchgesehene Auflage 1993
Zwei Dünndruckbände. Leinen. Zusammen 2048 Seiten.

bei Hanser